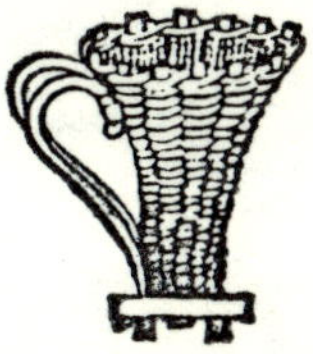

WIRTSCHAFTLICHE ENTWICKLUNG UND VERFASSUNGSRECHT

STUDIEN-BIBLIOTHEK

Jürgen Gotthold

Wirtschaftliche Entwicklung und Verfassungsrecht

Studien-Bibliothek

Kiepenheuer & Witsch

Gesamtherstellung F. L. Wagener, Lemgo
und Butzon & Bercker, Kevelaer
Printed in Germany 1975
Leinen ISBN 3 462 01086 7
Broschur ISBN 3 462 01085 9

Inhalt

Abkürzungsverzeichnis

a.a.O.	am angegebenen Orte
Anm.	Anmerkung
AöR	Archiv des öffentlichen Rechts
Art.	Artikel
Aufl.	Auflage
BB	Der Betriebsberater
Bd.	Band
bes.	besonders
BGBl.	Bundesgesetzblatt
BMWF	Bundesministerium für Wirtschaft und Finanzen
BMWi	Bundesministerium für Wirtschaft
BVerfG	Bundesverfassungsgericht
BVerfGE	Amtliche Sammlung der Entscheidungen des Bundesverfassungsgerichts
ders.	derselbe
DöV	Die öffentliche Verwaltung
DVBl.	Deutsches Verwaltungsblatt
entspr.	entsprechend
f.	folgende
ff.	folgende
GG	Grundgesetz
GGO	Gemeinsame Geschäftsordnung der Bundesministerien
h. M.	herrschende Meinung
Hrsg.	Herausgeber
i. d. R.	in der Regel
insb.	insbesondere
i. S.	im Sinne
JuS	Juristische Schulung
JZ	Juristenzeitung
KJ	Kritische Justiz
NJW	Neue Juristische Wochenschrift
OECD	Organisation für wirtschaftliche Zusammenarbeit und Entwicklung
o. J.	ohne Jahrgang
o. Verf.	ohne Verfasser
PVS	Politische Vierteljahresschrift
RGZ	Entscheidungen des Reichsgerichts in Zivilsachen
S.	Seite
sog.	sogenannt
Sp.	Spalte

StabG	Gesetz zur Förderung der Stabilität und des Wachstums der Wirtschaft (Stabilitätsgesetz)
u. a.	unter anderem
vgl.	vergleiche
VVDStRL	Veröffentlichungen der Vereinigung der Deutschen Staatsrechtslehrer
WuW	Wirtschaft und Wettbewerb
WWI-Mitteilungen	Wirtschaftswissenschaftliche Mitteilungen (herausgegeben vom wirtschaftswissenschaftlichen Institut der Gewerkschaften)
z. B.	zum Beispiel
Ziff.	Ziffer
zit.	zitiert
ZRP	Zeitschrift für Rechtspolitik

Einleitung

In der Zeit vom Erlaß des Grundgesetzes im Jahre 1949 bis zum Jahre 1966, also innerhalb von siebzehn Jahren, sind vierzehn Gesetze zur Änderung des Grundgesetzes ergangen. In der Zeit von 1967 bis 1969, also innerhalb von drei Jahren, waren es zwölf Gesetze zur Änderung des Grundgesetzes. Nicht alle diese zwölf zuletzt genannten Änderungsgesetze stehen in einem inneren Zusammenhang, bei den meisten von ihnen ist dieser Zusammenhang jedoch vorhanden. Diese Inflation von Verfassungsänderungen in diesen Jahren ist auch nicht zufällig, sondern wird von uns als Ausdruck eines Verfassungswandels betrachtet, der zunächst Folge eines Wandels der Wirtschaftspolitik ist, die allerdings ihrerseits wieder mit bestimmten wirtschaftlichen und gesellschaftlichen Änderungen im Zusammenhang steht.

Während andere wichtige Verfassungsänderungen, wie etwa die Wehrverfassung von 1954 und 1956 oder die Notstandsverfassung eine lebhafte Diskussion in der Öffentlichkeit und im verfassungsrechtlichen Schrifttum auslösten, war das bei den hier behandelten Fragen zunächst kaum der Fall. Die Vereinigung der Deutschen Staatsrechtslehrer hat sich 1968 mit dem Thema »öffentlicher Haushalt und Wirtschaft« beschäftigt; aber schon die Einengung der Fragestellung auf den öffentlichen Haushalt (statt auf den gesamten Staat) zeigt, daß man die Fragestellung, wie diese Arbeit sie behandelt, nicht in den Blick genommen hat. Das wird durch die Diskussionsbeiträge zu den Referaten von Friauf und Wagner[1] bestätigt. Erst etwa seit 1971 werden im verfassungsrechtlichen Schrifttum die mit diesem Schub von Verfassungsänderungen zusammenhängenden Fragen erörtert. Teilweise findet diese Diskussion auch unter dem Stichwort »Totalrevision des Grundgesetzes« statt.[2]

Wir vertreten in dieser Arbeit die These, daß sich in unserem politischen Gemeinwesen derzeit ein grundsätzlicher Wandel anbahnt, der in dieser »Inflation« von Verfassungsänderungen und einer Reihe einfacher Gesetze seinen Ausdruck findet. Die Statistik der Grundgesetzänderungen ist also nur aus dem Grunde an den Anfang dieser Arbeit gestellt worden, weil hier in auch für den Juristen sinnfälliger Weise zum Ausdruck kommt, daß – um es ganz allgemein zu sagen – sich etwas verändert. Die Änderungen des positiven Rechts scheinen uns aber Ausdruck eines über diese bloßen Textänderungen hinausgehenden Wandels der Verfassung zu sein.

Die im weiteren zu untermauernde Grundhypothese der Arbeit ist, daß dieser Verfassungswandel im Zusammenhang steht mit einem grundlegenden Wandel unseres politischen Gemeinwesens, der auf der ökonomischen Ebene seinen Ausdruck findet im Wandel der offiziellen Wirtschaftspolitik spätestens seit der »großen Koalition«, der mit den Stichworten Globalsteuerung, Finanzplanung und Konzertierte Aktion hier nur angedeutet werden soll. Auf die Fragen der Möglichkeiten eines Verfassungswandels wird sogleich noch zurückzukommen sein. Vorab ist jedoch zu klären, daß die Arbeit ferner von der unten noch zu klärenden Hypothese ausgeht, daß die Wirtschaftsordnung als Teil der Gesamtordnung eines politischen Gemeinwesens und die Wirtschaftspolitik und die ›politische Verfassung‹ (im juristischen Sinne) dieses Gemeinwesens in einem engen Zusammenhang stehen. Damit soll keineswegs in Abrede gestellt werden, daß es Zusammenhänge auch mit anderen Bereichen menschlichen Lebens und Zusammenlebens gibt, jedoch ist es uns nicht möglich, alle Zusammenhänge auf einmal zu erfassen, so daß wir hier von diesen abstrahieren müssen.

Wenn wir von einem Zusammenhang von wirtschaftlicher Ordnung (als wichtigem Teil des ›gesellschaftlichen Bereichs‹) und Verfassung ausgehen, so unterstellen wir keineswegs eine eindeutige, kausale Beziehung des juristischen ›Überbaus‹ zur ›realen Basis‹ etwa im Sinne eines vulgarisierten Marxismus.[3] Ohne die komplizierten Fragen dieses Zusammenhanges im einzelnen und schon an dieser Stelle klären zu können, erscheint es immerhin wichtig, voranzustellen, daß unser Vorverständnis dahin geht, daß zwischen beiden Bereichen Wechselbeziehungen bestehen, wobei der ›realen Wirklichkeit‹ – hier insbesondere wirtschaftlichen Gegebenheiten – eine gewisse Präponderanz zukommen mag, die sich zwar häufig – aber oft nur auf Umwegen und langfristig – durchsetzt.[4] [5]

Damit kommen wir zur Frage des Verfassungswandels und dessen Beziehung zur Änderung der gesellschaftlichen Realität zurück.[6] Statt Verfassungswandel können wir, um es ›juristischer‹ auszudrücken, auch ›Änderungen des Verfassungsrechts‹ sagen.[7] Wichtig ist jedoch, daß eine solche Verfassungsänderung nicht nur Folge einer Änderung des Verfassungstextes zu sein braucht. Im Zusammenhang mit einer vom verfassungsändernden Staatsorgan vorgenommenen Änderung des Verfassungstextes oder ohne einen solchen Zusammenhang kann sich eine ›Verfassungsänderung‹ aus einer neuen Interpretation des unveränderten Wortlauts der Verfassung ergeben. Damit kommt die Rolle des Verfassungsinterpreten – des Juristen und der Rechtswissenschaft (hier der Verfassungs- und Staatsrechtslehre) – in den Blick. Wir werden uns daher im Verlaufe der Arbeit teilweise intensiver mit der Wissenschaft vom öffentlichen Recht als mit dem positiven Verfassungsrecht selbst auseinandersetzen. Hinsichtlich dieser Wissenschaft gehen wir von der Hypothese aus, die diese Arbeit ebenfalls zu untermauern sucht, daß sie in ihrem Denken und Begriffssystem – in ihrer jeweils ›herrschenden Meinung‹ – immer noch weitgehend geprägt ist vom liberalen Denken des 19. Jahrhunderts und daß diese Vorstellungen nicht zuletzt aufgrund der neoliberalen Doktrinen der fünfziger und sechziger Jahre und der sich auf diese Doktrinen offiziell berufenden Wirtschaftspolitik auch das Verfassungsverständnis im Hinblick auf das Grundgesetz richtungweisend beeinflussen, obwohl es insbesondere in der Zeit der Weimarer Republik wichtige gegenläufige Strömungen in der Rechtswissenschaft gegeben hat. Es wird sich andererseits herausstellen, daß sich dieses liberale Denken und Begriffssystem häufig gerade entgegen den Haupttendenzen der wirtschaftlichen und gesellschaftlichen Realität haben halten können. Wir führen das darauf zurück, daß zwischen dieser Realität und dem Rechtsdenken häufig nur ein indirekter Zusammenhang besteht, der durch die jeweils ›herrschende‹ Ideologie[8] vermittelt wird. Da die Juristen in der

Regel aus bürgerlichen Schichten stammen oder ihrem Bewußtsein nach diesen zuzurechnen sind[9], wird es auch darauf ankommen, welches die herrschende Ideologie dieser Schicht ist. (Eine empirische Soziologie der Juristen, die ergäbe, daß Juristen mehrheitlich dem Mittelstand zuzurechnen sind, könnte z. B. die uns zunächst nur plausibel erscheinende Hypothese erhärten, daß in der Rechtswissenschaft häufig eine ins Juristische ›übersetzte‹ Mittelstandsideologie zum Ausdruck kommt, eventuell weil die Juristen vielfach dieser Schicht zuzurechnen sind.)

Wenn wir oben als Grundhypothese dieser Arbeit hinstellten, daß sich derzeit wegen des Wandels im gesellschaftlichen und ökonomischen Bereich auch ein Wandel der (normativen) Verfassung anbahnt, der über die bloßen Wortlautänderungen hinausgeht, so läßt sich diese Hypothese nun dahin präzisieren, daß dieser Verfassungswandel auch darauf zurückzuführen sein wird, daß das überkommene vom Liberalismus geprägte Denken und Begriffssystem der Staats- und Verfassungsrechtslehre mit der derzeitigen gesellschaftlichen und ökonomischen Realität nicht mehr in Einklang zu bringen ist. Das wird für die Rechtswissenschaft und damit auch für die Verfassungsinterpretation und somit den normativen Gehalt der Verfassung selbst deswegen eine wichtige Veränderung bedeuten, weil die Änderung der gesellschaftlichen Realität nun auch ins öffentliche Bewußtsein eindringt und sich zur Zeit ein Wandel der ›herrschenden‹ Ideologie anbahnt.

Einige Juristen haben bereits darauf hingewiesen, daß es einer neuen »Staats- und Verfassungstheorie« bedürfe, so etwa H. Ehmke[10] bereits 1964, der sich jedoch im wesentlichen damit begnügt, die Rechtsprechung des Supreme Court der Vereinigten Staaten darzustellen, soweit sie das Verhältnis von Wirtschaft und Staat betrifft. Ebenso hat Stern davon gesprochen, daß es angesichts der neuen wirtschaftspolitischen Aktivitäten »der Entwicklung einer neuen Theorie des Rechtsstaates« bedürfe[11]. Ähnliches läßt sich bei Wiethölter[12] nachlesen. Badura schreibt[13], die verfassungsrechtliche Erfassung der Einrichtungen der Konjunktur- und Wachstumspolitik werde durch eine bloße Projizierung der neuen Gegebenheiten auf das überkommene konstitutionelle Schema des Verhältnisses von Parlament und Regierung mit Hilfe vager und pragmatischer Formeln nicht gelingen. Die Arbeitsweise des parlamentarischen Regierungssystems müsse unter den Blickwinkeln des Parteienstaates und der sozialstaatlichen Staatsaufgaben prinzipiell neu durchdacht werden. Häberle[14] spricht davon, die überkommenen staatsrechtlichen Institute – z. B. Grundrechte, Gesetzesbegriff, Rechtsschutzsystem – müßten neu überdacht werden. Forsthoff ist gar der Meinung, die Bundesrepublik Deutschland sei nicht mehr in dem Sinne Staat, wie es die Weimarer Republik gewesen sei.

In dieser Arbeit kann nun freilich eine neue Theorie des Rechtsstaates nicht geleistet werden.[15] Voraussetzung dafür ist aber eine Analyse der Hauptbegriffe der Staats- und Verfassungsrechtslehre im Hinblick auf ihre geistes- und sozialgeschichtliche Entstehung und die soziale Wirklichkeit.[16] Insofern hoffen wir ein Stück Vorarbeit leisten zu können.

Wenn hier behauptet wird, daß das derzeitige Verfassungsrechtsdenken noch weitgehend auf dem liberalen Denken des 18. und 19. Jahrhunderts beruht und auf den durch dieses Denken geprägten Begriffen[17], so ist es erforderlich, dieses Begriffssystem zu umreißen. Da zudem gezeigt werden soll, daß Gesellschafts- und Wirtschaftsordnung und politische Verfassung eines Gemeinwesens in einem engen Zusammenhang stehen und daß die auf diesem Denken beruhenden Rechtsbegriffe der heutigen Wirklichkeit nicht mehr adäquat sind, müssen auch die sozioökonomischen Entsprechungen dieses Rechts- und Staatsdenkens angedeutet werden. Es wird dann weiter zu zeigen sein, wie diese sozioökonomischen Gegebenheiten sich gewandelt haben und wie das juristische Begriffssystem sich dieser Wandlung gegenüber verhalten hat. Wir werden dabei versuchen, die Kontinuität des liberalen Denkens im Bereich von Staats- und Verfassungsrecht aufzuzeigen. Schließlich wird darzulegen sein, inwiefern gerade die jüngste Entwicklung der wirtschaftlichen und gesellschaftlichen Realität, die auch im Wandel der Wirtschaftspolitik ihren Ausdruck findet, auf das Verfassungsrecht zurückwirkt, so daß von einem Verfassungswandel gesprochen werden kann.

Es ist selbstverständlich, soll jedoch zu Beginn noch einmal besonders betont werden, daß die Untersuchung, die eine wirtschaftliche und juristische Entwicklung von mehr als hundert Jahren aufreißt, nicht in jedem Punkt auf eigenen ökonomischen und juristischen Forschungsarbeiten beruhen kann, sondern vielfach die Ergebnisse anderer Arbeiten übernimmt. Weder die ökonomische noch die juristische Entwicklung kann dabei in allen Einzelheiten nachvollzogen werden. Soweit auf Einzelentwicklungen eingegangen wird, soll deren Darstellung stets beispielhaften Charakter haben. Die historische Forschungsarbeit ist auch nicht Sinn dieser Arbeit, vielmehr ist Ziel dieser Untersuchung, eine Verbindung zwischen juristischem und ökonomischem Denken herzustellen, wobei die historische Vorgehensweise eher von methodischer Bedeutung ist. Das eigentliche Erkenntnisinteresse ist auf gegenwärtige Wirtschafts- und Rechtsentwicklungen gerichtet.

ANMERKUNGEN

1. Vgl. K. H. Friauf »Öffentlicher Haushalt und Wirtschaft«, VVDStRL Heft 27 (1969), S. 1–46; H. Wagner »Öffentlicher Haushalt und Wirtschaft«, ebendort, S. 47–81.

2. Vgl. hierzu: K. Stern »Totalrevision des Grundgesetzes«, in: Festgabe für Theodor Maunz, 1971, S. 391 ff.; W. Weber »Das Problem der Revision und einer Totalrevision des Grundgesetzes«, ebenda, S. 451 ff., jeweils mit zahlreichen Nachweisen.

3. Vgl. dazu F. Engels »Brief an C. Schmidt« (vom 27. Oktober 1890), zit. nach K. Marx/F. Engels, Ausgewählte Briefe, besorgt vom Marx-Engels-Lenin-Stalin-Institut beim ZK der SED, 1953, S. 508, der das Verhältnis von ökonomischer Lage und Recht sehr differenziert betrachtet. Daß das Recht »wieder auf die ökonomische Basis zurückwirkt und sie innerhalb gewisser Grenzen modifizieren kann«, erscheint Engels »selbstverständlich«.

4. Vgl. auch F. Engels »Brief an Starkenburg« (vom 25. Januar 1894), zit. nach K. Marx/F. Engels, Ausgewählte Briefe, besorgt vom Marx-Engels-Lenin-Stalin-Institut beim ZK der SED, 1953, S. 560: »Es ist nicht, daß die ökonomische Lage Ursache, allein aktiv ist und alles andere nur passive Wirkung. Sondern es ist Wechselwirkung auf Grundlage der in

letzter Instanz stets sich durchsetzenden ökonomischen Notwendigkeit ... Es ist also nicht, wie man sich hier und da bequemerweise vorstellen will, eine automatische Wirkung der ökonomischen Lage, sondern die Menschen machen ihre Geschichte selbst, aber in einem gegebenen, sie bedingenden Milieu, auf Grundlage vorgefundener tatsächlicher Verhältnisse, unter denen die ökonomischen, so sehr sie auch von den übrigen politischen und ideologischen beeinflußt werden mögen, doch in letzter Instanz die entscheidenden sind und den durchgehenden ... roten Faden bilden.« Ders. a.a.O., S. 561: »Je weiter das Gebiet, das wir gerade untersuchen, sich vom Ökonomischen entfernt und sich dem reinen abstrakt Ideologischen nähert, desto mehr werden wir finden, daß es in seiner Entwicklung Zufälligkeiten aufweist, desto mehr im Zickzack verläuft seine Kurve. Zeichnen Sie aber die Durchschnittsachse der Kurve, so werden Sie finden, daß je länger die betrachtete Periode und je größer das so behandelte Gebiet ist, daß diese Achse der Achse der ökonomischen Entwicklung parallel läuft.«

5. Vgl. hierzu auch R. Schäder »Vergleich der Gesamtsysteme von Wirtschafts- und Staatsordnung«, in: Jahrbuch für Sozialwissenschaft 1968, S. 287 ff. Schäder ist der Meinung, daß mit *jeder* realen Wirtschaftsordnung eine *bestimmte* Ordnung des politischen bzw. staatlichen Bereichs korreliert (Hervorhebungen im Original). H. P. Ipsen »Über das Grundgesetz – nach 25 Jahren«, in: DÖV 1974, S. 283.

6. Vgl. dazu auch P. Badura »Verfassung und Verfassungsgesetz«, in: Festschrift für U. Scheuner zum 70. Geburtstag, 1973, S. 19 ff., insb. S. 27.

7. Zum Begriff vgl. aus dem neueren Schrifttum auch H. Hesse »Grenzen der Verfassungswandlung«, ebenda, S. 123 ff., bes. 126 ff.

8. Der Ideologiebegriff ist hier in seiner weiteren Bedeutung verwendet. Vgl. dazu bei K. Lenk »Volk und Staat«, 1971, S. 10 ff., insb. S. 17.

9. Vgl. dazu W. Kaupen »Die Hüter von Recht und Ordnung«, 1969, sowie für den Bereich der Justizjuristen W. Kaupen und Th. Rasehorn »Die Justiz zwischen Obrigkeitsstaat und Demokratie«, 1971.

10. H. Ehmke »Wirtschaft und Verfassung«, 1961, S. 3 f., 84.

11. K. Stern in: Stern / Münch »Gesetz zur Förderung der Stabilität und des Wachstums der Wirtschaft«, 1967, S. 54.

12. R. Wiethölter »Die Position des Wirtschaftsrechts im sozialen Rechtsstaat«, in: Wirtschaftsordnung und Rechtsordnung, Festschrift zum 70. Geburtstag von Franz Böhm, 1965, S. 42.

13. P. Badura »Wirtschaftsverfassung und Wirtschaftsverwaltung«, 1971, S. 63 f.

14. P. Häberle »Grundrechte im Leistungsstaat«, in: VVDStRL Heft 30 (1972), S. 58, Anm. 60.

15. Vgl. auch H. Ehmke »Wirtschaft und Verfassung«, 1961, S. 84: »Einmal würde ein direktes Anfassen des Problems (von Wirtschaft und Verfassung, J. G.) aus unserem eigenen Recht heraus ... die Entwicklung einer wenigstens brauchbaren Verfassungstheorie voraussetzen. Daß ein solcher ungeheuer schwieriger Versuch hier nicht unternommen worden ist, bedarf wohl keiner Entschuldigung.«

16. Jeder Ansatz zum Verständnis des politischen Gemeinwesens – jeder Versuch einer neuen Staats- und Verfassungstheorie, einer neuen Rechtsstaatstheorie – muß sich wieder öffnen für den Gesamtzusammenhang von Wirtschaftsordnung als Teil der ›Gesellschaft‹ und politischer Verfassung. Mit Recht spricht Friauf davon, die Staatsrechtswissenschaft habe Anlaß, wieder stärker die Breite der alten Staatswissenschaft anzustreben, um den Gegebenheiten des modernen intervenierenden Staates gerecht zu werden (K. H. Friauf, Diskussionsbeitrag, VVDStRL Heft 27 [1969], S. 111).

17. So auch – in erster Linie für das bürgerliche Recht – R. Wiethölter »Rechtswissenschaft«, 1968, S. 179. Vgl. zum bürgerlichen Recht in diesem Sinne auch U. Mückenberger »Legitimation durch Realitätsverleugnung«, in: KJ 1971, S. 248 ff., der das am Beispiel von Schriften Flumes aufweist.

1. Entwicklung bis zum Ersten Weltkrieg

1.1. ENTSPRECHUNG DER GRUNDBEGRIFFE DER LIBERALEN RECHTSSTAATSLEHRE MIT DEM PHILOSOPHISCHEN UND ÖKONOMISCHEN DENKEN UND DER SOZIAL- UND WIRTSCHAFTSGESCHICHTLICHEN ENTWICKLUNG IM ALLGEMEINEN

Der zentrale Begriff des liberalen Staats- und Rechtsdenkens ist der »bürgerliche Rechtsstaat«[1]. Zu diesem Begriff gehören die anderen Begriffe des Staats- und Gesellschaftsmodells: die Teilung der Gewalten, der Begriff des allgemeinen Gesetzes, das liberale Grundrechtsverständnis und die Privatrechtsordnung[2]. Das ganze System ist nur verständlich vor dem Hintergrund der Trennung von Staat und Gesellschaft[3].

Ebenso wie das juristische Denken auf dieser Trennung beruht, so beruht darauf auch das mit dem juristischen Denken korrespondierende philosophische und ökonomische Denken jener Zeit, die alle nur in ihrer wechselseitigen Abhängigkeit begriffen werden können.[4] In unserem Zusammenhang kommt es besonders auf die Verbindung an, die bei der Herausbildung dieser Begriffe zwischen geistesgeschichtlicher und sozial- sowie wirtschaftsgeschichtlicher Entwicklung bestand.

Die Trennung von Staat und Gesellschaft war teils Wirklichkeit, teils Forderung des Bürgertums im Kampf gegen Fürsten und feudale Ständeordnung. Der Gesellschaftsbegriff und der mit ihm korrespondierende Begriff des bürgerlichen Rechtsstaates waren soziale und politische Kampfbegriffe[5] in »der politischen Spannung der bürgerlichen Freiheits- und Gleichheitsforderung zum absoluten Staat und zu geburtsständischen Privilegien«, »solange die Freiheitsrechte für das Bürgertum politische Kampfziele blieben«.[6]

Die soziologischen Voraussetzungen, die dem Trennungsdenken, dem Gesellschaftsbegriff und damit auch dem Begriff des bürgerlichen Rechtsstaates sowie dem ganzen juristischen Begriffssystem entsprachen, lassen sich wohl am eindeutigsten und einfachsten am ökonomischen Denken und seinen Wechselbeziehungen zum juristischen Denken aufweisen.

Ein Teil der sich selbst regulierenden gesellschaftlichen Ordnung ist die Wirtschaft. Die klassischen Nationalökonomen haben gezeigt, wie die von staatlichem Eingreifen freie Verkehrswirtschaft zu einem harmonischen Zustand führen soll, einem »Gleichgewicht«, in dem zwar alle Individuen nur ihr persönliches Interesse zu verwirklichen trachten, dadurch aber das allgemeine Beste verwirklicht wird.[7]

Diese ökonomischen Theorien beruhen auf bestimmten ökonomischen und soziologischen Voraussetzungen, die entweder als gegeben betrachtet oder doch als politische Forderung aufgestellt wurden. Wichtigste Voraussetzung war der »freie Wettbewerb«, der für sie bedeutete, daß es keine Monopole gäbe und keine staatlichen Preissetzungen.[8] Zweite Voraussetzung »dieser Privateigentums-Wirtschaft war die mittelgroße Unternehmung in der typischen Rechtsform der privaten Personalgesellschaft«.[9] Die Unternehmungen wurden von Eigentümer-Unternehmern geleitet, Aktiengesellschaften[10] waren noch nicht ins Blickfeld gerückt und ebensowenig die Massenproduktion.[11]

Auf dieser Grundlage entsteht die Vorstellung »des freien Spiels der selbstverantwortlichen Kräfte, des harmonischen Interessenausgleichs durch den freien Markt, sowie der gewaltlosen Konstituierung des Gesellschaftsganzen durch die sich von selbst einstellende Marktordnung«.[12]

1.1.1. Die Funktion des allgemeinen Gesetzes, der Grundrechte und der Gewaltenteilung

Dieser Vorstellung der sich selbst regulierenden Gesellschaft entspricht die Vorstellung vom liberalen bzw. bürgerlichen Rechtsstaat. Auf ihr beruht das liberale Grundrechtsverständnis, der Begriff des allgemeinen Gesetzes und die Teilung der Gewalten.[13] Die liberalen Grundrechte »garantieren die Gesellschaft als Sphäre privater Autonomie«[14], indem sie die Rechte der Privaten gegenüber dem Staat abgrenzen und staatliche Eingriffe in den privaten Bereich beschränken. Eingriffe in diesen privaten Bereich von »Freiheit und Eigentum« sollen möglich sein, aber nur unter der Voraussetzung einer Ermächtigung, nur unter der Bedingung des allgemeinen Gesetzes.[15]

F. Neumann unterscheidet drei Funktionen des allgemeinen Gesetzes, eine moralische, eine ökonomische und eine politische.[16]

»Die moralische (oder ethische) Funktion ergibt sich aus den immanenten Elementen der Gleichheit und Sicherheit, die sie voraussetzt. Ein Minimum an Gleichheit ist garantiert, denn wenn der Gesetzgeber Menschen und Situationen abstrakt behandeln muß, so behandelt er sie gleich und wird davor bewahrt, bestimmte Personen zu diskriminieren.«[17] Damit entsprach diese »moralische« Funktion zugleich den politischen Bedürfnissen des Bürgertums, das sich mit der Forderung des für alle gleichen, also allgemeinen Gesetzes gegen die Privilegien von Adel und Geistlichkeit richtete. Gleichzeitig setzt der allgemeine Gesetzesbegriff auch die Gleichheit der zu regelnden Tatbestände voraus. Diese Gleichheit der Bürger wurde also einerseits vorausgesetzt, andererseits sollten die speziellen Interessenlagen der Bürger nicht geregelt werden, weil sich der Staat »auf die generellen Bedingungen des Interessenausgleiches zu beschränken hatte«.[18] Die Allgemeinheit der Norm sollte zugleich die Richtigkeit und Wahrheit verbürgen, da man davon ausging, daß eine im Parlament zum Staatsorgan erhobene Öffentlichkeit das im allgemeinen Interesse praktisch Notwendige durch öffentliche Diskussion ermitteln werde.[19] [20]

Was Neumann die ökonomische Funktion des allgemeinen Gesetzes nennt[21], ist wohl zuerst von Max Weber herausgearbeitet worden, der darauf hingewiesen hat, der industrielle Kapitalismus müsse »auf die Stetigkeit, Sicherheit und Sachlichkeit des Funktionierens der Rechtsordnung, auf den rationalen, prinzipiell berechenbaren Charakter der Rechtsfindung und Verwaltung zählen können.«[22] Das Bürgertum strebte auch insofern nach einer Beschränkung der Patrimonialfürsten. »Man kämpfte daher nicht für den Rechtsstaat in abstracto, sondern vor allem für die Rechte der ›Volksvertretung‹, d. h. für eine Ausdehnung und Erweiterung der Befugnisse des Parlaments.«[23] Solange das Bürgertum noch keinen entscheidenden Einfluß auf die Gesetzgebung hatte, gingen daher die Forderungen nach allgemeinem Gesetz und parlamentarischer Vertretung Hand in Hand, sobald das Bürgertum diese Position errungen hatte, konnte es sie zu ihrer Absicherung benutzen.[24]

F. Neumann führt in Anlehnung an Max Weber ferner aus, die Wettbewerbsgesellschaft benötige allgemeine Gesetze als höchste Form der Zweckrationalität, weil sie aus einer Vielzahl von etwa gleichen Individuen mit etwa gleich starker wirtschaftlicher Macht bestehe. »Freiheit des Warenmarktes, Freiheit des Arbeitsmarktes, freier Zugang zur Unternehmerklasse, Vertragsfreiheit und Rationalität der richterlichen Entscheidung – das sind die wesentlichen Merkmale eines ökonomischen Systems, das in rationalen, auf Dauer gestellten kapitalistischen Unternehmen zum Zwecke der Erzielung von Gewinn ... produziert. Die erste Aufgabe des Staates besteht darin, eine Rechtsordnung zu schaffen, die die Erfüllung vertraglich eingegangener Verpflichtungen sichert; es muß berechenbar sein, inwieweit vertragliche Verpflichtungen erfüllt werden. Diese Berechenbarkeit kann nur erreicht werden, wenn die Gesetze in ihrer Struktur allgemein sind, vorausgesetzt daß die Konkurrenten ungefähr gleiche Macht haben, so daß jeder die gleichen Interessen vertritt.«[25]

Die politische Funktion des allgemeinen Gesetzes kommt nach Neumann[26] zum Ausdruck in dem anglo-amerikanischen Schlagwort »eine Regierung der Gesetze nicht der Menschen« und in dem deutschen Begriff des Rechtsstaates. Beide Formulierungen sollten verhüllen, daß Menschen herrschen, denn das Gesetz könne nicht herrschen.[27]

1.1.2. Privatrechtssystem und Verkehrswirtschaft

Das Staats- und Gesellschaftsmodell des Liberalismus umfaßt mit der Idee des liberalen Rechtsstaates nicht nur eine Ordnung des Staates und des Verhältnisses von Staat und Gesellschaft, sondern es regelt im System des bürgerlichen Rechts zugleich die gesellschaftlichen Beziehungen.[28] »Die Auffassung des Rechtsgeschäfts als eines durch freie Willenserklärung begründeten Vertrages ist dem Tauschvorgang frei konkurrierender Warenbesitzer nachgebildet. Zugleich unterstellt ein Privatrechtssystem, das die Beziehungen der Privatleute prinzipiell auf private Verträge zurückführt, die nach den Gesetzen des freien Marktverkehrs sich herstellenden Tauschbeziehungen als maßgeblich. Freilich stehen die Vertragspartner nicht in jedem Fall auch in einem Verhältnis von Tauschpartnern; aber dieses, als das für die bürgerliche Gesellschaft zentrale Verhältnis, gibt für die Vertragsverhältnisse das Modell ab.«[29]

Die Grundrechte sichern diesen Bereich gegenüber dem Staat ab und entsprechen zugleich den wichtigsten Institutionen des Privatrechtssystems, nämlich dem Eigentum und der Vererbungsfreiheit, sowie der Vertragsfreiheit und der Gewerbefreiheit.

So kann man im Bereich des Privatrechts die Pandektenwissenschaft und die auf ihr beruhenden Kodifikationen des 19. Jahrhunderts als den Interessen des Bürgertums bzw. der bürgerlichen Gesellschaft entsprechend betrachten.[30] Sie genügten »den Forderungen der liberalen Demokratie an das Privatrecht im besonderen Maße«[31]: Sie wahrten die für das Unternehmertum wichtige Rechtseinheit in ganz Deutschland, und »wirtschaftspolitisch entsprach die rechtliche Gestaltungsfreiheit, die sich in den drei Grundfiguren der Privatautonomie, in Vertrags-, Eigentums- und Vererbungsfreiheit ausdrückte, genau den Erwartungen der expansiven und extensiven Unternehmergesellschaft des Früh- und Hochkapitalismus, die als Pioniergesellschaft auf Vertragsschließung, Kapitalanlage und freie Vererbung besonders angewiesen war. Sozialpolitisch sprach sich in der ständelosen Einheit der Kodifikationen die Entmachtung der alten Geburts- und Berufsstände aus.«[32] So kann Wieacker mit Recht das erst 1896 erlassene deutsche BGB ein »spätgeborenes Kind« der Pandektenwissenschaft und des Liberalismus nennen.[33]

1.1.3. Zusammenhang von ökonomischem, juristischem und philosophischem Denken

Der Zusammenhang, der hier in erster Linie zwischen sozialgeschichtlicher Entwicklung und ökonomischen Interessen einerseits und ökonomischer Theorie andererseits sowie schließlich juristischem Denken und der Entwicklung des positiven Rechts angedeutet worden ist, läßt sich auch zum Gebiet des philosophischen Denkens herstellen. »Was Hegel mit der ›bürgerlichen Gesellschaft‹ in das Bewußtsein der Zeit erhob, war nichts Geringeres als das Resultat der modernen Revolution: die Entstehung einer entpolitisierten Gesellschaft durch die Zentralisierung im fürstlichen bzw. revolutionären Staat und die Verlagerung ihres Schwerpunktes auf die Ökonomie, die eben zur selben Zeit diese Gesellschaft mit der industriellen Revolution, in der ›Staats-‹ bzw. ›National-Ökonomie‹ erfuhr.«[34]

1.1.4. Zusammenfassung zu 1.1

Der Begriff des liberalen Rechtsstaates ist also jedenfalls seiner Entstehung nach eng verbunden mit der Trennung von Staat und Gesellschaft und damit mit den sozialen Voraussetzungen einer sich selbst regulierenden, privaten, gesellschaftlichen Sphäre. Die sozioökonomische Voraussetzung dafür ist die kapitalistische Verkehrswirtschaft, die auf dem Eigentümer-Unternehmertum beruht, das den freien Wettbewerb ermöglichte und den Erwerb privater Macht – sowohl ökonomischer wie politischer Art – ausschloß.[35] Der Staat sollte sich jeglichen Eingriffs in diesen sich selbst regulierenden Bereich enthalten. »Nach dem System der natürlichen Freiheit hat die Staatsgewalt nur noch drei Funktionen zu erfüllen: erstens die Pflicht, die Nation gegen Gewalttätigkeiten und Angriffe anderer unabhängiger Nationen zu schützen, zweitens die Pflicht, jedes Glied der eigenen Nation möglichst vor den rechtlichen Übergriffen aller anderen zu bewahren, d. h. eine unparteiische Rechtspflege aufrechtzuerhalten, und drittens die Pflicht, bestimmte öffentliche Einrichtungen zu schaffen und zu unterhalten«, deren Einrichtung und Unterhalt von der privaten Initiative nicht erwartet werden kann.[36]

Das braucht nicht zu heißen, daß der liberale Staat ›schwach‹ sein sollte. Mit Recht hat Franz Neumann ausgeführt[37], der liberale Staat sei immer so stark gewesen, wie die politische und soziale Situation es erforderte.

Zwar war dieser liberale Staat in Deutschland nie verwirklicht, aber auch nach der liberalen Theorie sollte der Staat die ihm übertragene Ordnungsfunktion mit Hilfe seiner staatlichen Gewalt ausüben. »Es gibt keine bürgerliche Rechts- und Staatstheorie, in der nicht Gesetz und Gewalt bejaht sind, wenn auch der Akzent, der auf beide Elemente gelegt wird[38], je nach der historischen Situation verschieden ist.«[39]

1.2. SOZIAL- UND WIRTSCHAFTSGESCHICHTLICHE ENTWICKLUNG IN DEUTSCHLAND

Für die Entwicklung in Deutschland ist freilich kennzeichnend, daß diese sozioökonomischen Bedingungen zu Beginn des 19. Jahrhunderts sehr viel weniger vorhanden waren als etwa in Frankreich oder England.[40] In Deutschland war daher die Herbeiführung dieser Bedingungen durch die Einführung von Reformen von oben sehr viel mehr das Anliegen der mit dem liberalen Gedankengut vertrauten Bürokratie.

1.2.1. Abkehr vom merkantilistischen Wirtschaftssystem zu Beginn des 19. Jahrhunderts (Preußen)

Kennzeichnend für die Lage in Deutschland ist etwa die Entwicklung in Preußen nach den napoleonischen Kriegen, als in einem Augenblick der Schwäche der alten Kräfte eine liberal gesinnte Bürokratie unter der Führung von Stein und Hardenberg Reformen durchführte, die zum Ziel hatten, eine bürglich-kapitalistische Wirtschaftsgesellschaft einzuführen.[41] Bewußt erfolgte die Abkehr vom merkantilistischen Wirtschaftssystem und der Zunftverfassung, wie sie noch im Preußischen Allgemeinen Landrecht festgelegt worden war, und die Einführung der Gewerbefreiheit.[42] In der Konzeption von Stein und Hardenberg sollten dazu die Bauernbefeiung und die kommunale Selbstverwaltung treten. Die Gewerbefreiheit wurde ergänzt durch das preußische Zolltarifgesetz von 1818, das die Handelsfreiheit im ganzen preußischen Staat herstellte und Voraussetzung für die Gründung des preußisch-deutschen Zoll- und Handelsvereins war, durch den ein einheitliches deutsches Handelsgebiet begründet und die Voraussetzung für den Wirtschaftsaufschwung des 19. Jahrhunderts geschaffen wurde.

Die unmittelbare Notwendigkeit für die preußischen Reformer ergab sich nicht zuletzt aus den Kriegs- und Kriegsfolgelasten. Preußen mußte 180 Mio. Francs

Kontributionen an Napoleon zahlen, wozu noch eine hohe Summe Kriegs- und Besatzungskosten kamen sowie die Kosten des Wiederaufbaus nach Beendigung des Krieges.[43] »Der Druck des finanziellen Notstandes erzwang eine soziale Verfassungsänderung ..., die die preußische Bürokratie zu steuern suchte.«[44] Die größere Leistungsfähigkeit der kapitalistischen Wirtschaft konnten die mit den Ideen von Kant und Adam Smith vertrauten Reformer[45] bei den westeuropäischen Nachbarn beobachten. So schuf die Bürokratie insbesondere in Preußen die zuvor nur in Ansätzen vorhandenen Bedingungen, von denen die liberale Staats-, Gesellschafts- und Wirtschaftstheorie ausgegangen war.[46]

1.2.2. Verfassungspolitische Resignation des Bürgertums im Verlauf des 19. Jahrhunderts

Zu dem politischen Konflikt zwischen wirtschaftlich erstarkten Bürgern und Staatsbürokratie kam es in Deutschland – anders als in England und Frankreich – erst, als diese Reformen eine Idustriealisierung bewirkt hatten. Dieser Konflikt entlud sich in der ›bürgerlichen Revolution‹ von 1848.[47] Ihr Scheitern und das Scheitern der Liberalen im preußischen Verfassungskonflikt führten zu der bekannten Resignation des liberalen Bürgertums in verfassungspolitischer Hinsicht.[48]

Das war insofern folgerichtig, als inzwischen die verfassungspolitischen Forderungen des Liberalismus, die ursprünglich auch demokratische Forderungen mit zum Inhalt gehabt hatten, den Interessen des Bürgertums gefährlich zu werden drohten. Denn die Auflösung der alten Ständegesellschaft hatte bereits eine zahlenmäßig verhältnismäßig starke Arbeiterschaft hervorgebracht, und die »Rechtsliberalen ... begannen die ›rote Anarchie‹ mehr zu fürchten als die Macht der Fürsten«[49], was angesichts der Ereignisse in Frankreich recht naheliegend gewesen sein mag. Sehr anschaulich schildert den Wandel der liberalen Partei der konservative Friedrich Julius Stahl:[50] »Die liberale Partei behauptet den Gedanken der Gleichheit gegen den Adel, gegen alle Stände als solche, weil sie nach der Basis der Revolution keine organische Gliederung mehr zugeben kann. Allein soll die Klasse der Besitzlosen dieselben Rechte mit ihr erhalten, dann gibt sie den Gedanken auf und macht politisch rechtliche Unterschiede zugunsten der Vermöglichen. Sie will Zensus für Repräsentation, Kautionen für die Presse, läßt nur die Fashionablen in die Salons kommen, gewährt den Armen nicht die Ehre und die Höflichkeit wie den Reichen. Die Halbdurchführung der Prinzipien der Revolution ist es, was die Parteistellung der Liberalen charakterisiert.«

1.2.3. Festhalten des Bürgertums am ökonomischen Liberalismus und den damit verbundenen rechtspolitischen Forderungen

Das Bürgertum begnügte sich in Preußen damit, daß es durch die Einführung der Verfassung bei der Gesetzgebung und der Steuer- und Etatbewilligung mitwirken konnte. So konnte es die juristischen Voraussetzungen für die Entfaltung der kapitalistischen Wirtschaft weiter ausbauen. Der Ausbau des formellen Rechtsstaates beschränkte zudem die Eingriffe in Freiheit und Eigentum und machte sie von Gesetzen abhängig, an denen man selbst beteiligt war. Mit anderen Worten: Man gab die demokratische Komponente mit den verfassungspolitischen Zielen auf, hielt aber am ökonomischen Liberalismus und damit auch an den dafür erforderlichen rechtspolitischen Forderungen fest; »... dies vermochte man um so leichter zu tun, als auf wirtschaftlichem Gebiet mit Unterstützung der neu begründeten Interesseneinheit aus Feudalaristokratie, Armee, Titel- und Geldpatriziat eine ganze Reihe von Zugeständnissen erzwungen werden konnte, die für den Kaufmann, Bankier und Unternehmer wichtiger waren als alle politischen Fortschritte... Obwohl man über die allmählich deutlich werdende Erfolglosigkeit der eigenen politischen Programme enttäuscht war und der Restauration der alten Mächte kaum etwas entgegenzustellen vermochte – auf wirtschaftlichem Gebiet sah man sich dafür entschädigt und legte seine ganze Kraft und Initiative in die Fortentwicklung der Industrie ...«[51]

1.2.4. Wirtschaftliche und wirtschaftsrechtliche Entwicklung bis zu den siebziger Jahren des 19. Jahrhunderts

Die gute Konjunktur von 1850 bis 1857, die Gründung des Zollvereins und eine neue liberale Wirtschaftspolitik veränderten die Wirtschaftsstruktur Deutschlands nachhaltig: »Die überlieferte agrarische, in Familien und Traditionen gebundene Wirtschaftsordnung veränderte sich allmählich in eine nach industriellen und rationalen Gesichtspunkten organisierte Konsumgesellschaft.«[52] Zahlreiche Unternehmungen, Aktiengesellschaften wurden gegründet, der Börsenhandel in Berlin wurde lebhaft, Verkehrswege wurden gebaut (insbesondere Eisenbahnen), und Banken wurden gegründet. Obwohl Großbetriebe in weitem Umfang den Familienbetrieb verdrängten, so verlor dieser doch noch nicht vollständig seine Bedeutung, »das Prinzip des Eignerdirektors blieb auch für die Aufsichtsräte der neuen Unternehmen verbindlich«.[53] Diese Entwicklung wurde nur durch die Wirtschaftskrise des Jahres 1857 kurzfristig unterbrochen, wobei die Krise durch die in dieser Zeit erfolgenden Zusammenbrüche von handwerklichen Betrieben zugleich die Voraussetzung für die Gründung neuer Industrieunternehmen brachte. Der bis 1873 anhaltende wirtschaftliche Aufschwung führte diese Entwicklung weiter. Die übrigen Mittel- und Kleinstaaten sahen sich gezwungen, sich Preußen anzupassen »und dessen liberale Gesetzgebung auf wirtschaftlichem Gebiet zu übernehmen. Anfang der sechziger Jahre wurde die Gewerbefreiheit in den einzelnen Staaten des Zollvereins eingeführt und deren Wirtschaft nach preußischem Vorbild organisiert«.[54]

Der Norddeutsche Reichstag wurde zum ›Träger des wirtschaftlichen Liberalismus‹. »Der Vereinheitlichung der Maß- und Gewichtsnormen folgte die Vereinheitlichung des Handelsrechts, die Errichtung des obersten Handelsgerichtshofes mit dem Sitz in Leipzig, die neue Gewerbeordnung und schließlich die Ratifizierung des norddeutschen Strafgesetzbuches. Vor allem wurde die Freizügigkeit des Aktienwesens und die Aufhebung der Zulassungspflicht bei der Errichtung von Aktiengesellschaften ›verordnet‹, damit verzichtete man endgültig auf den ›sorgenden‹ und bremsenden staatlichen Eingriff in den Industrialisierungs- und Kapitallisierungsprozeß.« Damit »war die Tür zu lukrativen Großbankengeschäften aufgestoßen, der liberal-freihändlerische Rahmen entworfen, in dem sich Banken- und Industrieneugründungen entfalten konnten.«[55] Die gesamte Wirtschaftspolitik war an liberalen Maximen orientiert.[56] »Der ›Staat‹ beschränkte sich nun auf die Schaffung gleicher Existenz- und Konkurrenzbedingungen und überließ die Initiative der produktivkapitalistischen Wirtschaftsführung dem Fabrikanten, Bankier und Großkaufmann.«[57]

Weitere wichtige Bedingungen zur Ausbildung einer industrialisierten Wirtschaft wurden durch die Reichsgründung 1871 geschaffen, die zu einer weiteren Rechtseinheit und einem einheitlichen Wirtschafts- und Währungsgebiet führte.[58]

1.2.5. Zusammenfassung zu 1.2: Anscheinende Entsprechung der Wirklichkeit mit den Voraussetzungen des liberalen Modells

In der Zeit bis Mitte/Ende der siebziger Jahre war die Trennung von Staat und Gesellschaft in Deutschland besonders stark ausgebildet, und die sozioökonomische Wirklichkeit entsprach im Hinblick auf das Bürgertum anscheinend weitgehend den Voraussetzungen des liberalen Modells.[59]

Vor diesem sozioökonomischen Hintergrund der Mitte des 19. Jahrhunderts, von dem hier bewußt nur die Situation des Wirtschaftsbürgertums skizziert worden ist, weil dessen Situation für das Rechtsdenken der Zeit ausschlaggebend ist, muß der Wandel gesehen werden, den die Staatsrechtslehre mit dem Aufkommen des ›Gerber-Labandschen Positivismus‹ durchgemacht hat.

1.3. WANDEL DER STAATSRECHTSLEHRE MIT DEM AUFKOMMEN DES GERBER-LABANDSCHEN POSITIVISMUS

1.3.1 Entsprechung des Gerber-Labandschen Positivismus mit der historischen Situation des Bürgertums

Die Staatsrechtslehre hat mit dem Aufkommen des Gerber-Labandschen Positivismus einen einschneidenden Wandel erfahren, wie allgemein anerkannt wird.[60] Dieser Wandel, der durch eine Veröffentlichung Gerbers[61] im Jahre 1865 eingeleitet wurde, läuft in auffallender Weise parallel mit der geschilderten sozialgeschichtlichen Entwicklung und insbesondere der verfassungspolitischen Resignation des Liberalismus in Deutschland.

Das Auffallendste am Wandel der Staatsrechtslehre ist die bewußte Loslösung von Staatstheorie, Philosophie, Geschichte und Sozialwissenschaft sowie die Abkehr von der Empirie.[62] »Die juristische Form löst sich von ihrer empirisch-soziologischen Materie, verselbständigt sich und beansprucht eine nomologische Eigengesetzlichkeit.«[63]

Die Abkehr von allem Politischen und die Selbstbeschränkung auf das rein Juristische kann aber nach allgemeiner Meinung durchaus nicht als unpolitisch bewertet werden. Carl Schmitt hat hierzu ausgeführt:[64] »Heute durchschauen wir diese Art juristischer Reinheit ... In der deutschen Vorkriegszeit hat die damals herrschende Staatsrechtslehre, die angeblich rein juristische Methode Labands, beides miteinander verbunden, die Legitimierung des *gouvenementalen status quo*[65] und die Evasion vor politischen Schwierigkeiten.« Der konservative Charakter der neuen Methode wird übereinstimmend von H. Heffter[66], E.-W. Böckenförde[67] und W. Wilhelm[68] betont. Wilhelm formuliert am prononciertesten: »Die ›rein juristische‹ Staatsauffassung war in Wahrheit ... antiliberal.«[69]

Dieser Auffassung widerspricht von Oertzen.[70] Als Ganzes betrachtet habe der juristische Positivismus keineswegs vorwiegend im Interesse des monarchisch-konservativen, sondern mindestens ebensosehr der bürgerlich-liberalen Kräfte gewirkt. Für das Gebiet des Zivilrechts stehe das völlig außer Zweifel. Aber auch auf staatsrechtlichem Gebiet lasse sich der Positivismus in politisch-sozialer Hinsicht nicht ohne weiteres als schlechthin konservativ einordnen. Daß er – z. B. in dem Labandschen Gesetzesbegriff – eindeutig monarchisch-autoritäre Elemente enthalte, könne nicht bestritten werden; aber andererseits ›konserviere‹ er auch entschieden liberale Elemente des Staatsrechts.[71]

Dieser scheinbare Widerspruch löst sich indessen auf, wenn man die Entwicklung des liberalen Bürgertums selbst betrachtet. Trotz der Aufgabe der verfassungspolitischen Forderung, die oben skizziert wurde, ›konservierte‹ das Bürgertum durchaus liberale Elemente seiner bisherigen Anschauungen. Das ›politische‹ Versagen des Bürgertums, von dem stets gesprochen wird, bedeutet gewiß nicht, daß man zu den verfassungsrechtlichen und politischen Verhältnissen des 18. Jahrhunderts zurückkehren wollte. Was vom politischen Liberalismus aufgegeben wurde, waren die verfassungspolitischen Forderungen, soweit sie – folgerichtig zu Ende geführt – demokratisch hätten sein müssen. Man hatte vielmehr »einen Kompromiß geschlossen, der darin besteht, daß ihm (dem Bürgertum, J. G.) durch Aufrechterhaltung des formalen Rechtsstaates die ökonomisch-soziale Bewegungsfreiheit gesichert wird, während die eigentliche Staatsgewalt der Monarchie und dem von ihr gelenkten Verwaltungsapparat überlassen bleibt«.[72]

Gerade auf dieser Linie liegt der ›Formalismus der herrschenden Staatsrechtslehre‹ der zweiten Hälfte des 19. Jahrhunderts. Konservativ ist sie, insofern sie die durch die verfassungspolitische Entwicklung eingetretene Lage akzeptiert, liberal, insofern sie auch das öffentliche Recht den Anforderungen der kapitalistischen Wirtschaft gemäß umbildet.[73]

Die juristisch-formale Methode wird allgemein dadurch charakterisiert, daß die Methoden der Privatrechtswissenschaft auf das Staatsrecht übertragen worden sind[74], was auch in der Tat zum Programm von Gerbers gehörte. »Das Begriffssystem des Pandektenrechts wird zur Quelle der obersten staatsrechtlichen Rechtsbegriffe.«[75]

Führt man sich vor Augen, was bereits oben über die soziale Funktion der Pandektenwissenschaft gesagt worden ist, insbesondere über die ›Rechenhaftigkeit‹ des Privatrechts, die der kapitalistischen Produktionsweise und Verkehrswirtschaft entsprach, erscheint es folgerichtig, wenn man diese Methode nun auch auf die Staatsrechtswissenschaft übertrug.[76] Hierbei erscheint es nicht zufällig, daß die Ausbildung der positivistischen Methode zuerst im Privatrecht erfolgte. Bei den hier zu regelnden Beziehungen zwischen den Individuen handelt es sich ja um die privat-individualistische Seite des bürgerlichen Rechtsstaatsgedankens, man könnte sagen, um seine bourgeoise Komponente.

Solange man bei der Behandlung des Staatsrechts und der allgemeinen Staatslehre sich noch in der Situation verfassungspolitischer Forderungen und Kämpfe befand, konnte man die Staatsrechtslehre noch nicht von allen philosophischen staatstheoretischen, geschichtlichen und soziologischen Bezügen lösen, da man aus ihnen ja gerade die Rechtfertigung für die eigenen politischen Forderungen zu gewinnen suchte. Zwar hatte man die Notwendigkeit, positives Staatsrecht und philosophisches Staatsrecht zu trennen, durchaus schon vorher erkannt, glaubte aber auf das philosophische als wertenden Maßstab für das positive Staatsrecht nicht verzichten zu können.[77] Der Umschwung setzte daher folgerichtig in dem Zeitpunkt ein, in dem diese verfassungspolitischen Forderungen fallengelassen wurden.

1.3.2. Anpassung des Staatsrechts an die Erfordernisse der modernen Verkehrswirtschaft durch die Übernahme der Methoden des Privatrechts

Mit der Übertragung der formalen Methode auf das Staatsrecht versuchte man auch in diesem Bereich »ein Höchstmaß an Berechenbarkeit und damit Sicherheit, mit einem Höchstmaß an Chancengleichheit und Bewegungsfreiheit für die Rechtssubjekte zu vereinbaren«.[78] Wenn v. Oertzen vom Privatrecht mit Recht betont, die Beziehung zur wirklichen Gesellschaft sei sehr real: »Dem abstrakten Rechtssubjekt entsprachen das isolierte Individuum und – vor allem – das abstrakte Wirtschaftssubjekt«, so ist diese Deutung auf das nun einsetzende öffentlich-rechtliche Denken übertragbar.

Indem der Staat nun als juristische Person und das Verhältnis Staat – Bürger als Person-Person-Verhältnis konstruiert werden, zeigt sich die gleiche Entsprechung wie im Privatrecht. Hier wie dort wird nun an die Willensmacht der Person angeknüpft: »Die juristische Konstruktion des Staates und seiner Teile hat es, wie jede juristische Konstruktion, mit der Nachweisung und Abgränzung von Willensverhältnissen zu thun. Wie im Privatrecht, so ist dieses und nur dieses im Staatsrechte die Aufgabe der juristischen Arbeit.«[79] Das Staatsrecht wird von Gerber wie das Privatrecht als »ein System von Willensmöglichkeiten« angesehen, nur daß das Staatsrecht nicht an die Willensmacht der individuellen menschlichen Persönlichkeit, sondern an die des Staates anknüpft.[80] Die Befugnisse der Staatsorgane werden als »staatliche Individualrechte«, als »Rechte im subjektiven Sinne« vorgestellt, durch deren Vorhandensein die Staatsgewalt freilich »als Wille des persönlich gedachten Staats nicht verändert« wird.[81] Die Grenzen, die die Staatsgewalt an den persönlichen Freiheiten der Bürger findet, werden von Gerber zwar noch nicht als »Rechte im subjektiven Sinne« betrachtet, sondern nur als »Sätze des objektiven Rechts«[82], aber auch er spricht schon davon, »daß für die Personen, welche die Gegenstände desselben (des Gewaltrechts des Staates, J. G.) sind, daraus gleichzeitig Gegenrechte an dem Subjekte der herrschenden Gewalt erwachsen«, die Gerber freilich nur als »Reflexwirkungen« versteht.[83] Dennoch meint auch Gerber schon, daß sie für den einzelnen die Wirkung haben, »daß sie unter Voraussetzung eines bestimmten Thatbestandes eine Berechtigung (ein Recht im subjektiven Sinne) erzeugen, z. B. das Recht auf Zurücknahme einer Verfügung«.[84]

Von dort ist es nur noch eine folgerichtige Fortentwicklung der Gerberschen Gedanken, zu der Gerber selbst wohl wegen seiner konservativen Grundhaltung nicht fähig war, wenn Otto Mayer schreibt: »Die Ordnung der öffentlichen Gewalt, wie sie dem Rechtstaate eigentümlich ist, hat den Zweck, das Verhältnis zwischen Staat und Untertan in die Formen des Rechts zu bringen. Dabei entstehen zwischen den beteiligten Rechtssubjekten rechtliche Bestimmtheiten, deren ausgeprägteste Gestalt sich darstellt in dem subjektiven öffentlichen Recht.«[85] [86]

Mit Recht hat v. Oertzen[87] ausgeführt, daß nur, wenn man die rechtlich zu regelnden sozialen Beziehungen auf reine Willensverhältnisse und die rechtlich handelnden Subjekte auf die bloße Willensfähigkeit reduziere, es möglich ist, ein Rechtssystem zu konstruieren, wie es das Anliegen Gerbers war, welches alle möglichen rechtlichen Handlungen »als rechtliche Möglichkeit schon an und für sich einschließt«[88]. Damit wird eine der grundsätzlichen Forderungen des liberalen Rechtsstaates, wie sie etwa auch in der Forderung nach dem allgemeinen Gesetz ihren Niederschlag gefunden hat, nämlich nach der Geschlossenheit der Rechtsordnung, auch für das öffentliche Recht postuliert. Hier hat sie aber die gleiche, der kapitalistischen Wirtschaft adäquate Funktion wie im Privatrecht.[89]

1.3.3. Der Wandel des Rechtsstaatsbegriffes

Charatkeristisch für den Wandel, den die deutsche Staatsrechtslehre mit dem Aufkommen des staatsrechtlichen Positivismus durchmacht, ist der Wandel des Rechtsstaatsbegriffes[90]. In der Rechtsstaatskonzeption, die noch von Mohl in Deutschland vertreten hatte, waren ›materieller‹ und ›formeller‹ Rechtsstaat miteinander verschmolzen.[91] Für diesen einheitlichen, formellen und materiellen Rechtsstaatsgedanken ist das, »was das Volk als Legislative über sich beschließt ... deshalb rechtsmäßiges Gesetz, weil und sofern es der sittlich sich selbstbestimmenden Vernunft entspricht, weil und sofern es die Willkür ausschließt, also gerecht ist. Eben deshalb soll das autonome Gesetz den Vorrang über alle anderen Staatsakte haben. Die Volkslegislative wird nicht als ›formales Organ‹ sondern als Repräsentation der Entscheidungseinheit ›Volk‹ verstanden; Form und Inhalt des Gesetzes sind nicht zu trennen.«[92]

Es ist dieser Teil des Rechtsstaatsgedankens, der die Vorstellung materieller Gerechtigkeit mit dem Demokratiegedanken verbindet, der jetzt aufgegeben wird.[93] Geistesgeschichtlich ist es die zentrale Stellung der Öffentlichkeit, der allgemeinen

Diskussion, der Wettbewerb der Meinungen aller, der nach dem Harmoniedenken des Liberalismus zur Wahrheitsfindung führt, der ursprünglich materiellen Rechtsstaat und Demokratie im Liberalismus zusammengeführt hatte.[94] Sozialgeschichtlich ist es der Kampf, der sich zunächst gegen Monarchie und Adel richtete, in dem sich das Bürgertum, der tiers état, mit dem ›Volk‹ identifiziert hatte.[95]

Zugleich war aber auch schon immer die andere Komponente enthalten, die bourgoise Komponente: der Rechtsstaat als ein »System unpolitischer Abwehr und Distanzierung«[96] gegenüber dem Staat, in dem der Bürger ›frei‹ seinen bürgerlichen Interessen und Geschäften sollte nachgehen können. Diese formale Komponente des Rechtsstaatsbegriffs nennt Thoma[97] in einem Aufsatz aus dem Jahre 1910, also nachdem sich der staatsrechtliche Positivismus völlig durchgesetzt hatte, den »Kern der Rechtsstaatsidee« Mohls, der bei ihm freilich noch verdeckt geblieben sei von der Schale, »in welche ihn die geistige Reaktion gegen die Übergriffe des Polizeistaats gestellt« habe. Den materiellen Rechtsstaatsbegriff Mohls lehnt Thoma ab, denn dieser erhalte seine Rechtfertigung »aus einem, wie wohl vertieften Individualismus«, behalte eine Tendenz der Beschränkung der Staatstätigkeit auf das Notwendigste, sei »mit einem Wort geistesverwandt mit den verfassungs- und wirtschaftpolitischen Anschauungen des älteren Liberalismus«. Statt dessen schließt Thoma sich im wesentlichen an die von Mohl noch bekämpfte Rechtsstaatsdefinition des konservativen Stahl[98] an. Das Prinzip der Gesetzmäßigkeit der Verwaltung wird nun als »das Fundament des modernen Rechtsstaates« bezeichnet, zu dessen »Erfüllung« es aber noch der Schaffung der Gesetzgebung bedürfe, welche die Bahnen und Grenzen der staatlichen Wirksamkeit, wie die freie Sphäre des Bürgers *genau* abgrenze, und fester Garantien, welche diese gegenüber »einer in den Gewohnheiten des Absolutismus groß gewordenen Bürokratie« wie gegenüber der Möglichkeit »parteiischer Majoritätsherrschaft« abgrenze.[99]

Trotz allen Positivismus ist der Rechtsstaat also auch jetzt noch eine (rechts-)politische Forderung geblieben. Allerdings richtet sie sich nicht mehr unmittelbar auf die alten verfassungspolitischen Forderungen; gefordert wird nur noch die Schaffung einer Gesetzgebung, die den Bürger vor Übergriffen der Verwaltung schützt und die Verwaltung zugleich an die unter Mitwirkung des Parlaments zustande gekommenen Gesetze bindet. Thoma nimmt damit eine für die Situation des Bürgertums der Zeit typische Haltung an: Abgrenzung gegenüber den verfassungs- (und wirtschafts-)politischen Forderungen des ›alten‹ individualistischen Liberalismus, aber doch liberales Gedankengut gegen die »in den Gewohnheiten der im Absolutismus groß gewordenen Bureaukratie« wie auch gegenüber der neuen Gefahr für das Bürgertum der »parteiischen Majoritätsherrschaft« weiter führend.

1.3.4. Fortführung des Rechtsstaatsbegriffes durch die Verwaltungsrechtslehre

Betreffen die politischen Forderungen des Bürgertums nun nicht mehr die Verfassungspolitik, sondern die Gesetzmäßigkeit der Verwaltung, so erscheint es folgerichtig, daß das Wort Rechtsstaat, wie Thoma schreibt[100], in der deutschen allgemeinen Staats- und Staatsrechtslehre »schließlich in Mißkredit und außer Gebrauch« gekommen ist. Statt dessen ist der Begriff von der weiterhin rechtspolitische Forderungen vertretenden Verwaltungsrechtslehre – wenn auch auf seine formale Komponente verengt – weitergeführt worden.[101]

Otto Mayer, der als Begründer der deutschen Verwaltungsrechtswissenschaft gilt,[102] knüpft ganz bewußt am französischen Verwaltungsrecht an, das auf Grund der früheren Ausbildung bürgerlich-kapitalistischer Verhältnisse, der erfolgreichen Revolution und des auf Grund der revolutionären Verfassungen ausgestalteten öffentlichen Rechts schon den Anforderungen des Bürgertums und der kapitalistischen Wirtschaft entsprach. Daneben knüpft Otto Mayer – geradeso wie es zwanzig Jahre vorher Gerber für das Staatsrecht getan hatte – am Zivilrecht an[103] und stellt sich die Aufgabe, ein »System von eigenthümlichen Rechtsinstituten der staatlichen Verwaltung«[104] zu erarbeiten. Otto Mayer schreibt über den Rechtsstaat: »Das Wort ist aufgekommen, nachdem die Sache bereits im Gange war. Es soll etwas bezeichnen, was noch nicht ist, jedenfalls noch nicht fertig ist, was erst noch werden soll. Darum schwankt auch der Begriff so sehr, weil jeder immer seine juristischen Ideale hineinzulegen geneigt ist.«[105]

Und so macht Otto Mayer es auch selbst, wenn er sich bemüht, das nach liberalen Grundsätzen gestaltete französische Verwaltungsrecht auf deutsche Verhältnisse zu übertragen. Ganz bewußt knüpft er wieder am Begriff des »Verfassungs- und des Rechtsstaates ... muß möglichst durch Rechtssätze gebunden werden.«[106] Der Staat »soll *möglichst viel* sein Gesetz verwenden, um Rechtssätze für die Verwaltung zu schaffen, *möglichst viel* seine Verwaltungsakte, um den Einzelfall in rechtlich gebundener Weise zu bestimmen. Der Staat der für seine Verwaltung kein Gesetz hat und keinen Verwaltungsakt ist kein Rechtsstaat.«[107]

1.3.5. Zusammenfassung zu 1.3: Fortdauernde Übereinstimmung des öffentlich-rechtlichen Denkens mit dem liberalen Modell von Staat und Wirtschaft

Der juristische Positivismus zunächst im Staatsrecht und dann auch im Verwaltungsrecht mit der Übertragung von zivilrechtlichem Denken auf das öffentliche Recht muß demnach als eine folgerichtige Entwicklung im historischen Gesamtrahmen gedeutet werden. Ebenso wie das privatrechtliche juristische System den Interessen des aufkommenden Bürgertums und der wettbewerblichen Verkehrswirtschaft entsprach, so entsprach es diesen Interessen und dieser Wirtschaft, dieses System in dem Zeitpunkt auf das öffentliche Recht auszudehnen, indem man das bestehende politische System akzeptierte. Daß der »juristische Formalismus« »den technischen Interessen einer schnell und reibungslos funktionierenden Bureaukratie« dient, hat bereits Carl Schmitt[108] zutreffend ausgeführt. Nicht weniger entspricht er aber auch den Bedürfnissen der kapitalistischen Verkehrswirtschaft, die auf ein rationales Privatrechtssystem in gleichem Maße angewiesen ist wie auf ein rationales öffentliches Rechtssystem, das die Staat-Bürger-Beziehung ebenso rational und ›rechenhaft‹ gestaltet wie die Beziehungen der Privatleute.[109]

Die neuen Systeme der Staatsrechts- wie der Verwaltungsrechtslehre ›konservieren‹, wie v. Oertzen im Hinblick auf den Gerber-Labandschen Positivismus mit Recht sagt, liberale Vorstellungen, was aber in noch stärkerem Maße für die Verwaltungsrechtslehre zutrifft. Die Grundvoraussetzung des liberalen Modells liegt diesen öffentlich-rechtlichen Systemen immer noch zugrunde: die Trennung von Staat und Gesellschaft. Man kann sogar sagen, daß sie nun erst vollständig vollzogen ist, indem nämlich die staatsbürgerlich-demokratische Komponente des liberalen Denkens, wie sich besonders deutlich am Rechtsstaatsbegriff hat zeigen lassen, verkümmert ist.[110]

Die Entwicklung des staatsrechtlichen Positivismus läuft in auffallender Weise parallel einerseits mit der verfassungspolitischen Resignation des deutschen Brügertums, andererseits aber auch mit der bis 1873 andauernden Zeit einer liberalen Gesetzgebung und Wirtschaftspolitik sowie der Herausbildung eines Industriebürgertums, das zunächst, wenn man es – wie es früher einmal für das Bürgertum insgesamt hatte berechtigt scheinen können – mit der Gesellschaft gleichsetzte, den oben beschriebenen Voraussetzungen des liberalen Modells ähnlich sah.

Die Verwaltungsrechtswissenschaft entsteht zwar erst zwanzig Jahe später in Deutschland, beruht aber auf der vom Liberalismus geprägten französischen Verwaltungsrechtslehre.[111]
»Selbstverständlicher Ansatz dieses Systems war der Rechtssatz und die durch ihn hergestellte Beziehung des Einzelnen zum Staat und seiner Verwaltung«.[112] Der Staat ist aber »bloße Ordnungsmacht«[113], der hoheitlich auf Grund gesetzlicher Ermächtigung in Freiheit und Eigentum des Bürgers eingreift, aber nicht die sozialen Verhältnisse zu gestalten sucht. Gegenüber der Wirtschaft tritt der Staat nur in Gestalt einer polizeilichen Kontrolle über das Gewerbe in Erscheinung.[114]

Die positivistische öffentliche Rechtslehre basiert nach wie vor auf den oben skizzierten Modellbedingungen des liberalen Gesellschafts- und Staatsmodells und insbesondere auf der Trennung von Staat und Gesellschaft.[115] Mit den Worten von Herrmann Heller[116] »gründeten sich die anscheinend so ewigen Wahrheiten dieser Staatsjurisprudenz auf die Verabsolutierung liberaler Rechtsstaatsgrundsätze«.

Wenn wir in dieser Arbeit vom ›liberalen‹ Verfassungsrechtsdenken oder dem vom Liberalismus geprägten Begriffssystem der Staats- und Verfassungsrechtslehre sprechen, tun wir das deswegen sowohl im Hinblick auf Autoren, deren Denken stärker von der positivistischen Ausformung geprägt, wie auch im Hinblick auf solche Autoren, die demgegenüber sich stärker am rechtsstaatlichen Denken der Autoren vor Gerber und Laband zu orientieren versuchen. Ohne die wichtigen Unterschiede, die zwischen diesen beiden Richtungen bestehen, leugnen zu wollen,[117] können wir diese Vereinfachung für unser Erkenntnisziel vornehmen, weil eben beide Ansätze auf dem liberalen Modell von Staat und Gesellschaft beruhen und wir gerade in dieser Beziehung derzeit einen grundlegenden Wandel der Verfassung sehen.

In Deutschland waren die Bedingungen des liberalen Modells in der sozialen Wirklichkeit freilich nie so recht realisiert. Das ist auch nicht Bedingung dafür, daß der von uns als Hypothese vorangestellte Zusammenhang von wirtschaftlicher und gesellschaftlicher Wirklichkeit und Recht sowie Rechtslehre besteht, da wir keine eindeutig kausale und keine stets unmittelbar wirkende Beziehung zwischen diesen Bereichen angenommen haben.[118] Für die über die jeweils herrschende Ideologie vermittelte Beziehung ist hingegen wichtig, daß die tatsächlichen Voraussetzungen des liberalen Modells als politische Forderungen in der Zeit vor 1806 Glaubwürdigkeit als Forderrungen eines politisch bewußten Bildungsbürgertums und bis 1848 auch eines sich entwickelnden Industriebürgertums hatten.[119] In der anschließenden Zeit bis 1873, die eine zunehmende Tendenz hatte, unter einer liberalen Wirtschaftspolitik diese Bedingungen herauszubilden, erscheint es erst recht folgerichtig, wenn das gesellschaftswissenschaftliche und juristische Denken des Bildungsbürgertums davon ausging. Entsprach es doch jetzt teilweise der Realität, zumal die bereits entstehende Arbeiterschaft noch nicht zu politischem Bewußtsein und politischer Wirksamkeit gelangt war.[120]

Für die weitere Entwicklung der Staatsrechtslehre und ihr Verhältnis zur sozialen Wirklichkeit, die sich von 1873 an in zunehmendem Maße wieder von den liberalen Modellbedingungen entfernte, auf deren Hintergrund sich die staatsrechtlichen Begriffe gebildet hatten, wird die Loslösung der Staatsrechtslehre von den Gesellschaftswissenschaften und der Empirie aber eine wichtige Rolle spielen.

1.4. WANDEL DER EMPIRISCHEN WIRKLICHKEIT FORT VON DEN BEDINGUNGEN DES LIBERALEN MODELLS SEIT MITTE BIS ENDE DER SIEBZIGER JAHRE DES 19. JAHRHUNDERTS UND DER ›VOLKSWIRTSCHAFTSRAT‹

1.4.1. Das Aufkommen von Verbänden und der liberale Individualismus

Die Entwicklung der Wirklichkeit fort von den Bedingungen des liberalen Modells von Staat und Gesellschaft läßt sich verdeutlichen an dem Aufkommen der Verbände.[121] Die Vorstellungen des Liberalismus beruhen weitgehend auf dem philosophischen Individualismus. Bei Rousseau verbindet sich das zugleich mit dem Demokratiegedanken, der »Identität von Regierenden und Regierten«[122] mit der Folge, »daß in dieser Konzeption zwischen dem Individuum und dem souveränen Ganzen der Nation bzw. ihrer politischen Repräsentanz im Staat kein Raum bleibt für vermittelnde intermediäre Organisationen der Standes-, Berufs- und sonstigen Interessen«.[123] Die autonomen Individuen verfolgen nur ihre eigenen Interessen und verbinden sich nur in privaten Verträgen, koordinieren sich im freien Warenverkehr und Wettbewerb und bewirken so einen Optimalzustand für die Gesellschaft.

Die politische Stoßrichtung des liberalen Individualismus war ursprünglich die ständisch gegliederte Gesellschaft, die mit ihren Organisationen die freie Entfaltung des Bürgertums und des Kapitalismus behinderte.[124] Deswegen erließ z. B. das revolutionäre Frankreich des Jahres 1791 ein Gesetz, in dem es heißt: »Die Vernichtung aller Arten von Vereinigungen der Bürger desselben Standes und desselben Berufes ist ein Grundprinzip der französischen Verfassung. Es ist verboten, sie wieder zu errichten, unter welchem Vorwand und in welcher Form auch immer.«[125]

In diesen Rahmen gehören auch die koalitionsrechtlichen Bestimmungen der Reichsgewerbeordnung. Wenn § 153 der Reichsgewerbeordnung den Koalitionszwang verbot und besondere Strafbestimmungen gegen den Koalitionszwang eingeführt wurden, so geschah dies unter dem Einfluß der französischen Gesetzgebung; »der aus dem individualistischen Rechtsstaatsbegriff entspringende Gedanke, den einzelnen gegen Gruppenzwang zu schützen,«[126] war das ausschlaggebende Motiv des Gesetzgebers von 1865–69. Erst später wurden diese Bestimmungen zur Waffe gegen die Gewerkschaften und die Sozialdemokratie.

Das ökonomische Prinzip des Individualismus, das in der Forderung des Laisser-faire seine bekannteste Formulierung fand, ist eine Ausprägung des allgemeineren Prinzips. Man glaubte allgemein, daß durch ein »Waltenlassen des ›vernünftigen‹ Individuums, durch einen freien Wettbewerb der individuellen Meinungen auf allen Gebieten, am besten die richtige und damit vernünftige Gesamtlösung gewährleistet werden könnte.«[127]

In den Rahmen dieses individualistischen Liberalismus gehört auch der repräsentative Parlamentarismus. Er beruht auf dem Gedanken, »daß wenn nur die einzelnen Abgeordneten als Repräsentanten der politisch ideellen Volkseinheit in freier Rede und schöpferischer Diskussion unter Kontrolle der Öffentlichkeit ihre individuellen Meinungen in freiem Wettbewerb äußern können, politisch in der Gemeinschaft die prästabilierte Harmonie am besten gesichert sei.«[128]

Das setzte freilich ebensolche gesellschaftlichen Verhältnisse voraus, wie sie auch für das automatische Eintreten des ökonomischen Gleichgewichts auf Grund des wirtschaftlichen Wettbewerbs vorhanden sein müßten: gleich machtlose, einzeln agierende Individuen. Nur dann kann man erwarten, daß sich die unterschiedlichen Interessen neutralisieren, so daß aus der Konkurrenz der Meinungen und Interessen sich ein Optimum für die Gesamtheit ergeben werde und die so beschlossenen Gesetze tatsächlich veritas sind.[129] Es wird wieder die allgemeine Interdependenz im liberalen Modell deutlich: hier zwischen liberalem Individualismus, Parlamentarismus und Gesetzesbegriff.

Die Zeit des wirtschaftlichen Liberalismus mit der anscheinenden Tendenz der Herstellung der Bedingungen des liberalen Modells (begrenzt freilich auf das Bürgertum, das sich jedoch bis zu diesem Zeitpunkt noch mit einer gewissen Berechtigung mit dem ganzen Volke hatte identifizieren können[130]), begann zu zerfallen mit der Wirtschaftskrise des Jahres 1873. Zwar hatte es auch schon vorher Verbände gegeben, insbesondere auf dem Gebiete der Landwirtschaft und des durch die liberale Wirtschaftspolitik und Gesetzgebung bedrohten Handwerks,[131] doch kann für diese Zeit als typisch der »bis 1876 bedeutendste wirtschaftspolitische Gesamtverband«[133] betrachtet werden, der ›Kongreß deutscher Volkswirte‹: »Im Gegensatz zu seinem ›Nachfolger‹, dem Zentralverband deutscher Industrieller, war er kein Firmenverband, sondern eine an Mitgliederzahl stets wechselnde Gruppierung von Persönlichkeiten aus den Bereichen von Wirtschaft, Politik, Wissenschaft und Publizistik mit einem nationalliberalen Führungsgremium.«[133] Er kämpfte für liberale Ziele wie Gewerbefreiheit und Freizügigkeit.

Einen ganz anderen Charakter haben die in der Folge der Wirtschaftskrise auftretenden Verbände, Kartelle und Konzerne.[134] Jetzt entsteht auch mit den aufkommenden Großbetrieben und dem Vordringen der Aktiengesellschaften neben dem Eigentümer-Unternehmer der neue Unternehmertyp des leitenden Angestellten. Schon vor der Krise, gegen Ende der sechziger Jahre, liegt die Entstehung der Gewerkschaften, die freilich zu Beginn noch keine Massenorganisationen waren (dazu wurden sie erst nach Aufhebung der Sozialistengesetze). Im Krisenjahr 1873 organisierten sich schon Stahl- und Textilindustrielle zu ganz Deutschland umfassenden Industrieverbänden. 1876 entstand der ›Zentralverband deutscher Industrieller‹, in dem sich ein großer Teil der in der Krise entstandenen Verbände und auch Einzelunternehmen und Kartelle zusammenschlossen. Später spalteten sich Textil- und chemische Industrie ab und bildeten 1895 gemeinsam mit anderen Branchen den ›Bund der Industriellen‹. »Die beiden größten Verbände verkörperten *wirtschafts*politisch die größte Macht in Deutschland, *sozial*politisch vertraten sie nur eine *kleine* Schicht, das *Großbürger*tum.«[135]

Die Krise bewirkte zudem durch die Zerstörung von kleineren Unternehmungen und von Neugründungen[136] die Gründung von »Kapital- und Produktionsassoziationen«, führte zur Konzentration auf dem Bankensektor, auf dem die Privat- und Provinzbanken in Konkurs gingen oder an Bedeutung verloren und wenige Berliner Aktienbanken »beinahe unangefochten den Kapitalmarkt beherrschten«[137]. Diese Banken verflochten sich mit der Industrie und bewirkten gleichzeitig die Integration kleinerer Unternehmen.

1.4.2. Entstehung von Kartellen und marktbeherrschenden Unternehmen; Wechsel der Wirtschaftspolitik

Bei der Kartellbildung unterscheidet man zwei Perioden: Während sich die Kartelle der Depression der siebziger und der achtziger Jahre in der Regel bald wieder auflösten, entstanden seit der Mitte der neunziger Jahre, »in der Zeit der Konjunktur und der ausgebildeten Großbetriebe«, »die großen auf monopolisitische Markt*beherrschung* gerichteten Kartelle, unter ihnen das Rheinisch-Westfälische Kohlensyndikat, der Stahlverband und das Kalisyndikat. Die Kartellierung erfaßte schließlich in den Grundstoffindustrien zwischen 60 und 90% der Produktion ... Die Bildung der Großbetriebe und der Kartelle führte zu einer ungeheuren wirtschaftlichen Machtkonzentration. Die kleine Gruppe der großbürgerlichen Industriellen und Bankiers gewann eine wirtschaftliche Macht, die es vorher in Deutschland nicht gegeben hatte.«[138 139]

Auf dem Sektor der Landwirtschaft bildeten sich in der gleichen Zeit Interessenverbände, die eine Folge der Agrarkrise der siebziger Jahre waren und erheblichen politischen Einfluß erlangten.

Die Gründung der Unternehmerverbände ist das Resultat der Zersplitterung des Bürgertums, von dem Born sogar sagt, »am Vorabend des Ersten Weltkrieges gibt es ›Das Bürgertum‹ nicht mehr.«[140] Für diese Feststellung dürfte die Entwicklung des Großbürgertums charakteristisch sein, das bis zur Zeit der Reichsgründung noch als Teil des gesamten Bürgertums angesehen werden kann, später aber ›feudalisiert‹ wird, sich in seinen Lebensformen dem Adel anzugleichen sucht,[141] der trotz der vom Bürgertum errungenen wirtschaftlichen Vormachtstellung die sozial führende Schicht geblieben war.

Die Entstehung der Verbände, Großunternehmen und Kartelle bezeichnet »den Wandel vom Individualismus des bürgerlich-liberalen Zeitalters zur Gruppensolidarität des Massenzeitalters.«[142] Zum Teil gleichzeitig, zum Teil nach und als Folge dieses soziologischen Wandels erfolgt gegen Ende der siebziger Jahre auch eine Abkehr von den bisher verfolgten liberalen Prinzipien der Wirtschaftspolitik.[143] Von der Freihandelspolitik geht man nun zum Schutzzoll über, und bezeichnenderweise begann die Verstaatlichung der Eisenbahnen im gleichen Jahre wie die Wendung zum Schutzzoll.[144] Nachdem die Eisenbahnen weitgehend verstaatlicht worden waren, begann staatliche Unternehmertätigkeit auch in anderen Wirtschaftszweigen.[145] Die Wandlung im Verhältnis von Staat und Wirtschaft drückt sich ferner im sog. Gemeindesozialismus aus.[146] In diesen Zusammenhang gehören schließlich auch die Bismarcksche Sozialgesetzgebung und die Reichsfinanzreform.

Die Wirtschaftspolitik dieser Zeit kann zusammenfassend gekennzeichnet werden als Wendung vom Liberalismus zum Protektionismus, »von der Freiheit der Wirtschaft vom Staat, zur Sicherung der Wirtschaft durch den Staat«[147]. Eine kurze Gegenbewegung – jedoch ohne nachhaltige Wirkung – gab es nur einmal in der Ära Caprivi. Mit Recht weist Stolper darauf hin, daß schon diese Geschichtsepoche die Fundamente gelegt habe, auf denen später die Kriegswirtschaft, die Experimente der Republik und das nationalsozialistische Wirtschaftssystem hätten errichtet werden können.[148] Darüber hinaus finden sich hier die Fundamente für den verhältnismäßig bruchlosen Übergang von der scheinbar liberalen Wirtschaftspolitik Erhards zur Wirtschaftspolitik schillerscher Prägung in der jüngsten Vergangenheit.

1.4.3. Der preußische Volkswirtschaftsrat und Bismarcks Versuch der Einrichtung eines Volkswirtschaftsrates für das Reich

Die Wandlungen im soziologischen und wirtschaftspolitischen Bereich bleiben nicht ohne Auswirkungen auf den verfaßten Bereich der staatlichen Institutionen. Hier erfolgt der erste Versuch einer Abkehr vom Parlamentarismus. 1880, also kurz nach Einführung der neuen Wirtschaftspolitik, wird in Preußen durch königliche Verordnung der preußische Volkswirtschaftsrat eingerichtet.[149] Bismarck, auf dessen Initiative dies geschah, wollte den preußischen Volkswirtschaftsrat nur als Vorstufe zur Errichtung eines Volkswirtschaftsrates für das Reich, der aus dem preußischen

Volkswirtschaftsrat hervorgehen sollte. Das scheiterte freilich daran, daß der Reichstag die hierfür erforderlichen Haushaltsmittel verweigerte. Der preußische Volkswirtschaftsrat bestand aus 75 Mitgliedern, die vom König ernannt wurden und Vertreter von Handel, Gewerbe und Landwirtschaft waren. Diese wurden teilweise von Handelskammern, kaufmännischen Korporationen und landwirtschaftlichen Vereinen vorgeschlagen, zum Teil aber auch nach freier Wahl der Minister ernannt; unter diesen mußten mindestens 15 dem »Handwerker- oder Arbeiterstande« angehören.

Die neue Institution sollte nach den Vorstellungen Bismarcks die die Wirtschaft betreffenden Gesetzesvorlagen der Regierung begutachten und Empfehlungen abgeben. Den durch die beabsichtigten Gesetze tangierten Interessengruppen sollte hier eine institutionelle Einflußmöglichkeit gegeben werden. Im Reichstag fand sich keine Mehrheit für eine derartige Institution, die mit den ursprünglichen Vorstellungen vom Parlamentarismus unvereinbar war, vielmehr überwog »die Besorgnis des Reichstages, daß der Volkswirtschaftsrat, als ein der Regierung gefügiges Nebenparlament, zur Ausschaltung der Volksvertretung benutzt werden würde«. »Der Volkswirtschaftsrat war noch nicht zu einer Forderung mächtiger Verbände geworden. Gelegentliche Resolutionen des Zentralverbandes deutscher Industrieller und des deutschen Handelstages, die einen Volkswirtschaftsrat forderten, waren vereinzelt geblieben und von zweifelhafter Bedeutung«.[150] Denn bis zum Jahre 1873 war ja noch eine Tendenz festzustellen, die zu einer zunehmenden Übereinstimmung der Voraussetzungen des liberalen Modells mit der Wirklichkeit in bezug auf das Bürgertum zu führen schien. Die nun einsetzende Gegenbewegung, die das Bürgertum und die Wirtschaft selbst betraf, war 1880 für eine so schnelle Abkehr vom Parlamentarismus, wenngleich sich hier Interessen der neuen Wirtschaftsorganisationen und der alten Ständeorganisationen treffen mochten, nicht stark genug.[151]

1.5. ZUSAMMENFASSUNG ZU 1.: SOZIALGESCHICHTLICHE ENTWICKLUNG UND ÖFFENTLICH-RECHTLICHES RECHTSDENKEN BIS ZUM ERSTEN WELTKRIEG

Schon in den letzten zweieinhalb Jahrzehnten des 19. Jahrhunderts stimmt also die soziale Wirklichkeit in abnehmendem Maße mit den Voraussetzungen des liberalen Modells überein. Dennoch ist die grundlegende Voraussetzung, nämlich die Trennung von Staat und Gesellschaft, bis zum Ersten Weltkrieg prinzipiell verwirklicht. Von daher erscheint es auch verständlich, daß die Gerber-Labandsche Schule in der öffentlichen Rechtslehre herrschend bleibt, obwohl – wie Wieacker sagt – »der politische Ort des rechtswissenschaftlichen Positivismus das politische Gleichgewichtssystem des bürgerlichen Rechtsstaats war«[152], so daß jede Störung dieses Gleichgewichts ihn in Mitleidenschaft ziehen mußte.

Wissenssoziologisch dürfte sich die Vorherrschaft des Positivismus auch daraus erklären, daß das Bildungsbürgertum von den geschilderten Veränderungen weithin unberührt blieb. »Inmitten der Neuformierung der Gesellschaft, inmitten der organisierten wirtschaftlichen und sozialen Interessen blieb das Bildungsbürgertum eine Gruppe von Nichtorganisierten und blieb in seiner Haltung noch am stärksten im Individualismus des 19., des bürgerlichen Jahrhunderts; denn die sozialen Verbandsbildungen des Bildungsbürgertums vor 1914 sind weder ihrem Umfang noch ihrer Intensität nach nennenswert.«[153]

Für die Vorherrschaft des Positivismus auf dem Gebiet des öffentlichen Rechts trotz der Kritik Iherings, Gierkes und Mengers[154] lassen sich zusammenfassend – neben der bereits angesprochenen Fortdauer der Trennung von Staat und Gesellschaft – im wesentlichen folgende Punkte nennen:

– Die Ablösung der öffentlich-rechtlichen Wissenschaft von ihren empirischen Bezügen und den übrigen Gesellschaftswissenschaften.[155]
– Die Tatsache, daß die juristischen Regeln, obgleich sie ihre ursprüngliche gesellschaftliche Funktion zu verlieren begannen, doch den Interessen des Wirtschaftsbürgertums entsprachen.
– Die Tatsache, daß das Bildungsbürgertum selbst den sozialen Wandel am wenigsten mitvollzog, so daß dieser Wandel von den Rechtslehrern nicht unmittelbar erfahren wurde.[156]

ANMERKUNGEN

1. Vgl. zu diesem Begriff insbes. U. Scheuner »Die neuere Entwicklung des Rechtsstaats in Deutschland«, in: Hundert Jahre Deutsches Rechtsleben. Festschrift zum hundertjährigen Bestehen des Deutschen Juristentages 1860–1960, Bd. 2, 1960, S. 229 ff.; E. R. Huber »Nationalstaat und Verfassungsstaat«, 1965, S. 250 ff.; H. Heller »Rechtsstaat oder Diktatur«, 1930.

2. Vgl. H. Heller »Der Begriff des Gesetzes in der Reichsverfassung«, in: VVDStRL Heft 4, S. 101: »Einen einheitlichen und klaren Gesetzesbegriff gibt es erst im konstitutionellen gewaltenteilenden Rechtsstaat.«

3. Vgl. dazu besonders C. Schmitt »Hüter der Verfassung«, 2. Aufl. 1969, S. 73 ff.

4. Den Juristen der ersten Hälfte des 19. Jahrhunderts war das noch selbstverständlich. Vgl. etwa zum Einfluß der französischen Aufklärung auf das deutsche Staatsrechtsdenken R. v. Mohl »Geschichte und Literatur der Staatswissenschaften«, Bd. I, 1855, S. 236: »Europa war im 18. Jahrhundert gewohnt, von Frankreich die Geistesrichtung zu erhalten, und zwar je höher und einflußreicher die Stände waren, um so mehr. Die französischen Schriftsteller wurden überall gelesen; eine Abweichung von ihren Ansichten galt in der großen Welt für Barbarei.«

5. E. R. Huber »Nationalstaat und Verfassungsstaat«, 1965. S. 251; H. Heller »Staatslehre«, 3. Aufl. 1963, S. 110.

6. H. Heller »Staatslehre«, 3. Aufl. 1963, S. 110.

7. »In Fortführung der Gedanken von Locke und Adam Smith« (E. W. Böckenförde »Gesetz und gesetzgebende Gewalt«, 1958, S. 135) schreibt Hegel in seiner Rechtsphilosophie (§ 183) über die Gesellschaft: »Der selbstsüchtige Zweck (des einzelnen) in seiner

Verwirklichung, so durch die Allgemeinheit bedingt, begründet im System allseitiger Abhängigkeit, daß die Subsistenz, das Wohl und Recht aller verpflochten darauf gegründet und nur in diesem Zusammenhang wirklich und gesichert ist«, zit. nach Böckenförde a.a.O.

8. Vgl. dazu J. Schumpeter »Geschichte der ökonomischen Analyse«, Bd. 1, 1965, S. 666.

9. Ders. a.a.O., S. 666.

10. Die wichtige Änderung der Wirtschafts- (und damit der Gesellschafts-)struktur durch die Einführung der Aktiengesellschaft wurde zum Teil schon sehr früh erkannt, so von R. Hilferding, der schon vor dem Ersten Weltkrieg darauf hinwies, daß die Aktiengesellschaft nicht bloß eine andere Organisationsform der Unternehmung, sondern eine Funktionsänderung »des industriellen Kapitalisten« bedeutet (R. Hilferding »Das Finanzkapital«, 2. Aufl. 1947, S. 120). Auch Marx hatte schon auf diesen Aspekt hingewiesen, wenn er schreibt, das »Aktienwesen« sei »eine Aufhebung der kapitalistischen Privatindustrie auf Grundlage des kapitalistischen Systems selbst« (K. Marx »Das Kapital«, Bd. III, zit. nach Marx-Engels-Werke, Bd. 25, 1964, S. 454).

11. J. Schumpeter »Geschichte der ökonomischen Analyse«, Bd. 1, 1965, S. 666.

12. H. Heller »Staatslehre«, 3. Aufl. 1963, S. 112. Zu den Voraussetzungen der klassischen Nationalökonomen vgl. aus dem neuesten Schrifttum W. Fikentscher »Wirtschaftskontrolle ein Verfassungsproblem«, in: WuW 1971, S. 793.

13. Die folgenden Ausführungen beruhen im wesentlichen auf den Arbeiten von J. Habermas »Strukturwandel der Öffentlichkeit«, 4. Aufl. 1969; F. Neumann »Der Funktionswandel des Gesetzes im Recht der bürgerlichen Gesellschaft«, in: ders., Demokratischer und autoritärer Staat, 1967 (Nachdruck 1971), S. 5 ff.; ders. »Zum Begriff der politischen Freiheit«, ebenda, S. 76 ff.; Max Weber »Wirtschaft und Gesellschaft«, zit. nach der Studienausgabe hrsg. von M. Winckelmann, 1956; C. Schmitt »Die geistesgeschichtliche Lage des heutigen Parlamentarismus«, 4. Aufl. 1969; ders. »Verfassungslehre«, 3. Aufl. 1957; E. Kehr »Zur Genesis der preußischen Bürokratie und des Rechtsstaates«, in: H. U. Wehler, Moderne deutsche Sozialgeschichte, 1968, S. 37 ff.

14. J. Habermas »Strukturwandel der Öffentlichkeit«, 4. Aufl. 1969, S. 243.

15. Zur geschichtlichen Herausbildung der Freiheits- und Eigentumsformel vgl. D. Jesch »Gesetz und Verwaltung«, 1961, S. 117 ff., für die deutsche Entwicklung insb. S. 123 ff.

16. F. Neumann »Zum Begriff der politischen Freiheit«, in: ders., Demokratischer und autoritärer Staat, 1967 (Nachdruck 1971), S. 82 ff.

17. Ders. a.a.O., S. 82.

18. J. Habermas a.a.O., S. 196.

19. Ders. a.a.O., S. 91 ff., vgl. auch Carl Schmitt »Die geistesgeschichtliche Lage des heutigen Parlamentarismus«, 4. Aufl. 1969, S. 52 ff.

20. Über die philosophische Bedeutung der Allgemeinheit des Gesetzes und ihre Verbindung zur idealistischen Philosophie vgl. auch K. Vogel »Gesetzgeber und Verwaltung«, in: VVDStRL Heft 24 (1966), S. 125 ff.

21. F. Neumann »Zum Begriff der politischen Freiheit«, in: ders., Demokratischer und autoritärer Staat, 1967 (Nachdruck 1971), S. 83 ff.

22. M. Weber »Wirtschaft und Gesellschaft«, zit. nach der Studienausgabe hrsg. von M. Winckelmann, 1956, 2. Halbband, S. 818. Zustimmend auch E. Forsthoff »Begriff und Wesen des sozialen Rechtsstaates«, in: VVDStRL Heft 12 (1954), S. 15.

23. C. Schmitt »Verfassungslehre«, 3. Aufl. 1957, S. 147.

24. F. Neumann »Der Funktionswandel des Gesetzes im Recht der bürgerlichen Gesellschaft«, in: ders., Demokratischer und autoritärer Staat, 1967 (Nachdruck 1971), S. 83 f.

25. F. Neumann »Zum Begriff der politischen Freiheit«, in: ders., Demokratischer und autoritärer Staat, 1967 (Nachdruck 1971), S. 83 f.

26. Ders. a.a.O., S. 84.

27. K. Zeidler hat in seiner Untersuchung »Maßnahmegesetz und ›klassisches Gesetz‹«, 1961, herausgearbeitet, daß das ›klassische Gesetz‹ im Sinne, wie wir vom allgemeinen Gesetz sprechen, sich in der frühkonstitutionellen Zeit weder in der Theorie noch in der Praxis durchgesetzt hat. Seine Untersuchung ergibt hinsichtlich der Literaturmeinungen jedoch, daß die Mehrheit der Autoren vom allgemeinen Gesetz im hier verwendeten Sinne ausgeht. »Es fehlt aber nicht an namhaften Vertretern, die für die Gesetzesform allein auf die Entstehungsform abheben«, ders. a.a.O., S. 134. Das ist angesichts der von ihm festgestellten Praxis jener Zeit, die ›Einzelfall-‹ bzw. ›Maßnahmegesetze‹ im heutigen Sinne durchaus gekannt hat, wahrhaftig nicht erstaunlich. Andererseits wird dadurch aber nicht wiederlegt, daß das Gesetz im Sinne des liberalen Rechtsstaates ein allgemeines im obigen Sinne ist. ›Einzelfallgesetze‹ und diese anerkennende Literaturmeinungen mußte es schon deswegen geben, weil der liberale Rechtsstaat und das ihm zugrunde liegende Modell von Staat und Gesellschaft in Deutschland nie rein verwirklicht waren, vgl. dazu unten S. 17 ff. Dieser Umstand hindert nicht, rückschauend aus den verschiedenen in der Literatur des 19. Jahrhunderts geäußerten Meinungen einen dem liberalen Rechtsstaat entsprechenden allgemeinen Gesetzesbegriff abzuleiten. Die Kritik von U. K. Preuß »Nachträge zur Theorie des Rechtsstaates«, in: KJ 1971, S. 16, an F. Neumann ist daher unzutreffend.

28. J. Habermas »Strukturwandel der Öffentlichkeit«, 4. Aufl. 1969, S. 87, 243.

29. Ders. a.a.O., S. 87.

30. Vgl. F. Wieacker »Das Sozialmodell der klassischen Privatrechtsgesetzbücher und die Entwicklung der modernen Gesellschaft«, 1953, S. 8 f.

31. Ders. a.a.O., S. 8.

32. Ders. a.a.O., S. 8. Vgl. auch A. F. J. Thibaut »Über die Notwendigkeit eines allgemeinen bürgerlichen Rechts für Deutschland«, in: Thibaut und Savigny, Nachdruck 1959, S. 51: »Sehen wir nun ferner auf das Glück der Bürger, so kann es gar keinen Zweifel leiden, daß ein solches einfaches Gesetzbuch die schönste Gabe des Himmels genannt zu werden verdiente. Schon die bloße Einheit wäre unschätzbar ... Außerdem macht der bürgerliche Verkehr jene Einheit fast zu einer schreyenden Notwendigkeit. Unsere deutschen Länder können allein durch einen lebhaften inneren, wechselseitigen Verkehr ihren Wohlstand erhalten ...« vgl. auch F. Engels »Die Rolle der Gewalt in der Geschichte«, zit. nach Marx-Engels-Werke, Bd. 22, 1962, S. 406 ff., 409: »Dieser sich mächtig hebenden Industrie und den sich an sie knüpfenden Handel aber mußte die deutsche Kleinstaaterei mit ihren vielfachen verschiedenen Handels- und Gewerbegesetzgebungen bald eine unerträgliche Fessel werden. Alle paar Meilen weit ein anderes Wechselrecht, andere Bedingungen bei Ausübung eines Gewerbes, überall, aber überall andere Schikanen, bürokratische oder fiskalische Fußangeln, ja oft noch Zunftschranken, gegen die nicht einmal eine Konzession half! Und dazu die vielen verschiedenen Heimatgesetzgebungen und Aufenthaltsbeschränkungen, die es den Kapitalisten unmöglich machten, disponible Arbeitskräfte in genügender Zahl auf den Punkt zu werfen, wo Erz, Kohle, Wasserkraft und andere Naturbegünstigungen die Anlage von industriellen Unternehmungen gebot! Die Fähigkeit, die massenhafte Arbeitskraft des Vaterlandes ungehindert auszubeuten, war die erste Bedingung der industriellen Entwicklung; überall aber, wo der patriotische Fabrikant Arbeiter von allen Enden zusammenzog, stemmte sich Polizei und Armenverwaltung gegen die Niederlassung der Zuzügler. Ein deutsches Reichsbürgerrecht und volle Freizügigkeit für alle Reichsbürger, eine ein-

heitliche Handels- und Gewerbegesetzgebung das waren nicht mehr patriotische Phantasien überspannter Studenten, das waren jetzt notwendige Lebensbedingungen der Industrie.«

33. F. Wieacker a.a.O., S. 9.

34. M. Riedel »Studien zu Hegels Rechtsphilosophie«, 1969, S. 156; vgl. auch J. Habermas »Hegels Kritik der französischen Revolution«, in: ders., Theorie und Praxis, 3. Aufl. 1969, S. 95; H. Ehmke »Staat und Gesellschaft als verfassungstheoretisches Problem«, in: Staatsverfassung und Kirchenordnung. Festgabe für Rudolf Smend, 1962, S. 39 ff. C. Schmitt »Die geistesgeschichtliche Lage des heutigen Parlamentarismus«, 4. Aufl. 1969, S. 45 f.: »Es ist notwendig, den Liberalismus als konsequentes, umfassendes metaphysisches System zu sehen. Gewöhnlich erörtert man nur die ökonomische Schlußfolgerung, daß aus der freien wirtschaftlichen Konkurrenz privater Individuen, aus Vertragsfreiheit, Handlungsfreiheit, Gewerbefreiheit die soziale Harmonie der Interessen und der größtmögliche Reichtum sich von selbst ergeben. Alles dies ist aber nur ein Anwendungsfall des allgemeinen liberalen Prinzips. Es ist durchaus dasselbe, daß aus dem freien Kampf der Meinungen die Wahrheit entsteht als die aus dem Wettbewerb von selbst sich ergebende Harmonie.« Vgl. auch R. Wiethölter »Rechtswissenschaft«, 1968, S. 71, der die sozial- und geistesgeschichtliche Entwicklung von Adam Smith über Kant zu Savigny aufzeigt.

35. J. Habermas »Strukturwandel der Öffentlichkeit«, 4. Aufl. 1969, S. 160: »Das liberale Modell, in Wahrheit eines der Kleinwarenwirtschaft, hatte nur horizontale Tauschbeziehungen individueller Warenbesitzer vorgesehen. Bei freiem Wettbewerb und unabhängigen Preisen sollte dann keiner so viel Macht erwerben können, daß sie ihm erlaubt hätte, über einen anderen zu verfügen.« Ders. a.a.O., S. 92: »... die ökonomische Macht eines jeden Warenbesitzers wird innerhalb einer Größenordnung vorgestellt, in der sie auf den Preismechanismus keinen Einfluß nehmen, infolgedessen nie unmittelbare Macht über andere Warenbesitzer wirksam werden kann.« Vgl. dazu auch H. Heller »Rechtsstaat oder Diktatur«, 1930, S. 5 ff.

36. Adam Smith »Wealth of Nations«, IV 9 am Ende, zit. nach R. Zippelius »Allgemeine Staatslehre«, 2. Aufl. 1970, S. 126.

37. F. Neumann »Der Funktionswandel des Gesetzes im Recht der bürgerlichen Gesellschaft«, in: ders., Demokratischer und autoritärer Staat, 1967 (Nachdruck 1971), S. 7.

38. Gemeint sind Gesetz und Gewalt einerseits – Freiheit andererseits.

39. F. Neumann a.a.O., S. 7.

40. In Deutschland hatte es bisher nur den Aufstieg des ›Bildungsbürgertums‹ gegeben, das politischen Einfluß vor allem durch seinen Einfluß auf die Bürokratie gewann; vgl. im einzelnen W. Sauer »Das Problem des deutschen Nationalstaates«, zit. nach dem Wiederabdruck in: H. U. Wehler (Hrsg.), Moderne deutsche Sozialgeschichte, 1968, S. 417 ff.

41. Zur geschichtlichen Darstellung vgl. W. Sauer a.a.O., S. 420; R. Kosellek »Staat und Gesellschaft in Preußen 1815–1848«, zit. nach ebenda, S. 60. Teilweise wird von einer Revolution von oben gesprochen. Vgl. dazu W. Sauer a.a.O.

42. Vgl. das Edikt vom 9. 10. 1807 und die Geschäftsinstruktion vom 26. 12. 1808, ausschnittsweise zitiert bei H. Heller »Die politischen Ideenkreise der Gegenwart«, 1926, S. 81. Zum ganzen vgl. auch W. Strauß »Wirtschaftsverfassung und Staatsverfassung«, 1952, S. 7 ff.

43. Vgl. R. Kosellek »Staat und Gesellschaft in Preußen 1815–1848«, zit. nach dem Wiederabdruck in: H. U. Wehler (Hrsg.), Moderne deutsche Sozialgeschichte, 1968, S. 68; J. Hirsch »Wissenschaftlich-technischer Fortschritt und politisches System«, 1970, S. 13;

H. Böhme »Prolegomena zu einer Sozial- und Wirtschaftsgeschichte Deutschlands«, 2. Aufl. 1968, S. 27.

44. R. Kosellek a.a.O., S. 8.

45. Nach W. Strauß a.a.O., S. 8, waren die wirtschaftspolitischen Anschauungen Hardenbergs und Steins beeinflußt durch den Königsberger Nationalökonomen Krauß, »der ein Schüler Kants und zugleich ein begeisterter Anhänger der Lehre von Adam Smith war«.

46. Vgl. H. Zwirner »Die politische Treupflicht des Beamten«, diss. iur. 1956, S. 16. Zwirner weist darauf hin, daß bei der »im liberalen Geist erzogenen Beamtengeneration« die Reformbestrebungen schon vor der Jahrhundertwende kräftig entwickelt gewesen seien. Vgl. dort S. 15 ff. auch zur damaligen sozialen Stellung der Beamten.

47. Zu den weiteren Ursachen der Revolution, zu denen insbesondere die durch die liberale Politik verursachte Verarmung großer Teile der Bevölkerung gehörte, vgl. z. B. R. Kosellek »Staat und Gesellschaft in Preußen 1815–1848«, zit. nach dem Wiederabdruck in: H. U. Wehler, Moderne deutsche Sozialgeschichte, 1968, S. 71 ff.; R. Stadelmann »Soziale Ursachen der Revolution von 1848«, zit. nach dem Wiederabdruck ebenda, S. 137 ff. Zum Konflikt zwischen Bürokratie und Bürgertum vgl. U. K. Preuß »Nachträge zur Theorie des Rechtsstaats«, in: KJ 1971, S. 20 ff.

48. Vgl. F. Zunkel »Industriebürgertum in Westdeutschland«, zit. nach dem Wiederabdruck in: H. U. Wehler, Moderne deutsche Sozialgeschichte, 1968, S. 338 f. Zum preußischen Budgetkonflikt vgl. auch K. H. Friauf »Der Staatshaushaltsplan im Spannungsfeld zwischen Parlament und Regierung«, Bd. 1, 1968, S. 236; J. Hirsch »Haushaltsplanung und Haushaltskontrolle in der Bundesrepublik Deutschland«, 1968, S. 27 ff.

49. W. Tormin »Geschichte der deutschen Parteien seit 1848«, 1967, S. 39; vgl. auch W. Sauer »Das Problem des deutschen Nationalstaates«, zit. nach dem Wiederabdruck in: H. U. Wehler (Hrsg.), Moderne deutsche Sozialgeschichte, 1968, S. 422 f.

50. F. J. Stahl »Die gegenwärtigen Parteien in Staat und Kirche«, 1863, S. 73.

51. H. Böhme »Prolegomena zur Sozial- und Wirtschaftsgeschichte Deutschlands im 19. und 20. Jahrhundert«, 2. Aufl. 1968, S. 43. Zur Situation der Liberalen 1866, insb. zu den verschiedenen wirtschaftlichen Interessen, die zur Einigung mit Bismarck beitrugen, vgl. auch ders. »Deutschlands Weg zur Großmacht«, 1966, S. 211 ff., insb. S. 229 ff.

52. Ders. »Prolegomena zu einer Sozial- und Wirtschaftsgeschichte Deutschlands im 19. und 20. Jahrhundert«, S. 45.

53. Ders. a.a.O., S. 49 f.

54. H. Böhme »Prolegomena zu einer Sozial- und Wirtschaftsgeschichte Deutschlands im 19. und 20. Jahrhundert«, 2. Aufl. 1968, S. 58.

55. Ders. a.a.O., S. 62.

56. Als Beispiel können insb. die Einführung des Goldstandards und die Freihandelspolitik genannt werden. Als politischer Vertreter dieser Politik galt Delbrück, der 1876 zurücktrat. Vgl. dazu ausführlich G. Stolper »Deutsche Wirtschaftsgeschichte seit 1870«, 2. Aufl. 1966, S. 22 f., 40 f.

57. H. Böhme a.a.O., S. 63; vgl. ausführlicher ders. »Deutschlands Weg zur Großmacht«, 1966, S. 284.

58. Vgl. auch G. Stolper »Deutsche Wirtschaftsgeschichte seit 1870«, 2. erg. Aufl. 1966, S. 22 ff.

59. J. Hirsch »Wissenschaftlich-technischer Fortschritt und politisches System«, 1970, S. 19, bezeichnet die Jahre zwischen 1850 und 1879 »als die Epoche des ökonomischen Liberalismus in Deutschland«. Hirsch schränkt aber ein: »Auch diese Zeit weist allerdings kaum

jenes Zurücktreten des Staates und jenes gänzlich sich selbst überlassene Spiel der Kräfte auf der Basis des Markts und der privaten Vertragsfreiheit auf, die ihr oft vorschnell zugeschrieben werden.« Hirsch verweist in diesem Zusammenhang auf die oben S. 22 f. beschriebene Ambivalenz des liberalen Denkens und des liberalen Staates.

60. K. Sontheimer »Politische Wissenschaft und Staatslehre«, 1963, S. 15; P. v. Oertzen »Die Bedeutung C. F. v. Gerbers für die deutsche Staatsrechtslehre«, in: Staatsverfassung und Kirchenordnung. Festgabe für Rudolf Smend, 1962, S. 184; E.-W. Böckenförde »Gesetz und gesetzgebende Gewalt«, 1958, S. 211 ff.

61. C. F. v. Gerber »Über die Teilbarkeit deutscher Staatsgebiete«, in: Aegidis Zeitschrift für deutsches Staatsrecht, 1865–1867, S. 5 ff., zit. nach P. v. Oertzen a.a.O., S. 194.

62. W. Wilhelm »Zur juristischen Methodenlehre im 19. Jahrhundert«, 1958, S. 132; H. Heller »Krisis der Staatslehre«, in: Archiv für Sozialwissenschaften und Sozialpolitik, Bd. 55 (1926), S. 292 ff.

63. Vgl. E.-W. Böckenförde a.a.O., S. 213: »Die Beschränkung der Rechtswissenschaft auf ordnende und klassifizierende Erörterungen innerhalb eines festen Begriffssystems und die Ablehnung jeder wertenden Betrachtungsweise ist Ausdruck eines sozialethischen Wertungsprinzips.«

64. C. Schmitt »Hugo Preuß, sein Staatsbegriff und seine Stellung in der deutschen Staatsrechtslehre«, 1930, S. 6.

65. Im Original hervorgehoben.

66. H. Heffter »Die deutsche Selbstverwaltung im 19. Jahrhundert«, 1950, S. 737.

67. E.-W. Böckenförde »Gesetz und gesetzgebende Gewalt«, 1958, S. 214.

68. W. Wilhelm »Zur juristischen Methodenlehre im 19. Jahrhundert«, 1958, S. 123 ff., 143 ff.

69. Ders. a.a.O., S. 145.

70. P. v. Oertzen »Die Bedeutung C. F. von Gerbers für die deutsche Staatsrechtslehre«, in: Staatsverfassung und Kirchenordnung. Festgabe für Rudolf Smend zum 80. Geburtstag am 15. Januar 1962, 1962, S. 186 f.

71. Auch G. Jellinek (»Der Kampf des alten mit dem neuen Recht«, in: ders., Ausgewählte Reden und Schriften, 1. Bd., 1911, S. 422) hat gegenüber den gegen Ende des Jahrhunderts auftretenden autoritär-konservativen Lehrmeinungen schon im Jahre 1907 betont, daß »die Zeit, in der die juristische Behandlung des Staatsrechts entstand, die der Vorherrschaft liberaler Ideen und Parteien« gewesen sei und daß »diese politischen Wertmaßstäbe ... an viele Probleme bewußt oder unbewußt herangebracht worden« seien.

72. P. v. Oertzen »Die soziale Funktion des staatsrechtlichen Positivismus«, Diss. phil. 1952/53, S. 370.

73. Dem entspricht alles in allem auch die Einordnung der Laband-Schule durch H. Heffter »Die deutsche Selbstverwaltung im 19. Jahrhundert«, 1950, S. 736 f.

74. E.-W. Böckenförde »Gesetz und gesetzgebende Gewalt«, 1958, S. 217.

75. Ders. a.a.O., S. 218.

76. Vgl. auch pointiert Max Weber »Staatssoziologie«, 1956, S. 20: »Was er (der Kapitalismus, J. G.) braucht, ist ein Recht, das sich ähnlich berechnen läßt wie eine Maschine.«

77. So schreibt R. v. Mohl noch in seinem »Das Deutsche Reichsstaatsrecht«, 1873, S. 6 f.: »Es sind die einzelnen positiven Bestimmungen ehrlich und gründlich zu erklären, rechtlich und politisch zu würdigen, je nach ihrem Inhalte höher oder niederer, als Regel oder als Ausnahme zu ordnen; ... Dann erst mag Jeder ... rechtsphilosophische Vergleichungen anstellen, Lob und Tadel vom Standpunkte allgemeiner Lehren aussprechen, Rath geben oder vor-

aussagen.« S. 7 Anm. 1: »Zu bestreiten, daß nicht bloß Darstellungen des positiv Geltenden, sondern auch wesentlich auf Kritik gerichtete Untersuchungen gestattet sind, kann keinem Verständigen beigehen.« Vgl. im übrigen W. Wilhelm »Zur juristischen Methodenlehre im 19. Jahrhundert«, 1958, S. 141 f.

78. P. v. Oertzen »Die Bedeutung von Gerbers für die deutsche Staatsrechtslehre«, in: Staatsverfassung und Kirchenordnung. Festgabe für Rudolf Smend zum 80. Geburtstag am 15. Januar 1962, 1962, S. 205.

79. C. F. v. Gerber »Grundzüge des deutschen Staatsrechts«, 3. Aufl. 1880, S. 147.

80. Ders. a.a.O., S. 4, Anm. 2.

81. Ders. a.a.O., S. 5 f.

82. Ders. a.a.O., S. 47.

83. Ders. a.a.O., S. 47.

84. C. F. v. Gerber »Über öffentliche Rechte« 1852, S. 65 f.

85 Otto Mayer »Deutsches Verwaltungsrecht« 1. Bd., 1. Aufl. 1895, S. 104.

86. Vgl. dazu auch H. H. Rupp »Grundfragen der heutigen Verwaltungsrechtslehre«, 1965, S. 107 f., der sowohl auf Gerber wie auf Otto Mayer eingeht. Hierbei wird er freilich Otto Mayer nicht gerecht, wenn er meint, daß sich hinter dessen Ablehnung der verfassungsmäßigen Freiheitsrechte als subjektive öffentliche Rechte (vgl. Otto Mayer a.a.O., 3. Aufl. 1923, S. 107 f.) die Abneigung gegen alle subjektiven öffentlichen Rechte verstecke. Fehl geht auch der Hinweis Rupps auf den Aufsatz von Jesch (»Koreferat: der Gemeingebrauch«, in: JuS 1963, S. 213) wie sich insbesondere aus der Anm. 6 a.a.O. erweist. Vgl. auch Otto Mayer a.a.O., 3. Aufl., S. 107, Anm. 7, wo er seine Auffassung der Bejahung subjektiver öffentlicher Rechte vom »polizeistaatlichen Standpunkte« abgrenzt.

87. P. v. Oertzen »Die Bedeutung C. F. v. Gerbers für die deutsche Staatsrechtslehre«, in: Staatsverfassung und Kirchenordnung. Festgabe für Rudolf Smend zum 80. Geburtstag am 15. Januar 1962, 1962, S. 205.

88. Ders. a.a.O.

89. Vgl. hierzu F. Neumann »Zum Begriff der politischen Freiheit«, in: ders., Demokratischer und autoritärer Staat, 1967 (Nachdruck 1971), S. 76 f. Typisch für dieses staatsrechtliche Denken ist es, wenn Laband die juristische Stellung des Kaisers »mit dem Vorstand oder Direktor« einer »Privatkorporation«, eines »Aktienvereins« oder sonst einer juristischen Person vergleicht, P. Laband »Das Staatsrecht des deutschen Reiches«, Bd. 1, 5. Aufl. 1911, S. 228/29 und Anm. 1.

90. Vgl. dazu Fr. Schneider »Die politische Komponente der Rechtsstaatsidee in Deutschland«, in: PVS 9. Jg. (1968), S. 332 ff.; Ch.-F. Menger »Der Begriff des sozialen Rechtsstaats« 1953, zit. nach dem Wiederabdruck in: E. Forthoff (Hrsg.); Rechtsstaatlichkeit und Sozialstaatlichkeit, 1968, S. 46–56.

91. Vgl. R. v. Mohl »Encyklopädie der Staatswissenschaften«, 2. Aufl. 1872, S. 324. In diesem Sinne auch R. Thoma »Rechtsstaatsidee und Verwaltungsrechtswissenschaft« in: Jahrbuch des öffentlichen Rechts der Gegenwart, Bd. 4 (1919), S. 118; Hermann Heller »Der Begriff des Gesetzes in der Reichsverfassung«, in: VVDStRL Heft 4, S. 103.

92. H. Heller a.a.O., S. 103; vgl. auch ders. »Rechtsstaat oder Diktatur«, 1930, S. 8 f. In diesen Zusammenhang gehört auch der »demokratische Gesetzesbegriff« im Sinne von D. Jesch, vgl. dazu D. Jesch »Gesetz und Verwaltung«, 1961, S. 26 f.

93. Vgl. zur Problematik Demokratie und Rechtsstaat auch A. Baumgarten »Die Entwicklung der Ideen der Demokratie und des Rechtsstaates in der Neuzeit«, 1946, S. 11 f.

94. Vgl. C. Schmitt »Die geistesgeschichtliche Lage des heutigen Parlamentarismus« 4. Aufl., Neudruck, 1969, S. 46.

95. Vgl. H. Heller »Der Begriff des Gesetzes in der Reichsverfassung, a.a.O., S. 102; A. Baumgarten, a.a.O., S. 11 f.

96. R. Smend »Bürger und Bourgeois«, in: ders., Staatsrechtliche Abhandlungen, 2. Aufl. 1968, S. 314.

97. R. Thoma »Rechtsstaatsidee und Verwaltungswissenschaft«, in: Jahrbuch des Öffentlichen Rechts der Gegenwart, Bd. 4 (1910), S. 198.

98. F. J. Stahl »Rechts- und Staatslehre«, 3. Aufl. 1856, Bd. 2, S. 137 f. Vgl. dazu auch F. Neumann »Zum Begriff der politischen Freiheit«, in: ders., Demokratischer und autoritärer Staat, 1967 (Nachdruck 1971), S. 85: »Daß die Liberalen die Rechtsstaatslehre von Stahl übernahmen, ... demonstriert lediglich den Zusammenbruch des deutschen Liberalismus ... Der deutsche Liberalismus begnügte sich damit, gegen die Monarchie seine Rechte, insbesondere seine Eigentumsrechte, zu verteidigen, doch befaßte er sich nicht mehr mit der Eroberung der politischen Macht. Er hat in der Tat, wie diese Formulierung zeigt, die politische Freiheit gegen ökonomische Vorteile und Sicherheit eingetauscht.«

99. R. Thoma »Rechtsstaatsidee und Verwaltungswissenschaft«, in: Jahrbuch des öffentlichen Rechts der Gegenwart, Bd. 4 (1910), S. 204 f.

100. Ders. a.a.O., S. 199.

101. Dazu vgl. auch U. Scheuner »Die neuere Entwicklung des Rechtsstaats in Deutschland«, in: 100 Jahre deutsches Rechtsleben. Festschrift zum 100jährigen Bestehen des Deutschen Juristentages 1860–1960, Bd. 2, 1960, S. 229, 247 f.

102. Vgl. E. Forsthoff »Lehrbuch des Verwaltungsrechts«, 1. Bd., Allgemeiner Teil, 9. Aufl. 1966, S. 49.

103. O. Mayer »Deutsches Verwaltungsrecht«, 1. Aufl. 1895, S. VIII.

104. Ders. »Zur Lehre vom öffentlichrechtlichen Vertrag«, in: AöR Bd. 3 (1888), S. 3.

105. Ders. »Deutsches Verwaltungsrecht«, a.a.O., S. 61.

106. Ders. a.a.O., S. 62.

107. Ders. a.a.O., S. 66.

108. C. Schmitt »Hugo Preuß, sein Staatsbegriff und seine Stellung in der deutschen Staatslehre«, 1930, S. 6.

109. Die dadurch ermöglichte Voraussehbarkeit staatlichen Handelns gehört zu den Attributen des formellen Rechtsstaates, an dem festgehalten wird, vgl. dazu H. Heller »Rechtsstaat oder Diktatur«, 1930, S. 6.

110. Der bourgeoise Aspekt dieses Denkens war in Deutschland ohnehin schon früher besonders stark vertreten, vgl. dazu R. Smend »Bürger und Bourgeoisie«, 1933, zit. nach ders., Staatsrechtliche Abhandlungen, 2. Aufl. 1968, S. 312 ff.

111. Vgl. E. Forsthoff »Lehrbuch des Verwaltungsrechts«, 1. Bd., Allgemeiner Teil, 9. Aufl. 1966, S. 50; U. Scheuner »Die staatliche Intervention im Bereich der Wirtschaft«, in: VVDStRL Heft 11 (1954), S. 3.

112. E. Forsthoff a.a.O., S. 51.

113. U. Scheuner a.a.O., S. 3.

114. Vgl. ders. a.a.O., S. 3.

115. Wandel und Kontinuität sowohl in der geschichtlichen Entwicklung des Bürgertums wie auch der öffentlichen Rechtslehre lassen sich auch an den Begriffen Bürger und bourgeois zeigen. Der Bürger hatte auch schon die Merkmale des bourgeois, aber der bourgeois entstand erst, als sich diese Merkmale verselbständigten, vgl. R. Smend »Bürger und Bourgeois«, 1933, zit. nach ders., Staatsrechtliche Abhandlungen, 2. Aufl. 1968, S. 312 f.; J. Habermas »Strukturwandel der Öffentlichkeit«, 1969, S. 125 ff.

116. H. Heller »Die Krisis der Staatslehre«, in: Archiv für Sozialwissenschaften und Sozialpolitik, Bd. 55 (1926), S. 289.

117. Diese Unterschiede werden besonders betont von U. Scheuner »Die neuere Entwicklung des Rechtsstaats in Deutschland«, in: Hundert Jahre Deutsches Rechtsleben. Festschrift zum 100jährigen Bestehen des Deutschen Juristentages 1860–1960, Bd. 2, 1960, S. 229 ff.; H. Ehmke »Staat und Gesellschaft als verfassungstheoretisches Problem«, in: Staatsverfassung und Kirchenordnung. Festgabe für Rudolf Smend zum 80. Geburtstag am 15. Januar 1962, 1962, insb. S. 41 f.

118. Vgl. oben S. 13 ff. sowie unten S. 55 ff.

119. Vgl. dazu J. Habermas »Strukturwandel der Öffentlichkeit«, 1969, S. 125: »Kant teilte das Vertrauen der Liberalen, daß sich mit der Privatisierung der bürgerlichen Gesellschaft solche sozialen Voraussetzungen als die Naturbasis des Rechtszustandes und einer politisch funktionsfähigen Öffentlichkeit von selber herstellen würden, ja fast sich schon eingestellt haben mochten.«

120. Bezeichnend für die zunächst bestehende Möglichkeit der Identifizierung des liberalen Bürgertums mit dem ganzen ›Volk‹ und für den im Verlauf der historischen Entwicklung sich vollziehenden Verlust dieser Möglichkeit ist die Aufstellung der Parlamentskandidaten vor Wahlen durch die Fortschrittspartei. Während ursprünglich öffentliche Vorwahlen stattfanden, an denen jeder teilnehmen konnte, ging man später, als die Nationalliberalen sich abspalteten und Sozialdemokraten auftauchten, dazu über, nur Parteimitglieder zuzulassen. Vgl. W. Tormin »Geschichte der deutschen Parteien seit 1848«, 1967, S. 55: »Dieses System öffentlicher Vorwahlen setzte die Identität von Volk und Partei voraus: die Überzeugung, daß die Wähler, wenn sie frei entscheiden konnten und nicht durch Demagogie verführt waren, selbstverständlich liberal wählten, daß der Liberalismus, und er allein, die wahren Interessen und die wahren Ziele des Volkes verkörperte.«

121. Zum Verbandswesen vor 1871 vgl. M. Erdmann »Die verfassungspolitische Funktion der Wirtschaftsverbände in Deutschland 1815–1871«, 1968.

122. Vgl. dazu bei C. Schmitt »Verfassungslehre«, 3. unveränderte Aufl. 1957, S. 235.

123. J. H. Kaiser »Die Repräsentation organisierter Interessen«, 1956, S. 125.

124. Vgl. H. Heller »Die politischen Ideenkreise der Gegenwart«, 1926, S. 79; J. H. Kaiser »Die Repräsentation organisierter Interessen«, 1956, S. 33, Anm. 8: Hier findet sich ein Hinweis auf ein Edikt schon Ludwig XVI., bei dem »vor allem die ökonomischen Doktrinen Quesnays Pate gestanden (hatten), wie die Berufung auf das Recht der Arbeit und die Freiheit der Konkurrenz, die Behinderung des wirtschaftlichen Fortschritts durch überholte Privilegien und Mißbräuche zeigt«.

125. Art. 1 der Loi Le Chapelier v. 14./17. Juni 1791, zit. nach J. H. Kaiser a.a.O., S. 32. Vgl. dort auch Art. 2 und 3, die Verbindungen von Geschäftsleuten verboten und die Beeinflussung der staatlichen und städtischen Organe durch die verbotenen Vereinigungen. Bezeichnenderweise waren der Anlaß für dieses Gesetz Arbeiterdemonstrationen, wenngleich sich das Gesetz gegen andere Organisationen ebenso richtete, so daß Kaiser meint, die ausgesprochene Arbeiterfeindlichkeit der Maßnahme sei »dem revolutionären Gesetzgeber noch verborgen« gewesen (a.a.O., S. 35 und Anm. 16, dort findet sich auch ein Hinweis auf die Rechtsentwicklung in England, sowie auf S. 31/32 Anm. 5 in Deutschland).

126. K. E. Born »Der soziale und wirtschaftliche Strukturwandel Deutschlands«, zit. nach dem Wiederabdruck in: H. U. Wehler (Hrsg.), Moderne deutsche Sozialgeschichte, 1968, S. 276.

127. G. Leibholz »Die Auflösung der liberalen Demokratie in Deutschland und das auto-

ritäre Staatsbild«, 1933, S. 23; vgl. auch C. Schmitt »Die geistesgeschichtliche Lage des heutigen Parlamentarismus«, 4. Aufl. Nachdruck 1969, S. 45.

128. G. Leibholz a.a.O., S. 28.

129. Vgl. dazu C. Schmitt a.a.O., S. 41 ff.; J. Habermas »Strukturwandel der Öffentlichkeit«, 1969, insb. S. 197 f., 223 f.

130. Vgl. S. 46, Anm. 120.

131. Vgl. M. Erdmann »Die verfassungspolitische Funktion der Wirtschaftsverbände in Deutschland 1815–1871«, 1968, S. 40 ff., 73 ff.

132. Ders. a.a.O., S. 252.

133. Ders. a.a.O., S. 253.

134. Vgl. zum folgenden: H. Böhme »Prolegomena zu einer Sozial- und Wirtschaftsgeschichte Deutschlands im 19. und 20. Jahrhundert«, 1968, S. 70 ff.; ders. »Deutschlands Weg zur Großmacht«, 1966, S. 341 ff.; K. E. Born »Der soziale und wirtschaftliche Strukturwandel Deutschlands«, zit. nach dem Wiederabdruck in: H. U. Wehler (Hrsg.), Moderne deutsche Sozialgeschichte, 1968, S. 247 ff.; Th. Nipperdey »Interessenverbände und Parteien in Deutschland vor dem Ersten Weltkrieg«, zit. nach dem Wiederabdruck ebenda, S. 369 ff.

135. K. E. Born »Der soziale und wirtschaftliche Strukturwandel Deutschlands«, zit. nach dem Wiederabdruck in: H. U. Wehler (Hrsg.), Moderne deutsche Sozialgeschichte, 1968, S. 282 (Hervorhebungen im Original).

136. Von 1826 bis Mitte 1870 waren in Preußen Aktiengesellschaften mit einem Kapital von insgesamt 3 Mrd. Mark gegründet worden. Bis 1874 kamen 857 neue Gesellschaften mit einem Kapital von 3,3 Mrd. Mark hinzu. Von diesen 857 Unternehmen befanden sich im Dezember 1874 123 in Liquidation und 37 waren in Konkurs gegangen (nach G. Stolper »Deutsche Wirtschaft seit 1870«, 2. erg. Aufl. 1966, S. 24 f.).

137. H. Böhme »Prolegomena zu einer Sozial- und Wirtschaftsgeschichte Deutschlands im 19. und 20. Jahrhundert«, 1968, S. 73.

138. K. E. Born »Der soziale und wirtschaftliche Strukturwandel Deutschlands«, zit. nach dem Wiederabdruck in: H. U. Wehler (Hrsg.), Moderne deutsche Sozialgeschichte, 1968, S. 281.

139. Schon vor dem Ersten Weltkrieg gab es daher eine heftige Diskussion über Kartelle in Deutschland, die auch Gegenstand der Verhandlungen des Deutschen Juristentages und des Vereins für Socialpolitik (1894 und 1905) war (vgl. insbesondere die Ausführungen von G. Schmoller »Das Verhältnis der Kartelle zum Staat«, in: Schriften des Vereins für Socialpolitik, Bd. 116 (1906).

Zur Geschichte der Kartellbildung in Deutschland vgl. u. a. V. Holzschuher »Soziale und ökonomische Hintergründe der Kartellbewegung«, Diss. 1962, ders. »Kartellbewegung und Wirtschaftspolitik im späten 19. Jahrhundert«, in: Kartelle und Wirklichkeit. Festschrift für Max Metzner, 1963, S. 135 ff.; E. Maschke »Grundzüge der deutschen Kartellgeschichte bis 1914«, in: Vortragsreihe der Gesellschaft für Westfälische Wirtschaftsgeschichte e. V., Heft 10 (1964); besonders Maschke weist auf die Verbindungslinien hin, die zwischen den älteren Organisationen der vorliberalen Zeit und den Kartellen und anderen Unternehmenszusammenschlüssen des 19. Jahrhunderts bestehen. Auch Maschke betont jedoch, daß zwischen beiden trotz dieser feststellbaren Kontinuität ein qualitativer Unterschied besteht. Die Betonung des Neubeginns im Text mit dem Jahre 1873 ist deswegen nicht willkürlich. Zur zahlenmäßigen Entwicklung der Kartelle: Für die Mitte der achtziger Jahre schätzte Schmoller (a.a.O.) ihre Zahl mit ca. 50–60. Die 1903–1906 durchgeführte Kartellenquête des Reichsamtes des Inneren zählte für das Jahr 1905 385 Kartelle (vgl. dazu E. Maschke a.a.O., S. 29).

140. K. E. Born »Der soziale und wirtschaftliche Strukturwandel Deutschlands«, zit. nach dem Wiederabdruck in: H. U. Wehler (Hrsg.), Moderne deutsche Sozialgeschichte, 1968, S. 279.

141. Vgl. dazu F. Zunkel »Industriebürgertum in Westdeutschland«, zit. nach dem Wiederabdruck ebenda, S. 309 ff.

142. Vgl. K. E. Born a.a.O., S. 274.

143. Vgl. G. Stolper »Deutsche Wirtschaft seit 1870«, 2. erg. Aufl. 1966, S. 39 ff.

144. Vgl. ebenda S. 46 ff.

145. Vgl. ebenda S. 48. Stolper teilt mit, daß bei Ausbruch des Ersten Weltkrieges dem preußischen Staat etwa 40 Gruben und 12 Hochöfen gehörten.

146. Vgl. ebenda S. 48.

147. K. E. Born »Der soziale und wirtschaftliche Strukturwandel Deutschlands«, zit. nach dem Wiederabdruck in: H. U. Wehler (Hrsg.), Moderne deutsche Sozialgeschichte, 1968, S. 279. Vgl. zum Verhältnis von Staat und Wirtschaft vor dem Ersten Weltkrieg auch H. Göppert »Staat und Wirtschaft«, 1924; Göppert spricht in diesem Zusammenhang von »Staatssozialismus« und »staatssozialistischem Kapitalismus« (S. 9). Freilich: »Feindschaft gegen den Kapitalismus lag dem Staatssozialismus völlig fern« (S. 10). Nach Göpperts Angaben war der preußische Staat »der größte Bergbautreibende nicht nur Deutschlands, sondern der Welt«. Vgl. auch Göpperts Angaben zum sog. »Gemeindesozialismus«, S. 16 f.

148. G. Stolper »Deutsche Wirtschaft seit 1870«, 2. erg. Aufl. 1966, S. 50. Für den Bereich der Kartelle vgl. R. Andreae »Die Entwicklung des deutschen Zwangskartellrechts seit Beginn des 20. Jahrhunderts«, Diss. 1935.

149. Vgl. hierzu und zum folgenden H. Herrfahrdt »Das Problem der berufsständischen Vertretung von der französischen Revolution bis zur Gegenwart«, 1921, S. 69 ff.

150. Ders. a.a.O., S. 79, 81.

151. Zum Ausdruck, den diese Bestrebungen im Schrifttum fanden, vgl. H. Herrfahrdt »Das Problem der berufsständischen Vertretung von der französischen Revolution bis zur Gegenwart«, 1921, S. 83 ff.

152. F. Wieacker »Privatrechtsgeschichte der Neuzeit«, 1952, S. 447.

153. K. E. Born »Der soziale und wirtschaftliche Strukturwandel Deutschlands«, zit. nach dem Wiederabdruck in: H. U. Wehler (Hrsg.), Moderne deutsche Sozialgeschichte, 1968, S. 283 f.

154. Vgl. F. Wieacker »Privatrechtsgeschichte der Neuzeit«, 1952, S. 449 ff.

155. Das könnte auch der Grund sein, weswegen die ›Kathedersozialisten‹, die auf die Volkswirtschaftslehre größeren Einfluß ausgeübt haben, im Bereich der Rechtswissenschaft kaum ein Echo hervorgerufen haben. A. Menger, der eine Ausnahme bildet, ist in der Rechtswissenschaft kaum beachtet worden; vgl. hierzu F. Wieacker a.a.O., S. 457.

156. Dennoch fanden freilich die restaurativen und autoritären Züge des wilhelminischen Reiches, die auch ihrerseits eine Folge des Niederganges des Liberalismus und des liberalen Kapitalismus sind und besonders seit der Thronbesteigung Wilhelms II. an Gewicht gewannen, ihren Niederschlag in einem Teil der staatsrechtlichen Literatur; vgl. dazu G. Jellinek »Der Kampf des alten mit dem neuen Recht«, in: ders., Ausgewählte Reden und Schriften, 1. Bd., 1911, S. 422 f. Jellinek verteidigt gegen diese neuere staatsrechtliche Strömung den Liberalismus des staatsrechtlichen Positivismus: Von der »neuen Generation«, »in deren politischen Anschauungen die große Wandlung sichtbar« werde, die 1878 eingesetzt habe und mit dem Thronwechsel 1888 in eine neue Bahn gelenkt worden sei, meint er, wähne »man sich in den Gedankenkreis des 16. Jahrhunderts zurückversetzt«.

2. Das öffentlich-rechtliche Rechtsdenken in der Zeit der Weimarer Republik vor dem Hintergrund der wirtschaftlichen Entwicklung

2.1. KEIN GRUNDLEGENDER WANDEL IN DER ›HERRSCHENDEN‹ ÖFFENTLICH-RECHTLICHEN RECHTSLEHRE DER WEIMARER REPUBLIK

Die Zeit der Weimarer Republik brachte auf dem Gebiet der Staats- und Verfassungsrechtslehre keinen grundlegenden Wandel. Das ist auf den ersten Blick um so erstaunlicher, als sowohl auf politischem wie verfassungsrechtlichem Gebiet durch den Krieg, die Revolution und die neue Verfassung sich eine völlig neue Situation ergeben hatte.

Im Krieg hatte sich auch ein völliger Wandel im Verhältnis von Staat und Wirtschaft ergeben, dessen liberales Denkmodell – wie wir gesehen haben – den wichtigsten staats- und verfassungsrechtlichen Begriffen zugrunde lagen. Zwar waren die Bedingungen dieses liberalen Modells – wie aufgezeigt – auch vor dem Ersten Weltkrieg nur noch in abnehmendem Maße vorhanden, dennoch war die Grundstruktur der Trennung von Staat und Gesellschaft (hier insbesondere der Wirtschaft) noch weitgehend erhalten geblieben. Das hatte sich aber in der Kriegswirtschaft mit ihrem sog. Kriegssozialismus – einer schließlich weitgehend zentral gelenkten Wirtschaft – vollständig verändert.[1] Und in den ersten Nachkriegsjahren und der Nachrevolutionszeit schien die Sozialisierung der gesamten Wirtschaft vielen Zeitgenossen nicht unwahrscheinlich.[2]

Von all diesen Ereignissen bleibt die Lehre vom Staats- und Verfassungsrecht weitgehend unberührt. Wie Jesch[3] schreibt, wurde »der staatsrechtliche Begriffsapparat trotz des Wechsels von der konstitutionellen Monarchie zur parlamentarischen Demokratie beibehalten«. Wohl hatte sich das positive Verfassungsrecht geändert, aber das Grundverständnis wurde kurzerhand auf die neuen Normen übertragen. Was Otto Mayer zur 3. Auflage seines Lehrbuches für das Verwaltungsrecht schreibt: »Groß Neues ist ja seit 1914 und 1917 nicht nachzutragen«, erscheint typisch nicht nur für die Verwaltungsrechtswissenschaft. Diese war inzwischen sozusagen zur Trägerin des Rechtsstaatsgedankens geworden und hat damit auch ein gut Teil der Staats- und Verfassungsrechtslehre mitübernommen. Wenn Otto Mayer schreibt:, »Verfassungsrecht vergeht, Verwaltungsrecht besteht«[4], so gilt das ›Bestehen‹ auch für das Grundverständnis der gesamten öffentlichen Rechtslehre von Staat, Gesellschaft und Verfassung. Typisch dafür erscheinen die Ausführungen Otto Mayers zum Rechtsstaat, an denen sich nach 1918 nicht viel ändert.[5] Die Kontinuität in der Staatsrechtswissenschaft wird besonders deutlich dadurch, daß Otto Mayer 1919 die 7. Auflage des Deutschen Reichsstaatsrechts von Paul Laband herausgibt, Gerhard Anschütz das Lehrbuch des Deutschen Staatsrechts von Georg Meyer.

Jesch führt die Konservierung des »staatsrechtlichen Begriffsapparates« einmal zurück auf das »prinzipiell konservative Denken der Juristen, zum anderen und vor allem jedoch« auf die »personelle Identität der maßgeblichen Interpreten des Staatsrechts sowohl der konstitutionellen Monarchie wie der neuen parlamentarischen Demokratie«, wofür Jesch auf das Beispiel Gerhard Anschütz verweist.[6] [7] Die personelle Kontinuität freilich dürfte als Begründung nicht ausreichen, insb. nicht die Frage beantworten, warum dieselben Interpreten die »maßgeblichen« blieben. Wichtiger scheint zunächst der Umstand, daß die Weimarer Verfassung selbst zum Teil erst eine Positivierung des liberalen Rechtsstaatsdenkens brachte, das auch der ›herrschenden Lehre‹ vor dem Ersten Weltkrieg schon zugrunde gelegen hatte. Dies war jetzt allerdings mit demokratischen, nicht mehr monarchisch-konstitutionellen Institutionen verbunden. Freilich enthielt die Weimarer Verfassung nicht nur diese liberalen Elemente (hierhin werden in erster Linie die ›liberalen Freiheitsrechte‹[8] zu zählen sein), sondern auch, wie Scheuner[9] sagt, »soziale und sozialistische Sätze und Verheißungen«. Für das hier interessierende Verhältnis von Wirtschaft und Verfassung sowie besonders Verfassungslehre und -interpretation erscheint aber für die Weimarer Zeit charakteristisch, was Scheuner 1952 auf der Staatsrechtslehrertagung sagt:[10] »Da die letzteren (die sozialen und sozialistischen Sätze und Verheißungen) weniger präzis gefaßt waren und der Anwendung und Durchführung mancherlei Schwierigkeiten boten, hat – auch unter dem Eindruck der allgemeinen politischen Entwicklung – im Laufe der Zeit die Betonung der liberalen Momente das Übergewicht erlangt, und am Ausgang der zwanziger Jahre erschien die Wirtschaftsordnung des Weimarer Staates stärker liberal geprägt, als dies in der ursprünglichen Normierung angelegt war.« Das bekräftigt nichts anderes, als daß in der ›herrschenden‹ Verfassungsrechtslehre die liberalen Traditionen sich ziemlich ungebrochen fortsetzten ohne Rücksicht darauf, daß auch »soziale und sozialistische Sätze und Verheißungen« in die Verfassung aufgenommen worden waren. Die Wirtschaftsordnung selbst war freilich am Ausgang der zwanziger Jahre nicht mehr besonders »liberal geprägt« (und noch weniger zu Beginn der dreißiger Jahre), sondern unterlag in ganz erheblichem Umfang der staatlichen Lenkung und Beeinflussung[11], was nicht heißen soll, daß sie nicht trotzdem kapitalistisch war. Aber – und dafür ist gerade die rückschauende Betrachtung Scheuners ein besonders guter Beleg – in das Bewußtsein der Vertreter der ›herrschenden‹ Staats- und Verfassungsrechtslehre war diese Wandlung nicht so recht eingedrungen. Wichtig an Scheuners Aussage ist also, daß im »Laufe der Zeit die Betonung der liberalen Elemente das Übergewicht« erlangte und daß Scheuner – entgegen der tatsächlichen Entwicklung – dies dann auch auf die tatsächliche Wirtschaftsordnung überträgt.[12]

Für die Fortführung der liberalen Tradition in der ›herrschenden‹ Verfassungs- und Staatsrechtslehre war aber auch wichtig, daß auch der bürgerliche Rechtsstaat in das positive Verfassungsrecht Eingang gefunden hatte. Zu den geistigen Vätern der Weimarer Reichsverfassung gehörten besonders auch Liberale wie Hugo Preuß und Friedrich Naumann.[13] Die Einführung der Demokratie in Verbindung mit dem bürgerlichen Rechtsstaat konnte daher als bloße Ablösung der Monarchie durch die demokratisch legitimierte Reichsregierung und den vom Volk gewählten Reichspräsidenten für den Notstandsfall gedeutet werden. Für das Verständnis von Staat und Gesellschaft und den auf deren Trennung aufbauenden staatsrechtlichen ›Begriffsapparat‹ brachte es keinen einschneidenden Wandel.

Das alte Trennungsdenken wurde einfach weitergeführt, ungeachtet der Wandlungen, die das Verhältnis von Staat und Wirtschaft gerade im Ersten Weltkrieg erfahren hatte. Zum Beleg kann auch hier wieder das Vorwort Otto Mayers zur 3. Auflage seines Verwaltungsrechts zitiert werden: »Der reiche Stoff von Ordnungen verwaltungsrechtlicher Natur, die nur durch Krieg und Kriegsnot veranlaßt waren, bleibt hier planmäßig unberücksichtigt. Für die rechtswissenschaftliche Erkenntnis geht damit kaum etwas verloren.«

Für liberale Juristen wie Otto Mayer handelt es sich bei der Kriegswirtschaft um eine Episode. Sie gehen weiter vom liberalen Modell aus, das sich zwei bis drei Jahrzehnte des 19. Jahrhunderts lang zu verwirklichen schien. Da die ›herrschende‹ Rechtswissenschaft sich von der Empirie und den Gesellschaftswissenschaften gelöst hat, wird man sich des Wandels und der grundsätzlichen Bedeutung, die die Kriegswirtschaft gehabt hat, nicht bewußt.

2.2. DIE »KRISIS DER STAATSLEHRE«

Es fehlte freilich nicht an kritischen Stimmen. Das Unbehagen wurde sogar als »Krisis der Staatslehre«[14] empfunden und dargestellt. Schon Georg Jellinek hatte gegenüber dem staatsrechtlichen Positivismus der Gerber-Labandschen Schule gefordert, daß man sich nicht auf die rein juristische Betrachtung beschränken dürfe. Ihm gelang es aber nicht, juristische und soziologische Betrachtungsweise zu integrieren, so daß er gewollt oder ungewollt dazu beitrug, die bisherige Tradition fortzusetzen.

Von der ›herrschenden‹ Staatsrechtslehre, wie sie in der Weimarer Republik etwa von Anschütz, Thoma und auch Kelsen vertreten wurde, wurde der Zwiespalt zwischen sozialer Wirklichkeit und dem vom liberalen Modell ausgehenden Staatsrechtsdenken nicht wahrgenommen. Dieser Zwiespalt kommt aber in der Kritik am Positivismus zum Ausdruck, die deswegen nicht von ungefähr »nicht selten mit einer politisch-weltanschaulichen Kritik am Liberalismus Hand in Hand«[15] geht.

Zwei Themenbereiche haben dabei besonders im Vordergrund gestanden: Während die Diskussion über die politischen Parteien im Rahmen des Parlamentarismus in der Regel nicht weiter führte als zu der Feststellung, daß die Parteien nicht eigentlich in das liberale Parlamentarismusdenken paßten[16], wird in der Diskussion um den »Wirtschaftsstaat« bereits nach den Ursachen des Auseinanderklaffens von Wirklichkeit und liberaler Begriffswelt gefragt.

Autoren wie Carl Schmitt[17], Franz Neumann[18] und Ernst Rudolf Huber[19] weisen darauf hin, daß die Bedingungen des liberalen Staats- und Gesellschaftsmodells nicht mehr vorliegen und daher die Begriffe neue Inhalte und neue politische Funktionen bekommen haben.[20] Freilich kommen sie dabei entsprechend ihrem unterschiedlichen politischen Standort zu ganz verschiedenen juristisch-politischen Schlußfolgerungen.[21]

ANMERKUNGEN

1. Die Organisation der Kriegswirtschaft soll hier nicht näher nachgezeichnet werden; vgl. dazu G. Stolper »Deutsche Wirtschaft seit 1870«, 2. erg. Aufl. 1966, S. 63 ff.

2. Vgl. z. B. J. M. Bonn »Das Schicksal des Deutschen Kapitalismus«, 1930, S. 9 ff.

3. D. Jesch »Gesetz und Verwaltung«, 1961, S. 7.

4. O. Mayer »Deutsches Verwaltungsrecht«, 3. Aufl. 1923, 1. Bd., Vorwort.

5. Vgl. die Ausführungen O. Mayers jeweils in § 5, ›Der Rechtsstaat‹, in der 1. Aufl. 1895 und der 3. Aufl. 1923 a.a.O. Der Unterschied liegt nicht im Inhaltlichen als vielmehr in der in der dritten Auflage strafferen Darstellungsweise.

6. D. Jesch »Gesetz und Verwaltung«, 1961, S. 7.

7. Die politische Einordnung von G. Anschütz vor dem Ersten Weltkrieg wird durch die Kontroverse mit A. Arndt erleichtert. Anschütz muß sich gegen Angriffe Arndts zur Wehr setzen, der Anschütz' Theorie des Gesetzesbegriffs dadurch zu diskriminieren sucht, daß er sie als »liberal« oder gar »demokratisch« bezeichnet. Während Anschütz den Vorwurf, liberalen Anschauungen zu huldigen, nur schwach abwehrt, setzt er sich gegen die Unterstellung demokratischer Ansichten heftig zur Wehr, vgl. G. Anschütz »Die gegenwärtigen Theorien über den Begriff der gesetzgebenden Gewalt und den Umfang des königlichen Verordnungsrechts nach preußischem Staatsrecht«, 2. Aufl. 1901, S. 54 ff. In der Weimarer Zeit hat Anschütz sich zum demokratischen Prinzip bekannt, wenn auch – wie es scheint – nicht ohne der Monarchie nachzutrauern, vgl. ders. »Drei leitende Gedanken der Weimarer Reichsverfassung«, 1923, S. 21 ff. Aber gerade dieser Wandel der Auffassungen und ihre nur jeweilige Halbherzigkeit erscheinen kennzeichnend für die »entschieden liberalen Geister«, zu denen H. Heffter Anschütz wohl mit Recht zählt (H. Heffter »Die deutsche Selbstverwaltung im 19. Jahrhundert«, 1950, S. 763).

8. Schon die Bezeichnung der Grundrechte als liberale Freiheitsrechte kennzeichnet die noch näher zu untersuchende Vorherrschaft des liberalen Gedankengutes in der ›herrschenden‹ Staats- und Verfassungsrechtslehre, vgl. so auch U. Scheuner »Staatliche Intervention im Bereich der Wirtschaft«, in: VVDStRL Heft 11 (1954), S. 18.

9. U. Scheuner a.a.O., S. 18.

10. Ders. a.a.O., S. 18 f.

11. Vgl. dazu G. Stolper »Deutsche Wirtschaft seit 1870«, 2. erg. Aufl. 1966, S. 87 ff.

12. Deswegen können wir auch H. H. Hartwich nicht zustimmen, der in der Auseinandersetzung mit Scheuner meint: »Solange sogenannte ›liberale Freiheitsrechte‹ in der traditionellen Form in der Verfassung stehen, wird es stets eine Tendenz zu einer Liberalisierung der Wirtschaft geben, zumindest ›in the long run‹.« Der Beweis dafür, daß dies nicht zutrifft, wird gerade in der Weimarer Zeit geliefert, die sich Ende der zwanziger / Anfang der dreißiger Jahre immer mehr vom Modell einer liberalen Wirtschaft entfernte und gerade auch deswegen so schmerzlos in das staatlich gelenkte Wirtschaftssystem der Nationalsozialisten überführt werden konnte; vgl. dazu bei G. Stolper a.a.O., S. 143. Hartwich überschätzt hier einfach die gestaltende Kraft, die von der Verfassungsinterpretation auf die Wirklichkeit ausgeht, H. H. Hartwich »Sozialstaatspostulat und gesellschaftlicher status quo«, 1970, S. 289.

13. Vgl. hierzu C. Schmitt »Hugo Preuß, sein Staatsbegriff und seine Stellung in der deutschen Staatslehre«, 1930, S. 18 ff.

14. So der Titel eines Aufsatzes von Hermann Heller »Krisis der Staatslehre«, in: Archiv für Sozialwissenschaften und Sozialpolitik Bd. 55 (1926), S. 289 ff.; vgl. auch R. Smend »Verfassung und Verfassungsrecht«, zit. nach dem Wiederabdruck in: ders., Staatsrechtliche Abhandlungen, 2. Aufl. 1968, S. 121: »Seit längerer Zeit stehen Staatstheorie und Staatsrechtslehre in Deutschland im Zeichen der Krise, mindestens des Übergangs.«

15. P. v. Oertzen »Die Bedeutung C. F. v. Gerbers für die deutsche Staatsrechtslehre«, in: Staatsverfassung und Kirchenordnung. Festgabe für R. Smend zum 80. Geburtstag am 15. Januar 1962, 1962, S. 187; vgl. ähnlich K. Sontheimer »Politische Wissenschaft und Staatsrechtslehre«, 1963, S. 23 f.

16. Vgl. dazu G. Radbruch »Die politischen Parteien im System des deutschen Verfassungsrechts«, in: Handbuch des Deutschen Staatsrechts, 1. Bd., 1930; H. Triepel setzt sich in seiner Rektoratsrede von 1926, »Staatsrecht und Politik«, 1929, mit dem staatsrechtlichen Positivismus auseinander, der »mehr als eine Generation deutscher Publizisten vollständig beherrscht« habe (a.a.O., S. 9). Seine Rektoratsrede von 1927 handelt dann von den politischen Parteien, ders. »Staatsverfassung und politische Parteien«, 1928. H. Herrfahrdt »Das Problem der berufsständischen Revolution bis zur Gegenwart«, 1921. Auch Smend führt hier nicht weiter. Besonders deutlich wird das in seiner Rede zur Reichsgründungsfeier am 18. 1. 1933, »Bürger und Bourgeois«, zit. nach dem Abdruck in: ders., Staatsrechtliche Abhandlungen, 2. Aufl. 1968, S. 309 ff. Kurz vor Ende der Weimarer Republik mahnt er vor den schon sichtbaren Gefahren, indem er dem Bourgeois den Bürger des früheren liberalen Denken gegenüberstellt und seiner Zeit als Vorbild anbietet. Ob diese Vorstellung früherer Zeit noch Vorbild der seinen sein kann, fragt er nicht, weil er sich über die soziologischen Bedingungen seines Vorbildes nicht Rechenschaft ablegt. Vgl. zur Parteien- und Parlamentarismusdiskussion auch G. Leibholz »Das Wesen der Repräsentation und der Gestaltwandel der Demokratie im 20. Jahrhundert«, 3. Aufl. 1966, insb. S. 98 ff.; ders. »Die Auflösung der liberalen Demokratie in Deutschland und das autoritäre Staatsbild«, 1933. Zusammenfassend K. D. Bracher »Die Auflösung der Weimarer Republik«, 2. Aufl. 1957. Auch heute ist diese Debatte noch nicht abgeschlossen, vgl. dazu insb. G. Leibholz »Das Wesen der Repräsentation und der Gestaltwandel der Demokratie im 20. Jahrhundert«, Vorworte zur 2. und 3. Aufl., S. 2 ff., sowie den Sammelband von K. Kluxen (Hrsg.) »Parlamentarismus«, 1967.

17. Vgl. hierzu besonders C. Schmitt »Der Hüter der Verfassung«, 2. Aufl. 1969, und ders. »Die geistesgeschichtliche Lage des heutigen Parlamentarismus«, 4. Aufl. 1969.

18. Vgl. hierzu besonders F. Neumann »Über die Voraussetzungen und den Rechtsbegriff der Wirtschaftsverfassung«, in: Die Arbeit 8. Jg. (1931), S. 588 ff., und ders. »Der Funktionswandel des Gesetzes im Recht der bürgerlichen Gesellschaft«, in: ders., Demokratischer und autoritärer Staat, 1967 (Nachdruck 1971), S. 25 ff.

19. E. R. Huber »Das Deutsche Reich als Wirtschaftsstaat«, 1931.

20. Von den Autoren, die sich seinerzeit an dieser Diskussion beteiligt haben, seien hier noch genannt: H. Göppert »Wirtschaft und Staat«, 1924, der insb. auf eine die liberalistische Wirtschaftspolitik des 19. Jahrhunderts überdauernde Tradition des älteren ›Polizeistaats‹ hinweist, der auch aktiv in die Wirtschaft hineinregiert habe. H. Nipperdey in: A. Leist, H. Nipperdey, Die moderne Privatrechtsordnung und der Kapitalismus, 1925, S. 47 f.

21. Interessant für die späteren Grundgesetzinterpretationen ist, daß Huber schon zur Zeit der Weimarer Verfassung versucht, aus den Grundrechten ein »Prinzip der Wirtschaftsfreiheit« und schließlich daraus ein »System freier Wirtschaft als verfassungsrechtlich vor-

geschrieben zu exegieren. Er geht damit schon 20 Jahre vor Nipperdey einen ähnlichen Weg, wie ihn dieser mit erheblicher politischer Auswirkung für die Interpretation des Grundgesetzes eingeschlagen hat. Nipperdeys Anliegen geht freilich in eine andere Richtung: Er versucht die zumindest scheinbar gegebene Wirtschaftsordnung als verfassungsrechtlich gesollt zu beweisen. Huber versucht demgegenüber für den Beginn der dreißiger Jahre, also zu einer Zeit, als von einem »System freier Wirtschaft« in der Realität nur noch wenig übriggeblieben ist (vgl. dazu G. Stolper »Deutsche Wirtschaft seit 1870«, 2. erg. Aufl. 1966, S. 87 ff.), dieses System im Kontrast zu der von ihm richtig gesehenen Wirklichkeit als verfassungsrechtlich gesollt zu beweisen.

3. Wirtschaftliche Entwicklung und Verfassungsrechtsdenken in der Zeit des Grundgesetzes bis zur Mitte der sechziger Jahre

Wir haben bisher zu skizzieren versucht, daß die wirtschaftliche Wirklichkeit, nachdem sie sich während einiger Jahrzehnte des 19. Jahrhunderts an die Bedingungen des liberalen Modells anzunähern schien, etwa seit dem Ende der siebziger Jahre sich wieder von diesen Bedingungen zu entfernen begann.

Andererseits ließ sich feststellen, daß das Staats- und Verfassungsrechtsdenken bis zum Ende der Weimarer Republik dennoch von den auf diesen Bedingungen beruhenden Rechtsbegriffen ausging. Wir hatten ferner an den Anfang dieser Arbeit die Hypothese gestellt, daß auch das Verfassungsverständnis bzw. die Verfassungsinterpretation des Grundgesetzes in den fünfziger und frühen sechziger Jahren immer noch weitgehend geprägt war vom liberalen Denken des 19. Jahrhunderts, daß das Begriffssystem der Staats- und Verfassungsrechtswissenschaft auf diesem Denken beruht. Dabei hatten wir bereits angedeutet, daß wir einen wichtigen Grund für die Übernahme des tradierten Denkens und Begriffssystems für die Interpretation des Grundgesetzes sehen in der Vorherrschaft der neoliberalen Ideologie[1] in dieser Zeit und in einer erfolgreichen Wirtschaftspolitik, die von sich die Anwendung der neoliberalen Theorien behauptete.[2]

Im folgenden sollen daher Wirtschaftspolitik und wirtschaftliche Entwicklung der Bundesrepublik bis zur Mitte der sechziger Jahre skizziert werden, und es soll versucht werden, an Hand der exemplarischen Untersuchung einiger Grundgesetzinterpretationen die Vorherrschaft liberalen Denkens in diesem Bereich zu zeigen. Wegen der wichtigen Bedeutung des Neoliberalismus für beide Bereiche stellen wir dem eine Darstellung dieser Ideologie voran.

Zuvor soll jedoch in einem Exkurs geklärt werden, welche Zusammenhänge wir zwischen der empirischen Wirklichkeit, juristischer Interpretation und herrschender Ideologie sehen.

3.1. EXKURS: ÜBERLEGUNGEN ZUM VERHÄLTNIS VON EMPIRISCHER WIRKLICHKEIT UND JURISTISCHER INTERPRETATION

Eine solche Darstellung kann im Rahmen dieser Arbeit keine gründliche Untersuchung aller dabei auftretenden Probleme und dazu bestehender Meinungen bedeuten. Nur der eigene Standpunkt kann in eher thesenhafter Form vorgetragen werden, um das in dieser Hinsicht der Arbeit zugrunde liegende Vorverständnis zu klären.

Einen unmittelbaren Einfluß des Neoliberalismus auf das Rechtsdenken kann man zunächst dort konstatieren, wo Anhänger dieser Schule, insbesondere Juristen, sich selbst mit Fragen des Verfassungsrechts beschäftigen. Ein unmittelbarer Einfluß ist aber auch bei den Autoren ohne weiteres erkennbar, die nicht eigentlich zu dieser Schule gezählt werden, bei denen aber deutlich ist, daß sie diese Lehre weitgehend übernehmen und eine entsprechende Verfassungsauslegung vornehmen. Das trifft in erster Linie auf Nipperdey zu.

Darüber hinaus glauben wir auf einen mittelbaren Einfluß schließen zu können, wo das liberale Denken und Begriffssystem von der Staats- und Verfassungsrechtswissenschaft (und -rechtsprechung) nun auch auf das Grundgesetz angewendet wird und die alten Begriffe – häufig sogar in explizitem Gegensatz zum eigentlichen Neoliberalismus – fortgeführt werden, so daß Zweifel an ihnen selbst im Umfang der Diskussion der Weimarer Zeit verstummten. Während bei dem zunächst angeführten unmittelbaren Einfluß dieser so plausibel erscheint, daß eine nähere Erklärung dafür nicht erforderlich sein dürfte, wirft diese Beeinflussung indirekter Art, die nur über das Zusammenwirken von Vorherrschaft neoliberaler Ideen sowie der Etikettierung der offiziellen Wirtschaftspolitik mit dem Wort neoliberal und dem Erfolg dieser Wirtschaftspolitik und der Errichtung einer Wirtschafts- und Gesellschaftsordnung, von der man gemeinhin annahm, daß sie neoliberalen Prinzipien entspreche, die Frage auf, auf welchem Wege diese Art von Einfluß sich auswirkt.

Ein wichtiger Aspekt ist hierbei die Tatsache, daß das Recht zunächst Sprache, aus Wörtern bestehende Sätze, ist, nicht reales Sein, Rechtswissenschaft (und Rechtsanwendung) deswegen nicht von diesem, sondern von (Rechts-)sätzen auszugehen hat. P. Schneider hat das hier angesprochene Problem dahingehend formuliert, daß es die Problematik der Rechtsinterpretation sei, daß wir mit der Möglichkeit der Divergenz von Ausdruck und Auszudrückendem rechnen müssen.[3] Ausdruck ist offenbar das im Gesetz gebrauchte Wort, Auszudrückendes das diesem entsprechende reale Sein. Damit ist das Problem aber noch nicht völlig erfaßt. Das Recht ist zunächst stets nur Aneinanderreihung von Wörtern und Sätzen, die Rechtswissenschaft, wie jede Rechtsanwendung, steht deswegen – angesichts der Mehrdeutigkeit der Wörter bzw. der Ungenauigkeit ihrer Bedeutung – vor dem Problem, das diesen Wörtern jeweils entsprechende reale Sein zu ermitteln.[4]

Die dabei auftretenden Schwierigkeiten können gering sein, wenn die Bedeutung eines vom Recht benutzten Wortes bzw. Satzes im allgemeinen Sprachgebrauch ziemlich eindeutig ist. Das mag für Vorschriften wie Art. 22 GG: »Die Bundesflagge ist schwarz-rot-gold«, zutreffen. In der Regel gilt jedoch gerade für das Verfassungsrecht, daß die Wortbedeutung vage ist; das läßt sich etwa an Wörtern wie Sozialstaat und Rechtsstaat verdeutlichen.

Die hier vertretene Auffassung bedeutet zugleich, daß Rechtsanwendung nicht bloße nach den Regeln der Logik erfolgende Subsumtion konkreter Einzelfälle unter allgemein-generelle Sätze sein kann,[5] sondern fast immer auch wertende Einzelentscheidung sein muß, daß somit Rechtswissenschaft, soweit sie Rechtsanwendung vorbereiten und erleichtern soll, ebenfalls wertende Entscheidungen vornimmt. Das gilt für das Verfassungsrecht wegen der Vielzahl der unbestimmten Rechtsbegriffe in besonderem Maße.[6]

Das aufgezeigte Problem läßt sich an Hand des Unterschiedes von subjektiver und objektiver Interpretationsmethode verdeutlichen.[7]

Folgte man der subjektiven Methode,[8] d. h., stellt man bei der Ermittlung der Bedeutung der Norm auf den Willen des historischen Gesetzgebers ab, der mit allen Hilfsmitteln der historischen Wissenschaft festgestellt werden müßte, ließe sich wahrscheinlich in vielen Fällen die vom Gesetzgeber intendierte Bedeutung näher aufklären, so daß man die oben skizzierte Problematik wenn auch nicht aus der Welt schaffen, so doch verringern könnte. Die subjektive Methode würde zu einer gewissen Objektivierung der Bedeutung der Norm führen. Diese Methode wird jedoch im allgemeinen von Rechtslehre und Rechtsprechung abgelehnt.[9]

Die objektive Methode[10] zieht demgegenüber den Willen des historischen Gesetzgebers nur subsidiär heran; zu erforschen ist der ›objektive Wille des Gesetzes‹. Hierin gehört das Wort: Das Gesetz ist klüger als der Gesetzgeber. An dieses Wort anknüpfend, bemerkt Hartwich[11] mit Recht, da das Gesetz nicht selbst zu sprechen pflege, sondern dies durch seinen Interpreten geschehe, erhalte dieser eine wichtige politische Entscheidungsfunktion. Er entscheide über die inhaltliche Erfüllung einer Norm. Seine politische Funktion werde um so wichtiger, je unpräziser die entsprechende Gesetzesnorm sei.

Für die Frage der ›inhaltlichen Erfüllung‹ der Norm ist es wichtig, nach welchen Kriterien diese Entscheidung vorgenommen wird. Hartwich nennt hierfür: 1. die »vorausgegangene politische Entscheidung und rechtliche Inhaltsfixierung durch den Gesetzgeber« im Hinblick auf die Interpretation der Verfassung.[12] Damit ist letztlich das Problem der Einwirkung der Verfassungswirklichkeit auf die Verfassungsinterpretation angesprochen. 2. Das sog. Vorverständnis.[13]

Für die bewußte Berücksichtigung der durch die Gesetzgebung geschaffenen Verfassungswirklichkeit lassen sich gewichtige Autoren zitieren.[14]

Zwar wollen diese Autoren damit zum Teil nur zum Ausdruck bringen, daß es Aufgabe des Gesetzgebers sei, innerhalb der Verfassung diese zu konkretisieren, und daß Verfassungsrechtsprechung und wissenschaftliche Verfassungsinterpretation diese Aufgabe zu respektieren haben. Teilweise kommt hier aber auch das Wissen um die Tatsache zum Ausdruck, daß die Verfassungsinterpretation sich häufig davon leiten läßt, was inzwischen zur Verfassungswirklichkeit geworden ist. Eine exemplarische Untersuchung verschiedener Verfassungsinterpretationen wird zu zeigen versuchen, wie die jeweilige Verfassungswirklichkeit häufig als normativer Inhalt der Verfassung ausgegeben wird. Den meisten Interpreten dürfte dabei nicht bewußt sein, daß sich ihre Interpretation der Norm von der Realität leiten läßt.

Hier berührt sich die Frage des Einflusses der Verfassungswirklichkeit auf die Verfassungsinterpretation auch mit der oben angeschnittenen Frage des Vorverständnisses. Die Verfassungswirklichkeit kann sich auf die Verfassungsinterpretation ja nicht unmittelbar, sondern nur über die Vorstellung des Interpreten über diese Wirklichkeit auswirken. Diese beiden brauchen nicht übereinzustimmen. Das Vorverständnis spielt aber eine entscheidende Rolle für die Verfassungsinterpretation.[15] Hierbei ist zu berücksichtigen, daß das Vorverständnis auch wieder von der

Wirklichkeit mit beeinflußt wird, möglicherweise wird eine Verfassungsinterpretation auch durch eine als unerwünscht betrachtete Wirklichkeit beeinflußt, die auf diese Weise negiert wird. Das Problem des Vorverständnisses kann hier nicht ausdiskutiert werden. Es spielt in unserem Zusammenhang – ebenso wie der davon untrennbare Einfluß der Wirklichkeit auf die Verfassungsinterpretation – nur insofern eine Rolle, als es ein möglicher Ansatz ist für die Erläuterung des Umstandes, daß bei der Interpretation des Grundgesetzes weitgehend noch von liberalen Vorstellungen ausgegangen wird. Wir werden das an Hand von exemplarischen Untersuchungen einzelner Verfassungsinterpretationen zu zeigen versuchen.

3.2. NEOLIBERALISMUS

Eine Renaissance des liberalen Gedankengutes fand insbesondere in Deutschland nach dem Zweiten Weltkrieg durch den Neoliberalismus statt.

Die Hypothese, von der wir im Hinblick auf das Verhältnis von gesellschaftlicher Wirklichkeit und Verfassung für die ersten zwei Jahrzehnte der BRD ausgehen, ist die, daß sich auf Grund der Vorherrschaft neoliberaler Vorstellungen die liberalen Verfassungstheorien des 19. Jahrhunderts in der westdeutschen Staatsrechtslehre weitgehend behaupten konnten.[16]

Um diese Hypothese zu untermauern, bedarf es zunächst der Darstellung einiger Grundzüge der neoliberalen Theorie und der Darstellung der wesentlichen Gemeinsamkeiten und Unterschiede zur ›altliberalen‹ Theorie, um sodann die Einflüsse auf das Verfassungsrechtsverständnis aufzuzeigen.

Die neoliberale Schule, die in erster Linie von Wirtschaftswissenschaftlern vertreten wird und in erster Linie eine wirtschaftswissenschaftliche Schule ist, ist nicht auf Deutschland beschränkt und bildet keine völlig einheitliche Lehre. Im allgemeinen unterscheidet man vier Gruppen von neoliberalen Wissenschaftlern.[17]

Der Unterschied zwischen diesen verschiedenen Gruppen soll hier nicht herausgearbeitet werden. Für Deutschland war besonders die Freiburger Schule von Bedeutung, allerdings stärker im Hinblick auf die herrschende Ideologie als im Hinblick auf die praktische Wirtschaftspolitik. A. Müller-Armack[18], der den Begriff der ›Sozialen Marktwirtschaft‹ geprägt hat, kann zwar nicht zu dieser Gruppe gezählt werden. Er selbst betrachtete seine Theorie auch nicht »als bloße Abart des Neoliberalismus«[19], dennoch leugnete er nicht die Nähe zum Neoliberalismus. Ludwig Erhard hat sich insbesondere in der Diskussion um das Gesetz gegen Wettbewerbsbeschränkungen[20] auf ordoliberales Gedankengut gestützt. Für unsere Untersuchung kommt es jedenfalls auf diese Differenzierungen nicht an, zumal die neoliberalen Theorien sich auf das Verfassungsrechtsdenken in der Regel nicht so direkt und in ihren einzelnen Differenzierungen als vielmehr global und durch die allgemeine Akzeptierung dieser Theorie als herrschende Ideologie ausgewirkt haben.

3.2.1. Die Hauptforderung des Neoliberalismus in Deutschland: Wiederherstellung der Bedingungen einer liberalen Ordnung durch den Staat

Eucken hat schon in einer Veröffentlichung des Jahres 1932 auf die »Umwandlung des liberalen Staates zum Wirtschaftsstaat« hingewiesen und gefordert, die staatlich-gesellschaftliche Organisation des Liberalismus wiederherzustellen.[21]

In späteren Veröffentlichungen knüpft Eucken bewußt an die alte Vorstellung des »ordre naturel« an: »*Die* Ordnung wird gesucht, welche – anders als die gegebenen Ordnungen – der Vernunft oder der Natur des Menschen und der Dinge entspricht.«[22] Eucken geht es darum, »für die industrialisierte Wirtschaft die fehlende funktionsfähige und menschenwürdige Ordnung der Wirtschaft, der Gesellschaft, des Rechts und des Staates zu finden«.[23]

Diese Ordnung ist wie bei den früheren Liberalen die marktwirtschaftliche Wettbewerbsordnung, die auf dem privaten Eigentum an den Produktionsmitteln beruht. Der wesentliche Unterschied zu den Liberalen des 18. und 19. Jahrhunderts besteht bei den Neoliberalen wohl darin, daß jene glaubten, die natürliche Ordnung, die auch sie sich als Wettbewerbsordnung vorstellten, werde sich im wesentlichen von selbst herstellen, wenn nur der Staat dem einzelnen die Freiheit lasse, seinen Interessen nach seinem Belieben nachzugehen.[24] Die Neoliberalen gehen von der Erfahrung aus, daß der liberale Rechtsstaat, der die Wirtschaft und die Gesellschaft sich selbst überläßt, die Rahmenbedingungen, von denen das liberale Modell ausgeht und die für sein Funktionieren erforderlich sind[25], nicht zur Entstehung bringt bzw. von der Wirtschaft selbst zerstören läßt. Es genügt nicht, daß die Institutionen des Staates selbst den Anforderungen an den liberalen Rechtsstaat genügen, auch die korrespondierenden Institutionen von Wirtschaft und Gesellschaft müssen sich den Modellbedingungen anpassen.[26] Da die Erfahrung gezeigt hat, daß die ›natürliche Ordnung‹ sich insofern nicht ›spontan‹ einstellt,[27] wird dem Staat die Aufgabe übertragen, für deren Entstehung und Aufrechterhaltung Sorge zu tragen. Das Prinzip des Liberalismus der ›staatsfreien‹ Wirtschafts- und Gesellschaftssphäre ist damit nicht aufgegeben, denn wie es in der Terminologie von Eucken heißt: »Die wirtschaftspolitische Tätigkeit des Staates sollte auf die Gestaltung der Ordnungsformen der Wirtschaft gerichtet sein, nicht auf die Lenkung des Wirtschaftsprozesses.«[28] Wenn diese Rahmenordnung gesetzt und aufrechterhalten wird, dann laufen die Wirtschafts- und (Gesellschafts-)Prozesse ebenso automatisch nach objektiven Gesetzen ab, wie das auch die alten Liberalen vertreten haben. Dieser Gedanke des automatischen Funktionierens spielt auch für die Teilordnungen des Gesamtsystems eine wichtige Rolle. So fordert Eucken etwa von der ›Währungsverfassung‹: »Wie die Wettbewerbsordnung selber sollte sie möglichst automatisch funktionieren.«[29]

Das von dem Staat durch alle seine wirtschaftspolitischen Maßnahmen und ›Prinzipien‹ aufrechtzuerhaltende Grundprinzip ist die »Marktform der vollständigen Konkurrenz«.[30] Die weiteren Prinzipien sind: Der Primat der Währungspolitik[31], die Offenheit der Märkte[32], das Privateigentum[33], die Vertragsfreiheit[34], die Unbeschränktheit der privaten Haftung[35] und die Konstanz der Wirtschaftspolitik[36].

Wichtig an diesen Prinzipien, die zum großen Teil nur die alten liberalen Forderungen wiederholen, ist, daß diese jetzt nicht *nur* als negative Abwehrrechte gegenüber dem Staat gedacht werden, sondern daß dem Staat positiv die Aufgabe übertragen werden soll, für ihre Aufrechterhaltung auch gegenüber der Bedrohung durch private Macht zu sorgen. Das läßt sich etwa am Beispiel der Vertragsfreiheit zeigen: Die Freiheit, beliebige Verträge zu schließen, wird nun nicht mehr nur gegenüber dem Staat gefordert, sondern der einzelne muß auch gegenüber den Privaten davor geschützt werden, daß seine Vertragsfreiheit eingeschränkt wird. Dies kann insbesondere durch Monopole, Kartelle und allgemeine Geschäftsbedingungen geschehen. Dieser Gebrauch der vom Staat eingeräumten Vertragsfreiheit zu Lasten anderer Privater muß daher vom Staat wieder vermindert werden.[37]

Die von uns oben hervorgehobene implizite Voraussetzung des alten liberalen Modells, nämlich einer Wirtschaft, die nicht von großen Unternehmungen durchsetzt ist, sondern nur aus kleinen bis mittleren Unternehmungen bestehen darf, wird von einigen Neoliberalen ebenfalls gesehen und die Realisierung auch dieser Bedingung zur wirtschaftspolitischen Forderung erhoben.[38] Die besondere Aufmerksamkeit der Neoliberalen gilt daher auch dem Verbot jeglicher Art von Unternehmensmacht bzw. – wo solche nicht zu vermeiden ist – deren strenger Aufsicht. Denn, wie Eucken ausführt: »Nach der Erfahrung geht es über die Kräfte eines modernen Staates hinaus, in einer Wirtschaftsordnung, in der große Teile der Wirtschaft monopolisiert sind, eine wirksame Monopolaufsicht durchzuführen.«[39]

3.2.2. Der Versuch des Neoliberalismus, Wirtschafts-, Gesellschafts- und Staatsordnung als Einheit zu begreifen

Es ist charakteristisch für den Neoliberalismus, daß er ebenso wie der ältere Liberalismus versucht, den Gesamtzusammenhang von Wirtschafts-, Gesellschafts- und Staatsordnung zu begreifen. Der Hauptakzent liegt dabei auf dem Zusammenhang von Wirtschaft und Verfassung.

Der Einfluß dieser Theorie auf das ›öffentliche Leben‹ gerade in ihrem Versuch, Wirtschaftsordnung und politische Verfassung als Einheit zu begreifen, ist besonders manifest dadurch geworden, daß wichtige Grundgedanken in die amtliche Begründung zum Gesetz gegen Wettbewerbsbeschränkungen aufgenommen worden sind.[40] Dort heißt es, das Gesetz gegen Wettbewerbsbeschränkungen gehe von der durch die wirtschaftswissenschaftliche Forschung erhärteten wirtschaftspolitischen Erfahrung aus, daß die Wettbewerbswirtschaft die ökonomischste und *zugleich demokratischste*[41] Form der Wirtschaftsordnung sei. Von der nach neoliberalen Grundsätzen geordneten Wirtschaft heißt es weiter, daß eine derart geordnete Wirtschaftsverfassung das wirtschaftpolitische Gegenstück zur politischen Demokratie biete. Während deren Inhalt als das politische Mitbestimmungsrecht jedes Staatsbürgers anzusehen sei, stelle die Wettbewerbsordnung die wirtschaftlichen Grundrechte der Freiheit der Arbeit und der Verbrauchswahl sicher. Ferner heißt es in der Regierungsbegründung, die enge Beziehung und Abhängigkeit zwischen der politischen und wirtschaftlichen Verfassung machten die gesetzliche Festlegung der wirtschaftlichen Verfassungsgrundlagen in einem Augenblick besonders notwendig, in dem die Marktwirtschaft infolge äußerer Ereignisse einer besonderen Belastung ausgesetzt sei.

Entsprechend hatte der damalige Bundeswirtschaftsminister in der ersten Lesung des Gesetzes im Bundestag ausgeführt, das Gesetz gegen Wettbewerbsbeschränkungen bedeute das wirtschaftliche Korrelat zur politischen Demokratie, weil es die Freiheit der Verbraucher und darüber hinaus den Fortschritt in der Wirtschaft zum allgemeinen Nutzen sichere.[42]

Von den Neoliberalen selbst hat besonders der Jurist Franz Böhm sich der Zusammenhänge zwischen Wirtschaftsordnung und Staatsverfassung angenommen.[43]

Er geht von dem liberalen Ideal einer möglichst herrschaftslosen Staats- und Gesellschaftsordnung aus und glaubt dieses in einer auf Privateigentum an Produktionsmitteln beruhenden Wettbewerbsordnung am besten verwirklicht.

Die Wettbewerbsordnung entspricht dem Ideal der Machtlosigkeit nach seiner Vorstellung in doppelter Weise: In ihr kann der staatliche Herrschaftsapparat mit einem Minimum an Macht ausgestattet werden. Ihm wird nach altliberaler Vorstellung nur die Sicherheits- und Ordnungsfunktion übertragen sowie darüber hinaus die damit verwandte Überwachung der ›Spielregeln‹, der Wettbewerbsregeln. Alle übrigen gesellschaftlichen Bereiche koordinieren sich »spontan«[44] nach naturgesetzähnlichen Gesetzen des Marktes. Die Tatsache, daß dem Staat auf diese Weise nur ein Minimum an Aufgaben übertragen zu werden braucht, hat einen zweifachen, positiven Effekt: Die Freiheit des Bürgers bleibt optimal gesichert, und die Demokratie wird dadurch erst ermöglicht, denn – wie Böhm schreibt – »Demokratie, d. h. aktive Teilnahme der Bürger an den Regierungsgeschäften, ist nur möglich, solange die Regierungsaufgaben übersehbar sind und von dem Mann auf der Straße begriffen und beurteilt werden können«.[45]

Aber auch private Macht soll ausgeschlossen sein. Die den Wettbewerb ordnenden ›Spielregeln‹ sorgen dafür, daß auf den Märkten »doppelseitige vollständige Konkurrenz« herrscht. »Sie ist dadurch charakterisiert, daß jeder Marktbeteiligte zwar machtlos (d. h. absolut unfähig, das Schicksal eines der anderen Marktteilnehmer erkennbar und bewußt durch sein isoliertes Wirtschaftsverhalten mitzubestimmen), zugleich aber auch völlig unabhängig (d. h. frei von der fühlbaren Beeinflußbarkeit seines eigenen Schicksals durch das Tun und Lassen einzelner anderer Marktteilnehmer) ist.«[46]

Freiheit realisiert sich also bisher schon in zweifacher Weise, denn jedem Mitbürger wird in der Produktionssphäre »der denkbar größte Entscheidungs- und Planungsspielraum zugemessen«[47], und zwar sowohl gegenüber dem Staat wie auch gegenüber anderen Wettbewerbern am Markt, die durch private Macht diesen Freiheitsraum beeinträchtigen könnten. Zugleich ist die Gefahr gebannt, die von privater Macht ausgehen kann auf die demokratischen Institutionen des Staates.[48]

Den Hauptakzent legt Böhm jedoch auf die sog. Konsumentensouveränität (diesen Begriff gebraucht Böhm selbst allerdings nicht). Bei den ›Marktgesetzlichkeiten‹ handelt es sich nach seinen Vorstellungen »um soziale Ordnungszusammenhänge, die den Charakter von täglichen Abstimmungen und Wahlvorgängen haben. ... Jeden Tag begeben sich Millionen von Hausfrauen und Verbrauchern auf den Markt, ausgerüstet mit Wahlzetteln in Form von Geldscheinen, orientieren sich an Hand von Preisen und Augenschein über die dargebotenen Güter und treffen die Wahl in Gestalt von Kaufentscheidungen nach Maßgabe ihres Urteils und ihrer Bedürfnisskala.«[49] So werden nach der Vorstellung der Neoliberalen sämtliche Produktionsentscheidungen und letztlich die gesamte Wirtschaft ›demokratisch‹ von den Konsumenten in ihrer Gesamtheit gelenkt, denn die Produzenten, die nicht den Wünschen der Konsumenten Rechnung tragen, realisieren keine Gewinne mehr und müssen die Produktion aufgeben. »Die sog. Marktgesetze sind also bei Lichte gesehen nichts anderes als eine aufs Äußerste getriebene, technisch aufs Raffinierteste vervollkommnete tägliche und stündliche *plebiszitäre Demokratie,* ein das ganze Jahr hindurch vom Morgen bis in die Nacht währendes *Volksreferendum,* die technisch idealste Erscheinungsform, die überhaupt existiert.«[50]

So kommt Böhm zu dem Ergebnis,[51] die Wettbewerbswirtschaft sei mit einer demokratischen Verfassung nicht nur deshalb vereinbar, weil sie die Staatsaufgaben in höchst ökonomischer Weise auf ein Minimum beschränkt und den Bürgern ein Optimum von produktiver und konsumtiver Planungsfreiheit einräumt, sondern sie füge sich auch deshalb aufs vollkommenste in eine politische Demokratie ein, weil sie in sich selbst ein demokratischer Vorgang sei.

Während Böhm hier den Hauptakzent auf den – wenn auch eigentümlich interpretierten[52] – Begriff der Demokratie legt, so betonen die Neoliberalen im allgemeinen stärker den Gedanken des Rechtsstaates.

Die beiden zugrunde liegenden Gedanken sind folgende: Nur im Staat des liberalen Konkurrenzkapitalismus, in dem die staatlichen Organe nicht durch (›prozeßpolitische‹) Interventionen in den Wirtschaftsablauf eingreifen, kann die staatliche Tätigkeit auf generelle und allgemeine Gesetze und deren Ausführung beschränkt bleiben, so daß der einzelne bei den von ihm geplanten Handlungen die Reaktion des Staates und der anderen Bürger jeweils voraussehen kann.[53] In diesen Zusammenhang gehört auch der Gedanke der Privatrechtsgesellschaft[54]: Im Dualismus von Staat und Gesellschaft werden die Beziehungen im gesellschaftlichen Bereich durch das Privatrecht geregelt. Diese privatrechtlichen Regeln, die vom Staat gesetzt und garantiert werden und so auch das Verhältnis von Staat und Gesellschaft vermitteln, können generell und abstrakt sein, wobei die Gleichheit im wesentlichen zwischen den Bürgern von den meisten Autoren vorausgesetzt wird.[55]

v. Hayek schreibt: »Es ist charakteristisch für die liberale Gesellschaft, daß Privatpersonen nur gezwungen werden können, die Regeln des Privat- und Strafrechts zu befolgen. Und in der fortschreitenden Durchdringung des privaten mit dem öffentlichen Recht ... liegt eine der Hauptquellen für die Zerstörung der liberalen Ordnung.«[56]

Der andere Grundgedanke stützt sich auf die liberalen Freiheitsrechte: Nur in der privatkapitalistischen Wettbewerbswirtschaft soll die (grundgesetzlich gesicherte)

Freiheit der Wirtschaftssubjekte (Unternehmer, Arbeitnehmer und Konsumenten) bestehen, ihre wirtschaftlichen Entscheidungen frei zu treffen.[57]

In den grundlegenden Fragen des Staats- und Gesellschaftsmodells (einschließlich der Wirtschaft) entsprechen sich somit das ältere liberale und das neoliberale Modell. Beide bauen auf der Trennung von Staat und Gesellschaft auf. Die Sphäre der Gesellschaft, die aus freien und im wesentlichen gleichen Individuen besteht, wird durch das Privatrecht geregelt und beruht auf den durch frei vereinbarte Verträge hergestellten Beziehungen der Individuen. Dem steht der Bereich des Staates gegenüber, der sich auf die Aufrechterhaltung der inneren und äußeren Sicherheit und Ordnung beschränken soll und nach neoliberalen Vorstellungen zusätzlich durch Gesetze und deren Anwendung dafür sorgen soll, daß die Voraussetzungen des (neo-)liberalen Modells hergestellt bzw. aufrechterhalten werden.

3.2.3. Der neoliberale Begriff der Wirtschaftsverfassung

In diesen Zusammenhang gehört auch der von den Neoliberalen benutzte Begriff der Wirtschaftsverfassung.[58]

Die Neoliberalen, die – wie erwähnt – den Gesamtzusammenhang von Wirtschafts-, Gesellschafts- und Staatsordnung zu begreifen suchen, haben diesen Begriff sozusagen zum Bindeglied zwischen Wirtschaft und Rechtsordnung (einfacher: und Verfassungsrechtsordnung) gemacht.[59] Der Staat soll mit Hilfe von Gesetzgebung und Gesetzesvollziehung das (neo-)liberale Wirtschaftsmodell für verbindlich erklären. Die Voraussetzungen des Modells müssen durch das Recht eingeführt und aufrechterhalten werden. Die Wirtschaftsverfassung ist dann die Summe aller Rechtsnormen (des einfachen und des Verfassungsrechts), die eine bestimmte Wirtschaftsordnung in der Realität »vollziehen«[60] sollen. Ehmke, der sich auch mit dem neoliberalen Begriff der Wirtschaftsverfassung auseinandergesetzt hat, hat bereits auf die Verwandtschaft dieses Begriffes mit dem dezisionistischen Verfassungsbegriff von Carl Schmitt hingewiesen[61] und daran seine Kritik angeschlossen: Es fehle das vollziehende ›Subjekt‹. Denn das Schmittsche Zauberkunststück, sich ein Subjekt der Dezision durch »Voraussetzung« des Volkes als einer politisch handlungsfähigen Einheit zu verschaffen, sei im Bereich der Wirtschaftsverfassung nicht möglich. Die Wirtschaft könne nicht als verfassungsgebendes Subjekt gedacht werden.[62]

So trifft die Kritik allerdings weder Eucken noch Böhm. Den Auftrag, die Wirtschaftsverfassung zu statuieren und zu ›vollziehen‹, sehen sie beim Gesetzgeber bzw. beim Staat. Die Kritik muß daher vielmehr in die Richtung gehen, daß, wenn dem Staat diese Aufgabe zuerkannt und sie für verwirklichbar gehalten wird, man sich den Staat als von Wirtschaft und Gesellschaft unabhängig vorstellt. Der Staat und der Gesetzgeber werden vorgestellt als in der Lage, eine Gesamtentscheidung zu treffen, die die Grundordnung von Wirtschaft und Gesellschaft betrifft – unabhängig von den Interessen und der Stärke derjenigen, die die Gesellschaft ausmachen oder hier vorherrschen.

Ganz so naiv waren freilich weder Böhm noch Eucken. Beide betonen, daß der

Staat nicht mehr in der Lage ist, die Wirtschaft zu ordnen, wenn Monopole und/ oder »Interessentenhaufen« (Böhm) erst einmal bedeutenden wirtschaftlichen Einfluß erlangt haben.[63] Aber gerade deswegen widerspricht ihre Forderung, der Staat möge die Wettbewerbsordnung verwirklichen, ihrer eigenen Feststellung, wonach die Wirtschaft sich bereits in einem »entarteten und fehlkonstruierten« Zustand befinde, in dem »die Neuordnung der Wirtschaft in die Hände derjenigen Interessentenhaufen« geraten müsse, »die sich im Verlaufe des chaotischen Zustandes in den Besitz entweder eines bedeutsamen Markteinflusses oder eines bedeutsamen politischen Einflusses gesetzt haben«.[64]

Die Neoliberalen übernehmen hier vom klassischen Liberalismus den Glauben an das Recht[65] und die Neutralität des Staates.[66] [67]

Für die Frage des Einflusses, den der Neoliberalismus auf das Rechtsleben ausgeübt hat, ist zunächst als Zwischenergebnis festzuhalten, daß die Vertreter dieser Schule, weil sie stets den Zusammenhang von Wirtschafts-, Gesellschafts- und Staatsordnung betont haben, auch selbst am juristischen Denken teilgenommen haben. Das gilt sowohl für die wirtschaftswissenschaftlichen Vertreter dieser Schule[68] als auch in gesteigertem Maße für die Juristen innerhalb dieser Richtung. So ist von ihnen selbst das neoliberale Denken in die juristische Literatur eingeführt worden.

3.3. WIRTSCHAFTSPOLITIK UND WIRTSCHAFTLICHE ENTWICKLUNG IN DER BRD BIS ZUR MITTE DER SECHZIGER JAHRE

Wenn wir im folgenden einiges zur Wirtschaftspolitik und zur wirtschaftlichen Entwicklung der Bundesrepublik bis zur Mitte der sechziger Jahre ausführen, so soll zunächst klargestellt werden, daß es nicht Sinn dieser Ausführungen sein kann, eine umfassende Analyse dieses Bereiches zu erstellen. Vielmehr erfolgen diese Ausführungen wieder nur zu dem Zweck, Zusammenhänge zwischen wirtschaftlichen Gegebenheiten, offizieller Wirtschaftspolitik und verfassungsrechtlichem Denken bzw. Verfassungsrecht aufzuzeigen. Um zu zeigen, daß es hierbei nicht nur um eine mehr oder weniger willkürliche oder zufällige Veränderung der Wirtschaftspolitik geht, die vielleicht die eine oder andere Änderung des Verfassungsrechts bewirkt hat, sondern um das ›politische Gemeinwesen‹ als Ganzes, liegt ein Schwergewicht der Erörterungen darauf, daß der Wechsel der Wirtschaftspolitik die Folge der allgemeinen wirtschaftlichen Entwicklung ist.

Ferner werden von der früheren Wirtschaftspolitik und Wirtschaftsstruktur beispielhaft einige Elemente näher betrachtet, die mit konsequenten liberalen Vorstellungen nicht übereinstimmen. Sie sind im Rahmen unserer Überlegungen einmal deswegen von Bedeutung, weil sie teilweise in der juristischen Diskussion unter dem Stichwort »Interventionen« und »Leistungsverwaltung« eine Rolle gespielt haben, zum anderen, weil durch sie der rasche Übergang von der Wirtschaftspolitik erhardscher Prägung zu der schillerscher Prägung so reibungslos erfolgen konnte.

3.3.1. Wirtschaftspolitik und Wirtschaftsstruktur

Die Wirtschaftspolitik, die in der BRD seit der Währungsreform bis zur Bildung der »großen Koalition« im Dezember 1966 offiziell verfolgt wurde, wird von ihren Verfechtern als »soziale Marktwirtschaft«[69], von kritischen Betrachtern als »punktueller Interventionismus«[70] bezeichnet.

Diese Politik beruhte ihrer Konzeption nach weitgehend auf dem oben beschriebenen Konzept des Neoliberalismus (insb. der sog. Freiburger Schule), ergänzt und korrigiert durch Gedanken von A. Müller-Armack. Kleps bemerkt dazu, hinsichtlich der konstituierenden Prinzipien und der ihnen zugesprochenen sozialen Funktion stimme die Konzeption der sozialen Marktwirtschaft mit den Gedanken der sog. Ordo-Schule überein, das gelte auch bezüglich der regulierenden Prinzipien[71]. Den wesentlichen Unterschied sieht Kleps darin, daß das Konzept der sozialen Marktwirtschaft stärker den sozialen Aspekt betone; dadurch bekomme der Wettbewerb nicht Ziel-, sondern Mittelcharakter, was eine entsprechende Ausrichtung staatlicher Interventionen auf den Prozeß der Einkommensverteilung bedeute[72]. Kleps weist ferner darauf hin, daß es auch eine bewußte Wachstums- und Konjunkturpolitik gegeben habe und nennt in diesem Zusammenhang die sog. »Seelenmassage« oder »moral persuasion«, die nach Erhards Worten »nicht mehr aus dem wirtschaftspolitischen Instrumentarium wegzudenken« sei[73]. An eine antizyklische Finanzpolitik sei, der Konzeption zufolge, ebensowenig gedacht wie an eine volkswirtschaftliche Gesamtrechnung oder gar an ein Nationalbudget[74].

Entsprechend dem ordoliberalen Konzept bejahte Erhard die Verantwortung des Staates für die Wirtschaft, fügte jedoch hinzu: »Wenn dem aber so ist, dann kann auch wieder *nur* Aufgabe des Staates sein, den wirtschaftlichen Ordnungsrahmen zu setzen. Aufgabe des Staates ist es, die Spielregeln der Wirtschaft zu setzen, so wie es vorher schon seine Aufgabe gewesen ist, die soziale, ökonomische und politische Verfassung eines Landes zu setzen«[75]. Entgegen dieser Grundkonzeption gab es tatsächlich eine große Zahl auch prozeßpolitischer Interventionen[76]. Beobachter dieser Politik sind sich jedoch darin einig, daß diese Interventionen dadurch gekennzeichnet waren, daß sie jeweils von Fall zu Fall erfolgten und nicht Resultat eines längerfristigen Konzepts[77], sondern »dirigistisch« im Sinne von Neumark[78] waren. Obwohl es eine Reihe von »Plänen« gab[79], konnte diese Politik »mit guten Gründen als eine ›politics of non-planing‹ bezeichnet werden«[80].

Die Bemühungen dieser Politik konzentrierten sich besonders auf den Wideraufbau der Grundindustrie, der Werften, auf den Export und den Wohnungsbau. Bekanntes Beispiel ist das Investitionshilfegesetz von 1952[81], das Investitionsmittel für die Eisen- und Stahlerzeugung, die Elektrizitätserzeugung, den Kohlebergbau sowie schließlich – in geringem Umfang – die Gas- und Wasserversorgung und die Bundesbahn bereitstellte. Jedoch ist dieses Gesetz kein Einzelfall. A. Shonfield führt dazu aus:[82] »Subventionen, vom Staat gewährte billige Kredite und diskriminierende Steuervergünstigungen sind derart gang und gäbe, wie es nur in einer Gesellschaft möglich ist, wo es der Durchschnittsbürger als selbstverständlich ansieht, daß sich der

Staat seine Lieblinge aussucht und zu ihren Gunsten interveniert«. Nach dem Subventionsbericht der Bundesregierung belief sich die Summe aller derartiger öffentlichen Subventionen im Jahre 1961 auf 18,3 Mrd. DM[83].

Von den verschiedenen Instrumenten, deren sich die Wirtschaftspolitik bediente, sei hier noch ein Beispiel herausgegriffen, das von Shonfield[84] als bes. typisch für die Art westdeutscher Wirtschaftsprozeßpolitik betrachtet wird und das zugleich einen Aspekt der Wirtschaftsstruktur beleuchtet, nämlich die vom Bund gegründete Kreditanstalt für Wiederaufbau (KW).

Die Bank wurde eigens gegründet, um das Programm der amerikanischen Marshall-Plan-Hilfe durchzuführen. Die KW sollte der zusätzlichen Finanzierung der Geschäftsbanken dienen. Shonfield schreibt dazu:[85]

> »Es war ein typisch deutsches Arrangement: die staatlichen Behörden und die Banken arbeiteten Hand in Hand, um das nationale Programm zur Wiederbelebung der Wirtschaft in die Tat umzusetzen ... Das Wirtschaftsministerium betreute und betreut noch heute die KW und gibt ihr Anweisungen über die Dringlichkeitsstufen für die verschiedenen Investitionsarten. Den Leitern der KW lag die Durchführung der Investitionsoperation ob, und sie sprachen das letzte Wort darüber, welche Firma ein bestimmtes Investitionsprojekt ausführen sollte. In der Praxis allerdings wurde die Auswahl oft von den einzelnen Handelsbanken getroffen. Sie hatten die Aufgabe, die Anträge ihrer Kunden auf Investitionsanleihen zu sieben und diejenigen, die sie für geeignet hielten – versehen mit ihrer eigenen Haftungserklärung –, an die KW weiterzuleiten.
> Das erwies sich als eine erfolgreiche Methode, rasch Industriekapital dorthin zu bringen, wo es am dringendsten gebraucht wurde. Ob sie in anderen Ländern, wo die Banken nicht mit derselben fachlichen Erfahrung und institutionellen Macht ausgestattet sind, ebenso erfolgreich gewesen wäre wie in Deutschland, erscheint fraglich.«

In der Tat kann die KW aus zwei Gründen als besonders charakteristisch für die Verhältnisse der deutschen Wirtschaft und Wirtschaftspolitik der Nachkriegszeit angesehen werden. Dies einmal, weil sie ein Beispiel für die intensiven Bemühungen des Staates ist, Wirtschaftspolitik nicht nur im Sinne der Setzung einer Rahmenordnung, sondern im Sinne gestaltender Eingriffe in den Wirtschaftsablauf zu betreiben. Andererseits wegen der Vorgehensweise, die auf dem Zusammenwirken zwischen Staat und privater Wirtschaft, hier Bankenapparat, beruhte, wobei dieses Zusammenwirken so angelegt war, daß die KW den Privatbanken nie als Konkurrent oder als staatliche Autorität gegenübertrat. Im Gegenteil: Wichtige Entscheidungen für die Tätigkeit der KW wurden von den privaten Geschäftsbanken getroffen; die KW darf Kredite nur gewähren, »soweit andere Kreditinstitute die notwendigen Mittel nicht aufzubringen vermögen«[86]. Auch personell kommt dieses Verhältnis zum Ausdruck: Leiter der KW war zunächst H. Abs, bis er wieder die Leitung der Deutschen Bank übernehmen konnte, um dann Vorsitzender des Aufsichtsrates der KW zu werden.[87] Das Gesetz über die KW legt zudem fest, daß der Vorsitzende des Verwaltungsrates und sein Stellvertreter immer Bankiers sein müssen.

»Im großen und ganzen könnte die Funktion der KW im westdeutschen System als das Gegenteil von dem beschrieben werden, was die Sozialisten traditionsgemäß als die Rolle des Staatsbetriebes bezeichnet haben: die ›Kommandohöhen‹ sind sämtlich von den Privatbanken zu besetzen, und die öffentlichen Banken haben sich auf das Flachland zu beschränken.«[88]

Die Zusammenarbeit zwischen der öffentlichen KW und dem privaten Bankensystem ist für die Nachkriegswirtschaftspolitik deswegen so charakteristisch, weil sie erst durch die eigenartige Organisation der deutschen Industrie und ihrer Verbindung mit dem Bankensystem möglich war. Diese Organisationsstrukturen erst ermöglichten es dem Staat weitgehend, sich scheinbar auf seine ›liberalen‹ Funktionen zu beschränken. Shonfield hat die Rolle der Banken dahingehend charakterisiert, sie seien die Präfekten der deutschen Wirtschaft.[89] Die Rolle des Bankensystems in Westdeutschland ist in der Tat mit keinem anderen ›westlichen‹ Land vergleichbar. Die führende Rolle der Banken leitet sich bereits aus der Zeit der Industrialisierung her. Die deutschen Banken waren nie – wie etwa in England und den USA – nur dazu gedacht, den Unternehmen Betriebskredite zu gewähren. Vielmehr gingen gerade von den Banken in Deutschland die stärksten Impulse zur Industrialisierung aus, sie waren und sind die Finanzierungsinstitute der Industrie geblieben. Zwar waren die Banken nicht an jeder Gründung beteiligt. »Die Bedeutung der ursprünglichen Leistungen der Banken und damit ihr dauernder Einfluß war bei den einzelnen Industrien und den einzelnen Unternehmungen verschieden. Aber in größerem oder geringerem Maß hatten die Banken ihre Finger in jeder Gründung oder Erweiterung von Industriegesellschaften, und sie blieben an den betreffenden Unternehmungen finanziell beteiligt«.[90] Diese Bemerkungen Stolpers beziehen sich zwar nicht auf die Zeit nach dem Zweiten Weltkrieg, zeigen jedoch in der geschichtlichen Entwicklung die auch heute noch prinzipiell bestehende Rolle des Bankensystems, wie sie auch durch die Ergebnisse des »Konzentrationsberichts«[91] bestätigt worden ist. Für das Jahr 1960 ergibt sich aus dieser Untersuchung, daß bei den von der Auswahl erfaßten Aktiengesellschaften, die drei Viertel des Nominalwerts aller börsennotierten Aktien vereinigen, 70 % des Kapitals von den Banken kontrolliert wurde. Entsprechend stark sind die Banken in den Aufsichtsräten vertreten, wobei sich die Aufsichtsratsmandate besonders bei den drei Großbanken[92] häufen. Es liegt auf der Hand, daß das private Bankensystem auf Grund dieses Einflusses in den Organen der Industriegesellschaften und – davon nicht zu trennen – auf Grund der Kreditbeziehungen eine überragende Rolle in der westdeutschen Wirtschaft spielen, die sich seit 1960 auf Grund der »Konzentrationswelle« nur verstärkt haben kann.[93]

Die Struktur der westdeutschen Wirtschaft ist sicherlich nicht allein durch ihr Bankensystem gekennzeichnet. Es soll hier auch keineswegs der Versuch erfolgen, eine Analyse der westdeutschen Wirtschaftsstruktur zu liefern. Die Bemerkungen zum Bankensystem sollten vielmehr dazu dienen, beispielhaft aufzuzeigen, daß es in dieser Wirtschaft, entgegen der offiziellen Vorstellung von der Wettbewerbswirtschaft, mit unabhängig voneinander handelnden Entscheidungsträgern durchaus Koordinationsinstanzen gibt. Als weitere derartige Koordinationsmöglichkeit seien hier die Wirtschaftsverbände erwähnt. In dem »Gemeinschaftsausschuß der Deutschen Gewerblichen Wirtschaft« sind 14 »kapitalorientierte Verbände«[94] zusammengeschlossen.[95] (Die Zahl ihrer hauptamtlichen Mitarbeiter wird auf 120 000 geschätzt.)[96]. Es wird darauf hingewiesen, daß sie hierarchisch strukturiert seien und ihre Organisationsstruktur wenigstens teilweise aus der Zeit des Nationalsozialismus, als ihnen auch offizielle Funktionen im System der staatlichen Wirtschaftslenkungen übertragen waren, stamme.[97] Im Zwischenbereich von Staat und Gesellschaft bzw. Wirtschaft erscheinen einige Bestimmungen der »Gemeinsamen Geschäftsordnung der Bundesministerien« von besonderer Bedeutung.[98] Hierin wird den Verbänden eine Sonderstellung bei der Ausarbeitung von Gesetzesvorlagen eingeräumt, die sogar so weit geht, daß Verbände eingeschaltet werden, wenn die Vorlage Parlamentsmitgliedern gegenüber noch als vertraulich behandelt wird.[99] Allerdings sind nach § 23 II, 3 GGO »Verbände, deren Wirkungsbereich sich nicht über das gesamte Bundesgebiet erstreckt, ... nicht heranzuziehen.« Zusammenfassend hat Shonfield schon zu Anfang der sechziger Jahre die westliche Wirtschaft folgendermaßen charakterisiert:

> »Was Westdeutschland betrifft, so kann man sagen, daß der grundlegende Apparat, der für eine systematische Wirtschaftsplanung notwendig ist, hier eher vorhanden ist als in vielen anderen Ländern. Das gleiche gilt für die erforderliche Zusammenarbeit auf dem privaten Sektor und die entsprechende Geistesverfassung. All das braucht nicht mühsam erfunden zu werden wie in Großbritannien oder in den Vereinigten Staaten.«[100]

Auf Grund dieser Feststellungen wird auch erklärlich, was den unbefangenen Beobachter des Wechsels der offiziellen Wirtschaftspolitik von der angeblich (neo-) liberalen erhardscher Prägung zur globalsteuernden schillerscher Prägung möglicherweise hatte erstaunen können, daß nämlich sich dieser Übergang so reibungslos vollzog. Hätten Struktur der Wirtschaft und staatliche Wirtschaftspolitik wirklich den bis dahin offiziell verkündeten Maximen entsprochen, wäre dieser Übergang vermutlich sehr viel komplizierter gewesen.

3.3.2. Wirtschaftliche Entwicklung

Es wird heute im wirtschaftswissenschaftlichen Schrifttum weitgehend anerkannt, daß die Wirtschaftspolitik des punktuellen Interventionismus in der Bundesrepublik nur in der Zeit bis zur Mitte der sechziger Jahre möglich war, einer Zeit wirtschaftlicher Entwicklung, die man als Wiederaufbauphase bezeichnen kann.[101]

Diese Wirtschaftsphase und ihr Ende sind durch folgende statistische Angaben zu kennzeichnen:

Die Zahl der Arbeitslosen überstieg in dieser Periode die Zahl der offenen Stellen; im Jahre 1960 war die Zahl der offenen Stellen erstmals seit Kriegsende größer als die der Arbeitslosen, die Arbeitslosenquote sank erstmals unter 1 %.[102] Das gesamtwirtschaftliche Wachstum der Wiederaufbauphase war hoch; es verlief zwar auch in jenen Jahren nicht stetig, sondern in Konjunktur- bzw. Wachstumszyklen, jedoch mit einem abnehmenden Trend wirtschaftlichen Wachstums. Im Jahreswirtschaftsbericht 1970[103] geht die Bundesregierung von einem »angemessenen Wachstum« von 4 bis 4,5 % aus, demgegenüber erreichte das Wachstum im ersten Konjunkturzyklus (1951 – 1954) eine Rate von 8,8 %, im zweiten Zyklus (1955 – 1958) von 7 % und im dritten Zyklus (1959–1963) von 5,7 %.[104] Ebenso wie die durchschnittlichen Wachstumsraten nahmen auch die durchschnittlichen Arbeitslosenquoten dieser Zyklen ab. Sie betrugen im ersten Zyklus 8,4 %, im zweiten Zyklus 4,1 % und im dritten Zyklus nur noch 1,2 %.[105]

Hierbei handelt es sich zunächst nur um ›äußerliche‹, statistische Angaben. In unserem Zusammenhang ist aber wichtig, warum diese Periode im wesentlichen ohne planvolle Wirtschaftspolitik, mit einer Politik punktueller Eingriffe auskommen konnte, während sich heute – jedenfalls in der Praxis – allgemein die Einsicht in die Notwendigkeit einer planvollen staatlichen Wirtschafts- und insbesondere Konjunkturpolitik durchgesetzt hat. Besonders wichtig dafür war, daß das Verhältnis von Kapitalstock und Erwerbsbevölkerung in der Volkswirtschaft noch nicht den durch den gegebenen Stand des technischen Wissens bestimmten, langfristig möglichen Wachstumstrend erreicht hatte. Bei den sonst in der BRD vorhandenen Voraussetzungen bestand so eine Wachstumschance auf Grund der großen Investitionsmöglichkeiten.[106] In diesen Zusammenhang gehören die von Stützel beschriebenen Sondereffekte. Der Reparatureffekt[107] führte 1949 und danach bei im wesentlichen erhaltenen Infrastrukturmaßnahmen in Westdeutschland auf Grund verhältnismäßig geringer Investitionsmaßnahmen zu überproportionalen Produktionssteigerungen.[108] Den zweiten Sondereffekt beschreibt Stützel folgendermaßen:[109]

»Wo immer neue Ausrüstungsinvestitionen so stoßweise einsetzen, daß der Gesamtbestand verhältnismäßig wenig alte Einrichtungen enthält, bringen weitere Investitionen, auch soweit ihr Wert nur den Abschreibungen auf die alten entspricht, immer noch Kapazitätserweiterungen, gemessen an den jährlich produzierbaren Mengen. Erst wenn der Altersaufbau des Bestands neue, ältere und alte Einrichtungen in gleichen Proportionen enthält, wird durch Neuinvestitionen im Wert der Abschreibungen auf den vorhandenen Bestand die Kapazität nicht mehr erweitert. Erst bei ausgeglichener Struktur eines Maschinenparks wird der kapazitätserweiternde Effekt, den Neuzugänge im Wert der Abschreibungen bringen, durch Kapazitätsverluste wegen Verschrottung kompensiert.«

Das alles hätte die Unternehmen möglicherweise immer noch nicht zu den möglichen und so produktionssteigernden Investitionen veranlassen können, wenn sie dazu nicht durch begründete Erwartungen auf Gewinne und Vermögenszuwächse veranlaßt worden wären. Daß sie diese tatsächlich auch realisieren konnten, läßt sich u. a. an der sehr hohen Selbstfinanzierungsquote zeigen, die nichts anderes besagt, als daß ihnen die Investitionen außergewöhnlich hohe Gewinne und Vermögenszuwächse brachten.[110] Die Investitionen konnten durch die hohen Erlöse der Unternehmen selbst finanziert werden, und je mehr die Unternehmen für Investitionen ausgaben, desto größer waren Erlöse und Gewinne.[111]

Dieses System stützte sich ferner auf die hohe Arbeitslosigkeit.[112] Denn einerseits waren für die Unternehmen bestimmte Investitionen nur und nur solange sinnvoll, wie für die zusätzlich erstellten Anlagen auch zusätzliche Arbeitskräfte zur Verfügung standen[113], andererseits konnten die hohen Erlöse, bzw. hohen Gewinne, und die hohe Selbstfinanzierungsquote nur solange aufrechterhalten bleiben, wie die Löhne und damit die Sparquote der Arbeiter niedrig waren.[114] Niedrige Löhne garantierten zusammen mit dem ›Nachholbedarf‹ der Bevölkerung eine hohe Konsumquote der abhängig Beschäftigten, die wiederum für die guten Gewinne erforderlich war.

Was wir oben Wiederaufbauphase genannt haben, ist somit durch folgende wirtschaftliche Gegebenheiten gekennzeichnet: Arbeitslosigkeit[115], verhältnismäßig niedrige Löhne, hohe Konsum- bzw. niedrige Sparquote der Arbeitnehmer, hohe durch Selbstfinanzierung charakterisierte Investitionen. In der Terminologie der Wachstumstheorie: Das Verhältnis von Kapitalstock und Erwerbsbevölkerung in der Volkswirtschaft hatte noch nicht die durch den gegebenen Stand der Technik bestimmte Größe erreicht, die dem langfristigen Wachstumstrend entspricht.

Demgegenüber ist die westdeutsche Wirtschaft gegen Anfang der sechziger Jahre sozusagen in einen Normalzustand gekommen, in dem das mögliche Wachstum durch den technischen Fortschritt und die Veränderung der Erwerbsbevölkerung bestimmt wird.[116] Das bedeutet nichts anderes, als daß mit dem Abschluß der Wiederaufbauphase und nach dem Erreichen eines Normalzustandes der Wirtschaft diese krisenanfälliger geworden ist bzw. Konjunkturschwankungen, die vorher durch die hohen Wachstumsraten weitgehend überdeckt oder doch schnell überwunden wurden, sich nun stärker auswirken können. Wollte man solchen wirtschaftlichen Ungleichgewichten nicht tatenlos zusehen, was schon allein auf Grund der politischen Konsequenzen (Arbeitslosigkeit mit ihren politischen Folgen) nicht möglich war, mußte sich der Staat also ab Anfang der sechziger Jahre zu einer aktiven Wirtschaftspolitik (insbesondere Wachstums- und Konjunkturpolitik) aufgerufen sehen.[117]

3.4. INTERPRETATION DES GRUNDGESETZES

Im folgenden soll im Hinblick auf die Interpretation des Grundgesetzes gezeigt werden, daß in den fünfziger und sechziger Jahren die ›herrschende‹ Auffassung noch immer von den überkommenen liberalen Vorstellungen ausgeht. In diesem Rahmen ist es freilich nicht möglich, einen vollständigen Überblick über das Schrifttum zu geben. Die Richtigkeit unserer These soll vielmehr durch die beispielhafte Behandlung einiger Autoren begründet werden, wobei wir uns vor allem mit den Autoren befassen, die sich zum Bereich Wirtschaft und Wirtschaftsverfassung geäußert haben.

Auch eine intensive Behandlung der Rechtsprechung des Bundesverfassungsgerichts ist trotz der großen Bedeutung seiner Rechtsprechung für die Entwicklung des Verfassungsrechts in der Bundesrepublik nicht möglich. Hesse[118] hat jedoch zur

Rechtsprechung des Bundesverfassungsgerichts zum Rechtsstaat mit Recht festgestellt, es nehme ausdrücklich die ›Tradition des liberalen bürgerlichen Rechtsstaates‹ auf, und diese gewinne letztlich das Übergewicht: als wesensbestimmend für den Rechtsstaat erschienen vor allem gewisse formelle Sicherungen, die durchaus im Sinne der Doktrin des ›liberalen bürgerlichen Rechtsstaats‹ verstanden würden. Auch Scheuner[119] hat zur Rechtsprechung zu den Art. 2 und 12 GG darauf hingewiesen, sie neige dazu, diesen eine Deutung zu geben, »die in ihrem Kern von der theoretischen Wettbewerbsvorstellung der Freiburger Schule getragen oder beeinflußt« werde.[120]

Ferner braucht im Rahmen dieser Arbeit nicht zur ›Richtigkeit‹ der einen oder anderen Verfassungsinterpretation Stellung genommen zu werden. Soweit wir von der herrschenden ›liberalen‹ Meinung abweichende Interpretationsversuche darstellen, hat dies in erster Linie den Sinn, durch die Gegenüberstellung das Gemeinsame der ›herrschenden‹ Meinung – nämlich die Übernahme des liberalen Denkens – besser darstellen zu können.

3.4.1. ›Nichtliberale‹ Grundgesetzinterpretationen

Daß diese herrschende Meinung nicht die einzig mögliche unter der Herrschaft des Grundgesetzes ist, zeigt die politikwissenschaftliche Analyse des Sozialstaatsbegriffs von Hartwich[121], die einer juristischen Analyse nach der sog. subjektiven oder historischen Methode entspricht.[122] Hartwich hat in seiner Studie erarbeitet, welcher normative Gehalt nach dem Willen des Verfassungsgebers mit dem Sozialstaatsbegriff verbunden sein sollte. Daraus ergibt sich zugleich, was der Verfassungsgeber im Hinblick auf die Ausgestaltung der Sozial- und Wirtschaftsordnung der BRD normativ hat festlegen wollen. Ein Vergleich des Ergebnisses dieser historischen Interpretation mit anderen Auslegungen des Grundgesetzes zur Frage der durch das Grundgesetz erlaubten Sozialgestaltungen öffnet zugleich den Blick für die politische Bedeutung bestimmter Interpretationsmethoden und die Übereinstimmung von Interpretationsergebnissen mit dem Gesellschaftsmodell, das sich in der Realität durchgesetzt hat.

Die Analyse Hartwichs braucht hier nicht im einzelnen wiederholt zu werden,[123] sie ist überzeugend. Hartwich kommt zu folgenden Ergebnissen:[124] Es bestand ein Konsensus aller im Parlamentarischen Rat vertretenen Parteien, daß die Aufnahme des Sozialstaatsgrundsatzes die sozialen Traditionen Deutschlands (Sozialversicherung etc.) verfassungsrechtlich absichern sollte und daß die ›klassischen Grundrechte‹ nicht dahingehend sollten interpretiert werden können, daß sie starre Schranken gegen die Interventionen bilden könnten, die die großen sozialen Aufgaben der Nachkriegszeit erforderlich machen würden.

Die wichtigste Feststellung Hartwichs ist aber, daß die im Parlamentarischen Rat vertretenen Parteien sich darüber im klaren waren, daß die Aufnahme des Sozialstaats in das Grundgesetz nicht eine bestimmte Sozial- und Wirtschaftsordnung bindend vorschreiben sollte.[125] Die entstehungsgeschichtliche Analyse erweist, daß für die Verfassungsgeber der Sozialstaat kein isoliert stehender Begriff war, sondern in engem Zusammenhang mit den Grundrechten, den Gesetzesvorbehalten in einigen wichtigen Grundrechten und den bundesgesetzlichen Zuständigkeitsvorschriften zur Gestaltung der Sozial- und Wirtschaftsordnung stand. Die Verfassungsgeber wollten auch durch die Aufnahme des Begriffs Sozialstaat, die Übertragung der sozialgestaltenden Gesetzgebungskompetenzen auf den Bund und die Aufnahme von Gesetzesvorbehalten in bestimmte Grundrechte normativ festlegen, daß es Aufgabe des einfachen Gesetzgebers sei, die Sozial- und Wirtschaftsordnung festzulegen. Es sollte also nicht eine bestimmte Sozial- und Wirtschaftsordnung verfassungsrechtlich verankert werden, sondern die ›Offenheit‹ der Ausgestaltung.[126] Das heißt konkret, daß die im Parlamentarischen Rat vertretenen Parteien jedenfalls die Sozialmodelle, die damals von den größeren Parteien vertreten wurden, und die sie nach den anstehenden ersten Bundestagswahlen hofften verwirklichen zu können, als nach dem Grundgesetz mögliche Ausgestaltungen der sozialen Wirtschaftsordnung betrachteten. Diese ›Offenheit‹ sollte auch durch Art. 79 Abs. 3 GG unaufhebbar bestehen bleiben. Um festzustellen, was die Verfassungsgeber von 1949 als nach dem Grundgesetz mögliche Ausgestaltungen vor Augen hatten, muß man sich ins Gedächtnis rufen, welche Modelle insbesondere die beiden großen im Parlamentarischen Rat vertretenen Parteien CDU/CSU und SPD damals anstrebten und nach den 1949 anstehenden Wahlen verwirklichen wollten und die sie als mögliche Alternativen zur Verwirklichung des vom Grundgesetz vorgeschriebenen Rechts- und Sozialstaates ansahen.[127]

In der CDU war die Zeit des »christlichen Sozialismus«, wie er besonders im Ahlener Programm zum Ausdruck gekommen war, bereits weitgehend zu Ende gegangen und das anzustrebende Ziel mit der politischen Losung »soziale Marktwirtschaft« umschrieben worden. Das gesellschaftspolitische Modell der CDU braucht im einzelnen hier nicht beschrieben zu werden, zumal es durch die Wahlsiege der CDU/CSU in den meisten Teilen verwirklicht worden ist. Es baut im wesentlichen auf den Vorstellungen des Neoliberalismus der Freiburger Schule auf, modifiziert freilich durch Elemente der katholischen Soziallehre.[128]

Das gesellschaftspolitische Modell der SPD wurde von der Partei selbst als »demokratischer Sozialismus« bezeichnet und unterschied sich grundlegend von dem der CDU. Die Aufgabe der Sozialgestaltung setzte als selbstverständlich den gestaltenden Eingriff in Wirtschaft und Gesellschaft voraus. Freiheit wurde nicht verstanden als etwas, was sich in und auf Grund autonomer Selbstregulierung dieser Bereiche einstellte, sondern nur durch gestaltende Interventionen in diese Bereiche verwirklicht werden konnte. Das drückte sich in erster Linie in der in Art. 15 GG auch grundgesetzlich als Möglichkeit offengehaltenen Forderung nach Sozialisierung der dort genannten Wirtschaftszweige aus, deren Lenkung allerdings nicht zentral, sondern dezentral durch Leistungswettbewerb der gemeinwirtschaftlichen Betriebe erfolgen sollte. Diese sollten durch die Beteiligung der Arbeiter an der Leitung der Betriebe demokratisiert werden. »Insgesamt wird in diesem Wirtschaftsmodell versucht, eine umfassende, aber nicht einseitig zentrale Planung durch Dezentralisation und variable Betriebsformen, Wirtschaftskammern, freie gemeinnützige Wirtschaftsvereinigungen und Genossenschaften, die gezielt eingesetzte marktwirtschaftliche Spielflächen aufzulockern und gewissermaßen die Planung und Wirtschaft insgesamt zu einem Teil der Gesellschaft selbst zu machen.«[129]

Ihre Ziele glaubte die SPD als verfassungsrechtliche Möglichkeiten abgesichert durch die Gesetzesvorbehalte der Grundrechte und Gesetzgebungskompetenz des Bundes zur Sozialgestaltung. »Die Sozialisierung wurde entsprechend diesem gesellschaftspolitischen Ansatz auch nicht nur aus wirtschaftlichen und sozialen, sondern auch aus politischen Gründen für erforderlich gehalten. Darin wurde zugleich die Grundlage für die Entwicklung der Wirtschaftsdemokratie gesehen.«[130] Im Hinblick auf die Mitbestimmung war die Alternative zur CDU deutlich: »nicht Ergänzung, Festigung und Sicherung der kapitalistischen Wirtschaftsordnung durch partnerschaftliche, betriebliche Zusammenarbeit im Dienste der Rentabilität des Unternehmens, sondern Umstrukturierung der allein privatwirtschaftlichen Maximen folgenden Wirtschaft durch Demokratisierung.«[131] [131a]

Diese vom Verfassungsgeber intendierte Offenheit der gesellschaftspolitischen Gestaltung, d. h. für uns in erster Linie der Gestaltung der Wirtschaftsordnung, kommt in den ersten Jahren nach Erlaß des Grundgesetzes in der verfassungsrechtlichen Diskussion noch zum Ausdruck.

Als repräsentativ für diesen Teil der Diskussion können wir die Äußerungen von Ipsen aus den Jahren 1949 und 1951 betrachten.[132] Ipsen betont selbst auch die Übergewichtigkeit der traditionellen rechtsstaatlichen Komponenten im Grundgesetz, die auch er im herkömmlichen liberalen Sinn begreift. Freilich, Ipsen problematisiert noch die Übernahme von – wie er schreibt – »Rechtsformen und Gestaltungen . . ., die als solche in einer zurückliegenden Zeit entwickelt worden sind.«[133]In der rezipierenden Verwendung überlieferter Formeln habe das Grundgesetz nicht nur in der Sprache des Jahres 1919, sondern in der des 19. Jahrhunderts gesprochen.[134] Ipsen weist darauf hin, daß das Grundgesetz in seiner Rechtsstaatlichkeit die Verfassungsgewährleistungen für die Stellung und den Schutz des einzelnen »bis zum vorstellbaren Maximum« überhöhe und darin noch weit über die Weimarer Verfassung hinausgehe.[135] Die Grundrechte seien Freiheitsrechte, die Freiheit von staatlicher Inanspruchnahme garantierten. Ipsen macht deutlich, daß diese Art der Freiheitsrechte aus einer Zeit stamme, in der sich die Gesellschaft gegen die aufdringliche, zudringliche Staatsgewalt des Wohlfahrts- und Polizeistaats hat abschirmen wollen.[136] Da auch Ipsen die Grundrechte in ihrer herkömmlichen liberalen Bedeutung versteht, bedauert er, daß das Grundgesetz dazu schweige, daß der einzelne heute »anlehnungsbedürftig« sei an den Staat und angewiesen auf die Vorsorgeleistungen der öffentlichen Verwaltung, was die soziale und nicht mehr die liberale Funktion der Grundrechte betreffe.[137] Er fragt, ob unserer Situation nicht ein Grundrecht mehr entspräche, das der »zum Empfang ausgestreckten Hand des Arbeitslosen« entsprochen hätte, in erster Linie als ein Anspruch auf den Arbeitsplatz, in zweiter Linie ein Anspruch auf den notwendigen Unterhalt.

Während Ipsen in seiner Äußerung aus dem Jahre 1949 hauptsächlich auf die liberale Komponente des Grundgesetzes hinweist, nicht aber ohne diese zu problematisieren, verweist er in seinem Referat aus dem Jahre 1951[138] auf die »Entscheidung des Grundgesetzes zum Sozialstaat«. In diesem Referat finden wir noch eine Interpretation des Grundgesetzes, die seiner vom Verfassungsgeber intendierten Offenheit entspricht, die den Auftrag des Grundgesetzes an den Gesetzgeber zur Gestaltung der Gesellschaftsordnung betont, der auch die Möglichkeit einer sozialistischen Lösung einschließt. Die Auffassung, »die aus der Anlehnung vor allem des Grundrechtsteils an den Verfassungsstil des bürgerlichen Rechtsstaates und dem – gegenüber Weimar rückschrittlichen – Verzicht auf eine verfassungsmäßige Grundsatzgestaltung der Sozialordnung den staatlichen Auftrag hierzu überhaupt verleugnet«, geht nach Ipsens Meinung an der Realität vorbei. »Sie würde mithin übersteigern und vertiefen, was einer Verfassung als schwerer Mangel vorgeworfen werden kann (und dem Grundgesetz zur Genüge und mit Recht vorgeworfen worden ist): die *Ungereimtheit zwischen Realität und Norm.*«[139] Demgegenüber vertritt Ipsen nun eine Interpretation besonders im Hinblick auf Art. 14 und 15, die die im Grundgesetz normierte Sozialstaatlichkeit betont.

Seine Auslegungen des Art. 14 und 15 GG müssen hier – nicht im Hinblick auf die auch von ihm behandelten Einzelfragen, sondern im Hinblick auf die grundsätzliche Bedeutung dieser Vorschriften – etwas eingehender behandelt werden, weil dadurch der Kontrast sowohl zu seinen eigenen späteren Äußerungen wie zu denen anderer Staatsrechtler besser herausgearbeitet werden können.

Ausgangspunkt seiner Überlegungen zu Art. 14 GG ist, daß sich das Grundgesetz in der Respektierung und damit Anerkennung aller erworbenen konkreten Eigentumsrechte ganz eindeutig für den Rechtsstaat als Konservierung entschieden und alle Fragen notwendiger sozialer Umgestaltung von sich selbst auf den Weg der künftigen Gesetzgebung verwiesen habe, die ihrerseits nun der Eigentumsordnung des Grundgesetzes verpflichtet bleibe. Damit rückten nun ihr Inhalt und ihre Auslegung in den Vordergrund.[140]

Ipsen lehnt die Übertragung der liberalen Auffassung, die Art. 153 Weimarer Verfassung erfahren hatte, auf Art. 14 GG ab. Eigentum im Sinne des Art. 153 Weimarer Verfassung und Eigentum des Art. 14 GG seien zweierlei. Zwischen der Wortsetzung des Art. 153 im Jahre 1919 und in Art. 14 30 Jahre später liege eine unter keinen Umständen wegzuleugnende Entwicklung, die von den ersten Ansätzen einer Weltkriegsgesetzgebung zur Planung und Lenkung der Wirtschaft und damit zur öffentlich-rechtlichen Bindung der Herrschafts- und Verfügungsbefugnis des Eigentümers bis zu den intensivsten hoheitlichen Einordnungen des Eigentums in eine vom Staat gesetzte Wirtschaftsgestaltung geführt habe. Wirtschaftslenkung und Wirtschaftskontrolle gehörten heute im Prinzip zum Bestande zulässiger gesetzlicher Disposition über das Eigentum. Das Eigentum sei staatlicher Ingerenz heute tiefer erschlossen, als es das im Jahre 1919 war. Wenn Art. 14 GG das Eigentum gewährleiste, dann *dieses* Eigentum und kein Eigentum einer gesetzlichen Ordnung, die staatliche Wirtschaftslenkung und -kontrolle noch nicht oder solcher Art noch nicht gekannt habe. Ipsen weist auch darauf hin, daß die Tatsache, daß die seinerzeitige Wirtschaftsgesetzgebung sich auf ein Minimum an Planung und Lenkung beschränken wolle, keineswegs zur Folge habe, daß künftig intensivere Einschränkungen sich an der Gewährleistung des Eigentums brechen müßten.

Ferner: Es sei erforderlich, Eigentum in den Ansätzen neuer Dogmatik zu verstehen, die sich aus dem Zusammenhang zwischen Unternehmensrecht und Eigentum ergäben und auch das wirtschaftseinheitliche Unternehmen als Eigentumsobjekt begriffen. Auch die wirtschaftswissenschaftliche Figur der Intervention werde rechtlich weitgehend als Problem der Inhaltsbestimmung des Eigentums zu begreifen sein.

Diese Auslegung stützt Ipsen auf Art. 14 Abs. 1 S. 2 GG, der die gesetzliche Bestimmung des Eigentumsinhalts vorsieht. Dieser Vorschrift erkennt Ipsen sogar eine prinzipielle Bedeutung zu. Die Aufgabe des Gesetzes, den Inhalt des Eigentums zu bestimmen, werde durch den Absatz 2 des Art. 14 in eine bestimmte Richtung gewiesen. Ipsen deutet diese Vorschrift als Ablehnung einer liberalen Eigentumsauffassung und bringt sie in einen Zusammenhang mit dem Sozialstaatsbegriff. Abs. 1 S. 2 und Abs. 2 des Art. 14 versteht Ipsen als die vornehmste und wesentlichste Handhabe des Grundgesetzes zur Entfaltung einer Sozialstaatlichkeit. Deswegen breche sich die darin liegende Ermächtigung zur Modifizierung des Eigentums auch nicht an Art. 2 Abs. 1 GG, der die freie Entfaltung der Persönlichkeit proklamiere und nur durch die dort gesetzten Schranken begrenze. »Eigentum reicht nicht weiter und gibt nicht mehr her, als seine gesetzliche Inhaltsbestimmung es vorsieht, und ihr gegenüber gibt es keine Berufung auf Art. 2 Abs. 1: das Gesetz ist nicht gehindert, den Eigentumsinhalt auch zu anderen Zwecken zu beschränken als zum Schutz der Rechte anderer, der verfassungsmäßigen oder der Sittenordnung.« Das ist in der Tat ein bemerkenswerter Satz, der es verdient festgehalten zu werden. Er öffnet neue Perspektiven der Grundrechtsinterpretation im Wirtschaftsbereich von Art. 14 Abs. 1 S. 2 und Abs. 2 her.

Im Jahre 1951 stand Ipsen mit seiner Auslegung des Grundgesetzes nicht allein:

Der Beitrag Ridders[141] zum selben Thema auf der Staatsrechtslehrertagung 1951 unterscheidet sich in der hier interessierenden Hinsicht nicht grundsätzlich von den Ausführungen Ipsens. Auch er bringt die ›Offenheit‹ der Verfassung im Sinne einer durch Art. 15 GG verfassungsrechtlich möglichen Umgestaltung der Gesellschaftsordnung ins Blickfeld, wenn auch seine Ausführungen vielleicht »politisch distanzierter«[142] wirken als die Ipsens. Ipsens und Ridders Positionen wurden in der Diskussion insbesondere noch von Raiser unterstützt.[143] Raiser spricht davon, daß die Verfassung in ihrem Grundrechtsteil in fast reaktionär zu nennender Weise den Gedanken der Freiheit des einzelnen herausgestellt habe.[144] Ferner: das Eigentum könne auch eine aggressive Bedeutung haben, wo es ökonomische und politische Macht über andere verschaffe. Hier werde das Eigentum aus einer privaten zu einer öffentlichen Angelegenheit. Raiser sieht dort den Anwendungsbereich des Art. 15 GG. Art. 14 GG gelte mehr dem Schutz des konsumtiven Eigentums in seiner defensiven Funktion.[145]

Heute wird diese Offenheit der Verfassung im wesentlichen nur noch von

Abendroth vertreten,[146] der unter den Staatsrechtlern ohnehin eine Außenseiterposition einnimmt. Der Unterschied zwischen Ipsens Stellungnahme aus dem Jahre 1951 und Abendroths Grundgesetzauslegung läßt sich wohl dahingehend beschreiben, daß Ipsen nur im Hinblick auf die Bewältigung der schwierigen sozialen Aufgaben der Nachkriegszeit die Möglichkeiten sozialistischer Alternativen im Rahmen des Grundgesetzes aufwies, die er auf anderem Weg nicht für zu bewältigen hielt, während Abendroth seiner sozialistischen Überzeugung entsprechend an der vom Verfassungsgeber selbst beabsichtigten Offenheit der Verfassung festhält: Beiden Hauptströmungen der öffentlichen Meinung der Periode der Grundgesetzgebung, sowohl der auf Restauration der früheren Machtverhältnisse in der Wirtschaftsgesellschaft gerichteten als auch derjenigen, die sich die Übertragung demokratischen Denkens in diese Gesellschaft, also soziale und wirtschaftliche Mitbestimmung der Arbeitnehmer, Sozialisierung und Wirtschaftsplanung durch den demokratischen Staat, zum Ziel gesetzt hatte, habe die Möglichkeit zur weiteren Auseinandersetzung und Durchsetzung gewährt werden müssen. Dieses Ergebnis sei durch Art. 15 GG erreicht worden, der durch die Formel des »demokratischen und sozialen Bundesstaates« im Art. 20 GG sowohl überdacht als auch ergänzt werde.[147]

Auf der Staatsrechtslehrertagung 1952 wurde in der Diskussion zum Thema »Die staatliche Intervention im Bereich der Wirtschaft« nur noch von Abendroth diese grundsätzliche Offenheit des Grundgesetzes zur »umfassenden Umplanung der Gesellschaft« vertreten.[148]

3.4.2. Grundgesetzinterpretation unter dem Aspekt des Wirtschaftsrechts und der Wirtschaftsverfassung

Besonders deutlich wird der Einfluß des liberalen Modells auf das Rechtsdenken bei den Autoren, die sich mit Wirtschaftsrecht und der sogenannten Wirtschaftsverfassung beschäftigen.[149] Daß der liberale Rechtsstaatsbegriff mit seinen den Staat aus dem gesellschaftlichen Bereich fernhaltenden Grundrechten Pate gestanden hat, erweist sich dann, wenn sie ihr ›Wirtschaftsverfassungsrecht‹ von den Grundrechten des Unternehmers und Unternehmens her aufbauen, durch die der Staat davon abgehalten werden soll, bestimmte wirtschaftspolitische Maßnahmen oder eine bestimmte Gestaltung der Wirtschaftsordnung vorzunehmen. Eine umfassende Darstellung aller Äußerungen zu diesem Thema seit Erlaß des Grundgesetzes ist im Rahmen dieser Arbeit selbstverständlich unmöglich. Nur die Äußerungen einiger Autoren sollen beispielhaft wiedergegeben werden. Das Gemeinsame der Äußerungen, die das wirtschaftliche Gestaltungsrecht des Staates betreffen, läßt sich am besten durch eine Gegenüberstellung mit den erwähnten Äußerungen Ipsens aus dem Jahre 1951 darstellen: Ipsen hatte – wie erwähnt – die Meinung vertreten, Art. 14 Abs. 2 GG in Verbindung mit Art. 14 Abs. 1 S. 2 bilde »die vornehmste und wesentlichste Handhabe zur Entfaltung einer Sozialstaatlichkeit«. Eigentum gebe nicht mehr her und reiche nicht weiter, als seine gesetzliche Inhaltsbestimmung es vorsehe, und ihr gegenüber gebe es keine Berufung auf Art. 2 Abs. 1 GG. Von dieser bei Ipsen 1951 noch vorhandenen Möglichkeit einer Deutung der Grundrechte, hier insbesondere des Art. 2 Abs. 1 GG von den sozialstaatlichen Bestimmungen des Grundgesetzes her,[150] ist bei den hier zu behandelnden Autoren keine Rede.

Ipsen selbst ist freilich das beste Beispiel dafür, wie dieser frühe Ansatz einer nichtliberalen Grundgesetzinterpretation vollständig aufgegeben worden ist. Im Jahre 1966 untersuchte Ipsen »Rechtsfragen der Wirtschaftsplanung«.[151] Die verfassungsrechtliche Zulässigkeit will er nun unter anderem am Grundrecht der »unternehmerischen Wirtschaftsfreiheit« messen, das er in Art. 2 Abs. 1 GG sieht.[152] Hatte er 1951 erklärt, gegenüber der Sozialgestaltung im Rahmen des Art. 14 gebe es keine Berufung auf Art. 2 Abs. 1, kritisiert er nun das sogenannte Investionshilfeurteil des Bundesverfassungsgerichts[153], weil das Gericht die Vereinbarkeit des Gesetzes nur mit den Art. 14, 9 und 3 GG geprüft und diese bejaht habe, die Prüfung einer Verletzung der sich aus Art. 2 Abs. 1 ergebenden Wirtschaftsfreiheit damit erledigt habe, die allgemeine Zumutbarkeitsgrenze einer Beschränkung der Eigenständigkeit der Person, der angemessene Spielraum zur Entfaltung der Unternehmerinitiative blieben respektiert, und dazu auch eine »Gesamtsicht der Art. 1, 2, 12, 14, 15, 19 und 20 GG« herangezogen habe. Jetzt will Ipsen staatliche Eingriffe in die Wirtschaft an der völlig isoliert betrachteten »Wirtschaftsfreiheit« des Art. 2 Abs. 1 GG messen. Die Grundrechtsreaktion auf Wirtschaftsplanung artikuliere sich nicht in der Freiheitsbehauptung für Eigentum, Beruf, Vertrag, Koalition, sondern in der nach Unternehmerinitiative und Unternehmerentscheidung.[154] [155]

1951 hatte er erklärt: »Auch die wirtschaftswissenschaftliche Figur der Intervention wird rechtlich weitgehend als Problem der Inhaltsbestimmung des Eigentums zu begreifen sein.«[156] Und: »Außerdem kann der soziale Gehalt des Eigentums, die Stärke seiner Bindung, nicht ohne Rücksicht auf die Eigenart des Eigentums-Objektes und seine Stellung in der gesamten Güterordnung gesehen werden.« Produktivgüter seien dadurch, daß das Grundgesetz ihre Sozialisierungsreife statuiere, in spezifisch gesteigerter Weise für sozial gebunden erklärt, und dies deshalb, weil die Allgemeinheit und die Gesamtwirtschaft auf sie als Produktivgüter angewiesen seien.

1965 dagegen hält Ipsen »eine hoheitliche Wirtschaftsplanung, die die freie Disposition über Betriebsmittel entzieht oder quantitativ so einschränkt, daß der private Wirtschaftsträger an einer seiner Wirtschaftskraft entsprechenden üblichen Investitionsentfaltung gehindert wird«, für verfassungswidrig, weil sie seiner Meinung nach den Wesensgehalt der Wirtschaftsfreiheit antastet.[157]

1951 hatte er eine Einschränkung der Sozialgestaltung im Rahmen des Art. 14 GG durch einen Rückgriff auf Artikel 2 Abs. 1 GG abgelehnt und dazu unter anderem wörtlich gesagt: »Die soziale Pflichtbindung des Eigentums ist nicht nur Auslegungsregel, sondern auch Beauftragung und Ermächtigung des Gesetzgebers zur sozialstaatlichen Gestaltung im Eigentumsbereiche. Er ist darin durch Art. 2 Abs. 1 GG nicht begrenzt.«[158] Demgegenüber findet er 1965 die Wesensgehaltsgrenze der Wirtschaftsfreiheit, die alle wirtschaftslenkenden staatlichen Maßnahmen verfassungsrechtlich eingrenzen soll, in der dem Grundgesetz immanenten

Wirtschaftsverfassung, die ihrerseits den Einschränkungsrahmen der verfassungsmäßigen Ordnung im Sinne des Art. 2 Abs. 1 GG abgebe.[159]

Im Hinblick auf Art. 15 GG hatte Ipsen damals ausgeführt, er frage sich, ob es nicht der Grundgesetzänderung bedürfte, um dort, wo eine prinzipielle Eigentumsneuordnung an Grund und Boden, Naturschätzen und Produktionsmitteln überhaupt in Frage stehe und erfolgen solle, eine Neuordnung anderer Art und Zielsetzung als der Vergesellschaftung im Sinne des Art. 15 herbeizuführen. Selbst die Möglichkeit einer solchen Grundgesetzänderung hatte er im Hinblick auf Art. 79 Abs. 3 angezweifelt. Aus Art. 15 GG ergebe sich weiterhin mindestens reflexartig ein »status socialis positivus« zugunsten derjenigen Gruppen, deren Teilhabe am Produktionsprozeß an der vergesellschafteten Eigentumsordnung der Produktivgüter in Frage stehe und in der bisherigen Ordnung fehle.

In dem zitierten Referat von 1965 taucht Art. 15 GG dagegen in einem ganz anderen Gedankengang auf: Art. 15 umgrenze die Freiheit von Vergemeinschaftung. In einem Aufsatz aus dem Jahre 1963[160] leitet Ipsen eine verfassungsrechtliche Pflicht des Gesetzgebers aus dem Subsidiaritätsprinzip und aus der – wie er nun meint – gegen den Staat gerichteten Wettbewerbsfreiheit aus Art. 2 Abs. 1 GG ab, staatliche Unternehmen zu reprivatisieren sowie das Verbot von Neuerrichtungen und Erweiterungen von erwerbswirtschaftlichen Unternehmen der öffentlichen Hand auf Kosten vorhandener und ausreichender Einrichtungen der Privatwirtschaft. Demgegenüber hat Ipsen 1951 gesagt: Die Sozialisierung werde im Bereich des Art. 15 zu einer in die prinzipielle Verfassungsverteilung zwischen Öffentlichem und Privatem einbezogene Entscheidung über die Eigentumsordnung an Grund und Boden, Naturschätzen und Produktionsmitteln. Die Sozialisierung werde ermöglicht, weil sie Ausfluß der grundgesetzlich zugelassenen Sozialisierungsgewalt des Staates sei, geradeso wie seine Besteuerungsgewalt.[161]

Die von Ipsen angeführte ›unternehmerische Wirtschaftsfreiheit‹, von anderen Autoren auch ›Unternehmensfreiheit‹ genannt, zeigt, daß diese Autoren von einer Vorstellung von Staat und Gesellschaft ausgehen, wie wir sie als Voraussetzung des liberalen Modells oben dargestellt haben. Deswegen soll dieser Begriff noch etwas näher betrachtet werden.

Diese ›Unternehmensfreiheit‹ soll dazu dienen, »*prinzipielle* staatliche Angriffe auf die wirtschaftliche Entfaltungsfreiheit abzuwehren«, um auch den »wirtschaftenden Menschen nicht zum Objekt des staatlichen Geschehens werden«[162] zu lassen.

Derartige Interpretationen werfen eine ganze Reihe von Fragen auf.[163] Hier soll nur dem Begriff des »wirtschaftenden Menschen« und dem »zum Objekt des staatlichen Geschehens werden« nachgegangen werden.

Zunächst ist zu fragen, wer mit »wirtschaftender Mensch« gemeint sein kann. In Betracht kommen zunächst die Masse der Arbeiter und (kleinen und mittleren) Angestellten, sodann die Kleinaktionäre, sodann die sog. leitenden Angestellten und Manager (Vorstandsmitglieder), dann die mittelständischen Eigentümer-Unternehmer und schließlich die wenigen Großaktionäre. Damit ist allerdings erst der industrielle und gewerbliche Wirtschaftsbereich erfaßt, auch die selbständigen Landwirte wird man als »wirtschaftende Menschen« ansprechen dürfen. Wenn von der Freiheit des Unternehmens unmittelbar auf den wirtschaftenden Menschen geschlossen wird, so legt das die Vermutung nahe, daß die Masse der abhängig Beschäftigten nicht gemeint sein kann. Deren »wirtschaftliche Entfaltungsfreiheit« wird sich wohl in erster Linie auf die Sicherheit des Arbeitsplatzes, die Höhe der Löhne und schließlich Mitbestimmungsrechte im Betrieb und Unternehmen richten. In diesem Sinne wird die ›Unternehmensfreiheit‹ freilich von keinem Autor verstanden, eher wird die Ausweitung der sog. paritätischen Mitbestimmung als verfassungswidriger Verstoß gegen die Unternehmensfreiheit betrachtet.[164] Geschützt werden soll vielmehr das »Privatunternehmertum«[165] gegen dirigistische Staatseingriffe. Wer aber ist heute Privatunternehmer? Sind damit auch die großen Aktiengesellschaften, Konzerne, Großbanken gemeint? Wenn ja, ist die Freiheit des Managements oder die der Aktionäre gemeint?

Näher liegt die Vermutung, daß die »Unternehmensfreiheit« und die Freiheit des »wirtschaftenden Menschen« auf die mittelständischen Eigentümer-Unternehmer bezogen ist. Sie sollen nicht zum »Objekt staatlichen Geschehens« werden. Freilich zeigen die Erfahrungen der Rezession der Jahre 1967/68, daß gerade sie am stärksten in ihrer wirtschaftlichen Existenz gefährdet sind, wenn der Staat nicht aktive Konjunkturpolitik betreibt. Werden sie dadurch zum Objekt staatlichen Geschehens? Läßt sie die Sperrung staatlicher Aufträge zur Minderung unerwünschter Preissteigerungsraten zum Objekt staatlichen Geschehens werden? Sind die Landwirte schon zum Objekt staatlichen Geschehens geworden, seitdem ihre wirtschaftliche Existenz vollständig von den Preisfestsetzungen der Organe der Europäischen Gemeinschaften, Grenzausgleichszahlungen bei Änderungen der Währungsparitäten und anderen Subventionen abhängt?

Derartige Überlegungen zeigen, daß diese Art der Grundgesetzinterpretation von einem Modell von Staat und Gesellschaft ausgeht, die diese wirtschaftliche Realität nicht sieht. Vielmehr liegt diesem Denken das oben beschriebene liberale Modell von Staat und Gesellschaft mit einer ›staatsfreien‹ aus Eigentümer-Unternehmern bestehenden Wirtschaft zugrunde.

Trotz der hier vorgenommenen generalisierenden Betrachtungsweise soll nicht geleugnet werden, daß es zwischen den verschiedenen Autoren auch sehr erhebliche Unterschiede gibt. So gibt es Autoren, die in bestimmten Äußerungen fast nahtlos an das ›altliberale‹ Laisser-faire erinnern[166], andere, die offensichtlich dem neoliberalen Konzept bei der Verfassungsinterpretation folgen.[167] Die Mehrzahl der Autoren[168] wendet sich explizit gegen eine Übernahme des neoliberalen Denkens in die Grundgesetzinterpretation oder stellt ausdrücklich fest, daß die Zeiten des Rechtsstaates in der Form des reinen ›Rechtsbewahrerstaates‹ unwiederbringlich vorüber seien.[169] Gerade bei Autoren wie Dürig, die ausdrücklich von der Trennung von Staat und Gesellschaft abrücken, ausdrücklich »den optimistischen Glauben an das Laisser-faire-Prinzip und an eine Interessenharmonie«[170] einer dem Staat gegenüber verselbständigten Gesellschaftssphäre ablehnen, mag die Behauptung, daß auch bei ihrer Verfassungsinterpretation entsprechende Denkmodelle zugrunde liegen, allzu gewagt erscheinen.[171] Obwohl – wie gesagt – gewichtige Unterschiede bestehen, scheint uns z. B. auch Dürig trotz seiner ausdrücklichen Ablehnung liberaler Grundvorstellungen weiterhin in diesen Vorstellungen befangen, wenn er etwa den Grundrechten eine Garantie der »gemischten Wirtschaftsverfassung« im Sinne Hubers, d. h. einer kapitalistisch-marktwirtschaftlichen Wirtschaftsordnung, entnimmt[172] oder aus der von ihm in Art. 2 Abs. 1 GG gesehenen gegen den Staat gerichteten Wettbewerbsfreiheit der Unternehmer ein Verbot für den Staat erblickt, »in Wirtschaftskonkurrenz zur Privatwirtschaft zu treten«.[173]

Ähnlich argumentiert beispielsweise auch Rupp.[174] Er ist der Meinung, daß eine wirtschaftliche Betätigung der öffentlichen Hand einer ausdrücklichen verfassungsrechtlichen Legitimation und gesetzlichen Ermächtigung bedürfe.[175] Er hält deswegen eine Ausweitung des Postscheckdienstes auf einen Postscheckkredit für verfassungsrechtlich verboten. Diese »erschütterte das grundgesetzlich stabilisierte Balancement von privater Wirtschaftsfreiheit und staatlichen Funktionsbereichen und veränderte es eindeutig zugunsten einer alle Verfassungskautelen unterlaufenden Staatswirtschaft«.[176] Hierbei beruft auch Rupp sich ausdrücklich auf die »grundrechtlich abgesicherte Individualfreiheit«.[177]

Einer derartigen ›liberalen‹ Verfassungsinterpretation scheint weitgehend ein ähnliches Erkenntnisinteresse zugrunde zu liegen wie der älteren liberalen Theorie: Der Staat soll unter Berufung auf die Grundrechte des einzelnen davon abgehalten werden, in den Bereich der Wirtschaft einzugreifen. Auch wenn von fast allen Autoren ›Interventionen‹ für zulässig gehalten werden, erscheint die Wirtschaft (und die Gesellschaft) als ein vom Staat getrennter, ihm unabhängig gegenüberstehender Bereich, aus dem der Staat sich grundsätzlich herauszuhalten hat.[178] [179]

Die entschiedenste Übernahme des Eucken-Böhmschen Konzeptes in der Rechtswissenschaft ist wohl von Seiten Nipperdeys erfolgt.[180]

Nipperdey geht vom Begriff der Wirtschaftsverfassung aus. Er definiert sie freilich anders als Eucken und Böhm. »Eine Wirtschaftsverfassung im Rechtsinne besteht nur dann, wenn die Wirtschaftsordnung eines Staates durch Normen von verfassungsrechtlichem Rang prinzipiell gestaltet ist.«[181] Der Unterschied zum Eucken-Böhmschen Begriff besteht einerseits darin, daß lediglich Verfassungsnormen die Wirtschaftsverfassung bilden, zum anderen übernimmt Nipperdey nicht den dezisionistischen Verfassungsbegriff. Der wesentliche Unterschied zwischen Nipperdey und Böhm/Eucken ist aber, daß diese die rechtliche Verankerung der von ihnen gewünschten Wirtschaftsverfassung der Wettbewerbswirtschaft als Aufgabe des Gesetzgebers betrachteten und lediglich darauf hinwiesen, daß eine derartig geordnete Wirtschaft dem demokratisch-freiheitlichen Rechtsstaat adäquat, ja deren Bedingung sei, während Nipperdey den im Sinne dieser Theorie folgerichtigen weiteren Schritt macht, nachzuweisen, daß diese Wirtschaftsordnung – Nipperdey benutzt stets den terminus ›Soziale Marktwirtschaft‹ – durch das Grundgesetz zwingend vorgeschrieben sei. Folgerichtig ist dieser Schritt deshalb, weil, wenn man akzeptiert, daß der freiheitlich-demokratische Rechtsstaat nur als »politischer Überbau«[182] einer (neoliberalen) Wettbewerbswirtschaft existieren kann, daß diese Staatsform nur »zu einer solchen Wirtschaft paßt«[183], es durchaus richtig erscheint, zu folgern, daß das Grundgesetz diese Wirtschaftsordnung vorschreibt.

So wie wir bei der Darstellung des klassischen liberalen Modells den Zusammenhang zwischen Privatautonomie, Vertragsfreiheit, Gewerbefreiheit und Privateigentum als Grundprinzipien der liberalen Privatrechtsordnung und den diese Ordnung absichernden Grundrechten und dem liberalen Wirtschaftsmodell aufgezeigt haben, so schließt Nipperdey nun *normativ* aus dem Vorhandensein dieser liberalen Grundrechte auf die Absicherung der Grundprinzipien der Privatrechtsordnung und aus beiden zusammen, daß das Grundgesetz die geltende »Wirtschaftsordnung verfassungsmäßig sichert und schützt«[184]. Die Ausführungen Nipperdeys zu den einzelnen Grundrechten soll diese allgemeine Überlegung nur noch untermauern. So wird etwa aus der aus Art. 2 Abs. 1 GG exegierten ›Wettbewerbsfreiheit‹ »die institutionelle Garantie der marktwirtschaftlichen Verfassung durch das Grundgesetz«[185] entnommen.

Interessant sind die Thesen Nipperdeys in unserem Zusammenhang ganz besonders deswegen, weil sie ein ausgeprägtes Beispiel dafür sind, wie eine politische Forderung, die – jedenfalls teilweise – zur politischen Praxis geworden ist, normativ gewendet wird, d. h. als von der Rechtsordnung so vorgeschrieben behauptet wird. Politisch besonders eindrucksvoll ist das dann, wenn es – wie im Falle Nipperdeys – als von der Verfassung vorgeschrieben behauptet werden kann.[186] Das kann – bei unverändertem Normenbestand – nur in der Weise geschehen, daß die politische Forderung und/oder die politische Praxis zur Interpretation der Rechtsnorm verwendet wird.[187]

Nach dem gleichen Interpretationsprinzip geht E. R. Huber bei der Bestimmung der ›Wirtschaftsverfassung‹ vor,[188] auch wenn er sich ausdrücklich von Nipperdeys Ergebnis distanziert.[189]

Auch er geht von den Grundrechten in ihrem herkömmlichen liberalen Verständnis aus, insbesondere von Art. 2 GG, daneben aber auch von Art. 9, 12 und 14 GG. Aus der Garantie der freien Entfaltung der Persönlichkeit sowie der freien Berufswahl und Berufsausübung schließt er auf die »marktwirtschaftliche Unternehmensfreiheit« als »verfassungsrechtlichem Normaltatbestand«. »Zu ihr gehören als notwendige Attribute die Vertragsfreiheit und die Wettbewerbsfreiheit.« »Daher ist allgemein anerkannt, daß Vertragsfreiheit und Wettbewerbsfreiheit, obwohl das Grundgesetz sie nicht ausdrücklich nennt, durch das Generalgrundrecht des Art. 2 gewährleistet sind.«[190] Ebenso wie Nipperdey entnimmt Huber insbesondere den liberalen Grundrechten die Garantie der kapitalistischen bzw. marktwirtschaftlichen Ordnung.[191] Freilich schränkt Huber ein, insofern diese Grundrechte keinen absoluten Charakter haben, vielmehr durch Verfassungsvorbehalte beschränkt sind. So exegiert er aus dem Grundgesetz zwar nicht die ›soziale Marktwirtschaft‹ Nipperdeys, sondern eine Marktwirtschaft, die er »Prinzip der gemischten Wirtschaftsverfassung« nennt, die aber der konkreten Wirtschaftsordnung der fünfziger Jahre ziemlich genau gleicht. Der Unterschied zu Nipperdey ergibt sich für Huber aus der Ablehnung des dezisionistischen Verfassungsbegriffs sowie der Ablehnung einer Übernahme ökonomischen Modelldenkens, was ihm sodann erlaubt, z. B. die sog. ›Preisbindung der zweiten Hand‹ als »ein verfassungsmäßig gewährleistetes Recht« der Unternehmen zu bezeichnen, das erstaunlicherweise genau in dem seinerzeit vom Gesetz gegen Wettbewerbsbeschränkungen positivierten Umfang (Mißbrauchsaufsicht bei Markenartikeln, Verbot in allen anderen Fällen) eingeschränkt werden durfte, aber wegen der Gemeinwohlverpflichtetheit und aus »sozialstaatlichen Interessen« wohl auch von Verfassungs wegen gerade so ausgestaltet werden mußte (?). Eine Kompetenz des Gesetzgebers, im Rahmen des Art. 74 Ziff. 11 GG die Wirtschaftsordnung gemäß seinem politischen Werturteil zu gestalten, bleibt auch hier nicht mehr ersichtlich.[192]

Auf Hubers Argumentation im einzelnen kommt es hier nicht an, weil es uns nur darum geht, wie auch bei ihm das ›liberale‹ Rechtsdenken durchschlägt. Interessant ist in diesem Zusammenhang, wie Huber mögliche, auf das Sozialstaatsprinzip gestützte Gegenargumente auffängt: Auch das Sozialstaatsprinzip verpflichte zu einer Sozialgestaltung, die im Einklang mit den Geboten der Rechtsstaatlichkeit stehe, das heiße: die insbesondere die Grundrechtsgarantien der Art. 3[193], 9, 12 und 14 GG respektiere. Es sei daher unmöglich, unter Berufung auf das Sozialstaatsprinzip die rechtsstaatlichen Garantien der Verfassung, etwa die Vereinigungsfreiheit, die Berufsfreiheit oder den Eigentumsschutz, aus den Angeln zu heben.[194]

Das bedeutet aber, nachdem Huber die ›einschlägigen‹ Grundrechte zunächst ausschließlich im Sinne des bürgerlichen Rechtsstaates als liberale Grundrechte interpretiert hat, daß das Sozialstaatsprinzip praktisch keine normative Bedeutung mehr hat und für eine sozialstaatliche Gestaltung kein Raum bleibt. Denn bei der in der BRD vorhandenen Wirtschafts- und Gesellschaftsordnung wird für eine solche Gestaltung, ohne daß in irgendein anderes *so* interpretiertes Grundrecht eingegriffen wird, kaum eine Möglichkeit bleiben. Die Status-quo-Legitimation durch Huber wird schließlich besonders augenfällig, wenn er, nachdem er die Erweiterung der Mitbestimmung für verfassungswidrig erklärt hat, für die vorhandene Mitbestimmung im Montanbereich doch noch eine juristische Argumentation findet, ihre Verfassungsmäßigkeit zu bejahen.[195]

Einen ähnlichen Standpunkt wie Huber nimmt Herbert Krüger ein. In einem Aufsatz aus dem Jahre 1951[196] hat Krüger die These aufgestellt, das Grundgesetz enthalte keine Wirtschaftsverfassung, habe sich für kein Wirtschaftssystem und keine Wirtschaftstheorie entschieden. Daraus folgert er, daß das Grundgesetz der Gesetzgebung und der Regierung verwehrt habe, »Wirtschaftspolitik als Verwirklichung eines wirtschaftstheoretischen Systems zu verstehen«, und beide darauf beschränkt habe, »Wirtschaftspolitik unter wirtschaftstheoretisch wertneutralen Gesichtspunkten zu treiben, also etwa zur Sicherung der staatlichen Existenz, zur Abwehr von Gefahren von der Allgemeinheit und zur undogmatischen Förderung der öffentlichen Wohlfahrt«.[197] Krüger verneint damit praktisch die Aufgabe des Staates, die Wirtschaftsordnung zu gestalten, und reduziert ihn auf die klassischen Aufgaben der Gefahrenabwehr und der öffentlichen Wohlfahrt. Krüger leitet dieses

Ergebnis aus dem Relativismus als Grundhaltung der Demokratie ab, dennoch verbergen sich dahinter ›liberale‹ Vorstellungen. Das ergibt sich z. B. daraus, daß er meint, die Verfassungsentscheidung für die Demokratie bedeute, den Bürgern diejenige Freiheit zu gewährleisten, die erforderlich sei, damit sie ihrerseits nach ihrem Gutbefinden die materiellen Entscheidungen von der Religion angefangen bis zur Wirtschaft treffen können.[198] Wirtschaft wird demnach mit der Religion zusammen in den privaten (gesellschaftlichen) Bereich verwiesen, über den der Staat auf Grund der Meinungsfreiheit keine Meinung haben darf.[199]

Ballerstedt, der sich sehr ausführlich mit dem Wirtschaftsverfassungsrecht auseinandergesetzt hat,[200] nimmt keine grundsätzlich andere Position ein, als wir sie auch bei Autoren wie Nipperdey und Huber gefunden haben. Bei Anerkennung aller Unterschiede in vielen und auch wichtigen Einzelfragen muß auch er zu denjenigen gerechnet werden, die von einem grundsätzlich ›liberalen‹ Verständnis ausgehen, obwohl er selbst sich von liberalen Positionen abzusetzen versucht. Obgleich Ballerstedt selbst von der »Überwindung des Dualismus von Staat und Gesellschaft«[201] spricht, liegt seinen gesamten Erörterungen die Trennung von Staat und Gesellschaft, insbesondere von Staat und Wirtschaft zugrunde: Er unterscheidet zwischen Staat und Wirtschaftsgemeinschaft. Die Wirtschaftsgemeinschaft findet der Staat vor. Sie unterliegt eigenen ökonomischen Gesetzen, die der Staat beachten muß. Er kann, wenn er die (ohnehin vorhandene?) Wirtschaftsverfassung »positiviert«, nur bestimmte Wertungen vornehmen. Soweit liegt eine soziologische Bestandsaufnahme vor, die sich von älteren liberalen Überlegungen, die die Unabhängigkeit der Wirtschaft vom Staat begründen sollen, nicht grundsätzlich unterscheidet.

Hatte Ballerstedt in seinen soziologischen Untersuchungen festgestellt, daß der Gesetzgeber an die ökonomischen Gesetze gebunden sei, aber doch eine Bewertungsmöglichkeit durch den Gesetzgeber zugestanden, so schränkt er im Rahmen seiner staatsrechtlichen Untersuchungen auch diese Möglichkeit ein. Denn die Wirtschaftsverfassung entziehe sich namentlich hoheitlicher Beherrschung »im Hinblick auf solche Verfassungsgrundsätze, in denen der Wertrang der Vertrags-, Wettbewerbs-, Konsum- oder Marktfreiheit, eines Rechts auf gerechten Arbeitslohn oder gerechte Bedarfsversorgung und das Verhältnis der verschiedenen Werte zueinander formuliert wäre«.[202]

In das Verfassungsgesetz einer freiheitlich-demokratischen Ordnung kann nach Ballerstedt eine Aufnahme von Normen der Wirtschaftsverfassung »nur in dem Sinne geschehen, daß die eigengeartete Struktur der Wirtschaftsgemeinschaft respektiert wird«.[203] Das hatte er vorher schon aus soziologischen Gründen behauptet, nun wiederholt er es im Rahmen seiner staatsrechtlichen und verfassungstheoretischen Überlegungen. Vorher hatte er als verfassungspolitische Notwendigkeit von der Demokratie auf die freiheitlich-soziale Wirtschaftsverfassung geschlossen. Bei seinen verfassungstheoretischen Überlegungen führt er aus: »Jede Übertragung von Ordnungsprinzipien, die der politischen Gemeinschaft adäquat sind, auf die Wirtschaftsgemeinschaft bedeutet den Schritt über die Grenze zum Faschismus oder zum Staatssozialismus hin.«[204]

Damit wendet sich Ballerstedt der Wirtschaftsverfassung im Rahmen des Staatsrechts der Bundesrepublik zu. Hier wiederholt er zunächst, was er schon im Rahmen seiner allgemeinen Erörterungen herausgearbeitet hat, daß nämlich die freiheitliche und soziale Wirtschaftsverfassung die notwendige Ergänzung einer demokratischen Staatsverfassung ist. Sodann führt er den Nachweis, daß sie auch die Erfüllung »des Sozialstaatsgedankens im Bereich der Wirtschaftsordnung« ist.[205]

Zugespitzt lassen sich die Ausführungen Ballerstedts bis dahin so zusammenfassen, daß seine Ausführungen mit den älteren liberalen Auffassungen des Verhältnisses von Staat und Wirtschaft übereinstimmen, mit der einzigen Ausnahme, daß er an die Stelle des sich automatisch einstellenden Interessenausgleichs und der allgemeinen Harmonie auf Grund der individuellen selbstsüchtigen Handlungen im Falle von Verbands- oder Marktmacht eine Sozialverpflichtung direkt aus dem Grundgesetz annimmt, durch die sodann ebenfalls eine »gerechte Teilhabe« aller Mitglieder der Wirtschaftsgemeinschaft eintritt. Der Staat hat sich – wie bei der liberalen Auffassung – darauf zu beschränken, allgemeine Organisationsnormen zu erlassen.[206]

Im letzten Teil der Untersuchungen[207] nähert sich Ballerstedt stark den Ansätzen Nipperdeys und Hubers, insofern hier ebenfalls die Grundrechte in den Mittelpunkt der Überlegungen treten. In diesem Teil geht es ihm um die »Grundinstitute der Wirtschaftsverfassung und das geltende Verfassungsrecht«. Hierbei geht er – anders als die anderen Autoren, die sich mit der Wirtschaftsverfassung beschäftigen – nicht vom geschriebenen Verfassungsrecht aus, sondern von den »Grundinstituten der Wirtschaftsverfassung«. Diese sind Markt, Unternehmen, Arbeit und Haushalt,[208] wobei das Schwergewicht seiner Ausführungen allerdings auf Markt und Unternehmen, nicht auf Arbeit und Haushalt liegt.

»Ordnung und Rolle des Marktes in einer freiheitlich-sozialen Wirtschaftsverfassung beruhen auf den Prinzipien der in der allgemeinen Handlungsfreiheit wurzelnden Vertrags-, Vereinigungs- und Wettbewerbsfreiheit, der Eigentumsfreiheit, der Gewerbefreiheit und der Freizügigkeit.«[209] Die drei ersten faßt Ballerstedt unter dem Begriff Marktfreiheit zusammen. »Zum Teil bilden die Marktfreiheit und die anderen Prinzipien auch die Grundlage des wirtschaftsverfassungsrechtlichen Unternehmensrechts.«[210]

Vergleichen wir diese Ausführungen mit dem, was wir früher über die die ›Gesellschaft‹ des liberalen Modells konstituierenden Freiheiten gesagt haben und über die Rolle des Marktes, so deckt sich das vollständig mit dem, was Ballerstedt hier ausführt. Ebenso wie im liberalen Modell beruhen diese für die Wirtschaftsgemeinschaft (bzw. die Gesellschaft) konstitutiven Freiheiten nach Ballerstedt auf der Privatrechtsordnung, »bedürfen also der verfassungsrechtlichen Anerkennung zu ihrer Begründung nicht«. Doch ebenso, wie wir für das liberale Modell die verfassungsrechtliche Absicherung in den Grundrechten gefunden haben, so nimmt nun auch Ballerstedt diese verfassungsrechtliche Absicherung mit Hilfe der Grundrechte vor. Art. 2 Abs. 1 GG – interpretiert als wirtschaftliche Handlungsfreiheit – nimmt dabei die zentrale Rolle ein:[211]

»Die Bedeutung des Art. 2 als Grundlage einer freiheitlich-sozialen Wirtschaftsverfassung liegt mithin darin, daß sie dem Gesetzgeber solche die Marktfreiheit beschränkenden Maßnahmen verwehrt, die in der Wahrung der verfassungsmäßigen Ordnung keine Rechtfertigung finden. Man kann dies auch so ausdrücken, daß dirigistische Akte keine regulären, sondern nur durch besondere Notlagen oder Sicherungsbedürfnisse erforderte Instrumente hoheitlicher Einwirkung auf das Wirtschaftsgeschehen sein dürfen.«[212]

Dem Staat wird also nur insoweit das Recht zugestanden, in den (autonomen) Bereich der Wirtschaft einzugreifen, als dies zur ›Gefahrenabwehr‹ erforderlich ist.

Ehmke[213] hat dieses Rechtsdenken als »Denken von der Gesellschaft her« bezeichnet. Diese Kennzeichnung stimmt nur zum Teil mit dem überein, was auch wir zum Ausdruck bringen wollen: Dieses Denken geht aus von der Trennung von Staat und Gesellschaft. Ehmke erfaßt damit aber nicht zugleich den Umstand, daß unser ›staatsrechtlicher Begriffsapparat‹, unsere Verfassungsinterpretation ganz allgemein, auf liberalen Vorstellungen beruht. Er führt das ganze Problem letztlich darauf zurück, daß unsere »staatsrechtliche Begriffswelt« noch durch die konstitutionelle Monarchie bestimmt sei und deswegen auf die heutige demokratische Wirklichkeit nicht passe.[214] Diese Argumentation ist auch vor Ehmke schon z. B. von Ellwein[215] und nach ihm besonders von Jesch[216] gebraucht worden, worauf später noch zurückzukommen sein wird. Diese Autoren bemerken ebenfalls den Zwiespalt zwischen der »staatsrechtlichen Begriffswelt« sowie den dahintersteckenden »gewohnten Vorstellungen« und der Wirklichkeit und glauben, daß dieser Zwiespalt sich nur auf die verfassungsrechtliche Wandlung von der konstitutionellen Monarchie zur parlamentarischen Demokratie zurückführen lasse. Nun kann freilich nicht geleugnet werden, daß sich unsere staats- bzw. verfassungsrechtlichen Begriffe in der Zeit der konstitutionellen Monarchie und im Hinblick auf diese herausgebildet haben.

Zu berücksichtigen ist aber, daß in dieser Zeit liberales und konstitutionelles Denken eine untrennliche Verbindung eingegangen sind,[217] wie oben an Hand des staatsrechtlichen Positivismus und der Verwaltungsrechtslehre Otto Mayers gezeigt werden sollte. Die Schwäche in Ehmkes Ansatz zeigt sich auch darin, daß er meint, aus der Beschäftigung mit dem amerikanischen Beispiel Lösungsmöglichkeiten für das ›politische Gemeinwesen‹ Bundesrepublik Deutschland ableiten zu können. Das erscheint schon deswegen fraglich, weil die amerikanische Gesellschaft gerade mit sehr erheblichen Schwierigkeiten kämpft.

Will man es sich nicht so leicht machen, so ist darauf hinzuweisen, daß auch das amerikanische politische und Verfassungsdenken auf dem liberalen Modell beruht, insofern also auf den gleichen sozialen und ökonomischen Voraussetzungen wie unser Rechtsstaatsdenken. Das ist um so weniger erstaunlich, als das ökonomische Denken im vorigen Jahrhundert von England nach Deutschland gekommen ist. In Amerika hat das liberale Denken freilich mehr Kraft besessen als in Deutschland, was sich daran zeigt, daß man dort im Gegensatz zu hier schon früh den Versuch gemacht hat, mit Hilfe von Antitrustgesetzen und einer entsprechenden Rechtssprechung diese Bedingungen des liberalen Modells von Rechts wegen aufrechtzuerhalten. Mit all dem soll nicht gesagt werden, daß zwischen deutschem und englischem sowie insbesondere amerikanischem politischen und Verfassungsrechtsdenken keine wichtigen Unterschiede beständen. Diese Unterschiede sind vor allem dadurch bedingt, daß in Deutschland das Bürgertum nie zur politischen Herrschaft gelangt ist. So konnte etwa die Trennung von Staat und Gesellschaft und der schließlich unpolitische liberale Rechtsstaat zur spezifisch deutschen Variante liberalen Denkens werden. Dieser Unterschied tritt aber für die Frage einer Lösungsmöglichkeit auf Grund des amerikanischen Beispiels dann zurück, wenn die beide Systeme tragenden Grundbedingungen nicht mehr vorhanden sind, und das sind die oben näher beschriebenen sozialen und ökonomischen Bedingungen der Wettbewerbsgesellschaft.[218]

Der Zwiespalt zwischen »staatsrechtlicher Begriffswelt« und »gewohnten Vorstellungen« einerseits und der Wirklichkeit andererseits kann deswegen auch nicht nur damit erklärt werden, daß jene noch in konstitutionellem Denken verhaftet sind, sondern beruht im wesentlichen darauf, daß diese »Begriffswelt« auf dem liberalen Modell beruht und noch keinen der sozialen Wirklichkeit entsprechenden Bedeutungswandel erfahren hat.

3.4.3. Versuche, den punktuellen Interventionismus mit dem System des liberalen Staats- und Verfassungsrechts zu versöhnen

Oben hatten wir festgestellt, daß die wirtschaftliche Wirklichkeit, nachdem sie sich während einiger Jahrzehnte des 19. Jahrhunderts an die Bedingungen des liberalen Modells anzunähern schien, etwa seit dem Ende der siebziger Jahre wieder von diesen Bedingungen zu entfernen begann.

Andererseits ließ sich feststellen, daß das Verfassungsrecht und die Verfassungsrechtslehre (und auch andere Zweige des Rechts wie der Rechtslehre) trotzdem in diesen fast hundert Jahren seither noch weitgehend von den auf diesen Bedingungen beruhenden Rechtsbegriffen ausgehen. Von daher erscheint unsere Anfangshypothese, daß sich wegen des zur Zeit sich vollziehenden grundlegenden Wandels im gesellschaftlichen und besonders im ökonomischen Bereich auch ein grundlegender Wandel der normativen Verfassung anbahne, weil das vom Liberalismus geprägte Denken und Begriffssystem der Staats- und Verfassungsrechtslehre und des positiven Rechts, wie es von dieser Lehre begriffen wird, mit der derzeitigen und für die Zukunft sich abzeichnenden gesellschaftlichen und ökonomischen Realität nicht mehr in Einklang zu bringen sei, möglicherweise wenig überzeugend. Man könnte nämlich die Frage stellen, warum von dem derzeitigen Wandel in der Realität solch ein Aufhebens gemacht wird, warum gerade heute dadurch ein grundlegender Wandel des Verfassungsrechts hervorgerufen werden soll, wenn durch die fehlende Übereinstimmung von Wirklichkeit und Verfassungsrecht bzw. Verfassungsrechtslehre bisher kein derartiger grundlegender Wandel auf der Rechtsebene herbeigeführt worden ist.

Die Anfangshypothese wird sich demgegenüber also bloß dann halten lassen, wenn wir aufweisen können, daß sich die bisherigen Abweichungen vom liberalen Modell noch verhältnismäßig reibungslos mit den vom liberalen Modell geprägten Verfassungsrechtsbegriffen erfassen ließen, daß partielle Änderungen auf der Rechtsebene ausreichten und daß der inzwischen eingetretene Wandel im gesellschaftlichen und ökonomischen Bereich demgegenüber von einer Qualität ist, die einen tiefgreifenden Wandel in der Rechtsebene wahrscheinlich macht.

Abgesehen von den Perioden des Ersten Weltkrieges und des Nationalsozialismus hat der Staat die ›neuen Aufgaben‹, d. h. die Aufgabenbereiche, die ihm nach dem liberalen Staats- und Gesellschaftsverständnis nicht obliegen sollten, bis zur Mitte der sechziger Jahre nicht im Sinne einer planmäßigen Gestaltung der gesellschaftlichen – insbesondere der wirtschaftlichen – Verhältnisse übernommen, sondern im wesentlichen durch unabgestimmte, unplanmäßige, punktuelle Einzeleingriffe. Soweit es sich dabei um Eingriffe in den eigentlichen Bereich der Wirtschaft handelt, durch ›Interventionen‹. Das gilt, wie dargestellt, insbesondere auch für die Erhardsche Wirtschaftspolitik, die Schmahl mit Recht als ›punktuellen Interventionismus‹ bezeichnet.[219]

Wenngleich diese Staatstätigkeit schon über die im liberalen Modell vorgestellte hinausgeht, so fügt sie sich doch noch einigermaßen an die ›klassischen‹ Staatsaufgaben der Gefahrenabwehr und Störungsbeseitigung an (zu denen ja auch schon die ›Armenpolizei‹ gehörte), insofern sie genau wie diese nur eingetretene Störungen oder drohende Gefahren im gesellschaftlichen Bereich jeweils beseitigen soll.[220]

In der juristischen Literatur wird dieser Bereich neuer Staatsaufgaben in der Regel als »Leistungsverwaltung« oder »Daseinsvorsorge« bezeichnet. »Der Daseinsvorsorge sollen alle Leistungen der Verwaltung an die Staatsgenossen zugerechnet werden ... Alles, was von seiten der Verwaltung geschieht, um die Allgemeinheit oder nach subjektiven Merkmalen bestimmte Personenkreise in den Genuß nützlicher Leistungen zu versetzen, ist Daseinsvorsorge.«[221] Jesch ist der Meinung, daß der Begriff synonym sei mit »Leistungen des Staates an seine Bürger«.[222] Der Jurist, der sich eher mit dem Verhältnis des Staates zum einzelnen befaßt als mit dem Verhältnis Staat – Wirtschaft, wird dabei vielleicht eher an Leistungen des Staates an einzelne Bürger als an ›wirtschaftliche Interventionen‹ denken, jedoch handelt es sich in beiden Fällen um Leistungsverwaltung oder Daseinsvorsorge, wobei freilich einschränkend zu berücksichtigen ist, daß ›intervenierende‹ Maßnahmen auch ›belastend‹ sein können, also nach der Terminologie des öffentlichen Rechts auch der ›Eingriffsverwaltung‹ zugehören können. Die Einordnung der neuen Staatsaufgaben in den herkömmlichen ›Begriffsapparat‹ konnte solange einigermaßen gelingen, als diese neuen Staatsaufgaben in Form des ›punktuellen Interventionismus‹ wahrgenommen wurden, denn die dem liberalen Modell zugrunde liegende Trennung von Staat und Gesellschaft wird solange nicht endgültig aufgehen, wie man glaubt, ohne eine planmäßige Gestaltung des wirtschaftlichen und gesellschaftlichen Bereiches auszukommen, und nur ›punktuell‹ eingreift. Denn solange glaubt man prinzipiell noch immer an die Selbststeuerung des gesellschaftlichen und des wirtschaftlichen Bereiches und greift nur ein, um evtl. auftretende Störungen zu beseitigen.[223]

Daß auch diese Art der Staatstätigkeit nicht mehr ins liberale Modell paßt, wird gerade von konsequent ›liberalen‹ Autoren gesehen. Will man dennoch am liberalen ›Begriffsapparat‹ festhalten, muß man versuchen, einen Ausgleich herbeizuführen. Das ist prinzipiell auf zwei Arten möglich und versucht worden:

Typisch für die eine Möglichkeit ist die Vorgehensweise von Forsthoff und seiner Schule, die den liberalen Rechtsstaat auf der Verfassungsebene ansiedelt und den ›intervenierenden Staat‹ auf die Ebene der Verwaltung verweist. Den entgegengesetzten Pol bilden die Versuche von Jesch und Rupp, nämlich die Versuche, die liberalen juristischen Kategorien auf die neuen Staatsaufgaben anzuwenden. Sozusagen zwischen diesen beiden Extremen liegen die meisten der oben behandelten Autoren, die – etwas pauschal gesagt – die neuen Staatsaktivitäten befürworten und auch verfassungsrechtlich im jeweils gegebenen Umfang absichern, ohne jedoch recht eigentlich die Problematik des Nichtübereinstimmens mit der herkömmlichen Rechtsstaatsvorstellung zu sehen, die sie deswegen auch – implizit oder explizit – weiterführen.

3.4.3.1. Konservative: Forsthoff und Werner Weber

Als konservative Lösungsversuche betrachten wir die Vorgehensweise insbesondere von Forsthoff und Werner Weber.

Das liberale Staats- und Verfassungsrechtsdenken wird von Forsthoff mit am konsequentesten vertreten, im wesentlichen in Fortführung des Gerber-Labandschen Positivismus. Das Wesen der rechtsstaatlichen Verfassung sieht Forsthoff »in der Begrenzung der staatlichen Macht«. »Rechtsstaatliche Freiheit besteht im Ausschluß und in der Stilisierung der Staatsmacht und ihrer Handlungsformen. Das ganze System und die Begrifflichkeit des Rechtsstaats mit Grundrechten, Gewaltenteilung, Gesetzesbegriff, Unabhängigkeit der Rechtspflege dient diesem Zweck.«[224]

Forsthoff ist für uns gerade deswegen besonders interessant, weil er sich des Umstands bewußt ist, daß diese Art rechtsstaatlicher Verfassung auf der Trennung von Staat und Gesellschaft beruht und auf den Voraussetzungen des liberalen Modells: »die Antiquiertheit der rechtsstaatlichen Verfassung ist unbestreitbar«, und: »wer wollte bestreiten, daß der Freiheitsbegriff, der mit der rechtsstaatlichen Verfassung verbunden ist, einer Zeit entstammt, die von den heutigen Gegebenheiten denkbar weit entfernt ist.«[225] Dennoch, meint er, »steht nichts im Wege, das Grundgesetz auch unter den heutigen Verhältnissen als eine liberalrechtsstaatliche Verfassung so zu verstehen und auszulegen, wie rechtsstaatliche Verfassungen eh und je ausgelegt worden sind.«[226] Denn »die Bemühung, wechselnde soziale und politische Verhältnisse in die rechtsstaatliche Verfassung hinein zu projizieren, und ihr damit einen situationsgeprägten Gehalt zu geben, führt in Wirklichkeit notwendig zu ihrer inneren Auflösung.«[227]

Die »Lösung der rechtsstaatlichen Verfassungselemente von dem soziologischen

Grunde, auf dem sie ehedem entstanden sind«, hält Forsthoff deswegen für möglich, weil sie »durch einen hohen Grad von Formalisierung gekennzeichnet« sind. Ihre wesentlichen Strukturelemente (Gewaltenteilung, Gesetzesbegriff, Prinzip der Gesetzmäßigkeit der Verwaltung, die Gewährleistungen der Grundrechte und die Unabhängigkeit der Gerichte) tragen die Bedingungen ihrer Wirkungsweise in sich selbst. Diese Wirkung mag sich je nach den sozialen Bedingungen modifizieren, bleibt sich aber im großen und ganzen gleich. »Das Verfassungsrecht des Rechtsstaats läßt sich, sofern man überhaupt den Rechtsstaat will, in hohem Maß isolieren von dem Wechsel der Ambiance.«[228]

Diese Lösung vom Wechsel der Ambiance gelingt Forsthoff durch einen Kunstgriff: Er unterscheidet zwischen dem »förmlichen im Grundgesetz geregelten Verfassungsrecht« und der »materiell verstandenen Verfassung«[229]. Er stellt fest, daß »ein zentraler Komplex der öffentlichen Ordnung, nämlich alles das, was unter das Stichwort Sozialstaat zu rubrizieren ist, außerhalb der Verfassungsordnung (im formellen Sinn, J. G.) verbleiben muß«. Damit »ist die ehedem selbstverständliche Auffassung, daß in der (formellen, J. G.) Verfassung die wesentlichen, tragenden Elemente der politischen Gesamtordnung und die Prozeduren der staatlichen Willensbildung geregelt sind, außer Kurs gesetzt.«[230]

Durch die Beschränkung des Rechtsstaats auf einen Teil der Verfassung ermöglicht Forsthoff »die Selbständigkeit der rechtsstaatlichen Institutionen gegenüber dem Wechsel der Ambiance«, die freilich nur erreichbar war »durch die Technisierung dieser Institutionen«[231]. Diese Technisierung lasse sich überall nachweisen. Z. B. sei die Gewaltenteilung ursprünglich als Mittel nicht nur zur Hemmung, sondern auch zur Balancierung gemeint, habe freilich in der modernen Staatenwelt diese umfassende Funktion verloren. Sie sei ein technisches Mittel zur Organisation der Staatsgewalt geworden und erfülle als solche durchaus ihren Zweck, die Staatsgewalt zugunsten der individuellen Freiheit zu begrenzen.[232]

Diese Einengung des Rechtsstaats auf einen Teil der Verfassung im materiellen Sinne erlaubt Forsthoff die Aufrechterhaltung des herkömmlichen Verständnisses der rechtsstaatlichen Institutionen und damit zugleich die verfassungsrechtliche Eingrenzung der neuen Staatsaufgaben. Denn das, was nur der materiellen Verfassung angehört, ist selbstverständlich an der formellen zu messen. Zu ihr gehört der Rechtsstaat, der nun den Anspruch erhebt, »in seinen Institutionen besonders streng genommen zu werden«.[233] Der Sozialstaat kann demgegenüber nur insoweit verwirklicht werden, wie es »auf dem Boden« der »Begriffe, Formen und Institute« des Rechtsstaats möglich ist.[234] Wenn Forsthoff in diesem Zusammenhang von Sozialstaat spricht, so meint er damit den »leitenden, zuteilenden, verteilenden, teilenden Staat, der den Einzelnen nicht seiner gesellschaftlichen Situation überläßt, sondern ihm durch Gewährungen zur Hilfe kommt«.[235] Forsthoffs Aussonderung dieses Sozialstaates aus der formellen Verfassung dient also dem Zweck, diese neuen Aufgaben verfassungsrechtlich zu begrenzen. Denn die rechtsstaatliche Verfassung ist »grundsätzlich eine gewährleistende Verfassung«. Und da nur Bestehendes, nicht aber ein Plan oder ein Programm in diesem Sinne gewährleistet werden kann, ist sie in hohem Maße an den gesellschaftlichen status quo gebunden.«[236]

Forsthoff will dennoch nicht von der Verfassungswirklichkeit der fünfziger und sechziger Jahre fort zu einem Zustand, in dem der Staat sich nicht um Wirtschaft und Gesellschaft kümmert; er akzeptiert den »intervenierenden Staat«. Es kommt ihm jedoch darauf an, zu verhindern, daß der Staat dabei in das eingreift, was die rechtsstaatliche Verfassung »gewährleistet«, nämlich die vorhandenen Freiheits- und Eigentumspositionen. Denn Forsthoff unterscheidet hinsichtlich des Wortes sozial zwei Bedeutungen: »eine polemische, gegen den gesellschaftlichen und politischen status quo gerichtete«; »dann ist mit ihm (dem Sozialstaat, J. G.) eine angemessenere, gerechtere Güterverteilung gemeint, als sie besteht oder im staatlich unbeeinflußten Ablauf der Dinge eintreten würde. Sozial kann aber auch unpolemisch auf Bestehendes bezogen sein und die Institute, Begriffe und Rechtssätze meinen, die zu einer besseren Güterzuteilung von der sozialen Entwicklung hervorgebracht und zum Bestandteil einer Rechtsordnung geworden sind.«[237] Da die erste Bedeutung – nach Forsthoffs Meinung – mit den rechtsstaatlichen Gewährleistungen nicht vereinbar ist, bleibt nur die zweite Bedeutung. Diese ist jedoch zuwenig bestimmbar und deswegen »kein Rechtsbegriff«[238]. Daher findet der Sozialstaat, d. h. »die Gestaltung des Soziallebens durch den Staat«, seine Grenze »vor der sozialen Verschichtung durch unmittelbare Entziehung oder Entwertung grundrechtlich geschützter Rechtspositionen«.[239]

Forsthoffs Ausführungen gewinnen ihre Bedeutung nicht zuletzt als Antwort auf das Referat von Ipsen aus dem Jahre 1951. Forsthoff selbst hat dazu später ausgeführt:[240] Ipsen »meinte, man werde, um die Erfüllung dieser sozialen Verpflichtungen zu ermöglichen, unter Berufung auf die Sozialstaatsklausel den Grundrechtsschutz, insbesondere die erweiterte Eigentumsgarantie, einschränken müssen. Damit war die Frage, ob und wie sich Rechtsstaat und Sozialstaat in eins setzen lassen, gestellt. Die von Ipsen geäußerten Zweifel an der Erfüllbarkeit der sozialen Verpflichtungen der Bundesrepublik ohne einen Eingriff in die bestehende Vermögensverteilung waren nach dem Stande der damaligen Erfahrungen durchaus berechtigt... Wäre deshalb diese Verschmelzung die Vorbedingung für die Erfüllung der sozialen Aufgaben der Bundesrepublik gewesen, so hätte das mit Sicherheit das Ende der rechtsstaatlichen Verfassung bedeutet... Zum Glück war dem nicht so.«

Die ›herrschende‹ Staats- und Verfassungsrechtslehre gebraucht die im Grundgesetz enthaltenen Begriffe im wesentlichen in demselben ›bürgerlich-liberalen‹ Verständnis wie Forsthoff, nur daß dieser Umstand in der Regel nicht anerkannt wird. Freilich ist insbesondere Forsthoffs These von der Unvereinbarkeit von Rechts- und Sozialstaat weithin auf Ablehnung gestoßen. Doch – wie Forsthoff selbst mit Recht dazu bemerkt[241] – setzt ihm diese Ablehnung keine von der seinigen abweichende Begrifflichkeit entgegen.[242]

Die gleiche politische Stoßrichtung wie Forsthoffs Ausführungen haben die von Werner Weber. Beide wollen am Rechtsstaat hergebrachten Typs festhalten, um die bestehende Vermögensverteilung gegenüber einem Staat aufrechtzuerahlten, dessen Eingriffe in den Bereich von Wirtschaft und Gesellschaft sie prinzipiell als durchaus notwendig betrachten.

Allerdings geht Werner Weber in einer neueren Untersuchung[243] nicht wie Forsthoff davon aus, daß der Sozialstaat nicht dem Verfassungsrecht angehört; seine traditionelle Auslegung der rechtsstaatlichen Institutionen versucht jedoch auch die Aussöhnung mit den »neuen« Staatsaufgaben durch die »verfassungsrechtliche Hemmung und Ausbalancierung sozialstaatlichen Übermaßes«.[244] Das will er durch eine stärkere Betonung der Elemente des liberalen Rechtsstaates erreichen, mit seinen Worten, indem »man Auslegung und Anwendung der Grundrechte weiter ausgreifen läßt als bisher und sich stärker differenzieren läßt«.[245]

3.4.3.2. Einordnung der oben, 3.4.2, behandelten Autoren

Auf dieser Ebene bewegt sich die Einbeziehung der gesellschaftlichen und wirtschaftlichen und wirtschaftspolitischen Wirklichkeit in das liberale Begriffssystem auch bei den (zum größten Teil oben) behandelten Autoren, die sich mit Wirtschaftsrecht bzw. ›Wirtschaftsverfassungsrecht‹ beschäftigen. Der wichtigste Unterschied zwischen ihnen und Forsthoff ist lediglich, daß sie sich nicht ausdrücklich zum hergebrachten liberalen Rechtsstatsverständnis bekennen oder sogar zum Teil davon ausdrücklich abrücken, obwohl sie es – wie oben aufgezeigt – dennoch verwenden. Sie erkennen die Praxis wirtschaftspolitischer Interventionen in dem Umfang, in dem sie in den fünfziger und in der ersten Hälfte der sechziger Jahre erfolgten, durchaus als verfassungsrechtlich erlaubt an. Solange der Staat sich darauf beschränkt, nur fallweise – unkoordiniert – einzugreifen, läßt sich diese über das ursprüngliche liberale Staats- und Gesellschaftsverständnis hinausreichende Staatstätigkeit in das liberale Staats- und verfassungsrechtliche Begriffssystem einbauen: »Die Bedeutung des Art. 2 Abs. 1 als Grundlage einer freiheitlich-sozialen Wirtschaftsverfassung liegt mithin darin, ... daß dirigistische Akte keine regulären, sondern nur durch besondere Notlagen oder Sicherungsbedürfnisse erforderte Instrumente hoheitlicher Einwirkung auf das Wirtschaftsgeschehen sein dürfen«, schreibt Ballerstedt.[246]

3.4.3.3. Versuche, das liberale Rechtssystem auf den ›intervenierenden‹ Staat auszudehnen

Während Forsthoffs Versuch, den liberalen Rechtsstaatsbegriff beizubehalten, eher konservativen Charakter hat, finden wir bei anderen Autoren Versuche der Fortentwicklung des liberalen Begriffssystems im Hinblick auf die gewandelte Wirklichkeit. Als Beispiele dafür sollen Arbeiten von Jesch und Rupp untersucht werden. Forsthoff weist sich für uns dadurch als konservativ aus, daß er auf der bisherigen Deutung des Rechtsstaats besteht, im wesentlichen um die bestehende Eigentums- und Vermögensverteilung verfassungsrechtlich abzusichern, indem er die neuen Staatsaufgaben aus dem Bereich der »rechtsstaatlichen Verfassung« verbannt, während Jesch und Rupp am liberalen ›Begriffsapparat‹ festhalten, jedoch dessen Weiterentwicklung versuchen, um die freiheitsverbürgenden, rechtsstaatlichen Institute, die ursprünglich eine auf privatem Eigentum aufgebaute »freie Entfaltung der Persönlichkeit« vor willkürlichen Eingriffen sichern sollte, nun nutzbar zu machen, um eine wegen der soziologischen Veränderungen nicht mehr auf Eigentum beruhende, sondern von staatlichen Leistungen abhängige »freie Entfaltung der Persönlichkeit« vor staatlicher Willkür zu sichern. Dabei ist in unserem Zusammenhang wichtig festzustellen, daß auch diese Autoren am liberalen Begriffssystem festhalten.

Ein Versuch, die neuen Staatsaufgaben in das überkommene Staatsverständnis und seinen ›Begriffsapparat‹ einzuordnen, ist die Schrift von Jesch: »Gesetz und Verwaltung«.[247]

Hierbei geht es darum, den Gesetzesbegriff und die Gesetzmäßigkeit der Verwaltung, also Begriffe bzw. Institutionen, die zu den wichtigsten Merkmalen des Rechtsstaatsbegriffes gehören, nach Möglichkeit den modernen Gegebenheiten anzupassen. Die beiden Hauptprobleme, um die es Jesch hierbei geht, sind die sog. Leistungsverwaltung und das ›besondere Gewaltverhältnis‹. Die Frage, die er sich stellt, ist die, ob der Vorbehalt des Gesetzes auch auf diese Bereiche staatlicher Tätigkeit ausgedehnt werden soll.

Besonders wichtig ist für uns die Behandlung der ersten Frage durch Jesch, weil sie unmittelbar den hier behandelten Fragenkreis betrifft. Wie Jesch selbst schreibt, haben den Anstoß zu der Frage der Erstreckung des Vorbehalts auf Leistungen des Staates an seine Bürger weniger rechtliche Veränderungen gegeben als ein Wandel der soziologischen Struktur, der seinerseits Einfluß auf die Bestimmung der Staatszwecke und auf die Ausbildung neuer Verwaltungsfunktionen genommen hat.[248] Daß im liberalen Staat des 19. Jahrhunderts für leistende Verwaltung kein Gesetzesvorbehalt bestand, erklärt Jesch juristisch aus der Verfassungsstruktur der konstitutionellen Monarchie: »In der konstitutionellen Monarchie waren parlamentarische, d. h. vor allem legislative Ermächtigungen an die Exekutive nur erforderlich, soweit ihre verfassungsrechtliche Notwendigkeit nachweisbar war.«[249] Da dieser Nachweis für die Leistungsverwaltung nicht geführt werden konnte, fehlte es an einem derartigen Gesetzesvorbehalt. Mit dem Hinweis auf die »Verfassungsstruktur« der konstitutionellen Monarchie ist ein für rein rechtsimmanentes Denken zureichendes Interpretationsmittel gefunden, um die juristische Richtigkeit der vorgefundenen Rechtslage des Kaiserreiches rückblickend zu belegen. Freilich ist das keine hinreichende sozialwissenschaftliche Erklärung, warum diese Rechtslage so gewesen ist.

Das Problem kann verdeutlicht werden mit dem Hinweis auf die ähnliche Rechtslage des republikanischen Frankreich.[250] Im Sinne einer nicht nur rechtsimmanenten Erkärung kann der Hinweis auf die Verfassungsstruktur der konstitutionellen Monarchie als historische Erklärung im Sinne eines Fortlebens überlieferter Rechtsinstitute gedeutet werden. Das allein reicht aber nicht aus, wie der Hinweis auf die französische Rechtslage beweist, die als Resultat eines revolutionären Umbruchs entstanden war.

Die wichtigste Ursache dürfte auch hier wieder im liberalen Staats- und Gesellschaftsmodell zu suchen sein. Der Gedanke der Trennung von Staat und Gesellschaft und der Gedanke des auf ein Minimum an Funktionen reduzierten Staates mochte es unmöglich erscheinen lassen, daß andere Staatsfunktionen als die der Eingriffsverwaltung für das Bürgertum wesentliche Bedeutung erlangen konnten. Soweit exekutive Staatstätigkeit nicht Eingriffsverwaltung war und Steuermittel erforderte, mochte die Kontrolle der Steuer- und Haushaltsgesetzgebung ausreichend erscheinen. Ein ähnlicher Hinweis findet sich auch bei Jesch selbst: »Weil sich das konstitutionelle Denken des 19. Jahrhunderts allein auf den Schutz *vor* dem Staat richtete, fehlten sowohl ausdrückliche Bestimmungen über die Leistungskompetenz des Staates wie überhaupt Ansatzpunkte für eine derartige Kompetenz und ihre etwaige Beschränkung.«[251] Diese Aussage stimmt im wesentlichen mit der oben gegebenen Begründung überein, mit der wichtigen Einschränkung, daß Jesch vom ›konstitutionellen‹ Denken spricht, während hier stets vom *liberalen* Denken oder vom liberalen Modell die Rede ist.

Dieser Unterschied hat eine wichtige ideologische Funktion: Solange man bestimmte überlieferte Rechtsinstitute als konstituionelle oder monarchische Relikte einer vergangenen Verfassungsepoche begreift, bereitet es keine unüberwindlichen Schwierigkeiten, ihre rechtliche Gültigkeit in Zweifel zu ziehen, ohne den gesamten ›staatlichen Begriffsapparat‹ in Zweifel ziehen zu müssen, der doch auf liberalem Denken beruht. Erst wenn man aufweist, daß die spezifisch liberalen Vorstellungen und der auf ihnen beruhende ›Begriffsapparat‹ mit der Wirklichkeit nicht mehr in Einklang zu bringen ist, gerät der ›Begriffsapparat‹ wirklich ins Wanken.

Nun erscheint es aber schwer begründbar, wie man das Denken des 19. Jahrhunderts, soweit es das Verhältnis von Staat und Gesellschaft betrifft und insbesondere den Komplex, den man verkürzt mit dem Schlagwort ›Nachtwächterstaat‹ umschrieben hat und auf den Jesch in dem zitierten Satz hinweist, nicht als spezifisch liberales Denken bezeichnen will. Den gleichen Ausweg wie Jesch suchen z. B. auch Rupp[252] und Ellwein, wie sich schon aus dem Titel seines Buches ergibt.[253]

Für Jesch ergibt sich für das Problem der Einordnung der Leistungsverwaltung in das überkommene System auf diese Weise eine recht elegante Lösung im Sinne einer demokratischen Fortentwicklung liberalen Denkens: Hat die Leistunsverwaltung nun eine wichtige Rolle für die Gesellschaft erlangt, so muß sie ebenso dem Gesetzesvorbehalt unterworfen werden wie schon vorher die Eingriffsverwaltung. Juristisch gewinnt er dieses Ergebnis mit dem Hinweis auf den »entscheidenden Wandel der Verfassungsstruktur«. Dem Parlament ist »zwangsläufig« aus der Verfassungsstruktur die Leistungs- und Lenkungsaufgabe bei allen Formen staatlicher Leistungen und Begünstigungen zugewachsen. »Leistungen und Begünstigungen dürfen von der Verwaltung daher nur noch auf Grund einer parlamentarischen Ermächtigung gewährt werden.«[254]

Das Problem des Gesetzesvorbehalts im Bereich der Leistungsverwaltung beschäftigt auch Rupp. Zum erstenmal hat er sich hierzu in einem Aufsatz aus dem Jahre 1959 geäußert.[255] Hier fordert er die Ausweitung des Gesetzesvorbehalts weniger mit einer im eigentlichen Sinne juristischen als vielmehr einer politischen Begründung, die ebenfalls die Fortentwicklung liberalen Denkens im Hinblick auf die veränderten Bedingungen und Staatsaufgaben aufweist. Seine Argumentation geht vom Freiheitsbegriff aus. Von Freiheit werde nur dort gesprochen, wo sie gefährdet erscheine. In einer Zeit, die von der Autonomie der Gesellschaft ausgegangen sei, habe sich der Staatsbürger in seiner Freiheit bedroht gefühlt, wo sein vom Staat unabhängiger Lebens- und Persönlichkeitskreis Beschränkungen ausgesetzt war. Diese Gefahr sei gebannt worden, indem man die Verwaltung in die Schranken des Gesetzes gezwungen habe, an deren Erlaß der Bürger durch die von ihm gewählte Volksvertretung mitgewirkt hatte. Heute habe der einzelne weitgehend die im Eigenbereich wurzelnde Substanz, die es ursprünglich zu verteidigen galt, eingebüßt und sei auf die Hilfe des Staates angewiesen.

Hier setzt Rupp mit seiner Umdeutung des Freiheitsbegriffs ein: Der Staatsbürger wolle nicht auf mildtätige Unterstützungen angewiesen sein, sondern glaube, ein Recht auf die Mittel zur Erhaltung seiner Lebensgrundlage zu besitzen. Diese Forderung nach einem Rechtsanspruch setzt Rupp mit dem neuen Freiheitsbegriff gleich und kommt von daher für die leistende Verwaltung wie für die Eingriffsverwaltung zur Forderung nach dem Vorbehalt des Gesetzes.

Schon Jesch hat dazu ausgeführt, daß sich diese Begründung für eine Erweiterung des Vorbehaltsbereiches darin erschöpfe, aus soziologischen Veränderungen rechtspolitische Postulate abzuleiten.[256]

Dem ist nur hinzuzufügen, daß der Ansatz von Rupp besser für eine Uminterpretation der bisher liberal als Abwehrrechte verstandenen Grundrechte zu positiven Forderungsrechten auf Leistungen zur materiellen Verwirklichung der grundrechtlichen Feiheiten geeignet erscheint als zur Begründung des erweiterten Gesetzesvorbehalts.[257]

Einen neuen juristischen Ansatz hierfür bringt Rupp in seinem Buch »Grundlagen der heutigen Verwaltungsrechtslehre«, das ebenfalls einen Versuch darstellt, das liberale Rechtsdenken im Hinblick auf den modernen, leistenden Staat weiterzuentwickeln. Die unmittelbare Anknüpfung an liberales Gedankengut wird bei Rupp besonders deutlich, wo er sich mit der Lehre von Jesch auseinandersetzt. Obgleich er zum gleichen Ergebnis kommt wie Jesch, greift er doch dessen Lösungsmethode hart an. Kernpunkt des Angriffs ist die Feststellung, daß Jesch den erweiterten Gesetzesvorbehalt aus dem demokratischen Prinzip ableitet.[258] Für Rupp besteht jedoch kein Zweifel darüber, »daß der Gesetzesvorbehalt schon in seinem Ansatzpunkt weniger demokratischen Ideen entspringt und sich deshalb mit solchen Ideen kaum begründen läßt, sondern auf rechtsstaatlich-liberalem Gedankengut beruht, wie der Grundsatz der Gewaltenteilung auch.«[259]

Der Unterschied zwischen den Versuchen von Rupp und Jesch, das liberale Rechtsdenken weiterzuentwickeln, ist hier von Rupp sehr prägnant herausgearbeitet worden. Während Jesch versucht, unter Betonung demokratischer Gedanken neue Lösungen zu finden, ist Rupp sehr viel stärker von neoliberal-rechtsstaatlichen Vorstellungen geprägt. Diese neoliberalen Vorstellungen sind jedoch stärker liberal als demokratisch, jedenfalls wenn man an einen mehr egalitären Demokratiebegriff denkt.[260] Diese Beeinflussung Rupps durch neoliberales Gedankengut, die in späteren Schriften[261] noch deutlicher sichtbar wird, ist aber schon in seinen »Grundlagen der Verwaltungsrechtslehre« deutlich erkennbar. Das zeigt sich, wenn er sich gegenüber den ›altliberalen‹ Gedanken des ›Nachtwächterstaates‹ absetzt und statt dessen einen starken Staat fordert, dem allein es gelingen könne, »gesellschaftliche Monopolismen« zu bändigen, denen sonst der einzelne in vollständiger Ohnmacht und damit der Unfreiheit ausgeliefert sei. Neoliberales Denken drückt sich auch darin aus, daß er fordert, der Staat möge mit starker Hand durch *privat*rechtliches Ordnen der Sozialbeziehungen eine freiheitsgewährende Ordnung stiften.[262]

So versucht Rupp auch die Erweiterung des Gesetzesvorbehaltes nicht aus dem demokratischen Prinzip, sondern aus dem liberalen Rechtsstaatsprinzip abzuleiten. Zwar beruft er sich für seine Ausweitung des Gesetzesvorbehaltes zunächst auf Art. 80 GG. Dieser schließe ein selbständiges Verordnungsrecht der Verwaltung aus. In Betracht kommt, wenn man den allgemeinen Gesetzesvorbehalt verneint, dann nach Rupp letzten Endes bloß die Annahme eines »rechtsfreien Raumes« zwischen Verwaltung und Bürgern. Das ist für ihn mit dem Rechtsstaatsprinzip aber nicht vereinbar, aus dem sich ergebe, daß es im Spannungsverhältnis Staat–Bürger stets rechtlicher Verhaltensnormen bedürfe.

Gleich darauf verläßt Rupp diese Argumentationskette, um auf die schon 1959 geäußerten Argumente zurückzukommen:[263] Nun geht er wieder unter Hinweis darauf, daß »auch all diejenigen Elemente des liberalen Rechtsstaates, also insbesondere auch die in Deutschland ehedem nur verwaltungsgerichteten und die Gesetzmäßigkeit der Verwaltung bereits implizierenden Freiheitsgrundrechte, wie auch der an Freiheit orientierte Gesetzesvorbehalt selbst, im Grundgesetz Aufnahme gefunden haben«[264], vom Eingriffsvorbehalt aus. Unter wiederholter Betonung des liberal-rechtsstaatlichen Charakters des Eingriffsvorbehaltes, der beizubehalten sei, meint er, daß dieser »durch eine neue Funktionendeutung auszuwerten« sei.[265] Dies versucht er mit den folgenden beiden Sätzen: »Warum sollte man also die, auch dem Eingriffsvorbehalt zugrunde liegenden, Werte Eigentum und Freiheit nicht im Sinne einer der heutigen Zeit gemäßen Funktion umdeuten können, um damit dem Gesetzesvorbehalt auch die gewährende Verwaltung zu erschließen?« »Bedeutete Freiheit im Sinne des ursprünglichen Eingriffsvorbehalts eine autonome Eigensphäre, die nur durch Gesetz *beschränkbar* war, so hat der Freiheitsgedanke heute die Zielrichtung, an Stelle der verlorenen Autonomie eine ideelle, nämlich rechtliche Unabhängigkeit des einzelnen gegenüber der Verwaltung zu schaffen, die – wie gezeigt – nur durch das Recht, das Gesetz *begründbar* ist.«[266]

Hier kehrt Rupp also unter Aufgabe seines oben geführten ›juristischen‹ Beweises wieder zu seiner älteren rechtspolitischen Argumentation zurück. Freilich sichert er sich nun gegen die Einwände Jeschs methodisch ab, beruft sich auf Viehwegs ›topisches‹ und Ballwegs an der ›Natur der Sache‹ orientiertes Erkenntnisverfahren, weil es nur mit diesen Methoden gelinge, eine »›Osmose‹ von Recht und sozialer Umwelt in strenger Selbstdisziplin in den Griff zu bekommen«.[267] Damit ist jedoch der Einwand von Jesch nicht widerlegt, daß es sich bei der Argumentation im Grunde um rechtspolitische, aus soziologischen Veränderungen abgeleitete Forderungen handelt.

Daraus ist aber verständlich, daß Rupp hiervor die ›juristischere‹ Argumentation aus Art. 80 GG setzt.

Der Unterschied zwischen Rupp und dem von ihm geschmähten, jedoch kaum weniger liberalen Otto Mayer ist somit auch gar nicht so groß: Hatte doch auch Otto Mayer schon aus dem Rechtsstaatsprinzip die rechtspolitische Forderung abgeleitet: »Die Verwaltung muß möglichst durch Rechtssätze gebunden werden.« Der Staat »soll *möglichst viel* sein Gesetz verwenden, um Rechtssätze für die Verwaltung zu schaffen ...«[268] Die Zielsetzung Otto Mayers und Rupps ist die gleiche: Das Verhältnis Staat–Bürger soll voraussehbar, kalkulierbar werden, und das ist nur durch vorherige gesetzliche Normierung möglich. Freilich hatte Otto Mayer noch nicht so weit gehen können, seine rechtspolitische Forderung schon als positives Recht zu behaupten. Aber insoweit ist auch die Argumentation von Rupp nicht zwingend. Soweit er sich nämlich zusätzlich auf Art. 80 GG beruft, begeht er das, was Jesch ihm vorwirft,[269] eine petitio principii. Bei ihm bezieht sich diese freilich nicht wie bei Jesch auf die Verfassungsstruktur bzw. die Gewaltenteilung, jedoch auf die Rechtsverordnung im Sinne des Art. 80 GG.[270] Dieser Begriff kann etwa mit Klaus Vogel[271] auch ganz anders ausgelegt werden, als Rupp dies tut, so daß die ganze Argumentation Rupps schließlich auf seiner von ihm ›vorausgesetzten‹ Definition des Begriffes Rechtsverordnung beruht. Daß diese Argumentation aus Art. 80 GG nicht trägt, wird übrigens auch bei Rupp selbst deutlich, wenn er diese auf die »verwaltungsinternen Rechtssätze« nicht anwenden will, weil hier anerkanntermaßen die Rechtserzeugungsregel des Art. 80 nicht gelte.[272]

ANMERKUNGEN

1. Zum hier verwendeten Ideologiebegriff vgl. oben S. 17, Anm. 8.

2. Von einer ähnlichen Hypothese geht H. Ehmke »Wirtschaft und Verfassung«, 1961, S. 17, aus: »Mit dem (wirtschaftlichen, J. G.) Erfolg kam die – politisch, nicht verfassungsrechtlich gesprochen – natürliche Tendenz, das Erreichte durch eine Verewigung der Grundsätze zu sichern, auf die sich die erfolgreiche Wirtschaftspolitik berufen hatte ... Für den Problembereich von ›Wirtschaft und Verfassung‹ war entscheidend, daß die Grundsätze, für die man sich auf die erfolgreiche Wirtschaftspolitik berief, die der Freiburger Schule waren. Damit waren die Böhm-Euckensche Wirtschaftsverfassung und ... das Denken von der Gesellschaft her wieder auf der Tagesordnung.« Unsere Hypothese unterscheidet sich hiervon, daß wir das »Denken von der Gesellschaft her« allgemein für eine Fortführung des liberalen Staats- und Verfassungsrechtsdenkens halten. Dies beschränkt sich auch nicht auf den Bereich von ›Wirtschaft und Verfassung‹, der kein so eigenständiger Bereich im Staats- und Verfassungsrecht ist, sondern gilt daher für das gesamte Staats- und Verfassungsrecht (wenn nicht für das deutsche Rechtsdenken insgesamt).

3. P. Schneider »Prinzipien der Verfassungsinterpretation«, in: VVDStRL Heft 20 (1963), S. 5. Vgl. auch ebenda S. 20: »Unter dem *praktischen* Gesichtspunkt erscheint das Interpretationsproblem im Zeichen der Frage: Wie kann es gelingen, die eigentlichen Intentionen der Verfassung angesichts der Möglichkeit der Sprache, in der sie zum Ausdruck gelangen, zu realisieren?«

4. P. Schneider (a.a.O., S. 6) spricht hier von Unvollkommenheit der Sprache oder des Sprechenden und unterscheidet ursprüngliche Unvollkommenheit von nachträglicher, die aufgrund der Veränderungen der Ausdrucksweise oder der Problemlagen durch Zeitablauf eintreten soll. Dadurch entsteht der unzutreffende Eindruck, das Problem sei lösbar, wenn nur der Wortsinn ›klar‹ ist. Tatsächlich handelt es sich um ein unaufhebbares Problem der Uneindeutigkeit von Sprache.

5. Vgl. dazu H. Ehmke »Prinzipien der Verfassungsinterpretation«, in: VVDStRL Heft 20 (1963), S. 54 f. und die dort angegebene Literatur.

6. Im Rahmen dieser Arbeit können die gesamten hiermit angesprochenen Fragen selbstverständlich nicht behandelt werden. Hier kann nur die eigene Meinung zu diesem Problem skizziert werden, um darzustellen, welche Möglichkeiten der Wechselwirkung von (wirtschaftlich-gesellschaftlicher) Realität und herrschender Ideologie sowie Verfassungsrecht und Verfassungsinterpretation wir uns vorstellen. Zu den Problemen der Verfassungsinterpretation allgemein vgl. insb. die Referate von P. Schneider und Horst Ehmke »Prinzipien der Verfassungsinterpretation«, auf der Staatsrechtslehrertagung 1961, in: VVDStRL Heft 20, 1971, sowie die Diskussion dort und die dort zitierte Literatur.

7. Vgl. zum folgenden besonders H. H. Hartwich »Sozialstaatspostulat und gesellschaftlicher status quo«, 1970, S. 273 ff.

8. Zur näheren Beschreibung dieser Methode vgl. P. Schneider a.a.O., S. 7 f.

9. Vgl. P. Schneider »Prinzipien der Verfassungsinterpretation«, in: VVDStRL Heft 20 (1963), S. 7 f.

10. Vgl. dazu ders. a.a.O., S. 8 f.

11. H. H. Hartwich »Sozialstaatspostulat und gesellschaftlicher status quo«, 1970, S. 276.

12. Ders. a.a.O., S. 276.

13. Ders. a.a.O.

14. So hat z. B. Leibholz im Hinblick auf den sozialen Rechtsstaat ausgeführt (und seine Ansicht als Richter am Bundesverfassungsgericht und namhafter Wissenschaftler ist besonders bedeutsam): »Was den Richter anbelangt, so kann das Bekenntnis zum sozialen Rechtsstaat ihn jedenfalls nur insoweit binden, als dieses jeweils durch eine weitere inhaltliche Präzisierung durch den Gesetzgeber justiziabel gemacht worden ist«, G. Leibholz »Verfassungsrecht und Arbeitsrecht«, 1960, S. 37. H. Ehmke »Prinzipien der Verfassungsinterpretation«, in: VVDStRL Heft 20 (1963), S. 68, führt aus: »Die Verfassung lebt nicht aus sich allein. Erst die Gesetzgebung kann die soziale Wirklichkeit gestalten. *Jedes* Gesetz stellt im Grunde eine Interpretation der Verfassung dar, sei es, daß es sich für mit der Verfassung im Einklang hält, seies, daß es sich als von der Verfassung gefordert versteht« (Hervorhebung im Original). Das gilt nach Ehmke nicht nur für Gesetze, die z. B. den Inhalt des Eigentums bestimmen, wo das besonders deutlich ist, sondern auch andere Gesetze könnten zur ›Interpretation‹ der Verfassung bedeutsam werden. An anderer Stelle schreibt Ehmke (a.a.O., S. 65): »Aber die Dynamik des politischen Lebens, die richtungsweisend einzudämmen Aufgabe des Verfassungsrechts ist, wirkt doch auch wieder auf es zurück.«

15. Vgl. besonders H. Ehmke »Prinzipien der Verfassungsinterpretation«, in: VVDStRL Heft 20 (1963), S. 70 ff. und Leitsatz III, 1 und 2, S. 101. In der anschließenden Diskussion auf der Staatsrechtslehrertagung hat sich gegen diese Thesen Ehmkes kaum Widerspruch geregt, vgl. a.a.O., S. 103 ff.

16. Vgl. auch F. Gygi »Rechtsfragen der Wirtschaftsplanung«, in: J. H. Kaiser, Planung II, 1966, S. 114: Der Jurist neigt dazu, »das Bedürfnis nach einer koordinierten Wirtschaftspolitik zu verneinen und den besten Zustand darin zu sehen, daß sich der Staat von der

Wirtschaft fernhält. Unser Rechtsdenken und unser rechtsstaatliches Institutionengefüge nährt sich nach wie vor von der Idee des laissez-faire, laissez-aller, le monde va de lui même.« Ähnlich auch H. Wagner »Öffentlicher Haushalt und Wirtschaft«, in: VVDStRL Heft 27 (1969), S. 65 f.; H. Ehmke »Wirtschaft und Verfassung«, 1961, S. 17 f.

17. Vgl. zum folgenden R. Behlke »Der Neoliberalismus und die Gestaltung der Wirtschaftsverfassung in der BRD«, 1961, S. 38 ff.; E.-W. Dürr »Ordoliberalismus und Sozialpolitik«, S. 5. Zur Kritik am Neo- und insbesondere am Ordoliberalismus vgl. U. Runge »Antinomien des Freiheitsbegriffs im Rechtsbild des Ordoliberalismus«, 1971.

18. Vgl. A. Müller-Armack »Wirtschaftslenkung und Marktwirtschaft«, 2. Aufl. 1948, zit. nach ders., Wirtschaftsordnung und Wirtschaftspolitik, 1966, S. 19 ff., 78 ff., 108 ff.; sowie seine späteren Veröffentlichungen, insbesondere auch »Soziale Marktwirtschaft«, in: Handwörterbuch der Sozialwissenschaften, Bd. 9, 1956, zit. nach ders., Wirtschaftsordnung und Wirtschaftspolitik, S. 243 ff.

19. Ders. »Das gesellschaftliche Leitbild der Sozialen Marktwirtschaft«, ebenda, S. 297.

20. Vgl. dazu z. B. L. Erhard »Zehn Thesen zur Verteidigung der Kartellverbotsgesetzgebung«, in: ders., Deutsche Wirtschaftspolitik, S. 201 ff.; ders. »Minister Erhard antwortet«, in: ders., ebenda, S. 121.

21. W. Eucken »Staatliche Strukturwandlungen und die Krisis des Kapitalismus«, in: Weltwirtschaftliches Archiv Bd. 36 (1932), II, S. 297 ff.

22. W. Eucken »Die Grundlagen der Nationalökonomie«, 7. Aufl. 1959, S. 239 (Hervorhebung im Original).

23. Ders. a.a.O., S. 239; ders. »Grundsätze der Wirtschaftspolitik«, 1952, S. 372 ff.

24. F. Böhm »Die Idee des Ordo im Denken Walter Euckens«, in: Ordo, Bd. 3 (1950), XLVIII ff.

25. Vgl. oben S. 19 f.

26. Vgl. W. Eucken »Grundsätze der Wirtschaftspolitik«, 1952, S. 48 ff.

27. Der Gedanke, daß die Wettbewerbsordnung eine ›natürliche Ordnung‹ ist, wird deswegen nicht aufgegeben. Vgl. z. B. aus dem neueren Schrifttum E. Hoppmann »Wettbewerb als Norm der Wettbewerbspolitik«, in: Ordo, Bd. 18 (1967), S. 79: »Sich um die Wette bewerben ist ein ursprünglicher menschlicher Trieb, der beispielsweise durch die von Hesiod besungene gute Eris, die Göttin des friedlichen Wettbewerbs, symbolisiert wird.«

28. Vgl. W. Eucken a.a.O., S. 336; vgl. auch ebenda S. 373: »Die Wettbewerbsordnung verwirklicht sich nicht von selbst. Sie ist in diesem Sinne kein ›ordre naturel‹ ... Aber in einem anderen Sinne ist sie eine natürliche Ordnug oder Ordo. Sie bringt nämlich die starken Tendenzen zur Wirkung, die auch in der industriellen Wirtschaft zur vollständigen Konkurrenz drängen.«

29. Ders. a.a.O., S. 257 f.

30. Ders. a.a.O., S. 254 f.

31. Ders. a.a.O., S. 255 ff.

32. Ders. a.a.O., S. 264 ff.

33. Ders. a.a.O., S. 270 ff.

34. Ders. a.a.O., S. 275 ff.

35. Ders. a.a.O., S. 279 ff.

36. Ders. a.a.O., S. 285 ff.

37. Vgl. ders. a.a.O., S. 296: »Wohl sind allgemeine Geschäftsusancen zulässig, welche sich in Ausführung der Gesetze auf den Märkten bilden, nicht aber Geschäftsbedingungen, die zu ungunsten des Vertragspartners von den gesetzlichen Regelungen abweichen.« Vgl. auch ders. »Grundlagen der Nationalökonomie«, 7. Aufl. 1959, S. 53.

38. Vgl. dazu W. Röpke »Klein- und Mittelbetriebe in der Volkswirtschaft«, in: Ordo, Bd. 1 (1948), S. 155 ff.; A. Rüstow »Kritik des technischen Fortschritts«, in: Ordo, Bd. 4 (1951), S. 391; W. Eucken »Grundsätze der Wirtschaftspolitik«, 1952, S. 235 ff.; kritisch F. Haussmann »Endkampf um das deutsche Wettbewerbsgesetz«, in: BB 1953, S. 361.

39. W. Eucken »Grundsätze der Wirtschaftspolitik«, 1952, S. 292; vgl. auch F. Böhm »Wirtschaftsordnung und Staatsverfassung«, 1950, S. 32; ders. »Dekartellisierung und Konzernentflechtung«, in: Süddeutsche Juristenzeitung 1947, Sp. 495 ff.

40. Bundestagsdrucksache 1955/1158, Sp. 21.

41. Hervorhebung durch den Verfasser.

42. Vgl. den schriftlichen Bericht des Ausschusses für Wirtschaftspolitik, Bundestagsdrucksache 2. Wahlperiode 1953 *zu* 3644, S. 5.

43. Vgl. F. Böhm »Wirtschaftsordnung und Staatsverfassung«, 1950; ders. »Dekartellisierung und Konzernentflechtung«, in: Süddeutsche Juristenzeitung 1947, Sp. 495 ff.; aus der neueren Literatur vgl. F.-J. Säcker »Zielkonflikte und Koordinationsprobleme im deutschen und europäischen Kartellrecht«, Schriftenreihe ›Der Betrieb‹, o. J., S. 20 ff.

44. So der von F. A. v. Hayek gebrauchte Ausdruck, vgl. ders. »Grundsätze einer liberalen Gesellschaftsordnung«, in: Ordo, Bd. 18 (1967), S. 14.

45. F. Böhm »Wirtschaftsordnung und Staatsverfassung«, 1950, S. 44, vgl. auch ebenda S. 46 f.: »Die Wettbewerbswirtschaft kennt keinen Zentralplan. Damit entfällt für diese Ordnung jede Nötigung, die Staatsgewalt so übermächtig zu machen, daß aus diesem Grunde die Demokratie unmöglich wird.«

46. Ders. »Dekartellisierung und Konzernentflechtung«, in: Süddeutsche Juristenzeitung 1947, Sp. 498.

47. Ders. »Wirtschaftsordnung und Staatsverfassung«, S. 49.

48. F. Böhm »Dekartellisierung und Konzernentflechtung«, in: Süddeutsche Juristenzeitung 1947, Sp. 495 ff.

49. Ders. »Wirtschaftsordnung und Staatsverfassung«, S. 50.

50. Ders. a.a.O., S. 51 (Hervorhebung im Original).

51. Ders. a.a.O., S. 51.

52. Berücksichtigt man nämlich, daß die Vermögens- und Einkommensverhältnisse sehr unterschiedlich sind, so ist auch das Gewicht der ›Stimmen‹ in dem von Böhm »demokratische Abstimmung« genannten Vorgang sehr unterschiedlich. Wenn man den von Böhm angestellten Vergleich überhaupt aufrechterhalten will, so kann man diese »Abstimmung« allenfalls mit einem Zensuswahlrecht vergleichen, das jedenfalls dem im Grundgesetz gemeinten Demokratiebegriff nicht entspricht. Vgl. dazu auch K. Ballerstedt »Wirtschaftsverfassungsrecht«, in: Bettermann-Nipperdey-Scheuner, Die Grundrechte, Bd. 3, 1. Halbband, 1958, S. 41 f.

53. Vgl. insb. F. A. v. Hayek »Der Weg zur Knechtschaft«, deutsche Übersetzung, 3. Aufl. 1952, S. 101 ff.

54. Dazu vgl. besonders F. Böhm »Privatrechtsgesellschaft und Marktwirtschaft«, in: Ordo, Bd. 17 (1966), S. 74 ff.; ebenso F. A. v. Hayek »Grundsätze einer liberalen Gesellschaftsordnung«, in: Ordo, Bd. 18 (1967), S. 25 ff.

55. Rigoroser und realistischer ist insofern insb. F. A. v. Hayek, der die sich aus der Wettbewerbsordnung ergebende Ungleichheit anerkennt und in Kauf nimmt, vgl. ders. »Grundsätze einer liberalen Gesellschaftsordnung«, a.a.O., S. 25 ff.

56. F. A. v. Hayek »Grundsätze einer liberalen Gesellschaftsordnung«, a.a.O. S. 22.

57. Vgl. dazu K. P. Hensel »Grundgesetz – Wirtschaftsordnungen«, in: Ordo, Bd. 14 (1963), S. 43 ff.

58. Zum Begriff der Wirtschaftsverfassung vgl. allgemein besonders K. Ballerstedt »Wirtschaftsverfassungsrecht«, in: Bettermann-Nipperdey-Scheuner, Die Grundrechte, Bd. 3, 1. Halbband, 1958, S, 3 ff. und die Nachweise dort.

59. Der Begriff ist schon in der Zeit der Weimarer Verfassung häufig gebraucht worden, vgl. z. B. C. Schmitt »Hüter der Verfassung«, 2. Aufl. 1969, S. 96 ff.; F. Neumann »Über die Voraussetzungen und den Rechtsbegriff einer Wirtschaftsverfassung«, in: Die Arbeit, Bd. 8 (1931), S. 588 ff.

60. So der etwas unklare Begriff von W. Eucken »Grundsätze der Wirtschaftspolitik«, 1952, S. 52: »... wenn Wirtschaftsverfassungen die Ordnung der Wirtschaft und wirtschaftlicher Teilbereiche vollziehen wollen ...«

61. H. Ehmke »Wirtschaft und Verfassung«, 1961, S. 9 ff. W. Eucken a.a.O. definiert den Begriff der Wirtschaftsverfassung als »Gesamtentscheidung über die Ordnung des Wirtschaftslebens eines Gemeinwesens«. F. Böhm »Wettbewerb und Monopolkampf«, 1933, S. 107, verweist ausdrücklich auf Carl Schmitt.

62. H. Ehmke a.a.O., S. 10.

63. F. Böhm »Wettbewerb und Monopolkampf« 1933, S. 105, Anm. 1; W. Eucken »Grundsätze der Wirtschaftspolitik«, 1952, S. 292.

64. F. Böhm a.a.O. trifft diese Feststellung Anfang der dreißiger Jahre. Für eine kurze Zeitspanne nach dem Zweiten Weltkrieg mag es eine Situation gegeben haben, wo der ›Staat‹ eine derartige Gesamtentscheidung mit Hilfe der Alliierten gegen die Interessen der Wirtschaft hätte treffen können. Insofern mögen die politischen Forderungen der Neoliberalen in der Zeit von 1946 bis etwa 1952 etwas realitätsnäher gewesen sein. Die ›Neutralität‹ des Staates mag damals ausnahmsweise in gewissem Ausmaß bestanden haben, insb. eine ›Neutralität‹ der Alliierten, die in dieser Beziehung ›Staat‹ waren (vgl. zur »Neutralität des außenstehenden Fremden«, des »Eroberers« C. Schmitt »Hüter der Verfassung«, 2. Aufl. 1969, S. 115. Die geschichtliche Entwicklung stellt freilich in Frage, ob in jenem Zeitpunkt tatsächlich eine derartige ›Neutralität des Staates‹ gegeben war.

65. Dies findet in der Forderung nach dem Rechtsstaat, der ›rule of law‹ bzw. dem Satz ›Gesetze sollen herrschen, nicht Menschen‹ seinen Ausdruck. Vgl. dazu F. A. v. Hayek »Grundsätze einer liberalen Gesellschaftsordnung«, in: Ordo, Bd. 18 (1967), S. 17 ff. Zur Ideologiekritik hieran vgl. oben S. 21.

66. Vgl. dazu und der Verknüpfung der ›Neutralität des Staates‹ mit dem Liberalismus C. Schmitt »Hüter der Verfassung«, 2. Aufl. 1969, S. 78 ff., 100 ff., 111 ff.

67. Dieser Glauben war in jener Zeit des aufstrebenden Bürgertums auch berechtigt. Denn dieser Vorstellung im Liberalismus entsprachen starke gesellschaftliche Kräfte, deren politischen Forderungen diese Postulate zur Durchsetzung verhelfen sollten. Anders aber ist die gesellschaftliche Situation in der Zeit des Neoliberalismus. Hier ist es die Forderung nur weniger Intellektueller, denen allenfalls die politischen Interessen des Mittelstandes entsprechen bzw. entsprachen, einer Schicht, die im Vergleich mit anderen Wirtschaftsinteressen nur über geringen wirtschaftlichen und politischen Einfluß verfügt.

68. Außer den bereits ständig herangezogenen Autoren vgl. insb. K. P. Hensel, der aufgrund »ordnungstheoretischer« Überlegungen eine Grundgesetzinterpretation aus neoliberaler Sicht vorzunehmen versucht, ders. »Grundgesetz – Wirtschaftsordnungen«, in: Ordo, Bd. 14 (1963), S. 43 ff.

69. Der Begriff wurde von Müller-Armack schon 1947 geprägt, vgl. A. Müller-Armack

»Wirtschaftslenkung und Marktwirtschaft«, 1947, S. 59 ff., 86 ff.; vgl. auch ders. »Soziale Marktwirtschaft«, in: Handwörterbuch der Sozialwissenschaften, Bd. 9, 1956, S. 390.

70. H.-J. Schmahl »Globalsteuerung – Zwischenbilanz einer neuen Konjunkturpolitik«, in Hamburger Jahrbuch für Wirtschafts- und Gesellschaftspolitik, Bd. 16, (1971), S. 271.

71. K. Kleps »Langfristige Wirtschaftspolitik in Westeuropa«, 1966, S. 308. Zu den Begriffen konstituierende und regulierende Prinzipien vgl. bei W. Eucken »Wettbewerbsordnung und ihre Verwirklichung«, in: Ordo, Bd. 2 (1949), S. 32 ff., 64 ff.

72. K. Kleps a.a.O., S. 308 f.

73. Ders. a.a.O., S. 309.

74. Ders. a.a.O., S. 309 f.

75. L. Erhard »Unternehmer, Staat und Wirtschaft«, in: ders.: »Deutsche Wirtschaftspolitik«, 1962, S. 239. Hervorhebung hinzugefügt.

76. Das wird inzwischen auch vom Wirtschaftsministerium selbst zugegeben, in einer 1972 vom BMWF herausgegebenen Schrift von D. Albrecht und K. Wesselkoch »Subventionen und Subventionspolitik« heißt es dazu: »Festzuhalten bleibt indessen, daß es schon bald nach der Währungsreform eine freie Marktwirtschaft ohne staatliche finanzielle Intervention nicht gegeben hat.« Das Wirtschaftsministerium hat in den fünfziger Jahren sogar mitgewirkt bei der ›Organisierung‹ von Märkten, also praktisch der Bildung von Preis- und Quotenkartellen, vgl. als Beispiel G. Müller »Die Entwicklung des deutschen Leuchtmittelmarktes seit 1945«, o. J., S. 38 ff.

77. Vgl. dazu den Bericht der OECD »Finanzpolitik im Dienste des wirtschaftlichen Gleichgewichts«, 1968, S. 48 ff.; O. Schlecht »Konzertierte Aktion als Instrument der Wirtschaftspolitik«, 1968, S. 11; K. Schiller »Reden zur Wirtschaftspolitik« Bd. 1, 1967, S. 50. A. Shonfield »Geplanter Kapitalismus«, deutsche Übersetzung 1968, hat dazu ausgeführt: »Was fehlte, war eine ernstliche Bemühung, die Wirtschaft als Ganzes zu betrachten« (S. 336), und: »Die westdeutschen Behörden verhielten sich so, als ob die Revolution im wirtschaftlichen Denken, eine Folge der Arbeiten von Keynes in den 30er Jahren überhaupt nicht stattgefunden hätte« (S. 323).

78. Als dirigistisch bezeichnet Neumark solche Steuermaßnahmen, »die ausschließlich oder primär darauf abzielen, einzelne Wirtschaftsgruppen (Haushalte, Unternehmungen, Unternehmungsformen usw.), Erzeugungszweige, Konsumarten, Kapitalbildungs- bzw. verwendungsformen und dergleichen mehr aus meta-ökonomischen (spezifisch politischen, sozialen, militärischen usw.) Gründen mittels einer differenzierenden Steuerbelastung relativ zu begünstigen oder zu benachteiligen. Wesentlich für einen solchen Steuerdirigismus ist, daß er einen *punktuellen* Charakter aufweist, da er infolge des Fehlens einer Gesamtkonzeption notwendig jeglicher Systematik entbehrt, sind seine Maßnahmen typische Zufallsprodukte und ›piecemeal work‹«. F. Neumark »Interventionistische Steuerpolitik«, in ders. »Wirtschafts- und Finanzprobleme des Interventionsstaates«, 1961, S. 281. Vgl. dazu H. Haller »Zur Frage der Abgrenzung zwischen interventionistischer und dirigistischer Steuerpolitik«, in: Theorie und Praxis des finanzpolitischen Interventionismus (Festschrift für Fritz Neumark zum 70. Geburtstag), Tübingen 1970, S. 85 ff.

79. Vgl. die Zusammenstellung von J. Kölble »Pläne im Bundesmaßstab oder auf bundesrechtlicher Grundlage«, in: J. H. Kaiser (Hrsg.), Planung, Bd. 1, 1965, S. 91 ff.

80. F. Naschold »Anpassungsplanung oder politische Gestaltungsplanung?« in: W. Steffani (Hrsg.), Kritik, Bd. III, »Parlamentarismus ohne Transparenz«, 1971, S. 79, mit weiteren Nachweisen.

81. BGBl. I 1952, S. 7. Vgl. dazu auch das sog. Investitionshilfeurteil des Bundesverfassungsgerichts, BVerfGE 2, S. 7 ff.

82. A. Shonfield a.a.O., S. 351.

83. Vgl. den »Finanzbericht 1962«, hrsg. vom BMF, S. 102 ff. Von den 18,3 Mrd. DM sind 6,5 Mrd. Zuschüsse an die Sozialversicherung. Der gesamte Bundeshaushalt des Jahres 1961 belief sich auf 48,1 Mrd. DM, vgl. a.a.O., S. 226. Vgl. zur Subventionspolitik im einzelnen K.-H. Hansmeyer »Subventionen in der Bundesrepublik Deutschland«, 1963.

84. A. Shonfield »Geplanter Kapitalismus«, deutsche Übersetzung 1968, S. 326 ff.

85. Ders. a.a.O., S. 327 ff.

86. Art. 2 des Gesetzes über die Kreditanstalt für Wiederaufbau.

87. Shonfield »Geplanter Kapitalismus«, deutsche Übersetzung 1968, S. 329, bezeichnet Abs »als eine Art Dauerbürge, dafür, daß die Leiter der KW keinen Versuch unternehmen, in das private Bankgebiet einzubrechen ... und außerdem vermag er besser als jeder andere in Deutschland zu beurteilen, ob irgendein attraktives Geschäft, das der KW angeboten wird, nicht statt dessen vielleicht doch von einer Privatbank erledigt werden könnte, wenn ihr der Fall zur Kenntnis gebracht würde«.

88. A. Shonfield a.a.O., S. 329 f.

89. Ders. a.a.O., S. 292 ff.

90. G. Stolper »Deutsche Wirtschaft seit 1870«, 2. Auflage 1966, S. 32. Stolper macht ferner darauf aufmerksam, daß durch diese Verknüpfung von Industrie und Banken die Konzentration auf beiden Seiten gefördert wurde. »Im Zuge ihres raschen Wachstums verschob sich das Schwergewicht der Industrie immer mehr von den kleinen und mittleren Gesellschaften auf solche Konzerne, deren Betriebe von Anfang an bedeutende Kapitalinvestitionen erforderten, wie die Schwerindustrie, die elektronische Industrie, der Schiffbau. Diese Verschiebung machte es immer unerläßlicher, daß leistungsfähige, reiche Banken sich der Aufgabe der Finanzierung unterzogen. So bot die Industriekonzentration einen mächtigen Anreiz für die Konzentration im Bankwesen ... Umgekehrt beschleunigten die Verschmelzungen im Bankwesen die Konzentration in der Industrie. Mit dem Fortgang der Bankenverflechtung beteiligten sich die Großbanken immer häufiger an mehreren Industriegesellschaften der gleichen Branche oder technisch verwandter Branchen. Die Banken benutzten ihren Einfluß, um horizontale oder vertikale Verflechtungen oder Kartelle zustande zu bringen«, ders. a.a.O., S. 41.

91. Bericht über das Ergebnis einer Untersuchung der Konzentration in der Wirtschaft, Bundestagsdrucksache IV/2320. Vgl. dazu auch die Auswertungen von J. Huffschmid »Die Politik des Kapitals«, S. 80 ff., und von N. Koubek »Personelle und institutionelle Verbindung der Bereiche ›Produktion‹ und ›Kapital‹ in der Wirtschaftsgesellschaft der BRD«, in: WWI-Mitteilungen, Bd. 24 (1971), S. 259 ff. Der Konzentrationsbericht untersuchte von den 1960 börsennotierten 661 Aktiengesellschaften 619 auf den Einfluß der Geschäftsbanken hin. (Die restlichen 42 Gesellschaften sind überwiegend kleine Unternehmen.) 577 der 619 Aktiengesellschaften waren außerhalb des Bankensektors tätig, dort waren von der Kapitalseite 3014 Aufsichtsratsmandate zu besetzen, von denen die Banken ein gutes Viertel (795) innehatten. 132 Aktiengesellschaffen hatten keinen Bankenvertreter im Aufsichtsrat. Die drei Großbanken hielten 53 % aller von Banken besetzten Aufsichtsratsmandate, die wiederum zur Hälfte auf Vorsitzende und deren Stellvertreter im Aufsichtsrat entfielen.

92. Deutsche Bank, Dresdner Bank, Commerzbank.

93. Vgl. dazu den Bericht des Bundeskartellamtes über seine Tätigkeit im Jahre 1971, Bundestags-Drucksache VI/3570, S. 5. Im Jahre 1968 gab es 65 nach § 23 GWB anzeigepflichtige Fusionen, 1969 waren es 168, 1970 waren es 305 und 1971 waren es 220.

94. Zum Begriff vgl. N. Koubek »Personelle und institutionelle Verbindung der Bereiche ›Produktion‹ und ›Kapital‹ in der Wirtschaftsgesellschaft der BRD«, in WWI-Mitteilungen, Bd. 24 (1971), S. 259 ff., 262 ff.

95. Es handelt sich hierbei um folgende Verbände: Bundesverband der Deutschen Binnenschiffahrt, Bundesverband der Deutschen Industrie, Bundesverband des Deutschen Groß- und Außenhandels, Bundesverband Deutscher Banken, Bundesvereinigung der Deutschen Arbeitgeberverbände, Centralvereinigung Deutscher Handelsvertreter- und Handelsmakler-Verbände, Deutscher Hotel- und Gaststättenverband, Deutscher Industrie- und Handelstag, Deutscher Sparkassen- und Giroverband, Gesamtverband der Versicherungswirtschaft, Hauptgemeinschaft des Deutschen Einzelhandels, Verband Deutscher Reeder, Zentralarbeitsgemeinschaft des Straßenverkehrsgewerbes, Zentralverband des Deutschen Handwerks, vgl. bei Koubek a.a.O., S. 262 f.

Die wichtigsten davon sind der Bundesverband der Deutschen Arbeitgeberverbände, der Bundesverband der Deutschen Industrie, der Deutsche Industrie- und Handelstag, der Bundesverband Deutscher Banken und der Bundesverband des Deutschen Groß- und Außenhandels. Es fällt auf, worauf Koubek a.a.O., S. 263 f., hinweist, daß die drei zuerst genannten von diesen ab 1. 1. 1972 von einem Vertreter der Stahlindustrie präsidiert werden.

96. Vgl. dazu N. Koubek a.a.O., S. 263. Koubek gibt die hauptamtlich Beschäftigten des DGB und der ihm angeschlossenen Gewerkschaften mit 9000 an.

97. Vgl. dazu A. Shonfield »Geplanter Kapitalismus«, deutsche Übersetzung 1968, S. 287 ff.; W. Hennis »Verfassungsordnung und Verbandseinfluß«, zit. nach dem Wiederabdruck in: ders., Politik als praktische Wissenschaft, 1968, S. 193. Interessant ist in diesem Zusammenhang auch die Bemerkung K. H. Biedenkopfs »Rechtsfragen der Konzertierten Aktion«, in: BB 1968, S. 1010: »Bedeutet die Teilnahme an der Konzertierten Aktion nicht, daß in den beteiligten Verbänden ebenfalls eine wirtschaftspolitische Willensbildung unter Einhaltung demokratischer Verfahrensformen stattfinden muß ...? ... Eine Überprüfung unserer Wirtschafts- und Industrieverbände unter diesem Gesichtspunkt würde wahrscheinlich Lücken aufdecken.« Shonfield teilt zum Einfluß der Verbände gegenüber den bei ihnen Organisierten folgenden Fall mit, a.a.O., S. 291 f.: »Wie diszipliniert die deutschen Unternehmer reagieren, wenn sie sich der massierten Macht der Verbände gegenübersehen, die bewußt ihre Rolle als halbstaatliche Institutionen spielen, zeigte sich in dramatischer Weise im Jahre 1960, als Industrie und Handel gewissermaßen eine Zwangsanleihe aufbringen sollten. Die Summe war beträchtlich, 1,2 Mrd. DM; die Regierung brauchte das Geld, um ein neues Hilfsprogramm für unterentwickelte Länder durchzuführen, weil überall in der Welt Klage darüber geführt wurde, daß Westdeutschland mit seinem großen Zahlungsbilanzüberschuß nicht einen angemessenen Anteil der Last übernähme. Aber um einen Teil dieses Überschusses in verwendbare Mittel zu verwandeln, mußte das Geld erst den einzelnen deutschen Besitzern abgeknöpft werden. Weil sie fürchteten, die Alternative könne noch unerfreulicher sein, kamen der BDI und die anderen zentralen Wirtschaftsorganisationen (die die Banken und den Handel vertraten) überein, das Geld durch freiwillige Zeichnungen aufzubringen. Sie veranlaßten daher die verschiedenen Unternehmer- und Industrieverbände, ihre Mitglieder je nach ihrer Zahlungsfähigkeit zu veranlagen. Diese Operation war in keiner Weise gesetzlich sanktioniert. Um ihre Bedeutung zu ermessen, könnte man die Frage stellen, wie der britische Durchschnittsunternehmer reagiert hätte, wenn ihm vom Verband der britischen Industrie mitgeteilt worden wäre, er sei zu einem bestimmten Beitrag zu einer Staatsanleihe von 100 Mio. Pfund bei einem wenig reizvollen Zins veranlagt worden, und er solle bitte prompt bezahlen.«

98. Vgl. dazu W. Hennis a.a.O., S. 192 ff.

99. Das ergibt sich aus § 25 GGO, vgl. dazu W. Hennis »Verfassungsordnung und Verbandseinfluß«, zit. nach dem Wiederabdruck in: ders., Politik als praktische Wissenschaft, 1968, S. 194 und 279, Anm. 24.

100. A. Shonfield »Geplanter Kapitalismus«, deutsche Übersetzung 1968, S. 350 f.

101. Die Terminologie ist nicht einheitlich; wie hier z. B. O. Schlecht »Die Konzertierte Aktion als Instrument der Wirtschaftspolitik«, 1968, S. 11; H. H. Hartwich »Konturen einer neuen ökonomischen Politik«, in: Zeitschrift für Politik, Bd. 14 (1967), S. 457. Andere Autoren bezeichnen die Zeit bis Mitte der 50er Jahre als Phase des Wiederaufbaus; so z. B. H. Körner »Die gesellschaftliche Dimension der Wirtschaftspolitik«, in: Jahrbuch für Sozialwissenschaften, Bd. 22 (1971), S. 1. Zum Teil wird auch lediglich die Zeit bis 1952 als Wiederaufbauphase bezeichnet; so K. Kleps »Langfristige Wirtschaftspolitik in Westeuropa«, 1966, S. 314. Indessen kommt es auf die Benennung nicht an, solange man sich darüber einig ist, daß zu Anfang bis Mitte der sechziger Jahre ein wichtiger Einschnitt in der wirtschaftlichen Entwicklung der BRD erfolgte. Vgl. dazu das Gutachten des Sachverständigenrates 1964/65 (»Stabiles Geld – Stetiges Wachstum«), Ziff. 82 ff.; W. Stützel »Betrachtungen zum Wachstum der westdeutschen Wirtschaft«, in: Hamburger Jahrbuch für Wirtschafts- und Gesellschaftspolitik, Bd. 13 (1968), S. 82 ff. A. Shonfield »Geplanter Kapitalismus«, deutsche Übersetzung 1968, S. 329 ff.; K. Kleps a.a.O., S. 361 ff.; O. Schlecht a.a.O., S. 11; K. Körner a.a.O., S. 1; H. Ehrenberg »Die Erhard-Saga«, o. J., S. 21; H. H. Götz »Weil alle besser leben wollen . . .«, 1963, S. 56 ff.

102. Vgl. das Gutachten des Sachverständigenrates 1964/65 (»Stabiles Geld – stetiges Wachstum«), Anhang V, Tabelle 60; desgleichen 1966/67 (»Expansion und Stabilität«), Anhang VII, Tabelle 43.

103. Jahreswirtschaftsbericht der Bundesregierung, zit. nach der Ausgabe Beilage zum Gutachten des Sachverständigenrates 1969/70, S. 44. Im Jahreswirtschaftsbericht 1968 hatte die Bundesregierung nur mit einer Steigerungsrate von 4 % gerechnet, vgl. die Beilage zum Gutachten des Sachverständigenrates 1967/68 (»Stabilität im Wachstum«), S. 22.

104. Vgl. dazu insb. W. Vogt »Die Wachstumszyklen der westdeutschen Wirtschaft«, 1968, S. 4, 16.

105. Vgl. bei W. Vogt a.a.O., S. 16.

106. Was wir meinen, hat W. Vogt »Die Wachstumszyklen der westdeutschen Wirtschaft«, 1968, S. 5, folgendermaßen zusammenfassend (und daher etwas ungenau) dargestellt: »Aus der Wachstumstheorie ist ja das Konzept des Wachstumsgleichgewichts bekannt. Dieses besagt, daß der Produktionsfaktor Kapital (und mit ihm das Sozialprodukt) mit einer Rate wächst, die durch den technischen Fortschritt und das Bevölkerungswachstum bestimmt ist. Wenn im Vergleich zu dieser gegebenen Relation zu wenig Kapital vorhanden ist, dann ist nach den klassischen Produktionsgesetzen die Produktivität des Kapitals relativ hoch. Aufgrund der hohen Produktivität wird aber schneller Kapital akkumuliert als im Wachstumsgleichgewicht, denn die Akkumulationsrate ist ja – wie man schon aus der einfachen Harrod-Domar-Theorie weiß – der Kapitalproduktivität direkt proportional. Der Kapitalstock liegt zwar unter seinem sogenannten Gleichgewichtspfad, aber da er schneller wächst als im Wachstumsgleichgewicht, nähert er sich diesem an. Durch die relativ starke Kapitalakkumulation muß aber die Produktivität des Kapitals abnehmen. Das hat zur Folge, daß auch die Wachstumsraten der Wirtschaft abnehmen, je mehr man sich dem Wachstumsgleichgewicht nähert. Nach hinreichend langer Zeit hat die Akkumulationsrate ihren Gleichgewichtswert erreicht. Die ›harmonische‹ (im Zeitablauf zunehmende) Relation des Kapitals zur

Erwerbsbevölkerung ist hergestellt, die Kapitalproduktivität bleibt konstant, somit auch die Wachstumsrate: Die Wirtschaft entwickelt sich im Trend im Wachstumsgleichgewicht.«

107. W. Stützel »Betrachtungen zum Wachstum der westdeutschen Wirtschaft«, in: Hamburger Jahrbuch für Wirtschafts- und Gesellschaftspolitik, Bd. 13 (1968), S. 83: »Fehlt in einer großen maschinellen Anlage nur ein kleiner Teil, eine einzige Schraube, so ermöglicht schon eine minimale Sachinvestition, eben die Reparatur, eine sehr starke Kapazitätserhöhung. Der reale Grenzertrag solcher Investition ist extrem hoch.«

108. Vgl. dazu auch das Gutachten des Sachverständigenrates 1964/65 (»Stabiles Geld – stetiges Wachstum«), RdNr. 93: »Während man im Durchschnitt der Jahre 1951–1955 nur 2,4 % des Bruttoinlandsprodukts investieren mußte, um eine Zunahme des realen Bruttoinlandsprodukts von 1 % zu ermöglichen, waren im Durchschnitt der Jahre 1959–1963 dafür 4,5 % des Bruttoinlandsprodukts erforderlich. Der marginale (Brutto-)kapitalkoeffizient war allerdings in den ersten Jahren nach 1950 außergewöhnlich niedrig (auch im internationalen Vergleich), da es bei der Beseitigung der Kriegszerstörungen oft nur relativ geringer Investitionen bedurfte, damit die Produktionsanlagen wieder verwendungsfähig waren.«

109. W. Stützel »Betrachtungen zum Wachstum der westdeutschen Wirtschaft«, in: Hamburger Jahrbuch für Wirtschafts- und Gesellschaftspolitik, Bd. 13 (1968), S. 83 f.

110. Die Selbstfinanzierungsquote der Unternehmen ist definiert als Ersparnis der Unternehmen im Verhältnis zu ihren Nettoinvestitionen, vgl. das Gutachten des Sachverständigenrates 1967/68 (»Stabilität im Wachstum«), RdNr. 484. Die Selbstfinanzierungsquote hat sich von 1950 bis 1966 folgendermaßen entwickelt (in v. H.):

1950	51	52	53	54	55	56	57	58	59	60	61	62	63	64	65	66
50	67	50	40	42	50	54	50	52	45	43	34	28	24	25	19	19

(nach Angaben des Sachverständigenrates a.a.O. errechnet); vgl. dazu auch die Angaben, die die Zunahme von Nettoinvestition und »Ersparnis der Unternehmen« gegenüberstellen, a.a.O., RdNr. 485.

111. Vgl. das Gutachten des Sachverständigenrates a.a.O., RdNr. 491 ff.

112. Vgl. zum folgenden W. Stützel »Betrachtungen zum Wachstum der westdeutschen Wirtschaft«, in: Hamburger Jahrbuch für Wirtschafts- und Gesellschaftspolitik, Bd. 13 (1968), S. 84 f. Stützel verweist a.a.O. insb. auf W. Lautenbach, der bereits 1949 diese Möglichkeit aufgezeigt hatte; auf das Erreichen der Vollbeschäftigung wird in der Literatur ganz allgemein abgestellt, allerdings i. d. R., ohne auf die Zusammenhänge näher einzugehen, vgl. dazu H. J. Schmahl »Globalsteuerung der Wirtschaft«, 1970, S. 13; OECD (Hrsg.) »Finanzpolitik im Dienste des wirtschaftlichen Gleichgewichts«, Bericht einer Expertenkommission, S. 46 ff.; H. Hinz »Konjunktur und Herrschaft«, in: Konjunkturpolitik, 13. Jg. (1967), S. 310 ff.

113. Gemeint sind hier nur sog. extensive Investitionen, vgl. dazu das Gutachten des Sachverständigenrates 1964/65 (»Stabiles Geld – stetiges Wachstum«), RdNr. 93.

114. Vgl. dazu die »rechnerische Lohnquote bei konstant gehaltenem Anteil der Abhängigen an den Erwerbstätigen«. Die Lohnquote ist nach Angaben des Sachverständigenrates von 1950 bis 1960 von 58,6 % auf 53,7 % abgesunken, seitdem steigt sie im Trend wieder an, vgl. Gutachten des Sachverständigenrates 1965/66, Bundestagsdrucksache V, 123, RdNr. 91. Zur beschränkten Aussagekraft der Lohnquote vgl. das Gutachten des Sachverständigenrates 1964/65 (»Stabiles Geld – stetiges Wachstum«), RdNr. 122.

115. Im Zusammenhang mit der Arbeitslosigkeit ist auch der ›Wanderungsgewinn‹ der

Bundesrepublik gegenüber der DDR zu sehen, der bis zum Bau der Berliner Mauer im Jahre 1961 die westdeutsche Wirtschaft mit qualifizierten Arbeitskräften versorgte. Vgl. dazu W. Stützel »Betrachtungen zum Wachstum der westdeutschen Wirtschaft«, in: Hamburger Jahrbuch für Wirtschafts- und Gesellschaftspolitik, Bd. 13 (1968), S. 82 f.; OECD (Hrsg.) »Finanzpolitik im Dienste des wirtschaftlichen Gleichgewichts«, Bericht einer Expertenkommission, S. 48.

116. Vgl. dazu auch H. Körner »Die gesellschaftliche Dimension der Wirtschaftspolitik«, in: Jahrbuch für Sozialwissenschaften, Bd. 22 (1971), S. 1.

117. Vgl. dazu auch die Feststellungen der OECD »Finanzpolitik im Dienste des wirtschaftlichen Gleichgewichts«, Bericht einer Expertenkommission, S. 46: »Seitdem die Bundesrepublik (um 1960) die Vollbeschäftigung erreicht hat, sieht sie sich den schwierigen Problemen der Nachfrageregulierung gegenüber, wie sie typisch sind für Länder, die innerhalb eines ›engen Spielraums‹, den die Vollbeschäftigung beläßt, operieren müssen.« Als Gründe für die Notwendigkeit einer neuen Wirtschaftspolitik werden in der Literatur zusätzlich genannt: Der Übergang zur freien Konvertibilität der DM an der Jahreswende 1958/59, die fortgeschrittene Liberalisierung des deutschen Außenhandels und die wirtschaftliche Integration in die EWG.

Vgl. ferner die »Verbindung von system- und lerntheoretischen Annahmen« bei F. Naschold »Anpassungsplanung oder politische Gestaltungsplanung«, in: W. Steffani, Kritik III, Parlamentarismus ohne Transparenz, S. 80 f., als »Erklärungsrahmen« für den Übergang von punktuellem Interventionismus zu planvoller Wirtschafts- und Gesellschaftspolitik. Naschold geht davon aus, daß auch bis zur Mitte der sechziger Jahre die ök. herrschenden Schichten zumindest mittelfristig z. B. an einer planvollen Infrastrukturpolitik interessiert gewesen seien. Jedoch »konnten aufgrund der hohen wirtschaftlichen Zuwachsraten die zentralen Systemerfordernisse wie äußere Sicherheit, Wirtschaftsstabilität und Massenloyalität in einem solchen Maß erfüllt werden, daß auf das politische System kein unabweisbarer Druck zu zielstrebigem Lernen im Sinne einer Umstrukturierung auf planvolle Steuerungsprozesse ausgeübt wurde, denn die dysfunktionalen Folgen planloser Politik blieben weitgehend unerkannt«.

118. K. Hesse »Grundzüge des Verfassungsrechts der Bundesrepublik Deutschland«, 1967, S. 75.

119: U. Scheuner »Grundrechtsinterpretation und Wirtschaftsordnung«, in: DöV 1956, S. 65, 68; vgl. auch ders. »Das Grundrecht der Berufsfreiheit«, in: DVBl. 1958, S. 845 ff.

120. Eine ganz einheitliche Linie wird man in der Rechtsprechung des Gerichts wohl nicht feststellen können. Während das ›Investitionshilfeurteil‹ (BVerfGE 4, S. 7 ff.) eher auf die Gestaltungsfreiheit des Gesetzgebers abgestellt hat, hat es in den Urteilen zu Art. 12 und anderen Grundrechten eher auf liberale Grundsätze zurückgegriffen; vgl. zum Ganzen auch P. Badura »Die Rechtsprechung des BVerfG zu den verfassungsrechtlichen Grenzen wirtschaftspolitischer Gesetzgebung im sozialen Rechtsstaat«, in: AöR, Bd. 92 (1967), S. 382 ff. Badura hebt entsprechend seinen verfassungsrechtlichen Ansichten stärker auf die Gestaltungsfreiheit ab.

121. H. H. Hartwich »Sozialstaatspostulat und gesellschaftlicher status quo«, 1970, S. 17 ff., und ders. »Wirtschaftsdemokratie und die Theorie vom sozialen Rechtsstaat«, in: Politische Vierteljahresschrift, Sonderheft 2, 11. Jahrgang 1970, S. 274 ff.

122. Dieser Begriff ist hier im von P. Schneider »Prinzipien der Verfassungsinterpretation«, in: VVDStRL Heft 20 (1963), S. 7 f., dargelegten Sinne gebraucht.

123. Vgl. H. H. Hartwich »Sozialstaatspostulat und gesellschaftlicher status quo«, 1970, S. 17 ff.

124. Ders. a.a.O., S. 49 ff.

125. Vgl. dazu auch die Darstellung der Entstehungsgeschichte der Sozialstaatsklausel bei Werner Weber »Verfassungsrechtliche Grenzen sozialstaatlicher Forderungen«, in: Der Staat, Bd. 4 (1965), S. 415 ff. Auch er kommt zu dem Ergebnis, daß die Sozialstaatsklausel keine bestimmte Gesellschaftsordnung bindend vorschreibt. Vgl. ferner W. Sörgel »Konsensus und Interessen«, 1969, insb. S. 201 ff.

126. Vgl. ähnlich auch K. Sontheimer »Grundzüge des politischen Systems der BRD«, 1971, S. 37.

127. Vgl. zum folgenden H. H. Hartwich »Sozialstaatspostulat und gesellschaftlicher status quo«, 1971, S. 54 ff.; W.-D. Narr »CDU-SPD«, 1966, S. 94 ff., 104 ff.

128. Vgl. dazu auch die »Düsseldorfer Leitsätze« der CDU vom 15. 7. 1949, abgedruckt in: O. Bezold (Hrsg.) »Die deutschen Parteiprogramme und das Bundeswahlgesetz«, 1965, S. 25 ff.

129. W.-D. Narr »CDU-SPD«, 1966, S. 113.

130. H. H. Hartwich »Sozialstaatspostulat und gesellschaftlicher status quo«, 1971, S. 58.

131. Ders. a.a.O.

131a. Die historische Methode wendet auch Werner Weber an (ders. »Die verfassungsrechtlichen Grenzen sozialstaatlicher Forderungen«, in: Der Staat, Bd. 4 [1965], S. 409 ff.), kommt jedoch zu ganz anderen Ergebnissen als Hartwich. Weber erkennt zwar auch an, daß das Grundgesetz dem Gesetzgeber die Gestaltung der Sozialordnung überträgt. Bei ihm liegt der Akzent jedoch auf der grundgesetzlichen Begrenztheit dieser Gestaltungskompetenz, die er auf eine liberale Auslegung des organisationsrechtlichen und besonders des Grundrechtsteils des Grundgesetzes stützt.

132. H. P. Ipsen »Über das Grundgesetz«, 1950, und »Enteignung und Sozialisierung«, in: VVDStRL Heft 10 (1952), S. 74 ff.

133. Ders. a.a.O., S. 16.

134. Ders. a.a.O., S. 16.

135. Ders. a.a.O., S. 14.

136. Ders. a.a.O., S. 20. Hartwich fragt im Hinblick auf diese Äußerungen Ipsens, »ob nicht gerade durch diese Kritik Ipsens (an der Überbetonung der Rechtsstaatlichkeit gegenüber der Sozialstaatlichkeit) schon ein halbes Jahr nach Verabschiedung des Grundgesetzes von der urspünglichen Alternative abgelenkt und auf die Frage eingeengt wurde, wieviel Sozialpolitik denn überhaupt noch angesichts der starken rechtsstaatlichen Sicherungen möglich sei«. H. H. Hartwich »Sozialstaatspostulat und gesellschaftlicher status quo«, 1970, S. 285. Hartwich sieht den Hauptgrund dafür in der Methodik juristischer Verfassungsdeutung und in der nicht genügend berücksichtigten verfassungsrechtlichen Verbindung von Kompetenzregeln und Grundrechten. Im Grunde betrifft diese Kritik aber die Tatsache, daß die Begriffe des Grundgesetzes, die liberale Tradition aufweisen (insb. Grundrechte und Rechtsstaatsbegriff), im Sinne dieser Tradition und nicht in neuer Weise, etwa in sozialstaatlicher, interpretiert werden. Dies versucht Ipsen jedoch in dem im folgenden behandelten Referat »Enteignung und Sozialisierung« im Hinblick auf Art. 14.

137. H. P. Ipsen »Über das Grundgesetz«, S. 20.

138. Ders. »Enteignung und Sozialisierung«, in: VVDStRL Heft 10 (1952), S. 74 ff.

139. H. P. Ipsen »Enteignung und Sozialisierung«, in: VVDStRL Heft 10 (1952), S. 74, Hervorhebung hinzugefügt.

140. Ders. a.a.O., S. 82. Die im folgenden wiedergegebenen Überlegungen Ipsens finden sich a.a.O. auf den Seiten 82 ff.

141. H. K. J. Ridder »Enteignung und Sozialisierung«, in: VVDStRL Heft 10 (1952), S. 124 ff.

142. H. H. Hartwich »Sozialstaatspostulat und gesellschaftlicher status quo«, 1970, S. 287.

143. L. Raiser, Diskussionsbeitrag, in: VVDStRL Heft 10 (1952), S. 158. Den entgegengesetzten Standpunkt in der Diskussion nahm W. Flume ein (ebenda, S. 156 f.). Er lehnte eine Auslegung von Art. 15 GG und der Sozialstaatsklausel ab, die eine sozialistische Umgestaltung der Gesellschaftsordnung ermöglicht hätte. Flume geht von den herkömmlichen liberalen Rechtsbegriffen aus, deren Aufhebbarkeit von Verfassungs wegen er nicht akzeptiert. Die Entschädigungsbestimmung des Art. 15 GG sei die verfassungsmäßige Garantie des privaten Vermögensrechts und unserer an diesem orientierten Rechtsordnung.

144. L. Raiser, Diskussionsbeitrag, in: VVDStRL Heft 10 (1952), S. 158.

145. Ders., ebenda, S. 159.

146. W. Abendroth »Das Grundgesetz«, 1966, insb. S. 62–68; ders. »Zum Begriff des demokratischen und sozialen Rechtsstaates im Grundgesetz der BRD«, zit. nach dem Wiederabdruck in: E. Forsthoff (Hrsg.), Rechtsstaatlichkeit und Sozialstaatlichkeit, 1968, S. 121.

147. Ders., Diskussionsbeitrag, VVDStRL Heft 11 (1954), S. 121.

148. W. Abendroth »Das Grundgesetz«, 1966, S. 65; zum Verhältnis Sozialstaatsprinzip – Grundrechte vgl. auch ders. »Zum Begriff des demokratischen und sozialen Rechtsstaates im Grundgesetz der BRD«, zit. nach dem Wiederabdruck in: E. Forsthoff (Hrsg.), Rechtsstaatlichkeit und Sozialstaatlichkeit, 1968, S. 140 f.

149. Vgl. dazu H. Ehmke »Wirtschaft und Verfassung«, 1961, insb. S. 25.

150. Ansätze dazu finden sich freilich auch bei anderen Autoren, vgl. z. B. bei G. Dürig »Christian Friedrich Menger: Der Begriff des sozialen Rechtsstaates im Grundgesetz«, in: AöR, Bd. 79 (1953/54), S. 258.

151. H. P. Ipsen »Rechtsfragen der Wirtschaftsplanung«, in: J. H. Kaiser (Hrsg.), Planung, Bd. 2, 1966, S. 63 ff.

152. Die im folgenden wiedergegebenen Ausführungen finden sich bei Ipsen a.a.O. auf den S. 93 ff.

153. Urteil des Bundesverfassungsgerichts vom 20. 7. 1954, BVerfGE 4, S. 7 ff.

154. H. P. Ipsen »Rechtsfragen der Wirtschaftsplanung«, in: J. H. Kaiser (Hrsg.), Planung, Bd. 2, 1966, S. 96.

155. Ipsen verdeutlicht dies an einem Beispiel: Die durch Gesetz angeordnete unentgeltliche Bevorratungspflicht für Mineralölunternehmen sei verfassungswidrig, weil sie gegen deren Wirtschaftsfreiheit aus Art. 2 Abs. 1 GG verstoße.

156. Ders. »Enteignung und Sozialisierung«, in: VVDStRL Heft 10 (1952), S. 84.

157. Ders. »Rechtsfragen der Wirtschaftsplanung«, a.a.O., S. 99.

158. Ders. »Enteignung und Sozialisierung«, in: VVDStRL Heft 10 (1952), S. 120.

159. Ders. »Rechtsfragen der Wirtschaftsplanung«, in: J. H. Kaiser (Hrsg.), Planung, Bd. 2, 1966, S. 99.

160. Ders. »Rechtsfragen zur ›Ausgliederung‹ des Werbefernsehens«, in: NJW 1963, S. 2102 ff.

161. Ders. »Enteignung und Sozialisierung«, in: VVDStRL Heft 10 (1952), S. 110.

162. G. Dürig in: Maunz / Dürig / Herzog, Grundgesetz. Kommentar, Bd. I, 1971, Art. 2 Abs. 1, RdNr. 46 (Hervorhebung im Original).

163. Vgl. dazu bei H. Ehmke »Wirtschaft und Verfassung«, 1961, S. 32 f. und 60 f.

164. So z. B. E. R. Huber »Grundgesetz und wirtschaftliche Mitbestimmung«, 1970.

165. G. Dürig in: Maunz / Dürig / Herzog, Grundgesetz. Kommentar, Bd. 1, 1971, Art. 2 Abs. 1, RdNr. 46.

166. So z. B. H. Krüger »Staatsverfassung und Wirtschaftsverfassung«, in: DVBl. 1951, S. 361 ff.; ders. »Grundgesetz und Kartellgesetzgebung«, 1950; vgl. zu Krüger auch unten S. 82 f.

167. So vor allem H. C. Nipperdey, vgl. unten S. 80 f.

168. So z. B. E. R. Huber, vgl. unten S. 81 f.; G. Dürig insb. in seinem Aufsatz »Verfassung und Verwaltung im Wohlfahrtsstaat«, in: JZ 1953, S. 193 ff.

169. G. Dürig a.a.O., S. 193.

170. Ders. a.a.O., S. 193.

171. Ähnlich hat H. Wagner, Diskussionsbeitrag, in: VVDStRL Heft 27 (1969), S. 91, ausgeführt, die Verfassungsrechtler wüßten zwar, daß die Wirtschaft nicht nach dem liberalen Modell ablaufe, aber bei ihren rechtlichen Konsequenzen gingen sie davon aus, als wäre es so.

172. G. Dürig in: Maunz / Dürig / Herzog, Grundgesetz. Kommentar, Bd. 1, 1971, Art. 2 Abs. 1, Ziff. 44.

173. Ders. a.a.O., Art. 2 Abs. 1, Ziff. 52. Erstaunlicherweise führt Dürig zu Art. 15 GG aus (»Verfassung und Verwaltung im Wohlfahrtsstaat«, in: JZ 1953, S. 196, Anm. 3): »Wenn nach Art. 15 die Sozialisierung durchgeführt werden müßte, dann hätte sich allerdings das Grundgesetz zum Kampf gegen das Privateigentum an Produktionsmitteln, also zum Alleinmittel, das die gemeinsame Leitidee des doktrinären Sozialismus in allen seinen Erscheinungsformen ist, bekannt. Diese Entscheidung wäre keine wirtschaftspolitische Einzelbestimmung mehr gewesen, sondern eine Gesamtentscheidung für Vergesellschaftung, Wirtschaftsdemokratie und Planung.« Man sollte erwarten, daß der Umstand, daß Art. 15 GG keine Muß-, sondern eine Kannbestimmung ist, für Dürig die Konsequenz hat, daß das Grundgesetz zwar nicht selbst eine derartige Entscheidung vorgenommen hat, diese Entscheidung jedoch dem Gesetzgeber ermöglicht hat. Diesen Schluß zieht Dürig aber nicht, wenn er aus den Grundrechten die Garantie der kapitalistischen Wirtschaftsordnung entnimmt.

174. H. H. Rupp »Verfassungsrechtliche Aspekte der Postgebühren und des Wettbewerbs der Deutschen Bundespost mit den Kreditinstituten«, 1971, S. 26 ff.

175. Solche verfassungsrechtliche Legitimation im Sinne Rupps dürfte sich im Grundgesetz nur für Bundespost, Bundesbahn und Finanzmonopole finden lassen.

176. H. H. Rupp »Verfassungsrechtliche Aspekte der Postgebühren und des Wettbewerbs der Deutschen Bundespost mit den Kreditinstituten«, 1971, S. 29.

177. Ders. a.a.O., S. 47. Leider nimmt Rupp nicht zu der Frage Stellung, ob er auch die Kredit- und sonstigen Bankgeschäfte der verschiedenen Kreditinstitute der öffentlichen Hand für verfassungswidrig hält.

178. Dürig z. B. leugnet ausdrücklich die hergebrachte Trennung von Staat und Gesellschaft. Das Verbot erwerbswirtschaftlicher Betätigung der öffentlichen Hand, das er dem Grundgesetz entnimmt, kann aber nur den Zweck haben, die privaten Gewinne nicht zu gefährden.

179. Seit die Frage der Wirtschaftsordnung wieder stärker diskutiert wird und der Begriff ›Soziale Marktwirtschaft‹ häufig als ideologisch bezeichnet wird, wird der Versuch

erneuert, die ›Soziale Marktwirtschaft‹ als vom Grundgesetz vorgegeben zu beweisen, so etwa R. Herzog »Sperre für den Sozialismus«, in: Die Zeit, Nr. 14, vom 29. 3. 1974, S. 6; dagegen aber H. Schueler »Marktwirtschaft ist kein Dogma«, ebenda, S. 6 f.

180. Vgl. insb. H. C. Nipperdey »Soziale Marktwirtschaft und Grundgesetz«, 2. Aufl. 1961.

181. Ders. a.a.O., S. 9.

182. Dieser Begriff wird hier nicht der marxistischen Terminologie entnommen, sondern der von F. Böhm »Wirtschaftsordnung und Staatsverfassung«, 1950, S. 6.

183. Ders. a.a.O., S. 7.

184. H. C. Nipperdey »Soziale Marktwirtschaft und Grundgesetz«, 2. Aufl. 1961, S. 18.

185. Ders. a.a.O., S. 25.

186. Ähnlich den Überlegungen von Nipperdey sind die von K. J. Partsch »Die verfassungsmäßige Sicherung von Wirtschaftsprinzipien«, in: Ordo, Bd. 6 (1954), S. 19 ff., insb. S. 30 ff. Partsch argumentiert allerdings sehr viel vorsichtiger als Nipperdey, wobei nicht ganz deutlich wird, inwieweit er jeweils de lege ferenda oder de lege lata spricht.

187. Ähnliche Vorgänge lassen sich stets dann beobachten, wenn politische Auseinandersetzungen auf der verfassungsrechtlichen Ebene ausgetragen werden. Das 19. Jahrhundert bietet dafür eindrucksvolle Beispiele, u. a. den preußischen Budgetkonflikt.

188. E. R. Huber »Der Streit um das Wirtschaftsverfassungsrecht«, in: DöV 1956, S. 97 ff.; ders. »Nationalstaat und Verfassungsstaat«, 1965, S. 268; ders. »Grundgesetz und vertikale Preisbindung«, 1968, S. 15 ff.; ders. »Grundgesetz und wirtschaftliche Mitbestimmung«, 1970.

189. Ders. »Grundgesetz und vertikale Preisbindung«, S. 16. Huber unterscheidet sich von Nipperdey prinzipiell nur in dem Punkt, daß Huber die Wettbewerbsfreiheit nur als »individuelles Freiheitsrecht«, nicht aber als »institutionelle Garantie« in Art. 2 Abs. 1 GG erblickt, vgl. ders. »Der Streit um das Wirtschaftsverfassungsrecht«, a.a.O., S. 137.

190. Ders. »Grundgesetz und vertikale Preisbindung«, S. 17.

191. Vgl. insb. ders. »Der Streit um das Wirtschaftsverfassungsrecht«, a.a.O., S. 207. Huber sagt das freilich nicht so ausdrücklich, es ergibt sich jedoch eindeutig, wenn er a.a.O. ausführt: »Ebenso aber werden auch die Subsidiarität des Staatseingriffs und die Proportionalität von Interventionszweck und Interventionsmittel nur gewahrt, wenn die Wirtschaftsfreiheit, das freie Wirtschaftseigentum und das autonome Recht am Unternehmen als Regel bestehenbleiben und die Staatseingriffe in diese Bereiche auf Ausnahmefälle und auf einen Randbereich beschränkt sind.«

192. Vgl. dazu E. R. Huber »Grundgesetz und vertikale Preisbindung«, 1968. Vgl. ferner die Auseinandersetzung von H. Ehmke »Wirtschaft und Verfassung«, 1961, S. 26 ff., insb. S. 30 f., mit Huber.

193. Hier müßte es bei Huber wohl Art. 2 heißen.

194. E. R. Huber »Grundgesetz und wirtschaftliche Mitbestimmung«, 1970, S. 35.

195. Ders. a.a.O., S. 130 ff. Noch 1956 hatte Huber zur Auffassung Nipperdeys ausgeführt (»Der Streit um das Wirtschaftsverfassungsrecht«, in DöV 1956, S. 97): »Das immerhin überraschende an dieser These ist, daß sie den sozialdemokratischen Abgeordneten des Parlamentarischen Rates unterstellt, sie hätten bei der Zustimmung zum Grundgesetz ein von ihnen grundsätzlich bekämpftes Wirtschaftssystem verfassungsrechtlich sanktioniert und sich damit die Verwirklichung ihres eigenen Wirtschaftsprogramms auch für den Fall, daß die Mehrheit ihrer Partei zufallen sollte, unmöglich gemacht.« Man wird Huber fragen

müssen, ob er meint, die Sozialdemokraten hätten damals die Einführung der qualifizierten Mitbestimmung von Verfassungs wegen verhindern wollen. In dem zitierten Aufsatz von 1956 hatte Huber die Zulässigkeit der paritätischen Mitbestimmung – wenn auch mit Abstrichen – bejaht, vgl. a.a.O., S. 173. Man kann Huber somit als bes. prägnantes Beispiel der Auswirkung realisierter Wirtschaftspolitik auf die Verfassungsinterpretation bezeichnen.

196. H. Krüger »Staatsverfassung und Wirtschaftsverfassung, in: DVBl. 1951, S. 361 ff.

197. Ders. a.a.O., S. 363.

198. Ders. a.a.O., S. 361 f.

199. Ders. a.a.O., S. 362.

200. K. Ballerstedt »Wirtschaftsverfassungsrecht«, in: Bettermann-Nipperdey-Scheuner, Die Grundrechte, Bd. 3, 1. Halbband, 1958, S. 1 ff. Vgl. zu den Ausführungen Ballerstedts auch die Kritik von H. Ehmke »Wirtschaft und Verfassung«, 1961, S. 36 ff.

201. K. Ballerstedt a.a.O., S. 148, Anm. 125.

202. Ders. a.a.O., S. 45.

203. Ders. a.a.O., S. 47.

204. Ders. a.a.O., S. 45.

205. Ders. a.a.O., S. 50 ff.

206. Ders. a.a.O., S. 55 f.

207. Ders. a.a.O., S. 65 ff.

208. Ders. a.a.O., S. 65.

209. Ders. a.a.O., S. 66.

210. Ders. a.a.O., S. 66.

211. Ders. a.a.O., S. 68 ff. Interessant ist, daß Ballerstedt im Jahre 1951 selbst bezweifelt hat, daß Art. 2 Abs. 1 GG für den wirtschaftlichen Bereich gelte, vgl. ders. »Staatsverfassung und Wirtschaftsfreiheit«, in: DöV 1951, S. 160. Diese Entwicklung kann evtl. auch als Anpassung der Verfassungsinterpretation an die Realität aufgefaßt werden.

212. Ders. »Wirtschaftsverfassungsrecht«, S. 71.

213. H. Ehmke »Wirtschaft und Verfassung«, 1961, S. 6, 23, 29.

214. Ders. a.a.O., S. 55.

215. Th. Ellwein »Das Erbe der Monarchie in der deutschen Staatskrise«, 1954.

216. D. Jesch »Gesetz und Verwaltung«, 1961, bes. S. 6 ff. Auch Rupp beruft sich darauf, um seine ›liberalen‹ Vorstellungen von einer ›Wirtschaftsverfassung‹ zu beweisen, vgl. z. B. H. H. Rupp »Verfassungsrechtliche Aspekte der Postgebühren und des Wettbewerbs der Deutschen Bundespost mit den Kreditinstituten«, 1971, S. 26 ff.

217. Vgl. ähnlich H. Ehmke »›Staat‹ und ›Gesellschaft‹ als verfassungstheoretisches Problem«, in: Staatsverfassung und Kirchenordnung, Festgabe für R. Smend, 1962, S. 32 f.

218. Daß in den USA auch daraus eine Krise entstanden ist, kann hier nur als These behauptet werden. Diese These läßt sich schlaglichtartig erhellen durch die bekannte Warnung Präsident Eisenhowers vor dem übermächtigen Übergreifen von Interessen der Rüstungsindustrie auf die Administration.

219. Vgl. H. J. Schmahl »Globalsteuerung – Zwischenbilanz einer neuen Konjunkturpolitik«, in: Hamburger Jahrbuch für Wirtschafts- und Gesellschaftspolitik, Bd. 16 (1971), S. 271 ff.

220. Vgl. E. Forsthoff »Lehrbuch des Verwaltungsrechts«, Bd. I, 9. Aufl. 1966, S. 59: »Der Sozialstaat ist ein reaktiv, aus der jeweiligen Situation handelnder Staat. Dieses Handeln folgt mehr den Anforderungen der Lage als allgemeinen politischen Konzeptionen.«

221. E. Forsthoff »Die Verwaltung als Leistungsträger«, 1938, zit. nach dem teilweisen Wiederabdruck in: ders., Rechtsfragen der leistenden Verwaltung, 1959, hat den Begriff der Daseinsvorsorge eingeführt. Die wiedergegebene Definition findet sich bei E. Forsthoff »Lehrbuch des Verwaltungsrechts«, Bd. I, 9. Aufl. 1966, S. 342.

222. D. Jesch »Gesetz und Verwaltung«, 1961, S. 177, Anm. 16. Vgl. auch die Typisierung bei Jesch, a.a.O., S. 177 ff. Auf die inzwischen sehr umfangreiche Literatur zu diesem Bereich kann hier nicht eingegangen werden.

223. Vgl. dazu auch H. Harnischfeger »Planung in der sozialstaatlichen Demokratie«, 1969, S. 60 ff.; K. Lompe »Gesellschaftspolitik und Planung«, 1971, S. 78 ff.

224. E. Forsthoff »Von der Staatsrechtswissenschaft zur Rechtsstaatswissenschaft«, in: Studium Generale, Bd. 21 (1968), S. 696.

225. E. Forsthoff »Zur heutigen Situation einer Verfassungslehre«, in: Epirhosis. Festgabe für Carl Schmitt, Bd. I, 1968, S. 187.

226. Ders. a.a.O., S. 193.

227. Ders. »Begriff und Wesen des sozialen Rechtsstaates«, in: VVDStRL Heft 12 (1954), S. 16.

228. Ders. a.a.O., S. 16 f.

229. Ders. a.a.O., S. 31; ders. »Zur heutigen Situation einer Verfassungslehre«, in: Epirhosis. Festgabe für Carl Schmitt, Bd. I, 1968, S. 187.

230. Ders. »Von der Staatsrechtswissenschaft zur Rechtsstaatswissenschaft«, in: Studium Generale, Bd. 21 (1968), S. 697.

231. Ders. »Begriff und Wesen des sozialen Rechtsstaates«, a.a.O., S. 30.

232. Ders. a.a.O., S. 30.

233. Ders. a.a.O., S. 31.

234. Ders. a.a.O., S. 14.

235. Ders. a.a.O., S. 19.

236. Ders. a.a.O., S. 18.

237. Ders. a.a.O., S. 25.

238. Ders. a.a.O., S. 27.

239. Ders. a.a.O., S. 32 f.

240. Ders. »Von der Staatsrechtswissenschaft zur Rechtsstaatswissenschaft«, in: Studium Generale, Bd. 21 (1968), S. 696 f.

241. Ders. a.a.O., S. 699.

242. Der Unterschied, daß Forsthoff die Grundrechte nur als individuelle Abwehrrechte, nicht aber als objektive Werte, verstanden wissen will, kann hier unberücksichtigt bleiben, weil auch die Vertreter der zuletzt genannten Meinung von der Trennung von Staat und Gesellschaft ausgehen und die Grundrechte zur verfassungsrechtlichen Absicherung von Wirtschaft und Gesellschaft gegen den Staat verwenden. Vgl. dazu auch U. Scheuner »Die Funktion der Grundrechte im Sozialstaat«, in: DöV 1971, S, 505 f.

243. W. Weber »Die verfassungsrechtlichen Grenzen sozialstaatlicher Forderungen«, in: Der Staat, Bd. 4 (1965), S. 409 ff.

244. Ders. a.a.O., S. 437.

245. Ders. a.a.O., S. 438.

246. K. Ballerstedt »Wirtschaftsverfassungsrecht«, in: Bettermann-Nipperdey-Scheuner, Die Grundrechte, Bd. 3, 1. Halbband, 1958, S. 71.

247. D. Jesch »Gesetz und Verwaltung«, 1961.

248. Ders. a.a.O., S. 176.

249. Ders. a.a.O., S. 204.

250. Vgl. dazu G. Vedel »Droit administratif«, 1. Bd., 1958, S. 11 ff., 131 ff. Einen selbständigen ›pouvoir réglementaire‹ gibt es nicht nur seit der Verfassung von 1958, die die Gesetzgebungsbefugnis des Parlaments auf bestimmte Materien beschränkt, sondern war auch während der ›parlamentarischen Regime‹ der Verfassungen von 1875 und 1946 anerkannt. Er betraf die Gebiete ›maintien de l'ordre public et police‹ und ›fonctionnement des services publics‹. Diese Begriffe umfassen mehr als unsere ›Sicherheit und Ordnung‹, nämlich auch Teile des Wirtschaftsrechts, Denkmalspflege, Naturschutz, Straßenverkehrsrecht u. a. ›Services publics‹ umfassen praktisch die gesamte deutsche ›Leistungsverwaltung‹. Vgl. dazu im einzelnen Vedel a.a.O. Vgl. ferner M. Duverger »Institutions politiques et droit constitutionnel«, 6. Aufl. 1962, S. 536.

251. D. Jesch »Gesetz und Verwaltung«, 1961, S. 204.

252. H. H. Rupp »Grundfragen der heutigen Verwaltungsrechtslehre«, 1965, S. 1 f.

253. Th. Ellwein »Das Erbe der Monarchie in der deutschen Staatskrise«, 1954. Vgl. auch H. Ehmke »Wirtschaft und Verfassung«, 1961, S. 62: »Der deutsche (liberale) Gesetzesbegriff ist in Auseinandersetzung mit der Macht des Monarchen und seines Beamtenapparates ... entwickelt worden.«

254. D. Jesch »Gesetz und Verwaltung«, 1961, S. 205.

255. H. H. Rupp »Verwaltungsakt und Vertragsakt«, in: DVBl. 1959, S. 81 ff., 84 f.

256. D. Jesch »Gesetz und Verwaltung«, 1961, S. 204.

257. Solche Anklänge finden sich bei H. H. Rupp »Grundfragen der heutigen Verwaltungsrechtslehre«, 1965, S. 140, sowie in seiner neueren Veröffentlichung »Die verfassungsrechtliche Seite des Umweltschutzes«, in: JZ 1971, S. 401 ff.

258. Ders. »Grundlagen der heutigen Verwaltungsrechtslehre«, S. 131 ff.

259. Ders. a.a.O., S. 135.

260. Rupp geht von einem anderen Begriff ›egalitärer Demokratie‹ aus, wenn er ausführt, nur das für alle geltende Gesetz entspreche der Idee der demokratischen Egalität, a.a.O., S. 116, Anm. 30. Das ist so lange richtig, wie soziale Gleichheit zwischen den Gesetzesunterworfenen besteht. In einer ›Welt der Monopole‹ ist diese Gleichheit nicht mehr vorhanden und muß vielfach erst durch sog. Maßnahmegesetze wiederhergestellt werden.

261. Vgl. in diesem Sinne H. H. Rupp »Konzertierte Aktion und freiheitlich-rechtsstaatliche Demokratie«, in: E. Hoppmann (Hrsg.), Konzertierte Aktion, 1971, S. 1 ff., wo er auch von der »in der Verfassung angelegten Wettbewerbsfreiheit« (S. 17) spricht.

262. Ders. »Grundlagen der heutigen Verwaltungsrechtslehre«, S. 109, Anm. 15. Zur Verwandtschaft zum Neoliberalismus vgl. oben S. 62.

263. Ders. a.a.O., S. 135 ff.

264. Ders. a.a.O., S. 138.

265. H. H. Rupp »Grundlagen der heutigen Verwaltungsrechtslehre«, 1965, S. 141.

266. Ders. a.a.O., S. 142, Hervorhebung im Original.

267. Ders. a.a.O., S. 141.

268. Vgl. oben S. 31.

269. H. H. Rupp »Grundfragen der heutigen Verwaltungsrechtslehre«, 1965, S. 131 ff., insb. S. 132; dazu vgl. auch K. Vogel »Gesetzgeber und Verwaltung«, in: VVDStRL Heft 24 (1966), S. 124, Anm. 76.

270. Vgl. auch K. Vogel a.a.O., S. 163 ff.

271. Ders. a.a.O.

272. H. H. Rupp a.a.O., S. 146. Im einzelnen braucht hier die Schwäche der ›juristischen‹ Argumentation bei Rupp nicht untersucht zu werden, weil es uns nur darauf ankommt aufzuweisen, daß Rupps Ansatz darauf abzielt, überkommenes liberales Staatsrechtsdenken im Hinblick auf die veränderte Wirklichkeit weiter zu entwickeln, und daß er sich dabei ganz in der liberalen (bzw. neoliberalen) Tradition bewegt.

4. Neue Wirtschaftspolitik und Verfassungsrecht

Die bisherigen Versuche der Aufrechterhaltung des liberalen Begriffssystems, von denen wir einen Teil exemplarisch untersucht haben, dürften gegenüber der durch die ›neue Wirtschaftspolitik‹ gekennzeichneten gesellschaftlichen und ökonomischen Wirklichkeit nicht mehr bestehen können.

Bevor wir auf die Änderungen im rechtlichen Bereich eingehen, sollen zunächst die wichtigsten Schritte zur Neuorientierung im Bereich der Wirtschaftspolitik sowie die wichtigsten Merkmale der seit 1967 verfolgten Wirtschaftspolitik einschließlich der politischen Planung skizziert werden.

4.1. NEUE WIRTSCHAFTSPOLITIK

Die ersten Ansätze zu einem Umdenken in der offiziellen Wirtschaftspolitik gehen schon in die Mitte der fünfziger Jahre zurück, als die Wirtschaft vom ›extensiven‹ Wachstum zum ›intensiven‹ überging und man nach früheren Vorstellungen einen Zustand der Vollbeschäftigung erreichte.[1]

4.1.1. Ansätze zur Neuorientierung zu Beginn der sechziger Jahre

Im Jahre 1956 bereits legte der Wissenschaftliche Beirat beim Bundeswirtschaftsministerium ein Gutachten vor mit dem Titel »Instrumente der Konjunkturpolitik und ihre rechtliche Institutionalisierung«[2].

Schon damals führte der Beirat aus, eine am Wettbewerbsgedanken orientierte marktwirtschaftliche Ordnung, die ein stetiges Wachstum unter annähernder Erfüllung der Bedingungen Preisstabilität, Vollbeschäftigung und ausgeglichene Zahlungsbilanz automatisch herbeiführe, sei nicht denkbar. Er machte daher eine Reihe von Vorschlägen zur Wettbewerbs-, Außenwirtschafts-, Geld- und Kredit-, Finanz-, Lohn- und Sozialrentenpolitik und schlug vor, die Bundesregierung zur jährlichen Vorlage eines »Wirtschaftsprogrammes« zu verpflichten.

Dieses Gutachten blieb ohne praktische Folgen. Ein erster praktischer Anfang war ein Gesetz im Juni 1961, durch das die Regierung ermächtigt wurde, zur Konjunktursteuerung durch Rechtsverordnung (also ohne Mitwirkung des Parlaments) die Sondervergünstigungen für Neuinvestitionen zu erhöhen.[3]

Ab Ende der fünfziger/Anfang der sechziger Jahre sprach auch Müller-Armack[4] von der »zweiten Phase der sozialen Marktwirtschaft«.[5] Er stellt nicht auf die von uns genannten Probleme ab, sondern spricht allgemeiner vom »geschichtlichen Wandel, der sich in unseren Tagen so schnell vollzieht«[6], und der Mobilisierung der Unruhe, die kaum spürbar gewesen sei, solange man sich in der Phase des dringenden Aufbaus befunden habe, und von den Forderungen der Verbände, die sich inzwischen fest hätten etablieren können. Eine Absage an bisherige neoliberale Vorstellungen bedeutet es, wenn er ausführt:

»Eine Gesellschaftspolitik, die wirklich aus der aktuellen Situation heraus gestalten will, muß von der Realität ausgehen, um die Gesamtwirtschaft gestalten zu können, also auch Zielsetzungen entwickeln im Hinblick auf die in der heutigen Zeit einfach hinzunehmende Großorganisation der Wirtschaft, wenn sie nicht zu einer Ideologie werden will, die nur einer früheren Gesellschaftslage entspricht. Es dürfte so wenig Erfolg versprechen, einen programmatischen Kampf gegen die sogenannte Marktkonzentration in der Wirtschaft aufzunehmen, deren unbestreitbare Leistungen einen wesentlichen Teil der Wohlstandsmehrung ermöglichen.«[7]

Ferner fordert Müller-Armack staatliche Maßnahmen für den Umweltschutz und eine entsprechende Zusammenfassung der Planungs- und Finanzierungskompetenzen.

Die Wirtschaftspolitik erhält in diesem Programm zusätzliche Aufgaben. Als Beispiel nennt Müller-Armack die »Energiefrage«. »Die Dinge schlechthin dem Wettbewerb überlassen, würde die kommende wirtschaftspolitische Entwicklung mit einer permanenten Krise der traditionellen Energiequellen, insbesondere der Kohle, belasten.«[8]

Im wesentlichen läßt sich das Programm Müller-Armacks für die »zweite Phase der Sozialen Marktwirtschaft« – trotz seiner sehr vorsichtigen Formulierungen und den sehr stark in den Vordergrund tretenden ideologischen Postulaten – als ein Programm kennzeichnen, das auf Grund des eingetretenen wirtschaftlichen Wandels und der vorhersehbaren wirtschaftlichen Entwicklung größere Investitionen des Staates in alle Bereiche der Infrastruktur sowie eine bessere Konjunktursteuerung und aus diesen Gründen auch eine größere Zentralisierung der öffentlich-rechtlichen Kompetenzen und ein Mehr an öffentlicher Planung verlangt.

Im Jahre 1961 begannen das Wirtschafts- und das Finanzministerium mit einer gemeinsamen Untersuchung, um festzustellen, inwieweit die vorhandenen konjunkturpolitischen Instrumente ausreichen. In dem daraufhin veröffentlichten Bericht heißt es unter anderem:[9] »Die traditionellen Mittel der deutschen Konjunkturpolitik reichen ... nicht mehr aus ... Es ist ein die traditionellen Mittel ergänzendes elastisches Instrumentarium zu schaffen, das der jeweiligen wirtschaftlichen Situation (ggfs. auch Sonderbewegungen einzelner Bereiche) angepaßt werden kann. Den Kern dieses Instrumentariums bildet die Finanzpolitik.«

Im Februar 1963 wurde der erste Wirtschaftsbericht der Bundesregierung veröffentlicht[10]. Durch diesen Bericht zieht sich wie ein roter Faden die Feststellung, »daß sich seit einiger Zeit die Bedingungen und Voraussetzungen für das künftige Wirtschaftswachstum ... geändert« haben.[11] Deswegen komme dem Zusammenspiel der die Wirtschaft tragenden Kräfte sowie der besseren Abstimmung aller für die Wirtschaftspolitik verantwortlichen Stellen erhöhte Bedeutung zu. Der Wirtschaftsbericht sieht als die wesentlichen Änderungen in den »Bedingungen und Voraussetzungen« des Wirtschaftswachstums an: die »Verringerung des Arbeitskräftezugangs« und die Verkürzung der Arbeitszeit und damit die Verkleinerung des Investitionsspielraums sowie die Verringerung der Exportüberschüsse infolge des durch das Erreichen der Vollbeschäftigung gestiegenen Kosten- und Preisniveaus. Deswegen nehme die Bedeutung der konsumtiven Verwendungen des Sozialprodukts – privater und Staatsverbrauch – zu.[12] In diesem Bericht werden wegen dieser neuen Schwierigkeiten zum ersten Mal in der deutschen Nachkriegswirtschaftsgeschichte »Leitlinien für das Verhalten der öffentlichen Hand und wirtschaftspolitische Schlußfolgerungen« sowie »Leitlinien für das Verhalten der Unternehmer« und »Leitlinien für die Tarifparteien« aufgestellt.[13] Praktische Veränderungen der Wirtschaftspolitik brachte allerdings dieser Bericht noch nicht.[14]

Als weiteren Schritt auf dem Weg zu einer ›neuen Wirtschaftspolitik‹ kann man die Einrichtung des »Sachverständigenrates zur Begutachtung der gesamtwirtschaftlichen Entwicklung« im Jahre 1963 ansehen.[15] Zum erstenmal wurden hier gesamtwirtschaftliche Ziele gesetzlich fixiert, wenn auch nicht als Regierungsziele, sondern nur als Ziele, deren Möglichkeit der Verwirklichung von einem unabhängigen Sachverständigengremium untersucht werden soll,[16] um die »Urteilsbildung bei allen wirtschaftspolitisch verantwortlichen Instanzen sowie in der Öffentlichkeit« zu erleichtern.[17]

Im November 1962 hatte der damalige Bundeswirtschaftsminister Erhard noch die kurz vorher im Aktionsprogramm der EWG entwickelten Programmierungsideen aus prinzipiellen Gründen abgelehnt und nur einjährige Vorausschauen akzeptieren wollen.[18] Doch schon in seiner Regierungserklärung vom Oktober 1963 sprach er von der Notwendigkeit längerfristiger Haushaltsüberlegungen[19], und in dem erwähnten Bericht des Wirtschafts- und Finanzministeriums ist von Mehrjahresprogrammen für öffentliche Investitionen und Investitionsförderungsmaßnahmen zur Konjunktursteuerung die Rede.[20]

Im Finanzbericht 1965 wird erstmals ein »Überblick über die finanziellen Möglichkeiten und die Ausgabeverpflichtungen des Bundes in den Jahren 1965–1967« gegeben.[21]

Kleps stellt dazu zusammenfassend fest: »Der seit Ende 1962 eingetretene Wandel in der offiziellen Einstellung zu den langfristigen Problemen der wirtschaftlichen Entwicklung ist somit unverkennbar. Aber ebenso offenkundig ist auch noch die Inkonsequenz dieser Ansätze einer Neuorientierung.«[22]

Als weiterer Schritt zu einer neuen Wirtschaftspolitik in der BRD muß das Anfang 1966 vorgelegte Gutachten über die Finanzreform erwähnt werden.[23] Hierin wurden Vorschläge für eine antizyklische Finanzpolitik, eine mittelfristige Finanzplanung und eine Änderung des Art. 109 GG gemacht.

Ein konsequenter Neuansatz für die Wirtschafts- und Gesellschaftsordnung findet sich bei Ludwig Erhard seit 1965. Das von Erhard vertretene Konzept, das als »Formierte Gesellschaft« bezeichnet wurde, ist zwar inzwischen nicht mehr aktuell, in unserem Zusammenhang aber interessant, weil hier seitens der CDU – oder zumindest eines Teils dieser Partei – der offene Versuch unternommen wurde, die staatlichen Institutionen an die veränderte wirtschaftliche und gesellschaftliche Realität anzupassen und den gesellschaftlichen Gruppen eine neue Stellung zu geben.[24]

Trotz des teilweise sehr hohen moralischen Anspruchs, mit dem das Programm insb. von Erhard selbst umgeben wurde, ergibt sich aus einer Zusammenschau aller Erläuterungen hierzu, daß letztlich die bereits geschilderten wirtschaftlichen Veränderungen der Grund für die wirtschafts- und gesellschaftspolitische Neuorientierung waren. Als wirtschaftspolitisches Instrument war insb. das »Deutsche Gemeinschaftswerk« vorgesehen, dessen Einführung eine grundlegende Änderung der Finanzverfassung notwendig gemacht hätte. Eine Änderung der Verfassung war aber offenbar auch für die übrigen grundlegenden Verfassungsinstitutionen vorgesehen.[25]

Zusammenfassend kann man das Konzept als eine konsequente Abkehr von der bisherigen offiziellen Doktrin betrachten, die früher von Erhard mit den Worten zusammengefaßt worden war, daß die Wettbewerbswirtschaft die ökonomischste und zugleich demokratischste Form der Wirtschaftsordnung und das wirtschaftspolitische Gegenstück der politischen Demokratie sei. Die nun angestrebte »kooperative« Gesellschaft beruht nicht mehr auf der jeweils egoistischen Zielverfolgung der vielen machtlosen Individuen, sondern auf dem bewußten Zusammenwirken und der gemeinsamen Unterordnung der gesellschaftlichen »formierten« Gruppen unter das »Gemeinwohl«.[26]

4.1.2. Die Wirtschaftspolitik und Ansätze einer längerfristigen strategischen Planung seit 1967

4.1.2.1. Die Wirtschaftspolitik seit 1967

4.1.2.1.1. Aufgabe und Instrumente der neuen Wirtschaftspolitik

Den wirtschaftspolitischen Forderungen, die seit Beginn der sechziger Jahre erhoben wurden, entspricht im wesentlichen die seit Beginn der großen Koalition praktizierte Wirtschaftspolitik. Die Ziele dieser Politik sind qualitativ im Grundgesetz als gesamtwirtschaftliches Gleichgewicht[27] und im Stabilitätsgesetz als Geldwertstabilität, hoher Beschäftigungsgrad, außenwirtschaftliches Gleichgewicht und angemessenes Wirtschaftswachstum definiert.[28] Ihre quantitative Definition wird jährlich durch die Bundesregierung im Jahreswirtschaftsbericht vorgenommen.[29] Hinzu kommen andere – nicht gesetzlich festgelegte – Ziele: gerechte Einkommens- und Vermögensverteilung, Verbesserung der Infrastruktur u. a.

»Da es sich dabei um globale Größen handelt, wird die Politik zur Abstimmung und Beeinflussung dieser Größen als ›Globalsteuerung‹ bezeichnet.«[30] Es finden sich auch Ausdrücke wie »planvolle Beeinflussung makroökonomischer Größen«[31] oder »rationale Wirtschaftspolitik«[32]. Planung und Globalsteuerung sind im Gegensatz zu der früheren Wirtschaftspolitik, die als planlos, als »punktueller Interventionismus« bezeichnet wurde, Begriffe, die im Zusammenhang mit der »neuen Wirtschaftspolitik« immer wieder genannt werden. Geplant werden sollen freilich nur die »Makrorelationen«[33], d. h. die gesamtwirtschaftlichen Ziele, während die »Mikrorelationen« (also die einzelwirtschaftlichen Beziehungen) der Selbststeuerung durch den Markt vorbehalten bleiben sollen.[34] Die makroökonomischen Zielsetzungen sind für die privaten Wirtschaftssubjekte juristisch nicht verbindlich, sie richten ihre Aktionen weiterhin am Markt aus. Verbindlich sind sie jedoch insofern, als die staatlichen Organe gehalten sind, ihre Verwirklichung mit Hilfe der ihnen zur Verfügung stehenden Mittel anzustreben.[35] Das sind neben den traditionellen Mitteln der Geldpolitik die Instrumente der Fiskalpolitik (Einnahmen- und Ausgabenpolitik), der Einkommenspolitik und der außenwirtschaftlichen Absicherung, insbesondere der Währungspolitik.

Der Einsatz dieser Mittel wirft indes ein Koordinierungsproblem auf, das sich aus der Doppelaufgabe der Wirtschaftspolitik, nämlich Aufrechterhaltung des Wettbewerbsmechanismus im mikroökonomischen und staatliche Planung und Steuerung im makroökonomischen Bereich ergibt. Die makroökonomischen Größen sind trotz staatlicher Planung und Globalsteuerung weitgehend das Ergebnis der einzelwirtschaftlichen Aktivitäten.[36] Da die Möglichkeit der staatlichen Planung des einzelwirtschaftlichen Geschehens »im Rahmen der marktwirtschaftlichen Ordnung« (§ 1 StabG) ausscheidet, hat die Globalsteuerung nur die beiden Möglichkeiten:

– indirekte Beeinflussung der autonomen Entscheidungen der privaten Wirtschaftssubjekte durch Maßnahmen der Geld- und Fiskalpolitik,[37]

– direkte Beeinflussung der Wirtschaftsverbände und autonomen Gruppen mit dem Ziel einer freiwilligen Anpassung der privaten Wirtschaftssubjekte an die makroökonomischen Zielsetzungen der Regierung.

Soweit sich die Globalsteuerung auf die indirekten Mittel der Geld- und Finanzpolitik stützt, beruht sie auf der Voraussetzung, daß die privaten Wirtschaftssubjekte ihre Wirtschaftspläne den gesetzten einzelwirtschaftlichen Daten so anpassen, daß sie als Prozeßergebnis die von der wirtschaftspolitischen Steuerungsinstanz geplanten makroökonomischen Ergebnisse einstellen.[38] In der wirtschaftspolitischen Praxis der BRD hat sich indes die Meinung durchgesetzt, »daß Veränderungen der einzelwirtschaftlichen Daten keineswegs stets den gewünschten Erfolg nach sich ziehen«[39] und daß deswegen neben die Veränderung der einzelwirtschaftlichen Daten die direkte Beeinflussung des Verhaltens und der Zielvorstellungen der angesprochenen Gruppen und deren Mitglieder treten muß.[40] Zu den wirtschaftspolitischen Instrumenten ist daher als zusätzliches Mittel zur Koordination und Beeinflussung der Gruppen die Konzertierte Aktion getreten.[41]

4.1.2.1.2. Die Konzertierte Aktion

Diese neue Einrichtung der Wirtschaftspolitik findet ihre gesetzliche Grundlage im § 3 StabG, wo es heißt: »Im Falle der Gefährdung eines der Ziele des § 1 stellt die Bundesregierung Orientierungsdaten für ein gleichzeitiges aufeinander abgestimmtes Verhalten (konzertierte Aktion) der Gebietskörperschaften, Gewerkschaften und Unternehmensverbände zur Erreichung der Ziele des § 1 zur Verfügung. Diese Orientierungsdaten enthalten insbesondere eine Darstellung der gesamtwirtschaftlichen Zusammenhänge im Hinblick auf die gegebene Situation.« Darüber hinaus versteht man heute unter Konzertierter Aktion »nicht nur ein gemeinsames, gleichgerichtetes Verhalten von Regierung und Sozialpartnern (so wie es der Gesetzeswortlaut nahelegt); auch die im Abstand von mehreren Monaten im Bundesministerium für Wirtschaft stattfindenden Besprechungen zur Herbeiführung dieses Verhaltens werden Konzertierte Aktion genannt. Der Begriff Konzertierte Aktion bezeichnet demnach sowohl ein Verhalten als auch eine Institution.«[42] [43]

Die Konzertierte Aktion wird in erster Linie als Instrument der Einkommenspolitik betrachtet, d. h. als Instrument zur Beeinflussung der Tarifvertragsparteien.[44] Eine direkte staatliche Einflußnahme auf das Verhalten der privaten Wirtschaftssubjekte ist naturgemäß auf einem Markt, auf dem sich nur zwei oder sehr wenige Wirtschaftssubjekte gegenüberstehen (und die noch dazu unter Anteilnahme der gesamten Öffentlichkeit die Bedingungen ihres Marktes aushandeln), am einfachsten. Die Tarifabschlüsse haben zudem eine besondere Bedeutung für die gesamtwirtschaftlichen Größen.[45] Schiller hat als Wirtschaftsminister dazu ausgeführt:[46] »Wir stehen doch vor dem seit langem bekannten Problem der modernen Industriewirtschaft, daß die Tarifvertragsparteien in – praktisch verfassungsmäßig gesicherter – Autonomie über Größen entscheiden, die mehr als die Hälfte des gesamten Sozialprodukts bestimmen. Diese Autonomie und Freiheit muß auch bleiben. Aber wir wissen, daß das ein Dilemma für jede staatliche Wirtschaftspolitik und jede staatliche Finanzpolitik ist. Die Konzertierte Aktion ist ein Versuch, dieses Prinzip der Freiheit der Tarifvertragsparteien – die, wie ich sagte, mehr als die Hälfte unseres Bruttosozialprodukts bestimmen und aushandeln, und zwar in einem oligopolistischen Markt – zu versöhnen mit gewissen gesamtwirtschaftlichen Orientierungen für das Verhalten der Tarifvertragsparteien.« Die Konzertierte Aktion soll aber nicht nur ein Instrument der Einkommens- bzw. Lohnpolitik sein. »Die Bundesregierung hat dies bereits am Beginn der Konzertierten Aktion betont: ›In diesem sozialen Dialog wird selbstverständlich nicht allein über die Lohnpolitik gesprochen werden, sondern über alle anderen wichtigen Fragen, die den Beschäftigungsstand, die Investitions- und Preispolitik der Unternehmungen, die Wettbewerbspolitik, die administrativ veranlaßten Preisänderungen, das außenwirtschaftliche Gleichgewicht und die Einkommens- und Vermögensverteilung auf kurze und längere Sicht betreffen.‹«[47]

In der politischen Praxis hat die Konzertierte Aktion allerdings nicht die Rolle gespielt, die ihr ursprünglich zugedacht war. Zu ihrem Beginn 1967 setzten alle Beteiligten große Hoffnungen auf diese neue Institution.[48] Im Konjunkturverlauf zeigte sich jedoch, daß die Konzertierte Aktion in der Rezession am besten funktioniert, weil in diesem Zeitpunkt eine gewisse Interessenparallelität zwischen Unternehmern und Gewerkschaften besteht. Als jedoch das für jeden Konjunkturzyklus typische Vorauseilen der Gewinne vor den Löhnen (Lohn-lag) und danach der Löhne vor den Gewinnen (Gewinn-lag) auftrat, entstanden bei den beteiligten Arbeitgeber- und Arbeitnehmerorganisationen starke Vorbehalte und Tendenzen, sich aus der Konzertierten Aktion zurückzuziehen.[49] Bei den Gewerkschaften hatte besonders die Enttäuschung über den ersten Lohn-lag nach Überwindung der Rezession 1968 starke Widerstände hervorgerufen. Für die Gewerkschaften liegt die besondere Problematik der Konzertierten Aktion darin, daß sich zwar verhältnismäßig leicht Richtlinien für die Lohnpolitik festlegen lassen, weil Löhne in der Regel kollektiv ausgehandelt werden, die Preise und Gewinne jedoch individuell von den Unternehmern festgelegt werden und damit derartige Richtlinien auf diesem Gebiet nicht wirksam durchgesetzt werden können.[50] Dennoch halten Unternehmer wie Gewerkschaften an dieser Einrichtung fest. So hat die Konzertierte Aktion wohl nicht die praktische Auswirkung, die ihre Begründer sich versprochen haben, dennoch sollte ihre grundsätzliche Bedeutung nicht unterschätzt werden. Diese liegt darin, daß sie trotz aller praktischen Schwierigkeiten eine wichtige Ergänzung der neuen Wirtschaftspolitik ist und daß hier erstmals der Versuch unternommen wurde, wirtschaftspolitische Koordinationsprobleme durch unmittelbare Beeinflussung der beteiligten Gruppen zu lösen. Ob, wie Klaus vermutet,[51] die Konzertierte Aktion zu einem Kooperationsgremium mit echten Entscheidungsbefugnissen ausgebaut werden wird, bleibt freilich abzuwarten.[52]

Kritiker der Konzertierten Aktion haben diese auch in Zusammenhang mit der »neuen Wettbewerbspolitik« gebracht, die sich auf das wettbewerbspolitische Konzept von Kantzenbach[53] stützt.[54] Kantzenbach hält die »weiten Oligopole« für die wettbewerbspolitisch optimale Marktstruktur. Dieses Konzept mag zwar eine etwas größere Realitätsnähe als das besonders von Hoppmann[55] vertretene aufweisen, birgt aber andererseits die Gefahr in sich, alle Oligopole als weit – und damit als wirtschaftspolitisch erwünscht – zu klassifizieren.[56] »Damit wird eine für die Globalsteuerung höchst bedeutsame Voraussetzung geschaffen; und zwar die für das Funktionieren dieser besonderen Art des wirtschaftspolitischen Informations- und Willensbildungsprozesses unbedingt erforderliche geringe Zahl der Beteiligten ... Die Durchsetzung einer mit Großunternehmen oder Großverbänden abgesprochenen Wirtschaftspolitik gegenüber den an der Globalplanung nicht beteiligten Unternehmen durch den Einsatz von Marktmacht wird dadurch sehr erleichtert.«[57] Die Einführung einer Fusionskontrolle deutet andererseits auch gegenläufige Tendenzen an.

4.1.2.2. Ansätze einer längerfristigen strategischen Planung

Der mit der Politik der Globalsteuerung eintretende Wandel wird besonders deutlich an der damit verbundenen Hinwendung zur politischen Planung.[58] Während frühere Planungen nur Detailplanungen waren, wie z. B. der Grüne Plan oder der Ausbauplan des Bundesfernstraßennetzes, so lenkt die im Rahmen der Globalsteuerung eingeführte Finanzplanung den Blick zugleich darauf, daß es nicht nur um Wirtschafts- oder gar nur Konjunkturpolitik geht, sondern letztlich um die »Ausweitung des Planungsimpulses auf Gesellschaften im ganzen«[59]. Finanzplanung ist in diesem Zusammenhang als »politische Strategie« der politischen Planung bezeichnet worden[60].

Daß die moderne Fiskalpolitik, die in eine mehrjährige Finanzplanung eingebettet ist und wirtschaftspolitischen Zielen dient, mit der Finanzpolitik der Vergangenheit wenig gemein hat, ist heute unbestritten[61]. Zur Zeit sind die institutionellen und technologischen Voraussetzungen weitgehender politischer Planung – insbesondere auch der Finanzplanung – sicher noch nicht gegeben; dennoch hat W.-D. Narr wohl mit Recht bemerkt: »Man mag von der Möglichkeit, ›absolut alles‹ zu planen, etliches abziehen; dennoch: keine wissenschaftliche Reflexion, die sich auf Gesellschaft bezieht, darf diesen Sachverhalt auslassen, wenn sie nicht irreal werden will«[62]. In der wissenschaftlichen Diskussion wird weitgehend anerkannt,[63] daß in der politisch-administrativen und wirtschaftlichen Wirklichkeit ein Trend zunehmender Planung besteht.

Dieser Trend ist sowohl im nichtstaatlichen, d. h. für uns insbesondere im privatwirtschaftlichen, Bereich wie im politisch-administrativen, staatlichen Bereich zu beobachten. Klages[64] spricht davon, »daß sich gegenwärtig auch in den Führungszentren der spätliberalen Demokratien ein vom ›partisam mutual adjustment‹[65] wegführender Trend zur umfassenden Gesellschaftsplanung bemerkbar macht.« Diese Tendenzen im staatlichen Bereich laufen mit denen im privaten, wirtschaftlichen Bereich parallel und treffen sich mit ihnen. Für den Bereich der US-Wirtschaft ist dies besonders von Galbraith in seinem Buch »New Industrial State«[66] analysiert worden. Galbraith geht davon aus, daß technologischer Fortschritt und – damit zusammenhängende – wachsende Unternehmensgröße zu zunehmender Planung in allen unternehmerischen Bereichen (von der Investition bis zum Absatz) und zunehmender Ausschaltung der Abhängigkeit von unkontrollierbaren Märkten führt. Die Abhängigkeit vom Markt kann durch Kartellierung und Konzentration sowie modernes Marketing-Management gelöst werden.

Die entsprechenden planerischen Tendenzen in der westdeutschen Wirtschaft mit ihrer weit zurückreichenden Tradition sind bereits oben angedeutet worden. »Daß die Deutschen sowohl die Geschäftsgewohnheiten als auch die Institutionen haben, die ihnen einen reibungslosen Übergang zu einer Planwirtschaft des modernen kapitalistischen Typs erlauben würden«, hat Shonfield bereits 1965 festgestellt.[67] Vor diesem Hintergrund erhält auch die sich derzeit abspielende Konzentration der westdeutschen Wirtschaft – die sogenannte Fusionswelle[68] – eine spezifische Bedeutung. Denn langfristige Planungen und die Beherrschung des Marktgeschehens durch die Unternehmen können nur gelingen, wenn hinreichend große Unternehmenseinheiten vorhanden sind.[69] Mit dem zunehmenden Wachstum der Unternehmen kommt auch die Bundesrepublik in eine Phase, in der die Unternehmensgröße den Staat dazu zwingt, längerfristige Plandaten zu liefern, an denen sich die Unternehmenspläne ausrichten können,[70] und in der Staat und Wirtschaft (einzelne Großunternehmen oder Verbände) es für erforderlich halten, durch ein aufeinander abgestimmtes Vorgehen die Erfüllung der in den Unternehmensplänen vorgesehenen Daten sicherzustellen. Gerade in Zeiten unsicherer konjunktureller Verhältnisse, wie sie auch die Bundesrepublik seit Anfang der sechziger Jahre kennenlernt, ist das besonders wichtig.

Freilich wirken Konkunkturschwankungen auch auf die geschäftlichen Dispositionen kleiner und mittlerer Unternehmen, können hier möglicherweise sogar zum Zusammenbruch führen, eher als bei großen Unternehmen. Der Zusammenbruch eines mittelständischen Unternehmens hat jedoch bei weitem nicht die gesamtwirtschaftliche und gesamtgesellschaftliche Bedeutung wie etwa die krisenhafte Entwicklung eines Konzerns, wie z. B. Siemens mit seinen über 300 000 Beschäftigten.[71] So erscheint es naheliegend, wenn sich Staat und Wirtschaft heute in der Konzertierten Aktion an einen Tisch setzen, um über konjunkturpolitische, einkommenspolitische und alle anderen wirtschaftspolitischen Fragen zu sprechen und darüber nach Möglichkeit einen Konsensus herbeizuführen. Wandel in den ökonomischen Verhältnissen (größere Konjunkturanfälligkeit seit dem Ende der Aufbauphase) und (hierdurch teilweise bedingte) verstärkte Unternehmenskonzentration, verstärkte Zusammenarbeit von Staat und Wirtschaft treffen also zusammen und bedingen einander. Das gilt insbesondere auch für die »neue Wirtschaftspolitik« seit 1967.[72]

4.2. WANDEL DER VERFASSUNG ALS FOLGE DER NEUEN POLITIK

Die vorherigen Erörterungen dienten dem Zweck, zunächst aufzuzeigen, daß der ›Begriffsapparat‹ der deutschen Staats- und Verfassungsrechtslehre noch immer weitgehend auf den liberalen Vorstellungen von Staat und Gesellschaft beruht und daß diese Vorstellungen auch weitgehend der Interpretation des Grundgesetzes zugrunde liegen. Hierbei hatten wir besonders auf den Zusammenhang von ökonomischem und staatsrechtlichem Denken hingewiesen und zu zeigen versucht, daß trotz aller Veränderungen im ökonomischen Bereich der staatsrechtliche ›Begriffsapparat‹ weitgehend aufrechterhalten wurde.

Im folgenden soll untersucht werden, welche Wirkungen von der neuen, seit 1967 betriebenen Politik (die wir als Ausdruck eines Wandels des gesamten politischen Gemeinwesens betrachten) auf die Verfassung ausgehen. Hierbei ist es nicht Ziel der Untersuchung, die Verfassungswidrigkeit oder Verfassungsmäßigkeit der neuen Politik oder einzelner ihrer Maßnahmen zu erweisen. Statt dessen soll uns interessieren, ob nicht eine Verfassung, deren Begriffe und Institutionen noch weitgehend – und jedenfalls von der herrschenden Lehre – in einem liberalen Sinne verstanden werden, dadurch einen tiefgreifenden Wandel erfahren muß, daß die Gesellschaftspolitik und insbesondere die offizielle Wirtschaftspolitik sich im Rahmen der allgemeinen wirtschaftlichen Entwicklung einen weiteren großen Schritt von liberalen Ordnungsvorstellungen entfernt, und ob deswegen nicht auch die Begriffe und Institutionen der Verfassung einem Bedeutungswandel unterliegen.[73] Um diesen Fragen nachzugehen, bedienen wir uns zweier verschiedener Ansätze:

Zunächst soll die neue Politik generell verfassungspolitisch und verfassungsrechtlich eingeordnet werden und ihre Auswirkungen auf das herkömmliche rechtsstaatliche Begriffssystem generell betrachtet werden. Sodann soll die Wirkung der neuen Wirtschaftspolitik auf einige zentrale verfassungsrechtliche Institutionen aufgezeigt werden, und die im Zusammenhang mit der neuen Wirtschaftspolitik vorgenommenen Änderungen des Verfassungsrechts und des einfachen Rechts sollen daraufhin untersucht werden, welche Bedeutung sie in dem dargestellten Zusammenhang haben.

4.2.1. Allgemeine verfassungspolitische und verfassungsrechtliche Einordnung der neuen Politik und ihre Auswirkung auf das herkömmliche rechtsstaatliche Begriffssystem

4.2.1.1. Aktive Wirtschaftspolitik und politische Planung als verfassungsrechtlich legitimierte Aufgaben

Die politische Bedeutung der neuen staatlichen Aktivitäten wird durch die allgemeine politische Diskussion in der Öffentlichkeit belegt. Sie bedarf keiner näheren Begründung. Oben ist ferner gezeigt worden, daß es sich hierbei nicht um eine zufällige Entwicklung handelt, die etwa nur die Folge einer veränderten Koalition im Bundestag ist, sondern daß es sich um eine folgerichtige Entwicklung handelt, die sich aus der allgemeinen wirtschaftlichen Entwicklung ergibt.[74]

Verfassungspolitisch und verfassungsrechtlich sind diese Aktivitäten dadurch wichtig geworden, daß der Verfassungsgesetzgeber sie ausdrücklich in den Wortlaut der Verfassung aufgenommen hat.[75]

Darüber hinaus wird die Erfüllung dieser Aufgaben nun auch schon von einem Teil der Verfassungsrechtslehre als verfassungsrechtlich legitimiert oder sogar geboten auf Grund der Art. 20 und 28 GG, also der zentralen verfassungsrechtlichen Bestimmungen, betrachtet.[76] Dementsprechend wird die längerfristige bzw. strategische oder politische Planung heute regelmäßig verfassungsrechtlich aus dem Sozialstaatsprinzip legitimiert.[77] [78]

Die Feststellungen sind wichtig für die Frage, ob es auch dieses Mal wieder gelingen wird, die staatlichen Aktivitäten, die nicht mehr ins herkömmliche liberale Konzept von Staat und Gesellschaft passen und deswegen auch mit dem herkömmlichen staatsrechtlichen ›Begriffsapparat‹ in Konflikt geraten, wieder mit diesem in Einklang zu bringen.

4.2.1.2. Verfassungspolitische und verfassungsrechtliche Bedeutung der neuen staatlichen Aktivitäten im System des liberalen Staats- und Gesellschaftsdenkens

In unserem Zusammenhang ist von besonderer Wichtigkeit, wo diese Aktivitäten verfassungspolitisch im Rahmen des liberalen Staats- und Gesellschaftsdenkens stehen. Damit ist folgendes gemeint:

Im Mittelpunkt des liberalen Staats- und Verfassungsrechtsdenkens stand und steht die Beziehung des einzelnen zum Staat. Wir haben gezeigt, wie schon von der Entstehung her alle staatsrechtlichen Institutionen und Begriffe weitgehend dem Ziel dienen, den einzelnen vor Übergriffen des Staates zu schützen. Ursprünglich sollte der einzelne frei sein von staatlichen Eingriffen, um auf der Grundlage des privaten Eigentums sich frei zu entfalten. Später trat unter dem Aspekt der Daseinsvorsorge und des punktuellen Interventionismus neben diese Abwehrhaltung der Gedanke, daß der Staat auch durch seine Hilfe die »freie Entfaltung der Persönlichkeit« seiner Bürger sichern müsse, wenn sie in Not geraten sind oder sonst aus eigener Kraft nicht dazu in der Lage sind.

Dieser Bereich staatlicher Aktivitäten wurde von Autoren wie Jesch und Rupp unter die rechtsstaatlichen Begriffe und Institutionen subsumiert, um sicherzustellen, daß die freiheitsverbürgenden rechtsstaatlichen Institutionen, die ursprünglich eine auf privatem Eigentum aufgebaute »freie Entfaltung der Persönlichkeit« vor willkürlichen Eingriffen sichern sollten, nun die auf Grund der eingetretenen soziologischen Veränderungen und erfolgten Neubewertungen von staatlichen Leistungen abhängige freie Entfaltung der Persönlichkeit ebenfalls vor staatlicher Willkür sichern. Damit war auch dieser neue Bereich des Verhältnisses Staat – Individuum wieder in das Zentrum rechtsstaatlicher Betrachtungsweise gerückt. Rechtstechnisch war das durch die Forderung nach der Ausdehnung des Vorbehalts des Gesetzes auf die Leistungsverwaltung geschehen.

Der soziologische Prozeß vom autonomen, den Staat abwehrenden einzelnen zum auf Daseinsvorsorge Angewiesenen setzt sich heute fort. Die Daseinsvorsorge wird heute teilweise abgelöst, teilweise ergänzt durch die neuen staatlichen Aktivitäten. Wurde im 19. Jahrhundert das private Eigentum als Garant der persönlichen Freiheit angesehen, der freien Entfaltung der Persönlichkeit, und trat später – bis in die sechziger Jahre unseres Jahrhunderts – die Hilfe des Staates (etwa im Falle der Arbeitslosigkeit, der Invalidität, der Wohnungsnot) hierneben, so wird es heute Aufgabe des Staates, durch seine die wirtschaftlichen (und gesellschaftlichen) Abläufe planende und steuernde Aktivität bereits das Eintreten solcher Gefahren für den einzelnen von vornherein zu verhindern. Die freie Entfaltung der Persönlichkeit wird heute als abhängig von der Sicherheit des Arbeitsplatzes betrachtet, daneben von einer angemessenen Ausbildung auf Grund staatlicher Bildungsplanung, staatlicher Gesundheitsfürsorge u. a., nicht mehr von privatem Eigentum und auch nicht bloß von staatlicher Unterstützung. »Freiheit ist heute vor allem Freiheit zum und am Arbeitsplatz und diese Freiheit ist zugleich *das* Eigentum der Bürger. Substanz von Freiheit und Eigentum sind Arbeitskraft und (Aus- und Weiter-)Bildung, ihre Substrate sind entsprechend zu schützen.«[79]

Die Entwicklung seit 1967 in dieser Hinsicht kann man vereinfacht und auf einen Aspekt reduziert auf die Formel bringen: Der Anspruch auf Arbeitslosenunterstützung wird ergänzt und überlagert durch die Verpflichtung des Staates, Arbeitslosigkeit durch Globalsteuerung zu verhindern.

Zu den bisherigen Fragen im Verhältnis Staat – Bürger ist somit neben die Abwehr hoheitlicher Übergriffe und neuen den Anspruch auf Hilfe für den in Not Geratenen die Verpflichtung des Staates getreten, den Bereich von Wirtschaft (und Gesellschaft) zu steuern, um das Eintreten solcher Notlagen von vornherein zu verhindern.

Das Staat-Bürger-Verhältnis wird durch staatliche Planung und Globalsteuerung aber nicht nur unter diesem sozialstaatlichen Freiheitsaspekt (im Sinne von

Arbeitsplatzsicherung und dergleichen), sondern auch unter dem liberalen Aspekt des Eingriffs in Grundrechtspositionen berührt. Hier ist (aus wissenschaftssoziologisch leicht verständlichen Gründen) auch schon in der juristischen Literatur eine lebhaftere Diskussion zu verzeichnen. Im Hinblick auf die Geldwertstabilität wird z. B. die Auffassung vertreten, daß die Eigentumsgarantie, die Sozialstaatsklausel und unter Umständen der Gleichheitssatz der öffentlichen Hand eine eigene inflationistische Politik größeren Ausmaßes verbiete.[80] Besonders intensiv ist die Frage des Staat-Bürger-Verhältnisses bisher bei globalsteuernden Maßnahmen mit den Mitteln der Steuerpolitik diskutiert worden.[81]

Dieser ganze Bereich staatlicher Aktivitäten müßte deswegen bei einer konsequenten Fortentwicklung des Rechtsstaatsdenkens, wie sie besonders von Jesch und Rupp vertreten worden ist, der gleichen Betrachtungsweise unterworfen werden, die diese Autoren auch auf die früheren neuen Beziehungen zwischen Staat und Bürger angewendet haben. Der neue Bereich staatlichen Handelns müßte verfassungspolitisch zu dem für das liberale Verfassungsrechtsdenken zentralen Bereich des Verhältnisses Staat – Bürger gerechnet werden; positiv-rechtlich müßten die dieses Verhältnis bisher regelnden Rechtssätze auch auf diesen Bereich ausgedehnt werden. Die zentrale Forderung von Jesch und Rupp – die Ausdehnung des Gesetzesvorbehalts auf die Leistungsverwaltung – bedeutete zumindest theoretisch die Unterwerfung der exekutiven Tätigkeit auf diesem Gebiet unter das Parlament. Das war nicht bloßer Selbstzweck, sondern sollte dem einzelnen gegenüber der Exekutive einen gesetzlichen Anspruch einräumen und die gerichtliche Überprüfbarkeit garantieren. Die Verrechtlichung der Staat-Bürger-Beziehung auch in diesem Bereich sollte den Bürger vor staatlicher Willkür sichern.[82]

Die Untersuchung der Auswirkungen der neuen staatlichen Aktivitäten auf die herkömmlichen rechtsstaatlichen Begriffe wird zeigen, daß es kaum wieder gelingen kann, diesen Bereich staatlicher Aktivität den ›freiheitsverbürgenden‹ rechtsstaatlichen Begriffen unterzuordnen, wie es Jesch und Rupp hinsichtlich der Daseinsvorsorge getan haben.

Interessant ist daher auch Rupps eigene Stellungnahme zu den neuen staatlichen Aktivitäten. Rupp versucht heute kaum mehr die Fortentwicklung der rechtsstaatlichen Begriffe im Hinblick auf die eingetretene tatsächliche Lage, sondern warnt vielmehr vor der tatsächlichen Entwicklung und stellt ihre Verfassungsmäßigkeit in Frage.[83]

4.2.1.3. Die Trennung von Staat und Gesellschaft

Wir hatten oben[84] festgestellt, daß der Begriff des liberalen Rechtsstaates (und die dazugehörenden Begriffe: Teilung der Gewalten mit Parlamentarismus, allgemeines Gesetz, Grundrechte und Privatrechtsordnung) seiner Entstehung nach eng verbunden ist mit der Vorstellung einer Trennung von Staat und Gesellschaft. Wir haben ferner zu zeigen versucht, daß dieses Trennungsdenken sich in der staats- und verfassungsrechtlichen Begriffswelt tradiert hat auch auf die Auslegung und das

Verständnis des Grundgesetzes. Schließlich haben wir zu zeigen versucht, daß schon die Staatstätigkeit in der BRD, die wir als punktuellen Interventionismus oder Daseinsvorsorge bezeichnen, zwar mit den ursprünglichen liberalen Vorstellungen einer Trennung von Staat und Gesellschaft eigentlich auch nicht mehr in Einklang sind, daß sich diese staatlichen Aktivitäten jedoch noch einigermaßen an die ›klassischen‹ Staatsaufgaben der Gefahrenabwehr und Störungsbeseitigung anschlossen, insofern sie genau wie diese nicht versuchten, den Gesellschaftsprozeß zu steuern, um solche Gefahren von vornherein unmöglich zu machen, sondern nur eingetretene Störungen oder drohende Gefahren jeweils beseitigen sollten.

Infolgedessen hatte die Einordnung der neuen Staatsaufgaben in den herkömmlichen ›Begriffsapparat‹ noch einigermaßen gelingen können.

Als besonders typisch für diesen Versuch sei hier noch einmal auf Forsthoff verwiesen.

Seine Lösung beruhte auf der Vorstellung, der Sozialstaat sei ein reaktiver, aus der jeweiligen Situation handelnder Staat, dessen Handlungen mehr den Anforderungen der Lage als allgemeinen politischen Konzeptionen folge.[85] Damit war die Vorstellung der Trennung von Staat und Gesellschaft noch vereinbar. Denn die dem liberalen Modell zugrunde liegende Vorstellung wurde solange noch nicht endgültig aufgegeben, wie man glaubte ohne eine planmäßige Steuerung des gesellschaftlichen (hier insbesondere des wirtschaftlichen) Bereichs auszukommen, vielmehr in den prinzipiell sich selbst steuernden Bereich nur eingriff, um eventuell auftretende Störungen zu beseitigen.

Forsthoff selbst hat dazu ausgeführt: »Die freiheitsstiftende rechtsstaatliche Verfassung steht und fällt mit der Unterscheidung von Staat und Gesellschaft.«[86] Forsthoff denkt dabei nicht an jenen ›Nachtwächterstaat‹ des vorigen Jahrhunderts, sondern sieht auch in der Bundesrepublik der fünfziger Jahre, als der Staat nur punktuell intervenierte, Daseinsvorsorge betrieb, die Trennung von Staat und Gesellschaft gegeben. Denn seinerzeit glaubte er noch an die Möglichkeit, »das Grundgesetz auch unter den heutigen Verhältnissen als eine liberal-rechtsstaatliche Verfassung so zu verstehen und auszulegen, wie rechtsstaatliche Verfassungen eh und je ausgelegt worden sind.«[87]

Demgegenüber ist die grundlegende Feststellung im Hinblick auf die neue (Wirtschafts-)Politik, daß das Trennungsdenken von Staat und Gesellschaft nicht länger aufrechterhalten werden kann.

Das ergibt sich unter zwei Gesichtspunkten:

Zum einen wird der wirtschaftliche und gesellschaftliche Bereich nicht mehr als autonom betrachtet, der staatlichen Eingriffen entzogen ist oder in den der Staat nur ›intervenieren‹ darf, wobei impliziert ist, daß es sich immer noch um einen an sich eigenständigen Bereich handelt. Vielmehr ergibt sich aus unserer kurzen Darstellung der seit 1967 betriebenen Politik, daß der Versuch unternommen wird, die wirtschaftliche Entwicklung seitens des Staates durch Globalsteuerung und ansatzweise durch langfristige Planung planvoll zu gestalten.[88] Dieser Versuch der Gestaltung erstreckt sich prinzipiell auf die gesamte »Sozialordnung«, die »nicht mehr wie im bürgerlichen Rechtsstaat vorausgesetzte Gegebenheit, sondern Gegenstand gemeinschaftlicher Gestaltung«[89] ist.

Zum anderen findet zwischen dem Staat und privaten Organisationen im Rahmen der Konzertierten Aktion eine institutionell abgesicherte Zusammenarbeit statt.

Die Tatsache, daß der Dualismus von Staat und Gesellschaft angesichts der neuen Entwicklung nicht länger aufrechterhalten werden kann, wird auch in der juristischen Literatur von den Autoren, die sich mit der neuen Wirtschaftspolitik befassen, weitgehend anerkannt.[90]

Einige Autoren haben das unter dem Aspekt behandelt, daß nun nicht mehr das Gesetz gegen Wettbewerbsbeschränkungen, sondern das Stabilitätsgesetz das »Grundgesetz der Wirtschaft« sei.[91] Von anderer Seite ist dem freilich entgegengehalten worden, es handele sich hierbei um keinen Gegensatz,[92] denn das Stabilitätsgesetz mit seiner Globalsteuerung betreffe nur den Makrobereich, während im Mikrobereich immer noch das GWB und der Wettbewerb herrschten.[93]

Mit einer solchen, eher verdeckenden Darstellung wird man dem eigentlichen Problem freilich nicht gerecht. Das Wort vom ›Grundgesetz der Wirtschaft‹ mag zwar dem Staats- und Verfassungsrechtler fremd klingen, macht jedoch die wichtige Funktion anschaulich deutlich, die nach der Regierungsbegründung und der Begründung des wirtschaftspolitischen Ausschusses des Bundestages das GWB im Rahmen der gesamtgesellschaftlichen Ordnung haben sollte; das ist bereits oben dargestellt worden.[94] Von Bedeutung für das Gebiet des Verfassungsrechts ist hierbei der Umstand, daß die wirtschaftlichen Gegebenheiten – der ordnungspolitische Rahmen –, die durch das GWB gewährleistet werden sollten, nicht nur für eine bestimmte Wirtschaftspolitik konstitutiv waren, sondern zugleich – wie wir aufzuzeigen versucht haben – dem ›herrschenden‹ Staats- und Verfassungsverständnis zugrunde liegen.

Überlegungen dieser Art sind bisher besonders von Biedenkopf[95], Ritter[96] und später von Rupp[97] publiziert worden. Mit Recht weist Ritter darauf hin, daß die »Normkollisionen« zwischen GWB und Stabilitätsgesetz Symptome »eines ordnungspolitischen Zielkonfliktes« seien, der – darauf würden wir den Hauptakzent legen – bis in gegensätzliche Staats- und Gesellschaftsbegriffe hineinreiche. Ritter verweist auf die historische Verwurzelung des GWB im Neoliberalismus, für den der Wettbewerb nicht nur eine wirtschaftliche Funktion gehabt habe, sondern darüber hinaus eine ordnungspolitische: durch Streuung und Kontrolle privater wirtschaftlicher Macht eine in sich freie Gesellschaftsordnung zu schaffen. Damit werde zugleich gegen korporative und pluralistische Ordnungsvorstellungen Front gemacht und den intermediären sozialen Organisationen eine Ordnungsfunktion abgesprochen – eine Vorstellung, die letztlich auf der Trennung zwischen ›privater‹ Gesellschaft und ›öffentlichem‹ Staat basiere. Durch die Globalsteuerung mit Konzertierter Aktion werde die Trennung von Staat und Gesellschaft aufgegeben.[98]

Folgerichtig wird daher auch von Juristen, die besonders stark in der neoliberalen Tradition stehen, die Verfassungsmäßigkeit der neuen Wirtschaftspolitik in Frage gestellt.[99]

Freilich ist das Trennungsdenken auch früher schon von einigen Autoren abgelehnt worden, jedoch handelte es sich hierbei nicht um eine empirische Feststellung, sondern um ein politisches oder juristisches Postulat.

Demgegenüber handelt es sich nun darum, daß dieses Trennungsdenken wegen der Veränderungen der Wirklichkeit nicht länger aufrechterhalten werden kann. Das soll an Hand der Konzertierten Aktion noch weiter behandelt werden.

Die gesellschaftspolitischen Veränderungen, auf denen die Konzertierte Aktion einerseits beruht und die sie – jene Veränderungen weiter vorantreibend – auch bewirken soll, sind vom früheren Bundesminister für Wirtschaft und Finanzen, Karl Schiller, immer wieder betont worden. Zusammenfassend lassen sich diese Äußerungen dahingehend deuten, daß die Anwendung der Konzertierten Aktion als Mittel der Wirtschaftspolitik eine bewußte Abkehr vom liberalen Modell von Staat und Gesellschaft ist.

Schiller hat die gesellschaftspolitische Bedeutung der Konzertierten Aktion stets betont. Die Konzertierte Aktion habe unsere gesellschaftspolitische Landschaft verändert und werde sie weiter verändern.[100] Es gehe bei ihr um den Status des einzelnen und der Gruppen in der modernen Gesellschaft.[101] Die moderne Industriegesellschaft sei geprägt durch die organisierten Gruppen. Zu den Angriffen von Biedenkopf meint Schiller, Biedenkopf gehe vom altliberalen Modell der absoluten Privatrechtsordnung aus. Dieses Modell sei überholt. Das sei das alte Modell der atomistischen Konkurrenz, bei dem Millionen von unabhängigen Wirtschaftssubjekten das Gleichgewicht auf dem Markt herbeiführten. Wir lebten in einer anderen Gesellschaft, die zu großen Organisationen aggregiert sei. Diese Organisationen seien für die moderne Politik, nicht nur für die Wirtschaftspolitik, eine Herausforderung.[102] Wer zu diesen Aggregaten in ein negatives Verhältnis komme, der könne schließlich in dieser Gesellschaft nicht regieren.[103] Die Konzertierte Aktion versteht Schiller als Instrument eines gesellschaftspolitischen Integrationsprozesses.

Der Sachverständigenrat hat die Konzertierte Aktion sogar als neuen ›contrat social‹ bezeichnet;[104] er spricht von einem »Friedensschluß« der autonomen Gruppen »vor einem möglichen Verteilungskampf«[105].

Diese Vorstellungen sind von den liberalen Vorstellungen einer Gesellschaft gleich machtloser Individuen weit entfernt.[106]

Der Wandel läßt sich weiter verdeutlichen, wenn man sich noch einmal das Konzept der Neoliberalen vor Augen führt, das auf einer Verhinderung privater Macht oder zumindest ihrer Eindämmung und Kontrolle durch den Staat beruhte, während sich der Staat nach dem Konzept der Konzertierten Aktion gerade dieser Macht bedient, um seine wirtschaftspolitischen Ziele zu erreichen.[107] Wohl mit Recht werden in diesem Zusammenhang auch die sog. Selbstbeschränkungsabkommen angeführt, die man durchaus als Ansätze einer Wirtschaftspolitik betrachten kann, die sich der Kartellierung als Instrument bedient.[108] Von hier läßt sich wohl eine Verbindung ziehen zu den Methoden der Wirtschaftspolitik der Weimarer Zeit und des Nationalsozialismus, die bewußt Kartelle als Mittel der Wirtschaftspolitik einsetzten.[109]

In der Konzertierten Aktion wird die Trennung von Staat und Gesellschaft durch das »Bündnis von Wirtschaft – Unternehmern und Arbeitnehmern – und Staat«[110] überwunden.[111] Die alte Vorstellung vom Staat einerseits und der Gesellschaft andererseits, die aus gleichen und machtlosen Individuen bestehen sollte, war zwar auch vorher schon von der Realität überholt, jedoch dürfte die gesetzliche Verankerung einer institutionellen Zusammenarbeit dennoch einen qualitativen Unterschied zum früheren Zustand bedeuten. Jedenfalls kann nun der Einfluß der Verbände auf die Regierung und die Zusammenarbeit zwischen jenen und dieser nicht mehr als quasi irregulär und illegitim betrachtet werden. Die Mitwirkung der Verbände an der Formulierung der Wirtschaftspolitik ist nun sogar zum erklärten Ziel der Bundesregierung geworden. Schiller hat dazu ausgeführt: »Wir befinden uns jetzt auf Wegen durch neues Gelände, wo also Oligopole und organisierte Gruppen zu Makrodezisionen Zugang haben – wenn sie sie nicht selber usurpieren, was nicht gut wäre.«[112] Und: »Wer ohne diese Gruppen Politik treiben will, der scheitert in seiner Politik. Mit der Konzertierten Aktion haben wir eine flexible Methode gefunden, diesen autonomen Gruppen eine Mitwirkung an der Vorbereitung der Wirtschaftspolitik zu ermöglichen.« Die Feststellung über die neue Funktion der Verbände wird auch nicht dadurch abgeschwächt, daß Schiller anfügt: »Die politische Entscheidung selbst liegt dann bei Parlament und Regierung«.[113]
Mit Recht hat Forsthoff festgestellt, »der Staat ist genötigt, seine Macht mit den organisierten gesellschaftlichen Gruppen zu teilen«.[114]

4.2.2. Der Wandel der Verfassung im Hinblick auf einzelne Institute und Begriffe des Verfassungsrechts

4.2.2.1. Der Gesetzesbegriff

Die zentrale Rolle des Gesetzesbegriffes im liberalen ›Begriffsapparat‹ haben wir bereits oben beschrieben.[115] Das braucht hier nicht wiederholt zu werden.

Ehmke[116] hat schon 1961 darauf hingewiesen, daß es kaum ein Problem gibt, an dem sich die Unhaltbarkeit der uns überkommenen Begriffswelt[117] so deutlich zeige wie beim Gesetzesbegriff. Dennoch hat der liberale Gesetzesbegriff mit der gesamten ›Begriffswelt‹ der liberalen Staats- und Verfassungsrechtslehre und trotz der erfolgten Umbrüche im positiven Verfassungsrecht sich bis heute gehalten.

Das bedeutet nicht, daß der Gesetzesbegriff sich überhaupt nicht gewandelt habe, und auch nicht, daß seine ursprüngliche soziale Funktion dieselbe geblieben wäre. Franz Neumann[118] hat den Wandel der Funktion des allgemeinen Gesetzes und insbesondere den Wandel im Hinblick auf die Generalklauseln dargestellt. Auch Ehmke hat darauf hingewiesen, daß die »liberal-ökonomische Forderung der formalen Allgemeinheit des Gesetzes im Sinne der ›Berechenbarkeit‹ übersieht, daß Gegenstand der gesetzlichen Regelung nicht eine in Freiheit, Gleichheit und Harmonie lebende Ansammlung von Individuen ist, sondern eine durch Monopole, Oligopole und Verbandsmacht bestimmte wirtschaftliche Wirklichkeit.«[119]

Dennoch läßt sich nicht leugnen, daß der Gesetzesbegriff seine *formalen* Funktionen beibehalten hat.[120] Die sozialen Veränderungen haben allerdings zum Begriff des Maßnahmegesetzes geführt,[121] das als dem Staat der Daseinsvorsorge und des punktuellen Interventionismus adäquat betrachtet werden kann.[122] Diese Art von Gesetzen führte allerdings schon zu einer gewissen Auflösung des herkömmlichen Gesetzesbegriffes,[123] war aber andererseits noch weitgehend geeignet, seine formalen Aufgaben zu erfüllen. So sind z. B. Maßnahmen der Exekutive zur Erfüllung von Maßnahmegesetzen gerichtlich überprüfbar; das Maßnahmegesetz gewährleistet seiner Natur nach noch immer die grundsätzliche Unterordnung der Exekutive unter den Vorrang und Vorbehalt des Gesetzes.

Die neuen staatlichen Aktivitäten – kurz- und mittelfristige Wirtschaftssteuerung, mittel- und langfristige Planung – führen heute zu einem weitergehenden Wandel des Gesetzesbegriffes, der auch seine formalen Funktionen in Frage stellt.

Das soll im Hinblick auf die kurz- und mittelfristige Wirtschaftssteuerung insbesondere an Hand des Stabilitätsgesetzes, für die mittel- und langfristige Planung an entsprechenden Planungsgesetzen gezeigt werden. Schließlich soll untersucht werden, wie das Gesetz als Instrument hoheitlicher Regelung durch Maßnahmen der Fiskalpolitik ersetzt wird.

4.2.2.1.1. Wandel des Gesetzesbegriffes bei Gesetzen zur Globalsteuerung

Die Wirtschaftspolitik des punktuellen Interventionismus bestand im wesenlichen (wichtigste Ausnahme: die Notenbankpolitik) aus direkten Leistungen an einzelne Bürger oder Unternehmen. Solche direkten Leistungen können durch allgemeine oder durch Maßnahmegesetze geregelt werden. So kann beispielsweise die Zahlung von Arbeitslosenunterstützung durch allgemeines Gesetz, die Zahlung von Unternehmenssubventionen durch allgemeines oder durch Maßnahmegesetz geregelt werden. Wird der Staat jedoch zuständig, durch wirtschaftspolitische Maßnahmen dafür zu sorgen, daß Arbeitsplätze nicht verlorengehen und Unternehmen nicht infolge konjunktureller Schwankungen Schaden erleiden, so ist keine Möglichkeit ersichtlich, dieses neuartige Bürger-Staat-Verhältnis (hierzu gehört in dieser Terminologie auch das Verhältnis Staat – Unternehmen) generell und abstrakt oder auch maßnahmegesetzlich zu regeln, weil das Wohlergehen der Betroffenen nicht von der auf den einzelnen zielenden wirtschaftspolitischen Maßnahme, sondern von einer zutreffenden Globalsteuerung abhängt.

Das Stabilitätsgesetz ist dennoch ein Versuch, eine allgemeine Normierung des diesbezüglichen Handelns der Exekutive vorzunehmen; seine Vorschriften regeln, wann und wie die Regierung zum Zwecke der Konjunktursteuerung tätig werden soll. Eine nähere Analyse des Gesetzes im Hinblick auf den herkömmlichen Gesetzesbegriff zeigt jedoch, daß es diesem Begriff nicht mehr entspricht.[124] [125]

Dieses Problem ist – nicht bezogen auf das Stabilitätsgesetz – schon auf der Staatsrechtslehrertagung im Jahre 1965 von Roman Herzog angesprochen worden.[126] Herzog hat darauf hingewiesen, daß es für die Gesetzgebungstätigkeit der Exekutive gegenüber eine *tatsächliche* Grenze gebe, die sich aus der schwierigen

Konkretisierbarkeit der zu regelnden Verwaltungsaufgaben ergebe. Diese tatsächliche Grenze sieht er in der Möglichkeit der Konkretisierbarkeit des zu regelnden Gegenstandes. Er unterscheidet in diesem Zusammenhang den Typ der kompakten Norm, der eine klar umrissene Situation vor Augen habe und zu ihrer Bewältigung auch klar umrissene Aufträge erteile, und den Typ der diffusen Norm, bei der dies gerade nicht der Fall sei, sondern der Eindruck entstehe, als habe der Gesetzgeber in der Erkenntnis, daß die Verwaltung ohne Ermächtigung nun einmal nicht handeln dürfe, die Ermächtigung eben geschaffen, alles übrige dann aber bereitwillig der Verwaltung wieder überlassen.

Daß Herzog hierbei schon an die uns interessierende Problematik denkt, ergibt sich aus den Beispielen, die er zur Erläuterung anführt. Als Beispiele für ›kompakte Normen‹ nennt er die Gewerbeordnung, das Polizeiverwaltungsgesetz und die Steuergesetze, also alles Gesetze, die für den liberalen Rechtsstaat typisch sind, Gesetze, die der Aufrechterhaltung der öffentlichen Sicherheit und Ordnung oder der Staatsfinanzierung dienen, deren tatbestandsmäßige Voraussetzungen und deren Rechtsfolgen im klassischen Sinne generell und abstrakt formuliert werden konnten. »Wer den Text der Gewerbeordnung oder des Polizeiverwaltungsgesetzes liest, ja selbst wer mit einem gewissen Sachverstand die einzelnen steuerrechtlichen Gesetze liest, weiß in groben Umrissen, wie sich die Verwaltung bei der Ausführung dieser Gesetze verhalten wird.«[127] Als Beispiel für den Typ der ›diffusen Norm‹ nennt er das Bundesbankgesetz.[128] Herzog führt zum Unterschied zwischen Gesetzen wie Gewerbeordnung, Polizeiverwaltungsgesetz und Steuergesetzen einerseits und Bundesbankgesetz andererseits weiter aus, bei jenen könne und müsse sich die Verwaltung im wesentlichen darauf beschränken, das Gesetz zu vollziehen, während die Deutsche Bundesbank zuerst die Maßstäbe ihres Handelns selbst erarbeiten müsse und, wenn dies geschehen sei, die selbst erarbeiteten Handlungsmaximen vollziehe, das Gesetz aber allenfalls beachte.

Dies ist auch der Grund, weswegen – im Gegensatz zum klassischen Gesetz – die Voraussehbarkeit staatlichen Handelns in Erfüllung solcher Gesetze nicht mehr gegeben ist.

Herzog betont mit Recht ausdrücklich, daß die hier vorgenommene Unterscheidung nicht notwendig etwas mit den Rechtsfiguren der Ermessensermächtigung und der Generalklauseln zu tun hätte. In der Tat machen die gewählten Beispiele dies sehr deutlich, da auch das Polizeiverwaltungsgesetz diese beiden Rechtsfiguren verwendet. Die Frage, ob die Verwaltung aus Gründen des verfassungsrechtlichen Gesetzesvorbehalts auch dort der gesetzlichen Ermächtigung bedürfe, läßt Herzog offen. Sicher sei aber, daß die Grenze des Gesetzes*vollzugs*, wenn dieses Wort überhaupt einen Sinn haben solle, weit abseits der vom Vorbehalt gezogenen Linie verlaufe.

Damit hat Herzog das hier interessierende Problem klar angesprochen. Die Gesetze, die Herzog als diffuse Normen bezeichnet, die sich nach Herzogs Meinung aus der Natur der Sache, d. h. der zu regelnden Materie, ergeben, entziehen sich dem hergebrachten Gesetzesbegriff, weil sie nicht im herkömmlichen Sinne vollzogen werden können. Die Maßstäbe des Handelns nach dem Gesetz werden nicht mehr allein vom Gesetzgeber aufgestellt, sie müssen von der Exekutive erst erarbeitet werden. Herzog spricht in diesem Zusammenhang sogar von einem faktischen Vorbehalt der Exekutive.[129]

Der Unterschied zwischen der verfassungsrechtlichen Situation, die Herzog vor Augen hatte, und dem, was wir beschreiben, ist freilich, daß es sich beim Bundesbankgesetz um einen Einzelfall handelte, der nicht im Mittelpunkt des politischen Interesses stand und weitgehend vernachlässigt werden konnte und auch vernachlässigt wurde.

Dem Bundesbankgesetz entspricht heute aber unter dem von Herzog angesprochenen Gesichtspunkt die Gesetzgebung zur neuen Wirtschaftspolitik, also in erster Linie das Stabilitätsgesetz. Beide Gesetze sind ihrer Struktur nach eng verwandt; das ist zunächst eine einfache Folge des Umstandes, daß beide die gleiche Materie regeln, nämlich die makroökonomische Steuerung der Wirtschaft. Was Herzog über das Bundesbankgesetz sagt, daß die Bundesbank es nicht im herkömmlichen Sinne vollziehen könne, gilt in gleicher Weise für das Stabilitätsgesetz und die hierfür zuständigen Organe.

In der Literatur zum Stabilitätsgesetz ist wiederholt die Frage erörtert worden, wie dessen § 1 rechtlich zu qualifizieren sei. Stern hat dazu ausgeführt:[130] »§ 1 verpflichtet die Finanz- und Wirtschaftspolitik auf bestimmte Ziele. Er gewährt also keine Wahlfreiheit, die für eine Ermessensregelung kennzeichnend wäre, sondern statuiert unabdingbar eine Rechtspflicht, schreibt also zwingend eine Rechtsbindung vor (Art. 20 III GG). § 1 gehört insoweit zum ius strictum und ist nicht bloßer Programmsatz.« Auch Friauf[131] nimmt an, daß § 1 StabG eine echte Rechtspflicht begründe für die in Frage kommenden Staatsorgane. Dieser Meinung sind auch Vogel und die Autoren des von Möller herausgegebenen Kommentars zum Stabilitätsgesetz.[132]

Solche Vorstellungen – insbesondere die von Stern – bewegen sich noch ganz im Rahmen des herkömmlichen Gesetzesbegriffs und können deswegen dem § 1 StabG nicht gerecht werden, führen vielmehr zu Widersprüchen. Denn mit dem herkömmlichen ›Begriffsapparat‹ ist dieses Gesetz nicht mehr erfaßbar. Sterns Feststellung etwa, § 1 statuiere eine unabdingbare Rechtspflicht, räume keine Ermessensfreiheit ein, wird aussagelos, wenn man mit Friauf der Meinung ist, den nationalökonomischen Postulaten des Magischen Vierecks fehle selbst ein Minimum an konkretisierbarem Rechtsgehalt.[133] Mit Recht hat Biedenkopf[134] ausgeführt, daß auch der Terminus des ›unbestimmten Rechtsbegriffs‹ für die im § 1 StabG genannten Ziele versage.[135] Sie ließen sich zwar noch formal als unbestimmte Rechtsbegriffe einordnen, seien aber nicht mehr konkretisierbar.[136] Stern hatte seine Meinung aus dem Wortlaut »haben ... zu beachten«, »sind so zu treffen, daß« abgeleitet.[137] Demgegenüber führt Friauf mit Recht aus,[138] wer dem § 1 materielle Kriterien zu entnehmen versuche, der lasse sich von einer Etikettierung täuschen. Es gebe keine objektivierbare und erst recht keine rechtliche Aussage darüber, welches Wachstum ›angemessen‹ sei, welche Wachstumsdifferenzen zwischen den verschiedenen Wirtschaftszweigen toleriert werden könnten, bei welchen Prozentsätzen an Arbeitslosen noch Vollbeschäftigung herrsche. »Infolgedessen muß es zwangsläufig zur politischen Dezision kommen. Die Frage lautet nicht: ›Was ist angemessen‹, sondern ›Quis iudicabit?‹«

Diese Feststellungen, denen voll zuzustimmen ist, sagen nun aber nichts anderes aus, als was Herzog im Hinblick auf das Bundesbankgesetz ausgeführt hat. Der Gesetzgeber hat zwar »in der Erkenntnis, daß die Verwaltung ohne Ermächtigung nun einmal nicht handeln darf, diese Ermächtigung eben geschaffen«,[139] die Kriterien, nach welchen zu handeln ist, müssen aber recht eigentlich erst von der Exekutive durch »politische Dezision« festgelegt werden. Anders ausgedrückt, die »politische Dezision« liegt nicht mehr beim Parlament, sondern bei der Exekutive. Götz[140] hat deswegen mit Recht ausgeführt, das Stabilitätsgesetz sei kein Gesetz wie jedes andere und schon gar kein Verwaltungsgesetz.[141]

Der Wandel, den der Gesetzesbegriff hier durchmacht, zeichnet sich auch in neueren Stellungnahmen zum Stabilitätsgesetz ab. So bejaht z. B. R. Schmidt[142] die Erforderlichkeit einer »großzügigen Ermächtigungsbasis für die beweglichere Exekutive« und meint, es wäre verfehlt, diese Notwendigkeiten einer modernen Legislativtechnik an einem liberalen Kodifikationsideal zu messen. Der offene und fragmentarische Charakter des Gesetzes gehöre zur Normalität einer demokratisch verfaßten Industriegesellschaft.[143]

Nun brauchte man von diesem Umstand sicher nicht so viel Aufhebens zu machen, wenn das Stabilitätsgesetz ebensowenig im Mittelpunkt des politischen Interesses stände und ebenso einen Einzelfall bildete wie das Bundesbankgesetz und nicht unmittelbar das Bürger-Staat-Verhältnis beträfe und damit im zentralen Bereich des liberalen Rechtsstaatsdenkens stände. Dann könnte man sich damit begnügen, diese Art von Gesetzen mit einem neuen Begriff (z. B. »Plan-Programm«) zu versehen. Dies ist jedoch nicht der Fall.

Im Hinblick auf § 1 StabG haben die Autoren, die eine Rechtspflicht aus dieser Vorschrift angenommen haben, sich damit beholfen, einen subjektiven Anspruch des einzelnen auszuschließen, weil »die Rechtspflichten nur im Allgemeininteresse bestehen, nicht aber im Individualinteresse«.[144]

Mit diesem Hinweis ist das Problem, daß in einem wichtigen Bereich des Staat-Bürger-Verhältnisses nicht mehr der herkömmliche Gesetzesbegriff, nicht mehr der Vorbehalt des Gesetzes gilt, sondern – wie Herzog formuliert – der Vorbehalt der Exekutive, nicht ausgeräumt. Das Problem läßt sich über diese grundsätzliche Frage hinaus am Einzelfall verdeutlichen, z. B. an § 26 StabG.[145]

Durch diese Vorschrift wird die Bundesregierung ermächtigt, wenn eine Störung des gesamtwirtschaftlichen Gleichgewichts eingetreten ist oder sich abzeichnet, das Steuerrecht auch zu Lasten des Bürgers durch Rechtsverordnung zu verändern. Es ist allgemein anerkannt, daß durch das Steuerrecht der Grundrechtsbereich tangiert wird. Voraussetzung für die Zulässigkeit einer solchen grundrechtstangierenden Maßnahme ist nach dem § 26 Stabilitätsgesetz die Störung des gesamtwirtschaftlichen Gleichgewichts. Im Rahmen der Untersuchung des § 1 Stabilitätsgesetz haben wir gezeigt, daß dieser Begriff kein Gesetzesbegriff im herkömmlichen Sinne ist, sein Inhalt nicht vom Gesetzgeber festgelegt ist, sondern der politischen Dezision der Exekutive unterliegt. In der Rechtsstaatsterminologie fehlt es daher an der erforderlichen ›Bestimmtheit‹ der gesetzlichen Ermächtigung. Für den hier in Rede stehenden Erlaß von Rechtsverordnungen ist dieses Erfordernis durch Art. 80 Abs. 1 Satz 2 GG ausdrücklich vorgeschrieben (Inhalt, Zweck und Ausmaß der er teilten Ermächtigung müssen im Gestz bestimmt sein).[146]

Inhalt und Ausmaß der erteilten Ermächtigung dürften zwar hinreichend bestimmt sein, jedoch läßt sich dies vom Zweck dann nicht sagen, wenn man auch hier davon ausgeht, daß den national-ökonomischen Begriffen, wie sie § 1 Stabilitätsgesetz verwendet, »selbst ein Minimum an konkretisierbarem Inhalt fehlt«.[147] Die juristische Konkretisierbarkeit wird auch nicht dadurch geschaffen, daß der Begriff der Störung des gesamtwirtschaftlichen Gleichgewichts im § 26 durch die in der Volkswirtschaftslehre gängigen Indikatoren (»erhebliche Preissteigerungen« und »wenn die Nachfrage nach Investitionsgütern und Bauleistungen oder Verbrauchsgütern das Angebot wesentlich übersteigt«) näher umschrieben wird; denn diese Indikatoren gelten naturgemäß auch für den im § 1 gebrauchten Begriff.

Es ist interessant, daß in der Literatur zu § 26 StabG die Bestimmbarkeit der Ermächtigung des § 26 allgemein bejaht wird,[148] ohne daß das Problem der Konkretisierbarkeit des Begriffes »gesamtwirtschaftliches Gleichgewicht« an dieser Stelle wieder aufgegriffen wird.[149] Gerade dieser Umstand verdeutlicht den allmählichen, fast unmerklich eintretenden Wandel, den der Gesetzesbegriff erfährt.

Das Stabilitätsgesetz ist nicht das einzige Gesetz, das im Rahmen der neuen Wirtschaftspolitik oder in deren Zusammenhang erlassen worden ist und an dem sich der Wandel des Gesetzesbegriffes abzeichnet.

Die gleichen Probleme ergeben sich letztlich in allen Gesetzen, die die nationalökonomischen Begriffe des ›Magischen Vierecks‹ verwenden. Das gilt insbesondere auch für die Grundgesetzänderungen, durch die diese Begriffe in das Grundgesetz eingefügt worden sind, nämlich die Art. 104 a und 109 Abs. 2 und 4 GG. Das Problem scheint hier nur auf den ersten Blick etwas anders zu liegen, weil man die schwierige Konkretisierbarkeit verfassungsrechtlicher Normen schon eher gewohnt ist. Hier handelt es sich auch nicht direkt um das Staat-Bürger-Verhältnis; die Frage des Gesetzesbegriffes stellt sich hier freilich unmittelbar für den Bereich des Bund-Länder-Verhältnisses, wo er ebenso relevant ist.[150]

Bisher wurde das Bund-Länder-Verhältnis stets in einer dem Staat-Bürger-Verhältnis entsprechenden Weise interpretiert, insofern man davon ausging, daß die Kompetenzen eindeutig durch das Grundgesetz und eventuell durch Bundesgesetze festgelegt seien und daher auch Streitigkeiten zwischen Bund und Ländern justitiabel seien, d. h. vom Bundesverfassungsgericht entschieden werden könnten. Das wäre nach den erwähnten Verfassungsänderungen nur dann der Fall, wenn die Begriffe wie gesamtwirtschaftliches Gleichgewicht Rechtsbegriffe im herkömmlichen Sinne wären. Denn durch Art. 109 Abs. 2 GG werden die Länder verpflichtet, bei ihrer Haushaltswirtschaft den Erfordernissen des gesamtwirtschaftlichen Gleichgewichts

Rechnung zu tragen. Nach Art. 109 Abs. 4 GG können den Ländern durch Bundesgesetz hinsichtlich ihrer Kreditpolitik Vorschriften gemacht werden und kann ihnen auferlegt werden, eine Konjunkturausgleichsrücklage zu halten. Ähnliche Probleme ergeben sich auch im Rahmen des Art. 104 a Abs. 4 GG. Stern[151] hat dazu ausgeführt: »Dem gesamtwirtschaftlichen Gleichgewicht Rechnung zu tragen, sind Bund und Länder von Verfassungs wegen *verpflichtet;* hierdurch ist eine Rechtspflicht, nicht etwa eine bloß unverbindliche Empfehlung statuiert. Diese Pflicht ist an alle Organe adressiert, die in bezug auf die Haushaltswirtschaft tätig werden. Das sind vornehmlich die Legislative bei der Verabschiedung des Budgets und die Exekutive bei seiner Aufstellung und seinem Vollzug. Die Nichtbeachtung dieser Pflicht macht den vom Parlament beschlossenen Haushaltsplan verfassungswidrig; die Exekutive handelt Rechtsnormen zuwider. Als Kontrollinstanz kommt für den Bundestag nur das Bundesverfassungsgericht in Frage, das die Bundesregierung nach Art. 93 Abs. 1 Nr. 1 und 2 anrufen kann.«

Dementsprechend müßten auch die Länder gegen den Bund oder der Bund gegen die Länder das Bundesverfassungsgericht anrufen können, um eine haushalts- oder finanz- oder wirtschaftspolitische Maßnahme des jeweils anderen anzufechten bzw. herbeizuführen.[152]

Aber auch Stern hat schon einschränkend ausgeführt, jegliche Kontrolle sei natürlich davon abhängig, inwieweit der Begriff des gesamtwirtschaftlichen Gleichgewichts justitiabel sei. Geht man wieder davon aus, daß diesem Begriff »selbst ein Minimum an konkretisierbarem Inhalt fehlt«, daß die ›politische Dezision‹ nicht durch das Gesetz selbst, sondern erst vom Gesetzesadressaten zu fällen ist, ist die Justitiabilität ausgeschlossen.

Fraglich bleibt im Bund-Ländern-Verhältnis freilich, ob der Bund oder die Länder befugt sind, diese politische Dezision zu fällen. Rein formal könnte man die Frage dahingehend lösen, daß jeweils der Adressat der Norm zur Entscheidung berechtigt ist, so z. B. in Art. 109 Abs. 2 auch die Länder, in Art. 109 Abs. 4 GG nur der Bund. Diese Überlegungen sollen freilich nur zeigen, daß sich auch in diesem Bereich die Aufgabe des herkömmlichen Gesetzesbegriffs auswirkt und daß das durch diesen Begriff bisher geprägte Verhältnis von Bund und Ländern ebenfalls einen Wandel erfährt.[153] Aus der Sicht der bisherigen Rechtswissenschaft hat Biedenkopf[154] daher unter Berufung auf die juristischen Probleme, die sich im Bund-Länder-Verhältnis ergeben, mit Recht ausgeführt, die Integration solcher Begriffe in das normative Rechtssystem bleibe formal. Materiell müßten Rechtswissenschaft und -praxis vor solchen Begriffen kapitulieren. An der von Stern[155] geforderten »Maßstäblichkeit, ihrer Berechenbarkeit und Kontrollierbarkeit«, die seiner Meinung nach »über den freiheitlich-rechtsstaatlich-demokratischen Geist, mit dem das Stabilitätsgesetz angewendet wird«, entscheiden, fehlt es also gerade deswegen, weil sie sich dieser ganzen Begrifflichkeit entziehen.

4.2.2.1.2. Klassisches Gesetz und Plan

Wir haben oben bereits festgestellt, daß das klassische Gesetz des liberalen Rechtsstaates durch das Maßnahmegesetz in der Zeit der Daseinsvorsorge und des punktuellen Interventionismus ergänzt wurde. Das klassische Gesetz regelte die Beziehungen innerhalb des gesellschaftlichen Bereichs, ohne in diese – im Prinzip – ändernd eingreifen zu wollen. Die Maßnahmegesetze entsprachen – wie dargelegt – dem punktuellen Interventionismus. Sie sind wie dieser auf konkrete Situationen bezogen und unterscheiden sich insofern vom klassischen Gesetz, bilden jedoch wie die Maßnahmen des punktuellen Interventionismus kein kohärentes System aufeinander abgestimmter Regelungen.

Zu diesen beiden Arten des Gesetzes tritt in jüngerer Zeit der Plan. Zwar hat es auch schon früher eine große Anzahl von Plänen gegeben,[156] diese hatten jedoch weder die gleiche qualitative noch die gleiche quantitative Bedeutung. Denn die heutigen Planungen im Sinne von strategischer bzw. politischer mittel- und langfristiger Planung sind das charakteristische Instrument einer rationalen und planvollen Politik und müssen als typische neue Art der Regelung betrachtet werden.

Im Hinblick auf den Gesetzesbegriff ergeben sich durch das Aufkommen der Planung zwei verschiedene Probleme, nämlich, daß hier ein neues, vom Gesetz unterschiedenes Instrument staatlicher Regelung entstanden ist, und, daß die Gesetze, die bisher solche Planungen vorschreiben, mit dem herkömmlichen Gesetzesbegriff nicht in Einklang stehen.

Ähnlich wie Maßnahmegesetze knüpfen Pläne an konkrete, vorgegebene gesellschaftliche und wirtschaftliche Situationen an. Im Unterschied zu jenen ist es aber Aufgabe moderner Pläne bzw. Planungen, diese gesellschaftlichen und wirtschaftlichen Gegebenheiten zu gestalten. Sie sollen prinzipiell alle zu einem System von Plänen und Programmen gehören, die miteinander kohärent sind. Jeder einzelne Plan und das System aller Pläne sollen die konkreten Situationen, auf die sie sich beziehen, verändern und den gesellschaftlichen Bereich insgesamt gestalten.

Wie das klassische Gesetz regeln Pläne also die Beziehungen des gesellschaftlichen Bereiches und die dieses Bereiches zum Staat. Der Unterschied liegt in dem Umstand, daß Wirtschaft und Gesellschaft nicht als sich selbst überlassen betrachtet, sondern als planvoll gestaltungsbedürftig betrachtet werden.

Auf Grund dieser Überlegungen erscheint es richtig, die modernen Planungen in eine Entwicklungslinie vom klassischen Gesetz über das Maßnahmegesetz hin zum Plan zu stellen.[157] »Tatsächlich ist Planung gesellschaftlicher Entwicklungen ... nur ein Symptom dahinter liegender gesellschaftlicher Veränderungen, die einen tiefgreifenden Wandel der traditionellen Organ- und Funktionszusammenhänge des liberalen und parlamentarischen Verfassungsstaates bewirken.«[158] In der staats- und verfassungsrechtlichen Literatur wird diese neue Form staatlichen Handelns, die der Erfüllung neuer Aufgaben dient, regelmäßig verfassungsrechtlich aus dem Sozialstaatsprinzip der Art. 20 und 28 GG legitimiert.[159] Pläne werden vielfach als ›staatsleitende Gesamtakte‹ bezeichnet.[160]

In unserem Zusammenhang ist entscheidend, daß Pläne zur Verfassungswirklichkeit gehören, daß sie von der Verfassungsrechtswissenschaft als verfassungsrechtlich zulässig anerkannt werden, jedoch nicht in den herkömmlichen ›Begriffsapparat‹ hineinpassen.[161] Forsthoff[162] hat bereits auf die Probleme aufmerksam gemacht, die sich daraus für die Grundrechte ergeben, die auf die herkömmliche Rechtsstaatssystematik von genereller Norm und individuellem Eingriff angelegt sind. »In Wahrheit ist der Plan für die individuelle Freiheit ungleich einschneidender als der von der rechtsstaatlichen Dogmatik erfaßte Eingriff. Denn während der Eingriff Freiheit oder Eigentum nur sozusagen punktuell in der Form eines konkreten Zugriffs berührt, werden durch den Plan die Grenzen und Bedingungen der Möglichkeit individueller Freiheit festgelegt.« Pläne werden in der heutigen staatsrechtlichen Praxis häufig im ›gesetzesfreien Raum‹ erstellt. Insoweit ergibt sich vor allem das Problem des Verhältnisses der Legislative zur Exekutive.[163] Solche Pläne können freilich auch in Gesetzesform vom Parlament verabschiedet werden. Ein gutes Beispiel hierfür ist das Gesetz über den Ausbau der Bundesfernstraßen in den Jahren 1971 bis 1985 vom 30. 6. 1971.[164] Dieses Gesetz besteht im wesentlichen aus der Feststellung, daß das Netz der Bundesfernstraßen in den Jahren 1971 bis 1985 nach einem Bedarfsplan ausgebaut wird, der als Anlage dem Gesetz beigefügt ist. Die Form des Gesetzes ist von Wichtigkeit für das Verhältnis Legislative – Exekutive, betrachtet man aber nicht bloß die Form des Gesetzes, so wird deutlich, daß das ›Plan-Gesetz‹ auf dem Wege vom klassischen Gesetz zum Maßnahmegesetz einen weiteren Schritt vom klassischen Gesetz fort und über das Maßnahmegesetz hinaus bedeutet.

Soweit Pläne bisher durch Gesetz vorgeschrieben worden sind, läßt sich an diesen Gesetzen ein ähnlicher Wandel aufzeigen, wie wir ihn auch schon im Hinblick auf die Gesetze zur Globalsteuerung beschrieben haben.

Hierbei handelt es sich im wesentlichen um die Gesetze über die verschiedenen in das Grundgesetz eingefügten Gemeinschaftsaufgaben, das Gesetz über die Gemeinschaftsaufgabe ›Ausbau und Neubau der wissenschaftlichen Hochschulen‹ (Hochschulbauförderungsgesetz) vom 1. 9. 1969[165], das Gesetz über die Gemeinschaftsaufgabe ›Verbesserung der Agrarstruktur und des Küstenschutzes‹ vom 3. 9. 1969[166] und das Gesetz über die Gemeinschaftsaufgabe ›Verbesserung der regionalen Wirtschaftsstruktur‹ vom 6. 10. 1969[167].

Diese Gesetze sind formal sehr ähnlich. Sie beschreiben jeweils im § 1 die Gemeinschaftsaufgabe etwas näher,[168] stellen im § 2 ›allgemeine Grundsätze‹ auf, die die Ziele der auf diesem Gebiet zu verfolgenden Politik noch recht allgemein umschreiben. Sodann heißt es in einem § 4 oder § 5: »Für die Erfüllung der Gemeinschaftsaufgabe wird ein gemeinsamer Rahmenplan aufgestellt.« Zur Erstellung des Planes sollen Bundesregierung und Landesregierungen jeweils einen gemeinsamen Planungsausschuß bilden. Durchführung der Pläne ist jeweils Aufgabe der Länder.

Für diese Gesetze gilt in noch stärkerem Maße, was Herzog[169] im Hinblick auf das Bundesbankgesetz gesagt hat und was wir auch als zutreffend für das Stabilitätsgesetz erklärt haben, daß nämlich der Gesetzgeber in der Erkenntnis, daß die

Verwaltung ohne Ermächtigung nun einmal nicht handeln dürfe, diese Ermächtigung zwar geschaffen habe, die Kriterien, nach denen zu handeln sei, aber der ›politischen Dezision‹ der Exekutive überlassen habe. Hier ist diese politische Dezision dem gemeinsamen Regierungsausschuß übertragen. Denn welche Maßnahmen die Exekutive zur Erfüllung der Aufgaben zu treffen hat, das ergibt sich erst aus den aufzustellenden Plänen. Die §§ 1 und 2 der Gesetze stellen allenfalls Richtlinien auf, die man als politische Zielangabe bezeichnen kann und die der Planung zugrunde gelegt werden müssen. Die ›gesetzliche Regelung‹ enthält das Gesetz nicht, sie wird nicht als Gesetz, sondern als Plan von Regierungsausschüssen erarbeitet.

4.2.2.1.3. Verdrängung des Gesetzes durch fiskalische Maßnahmen

Von besonderer Wichtigkeit im Rahmen der Staat-Bürger-Beziehung ist neben dem Wandel des Gesetzesbegriffes die Verdrängung des Gesetzes als Instrument der Regelung dieser Beziehung durch die Mittel der Fiskalpolitik, die »im modernen Sozialstaat zum entscheidenden Mittel der gesamten Wirtschafts- und Sozialpolitik geworden ist und als solches über das ausschlaggebende Instrumentarium für die Verwirklichung der gesamtpolitischen Grundsatzentscheidungen verfügt«.[170]

Wir haben bereits oben darauf hingewiesen,[171] daß die Fiskalpolitik (neben der Geld- und Einkommenspolitik sowie der außenwirtschaftlichen Absicherung) eines der wesentlichen Instrumente der Globalsteuerung ist. Mit Recht stellt aber Friauf fest, daß die Fiskalpolitik darüber hinaus zum entscheidenden Instrument der gesamten Wirtschafts- und Sozialpolitik geworden ist. Denn dieser ganze Bereich ist letztlich untrennbar miteinander verbunden.

Hier ist zu untersuchen, welche Auswirkungen der Wandel von der herkömmlichen Finanzpolitik zur heutigen Fiskalpolitik[172] auf die rechtsstaatlichen Institutionen und Begriffe hat.

Ihren rechtlichen Niederschlag findet die Finanzpolitik u. a. in der Finanzverfassung. Friauf hat bereits konstatiert,[173] »daß die Finanzverfassung unter den Bedingungen des modernen Staates gar nicht anders als in unbedingter Homogenität mit der gesamten Verfassungsordnung gedacht werden kann«. Andernfalls würde sie das Verhältnis des Bundes zu den Ländern, des Parlaments zur Exekutive nicht weniger als die rechtsstaatliche Staat-Bürger-Beziehung »überlagern und weitgehend denaturieren«. Betrachten wir hier zunächst die Staat-Bürger-Beziehung, so können wir tatsächlich feststellen, daß diese durch den Wandel der herkömmlichen Finanz- zur modernen Fiskalpolitik wenn nicht »denaturiert«, so doch verändert worden ist.

Die alte Forderung der Finanzwissenschaft, wonach der Staatshaushalt ›neutral‹ sein sollte, d. h. keine Auswirkungen auf den Bereich von Wirtschaft und Gesellschaft haben sollte, sondern nur die notwendigen Mittel für die (beschränkten) staatlichen Aufgaben bereitstellen sollte, war ja nicht finanzwissenschaftlicher Selbstzweck, sondern paßte vollständig in das oben beschriebene liberale Modell von Staat und Gesellschaft und gehörte zu diesem.[174] Die Staat-Bürger-(bzw. Staat-Gesellschaft-)Beziehung sollte nur durch allgemeine vom Parlament beschlossene Gesetze geregelt werden. Damit waren zugleich alle rechtsstaatlichen Garantien für dieses Verhältnis impliziert. Die von Friauf für den ›modernen Staat‹ geforderte Homogenität von Finanzverfassung und gesamter Verfassungsordnung bestand also jedenfalls theoretisch in der liberalen Staats- und Gesellschaftsordnung. Sie war unmittelbar verbunden mit dem ›neutralen‹, sich auf seine Ordnungsfunktionen beschränkenden Staat.

Aus diesem Rahmen bricht die moderne Fiskalpolitik aus. Genauso wirksam wie durch gesetzliche Regelungen vermag der Staat mit Hilfe seiner Ausgaben- und Steuerpolitik (durch Subventionen und/oder Steuerbelastungen und Steuerentlastungen) ›gesetzesfrei‹ wirtschaftliche und gesellschaftliche Sachverhalte zu regeln. Regelungen solcher Art werden in der Literatur mit Recht ihrer Wirksamkeit nach mit gesetzlichen Verboten und Geboten auf eine Stufe gestellt.[175] [176]

Die wichtige tatsächliche Bedeutung dieser Art der Regelung ergibt sich aus dem großen Umfang der Subventionen[177] und aus der bedeutenden Rolle, die die Fiskalpolitik im Rahmen der Globalsteuerung spielt.[178]

Es ist inzwischen mehrfach darauf hingewiesen worden, daß durch die Verdrängung des herkömmlichen Gesetzes durch die Fiskalpolitik »die rechtsstaatliche Formtypik und das ihr entsprechende Rechtsschutzsystem in erheblichem Maße obsolet geworden sind.«[179]

Dieser Prozeß der Verdrängung hat freilich nicht erst mit der neuen Wirtschaftspolitik eingesetzt und wurde auch früher schon in der Staats- und Verfassungsrechtswissenschaft diskutiert.[180] Das Problem stellt sich heute jedoch deswegen akzentuierter, weil Fiskalpolitik seinerzeit im Gesamtrahmen des liberalen Staats-, Gesellschafts- und Wirtschaftsverständnisses, im Rahmen des nur punktuellen Interventionismus, nicht planmäßig und koordiniert betrieben wurde und deswegen auch als unangenehme Randerscheinung entweder vernachlässigt (Forsthoff: Verdrängung von der Verfassungsebene) oder der Versuch gemacht werden konnte, auch diesen Bereich unter die rechtsstaatliche Formtypik zu bringen (Jesch und Rupp mit der Behauptung, daß auch für diesen Bereich der Vorbehalt des Gesetzes gelte).

Wenn aber heute durch die systematische Anwendung der Fiskalpolitik für wirtschafts- und sozialpolitische und sonstige Zwecke diese »immer stärker in eine Komplementär- oder gar Ersatzfunktion anstelle des Rechts«[181] hineinwächst und finanzielle Wirkungsmechanismen, wie Friauf bemerkt, rechtliche Regelungen verdrängen, »wobei die regulatorische Intensität dieser ›Ersatznormen‹ oft weit größer ist, als sie bei rechtlichen Geboten überhaupt sein könnte«[182], dann scheiden solche Lösungsmöglichkeiten wohl aus.[183] Dann erscheint es gerechtfertigt, von einem Wandel des Verfassungsrechts zu sprechen, der die herkömmliche Staat-Bürger-Beziehung verändert, weil der Gesetzesbegriff verändert bzw. außer Kraft gesetzt worden ist.

Damit erlangen die Verfassungsänderungen, die die neue Finanzverfassung in das Grundgesetz ausdrücklich aufgenommen haben,[184] ein sehr viel stärkeres verfassungsänderndes Gewicht, als sie es bei isolierter Betrachtungsweise haben können.[185] Dann wird deutlich, daß nicht nur einige scheinbar unwichtige Artikel der

Finanzverfassung geändert worden sind, daß diese Änderungen vielmehr eine darüber hinausgehende Wandlung der Verfassung dokumentieren. Friauf[186] hat 1968 gemeint, »falls es nicht gelingen sollte, das finanzpolitische Instrumentarium in die rechtsstaatliche Ordnung des Grundgesetzes einzubetten, dann wäre diese Ordnung selbst auf das äußerste gefährdet«. Demgegenüber scheint uns, daß diese Einbettung in die rechtsstaatliche Ordnung, so wie diese Ordnung traditionell verstanden wird, der Struktur der in Rede stehenden Maßnahmen nach gar nicht möglich ist.

4.2.2.2. Grundrechte

Der die Wirtschaft und Gesellschaft planmäßig gestaltende Staat dürfte auch zu einem Wandel des Grundrechtsverständnisses führen.[187] Hier ergeben sich ähnliche Probleme wie beim Gesetzesbegriff, teilweise hängen sie unmittelbar miteinander zusammen. Das Grundrechtsverständnis ist eng mit dem Begriff des Gesetzes verquickt, eine Wandlung des Gesetzesbegriffes oder eine Verdrängung des Gesetzes aus dem Staat-Bürger-Verhältnis kann daher auch an den Grundrechten nicht spurlos vorübergehen.

Ein Wandel des Grundrechtsverständnisses zeichnet sich auf zwei verschiedenen Ebenen ab:

- Einerseits ist zu fragen, ob und inwieweit die Grundrechte auch als Abwehrrechte gegenüber den neuen Staatsaktivitäten wirksam sein können bzw. ob sie hierfür eine neue Interpretation erfahren.
- Andererseits wird zu untersuchen sein, ob die neuen staatlichen Aktivitäten eine Umwandlung der Grundrechte als Abwehrrechte in Rechte auf Leistung und Teilhabe bewirken werden.

4.2.2.2.1. Grundrechte als Abwehrrechte

Das herkömmliche Grundrechtsverständnis hat sich entwickelt an Hand der Eingriffsverwaltung. Es besteht in der Literatur Einigkeit darüber, daß die herrschende Grundrechtsinterpretation von einem liberalen und individualistischen Verständnis ausgeht.[188]

Sehr erhebliche Schwierigkeiten traten daher für das Grundrechtsverständnis schon in der Zeit der Daseinsvorsorge bzw. des punktuellen Interventionismus auf.[189] Auch hier kam es bereits zu neuen Grundrechtsinterpretationen, die nun wieder durch ihre Anwendung auf die jetzt neuen staatlichen Aktivitäten zu neuen Schwierigkeiten führen. Andererseits war seinerzeit eher ein Ansatzpunkt vorhanden, die Grundrechte auf die interventionistische Staatstätigkeit auszudehen. Denn hier handelt es sich in der Regel jeweils um direkte Einwirkungen des Staates auf einzelne Bürger, Gruppen oder Unternehmen, während für die jetzt neuen Aktivitäten gerade die indirekte staatliche Einwirkung typisch ist.

H. Wagner[190] hat an einem Beispiel der Anwendung des Gleichheitssatzes deutlich gemacht, wie die zunächst im Sinne liberaler Rechtsstaatsvorstellung konsequente Ausdehnung des Grundrechtsdenkens auf die leistende Verwaltung sinnwidrig wird, wenn sie nun auch auf die planvolle Gestaltung des Wirtschafts- und Gesellschaftsbereiches ausgedehnt wird, selbst wenn man sich noch der gleichen juristischen Form (hier der Finanzhilfe) bedient. Zugleich zeigt dieses Beispiel, daß die herkömmlichen juristischen Kategorien vor der neuen Wirklichkeit versagen: Wagner hat zur Frage der Anwendung des Gleichheitssatzes im Subventionsrecht (wo es sich immer um direkte Staat-Bürger- bzw. Staat-Unternehmens-Beziehungen handelt) ausgeführt: »Die Anwendung des Gleichheitssatzes im Subventionsrecht war richtig bei den Subventionen, die die Gerichte zunächst beschäftigt haben: Eingliederungs-, Wohnungsdarlehen, Studienförderung. Hier war es auch sozial und wirtschaftlich richtig, möglichst allen den Genuß der Subventionen zukommen zu lassen; widersinnig wird dies bei Lenkungssubventionen. Der Mißerfolg der Globalsubventionen in der Strukturpolitik (Landwirtschaft) hat es gezeigt; die Förderung von Projekten der Wachstumsindustrie muß sich zwangsläufig auf einzelne Unternehmen konzentrieren. Wer den Gleichheitssatz im Subventionsrecht anwendet, der erhebt das Gießkannenprinzip zum Verfassungsgrundsatz. Als uns Ipsen über den schleswig-holsteinischen Tanzlehrer berichtete, mußten wir lächeln; wenn er uns nun berichtet, daß laut Staatssekretär Neef die Bundeshilfe für den Kohlebergbau evtl. auf andere Wirtschaftszweige übertragen werden müsse, weil der Gleichheitssatz dies fordere, müßte es uns wohl gruseln.«

Bei der Globalsteuerung der Wirtschaft ergeben sich die Grundrechtsprobleme zunächst daraus, daß durch sie keine unmittelbare Staat-Bürger-Beziehung hergestellt wird, sondern die in diesem Bereich angewendeten Mittel indirekt auf den Bürger einwirken sollen. Dennoch tangieren sie in verschiedener Weise seinen Grundrechtsbereich. Das gilt sowohl für Unternehmen wie für den einzelnen Bürger. Mit Recht hat R. Schmidt[191] darauf hingewiesen, »daß auch bei reinen Globalmaßnahmen, wie z. B. der Änderung der Währungsparität, der Variation von Steuern, der Veränderung der Abschreibungsmöglichkeiten, der Diskontsatzfestsetzung, der Ansätze in den Haushaltsplänen u. a., jeweils ein Kreis von Personen zu finden ist, dessen besonderes Betroffensein die Frage nach einer Rechtsverletzung berechtigt erscheinen läßt«.

Globalsteuernde Maßnahmen sind im Hinblick auf Fragen der Grundrechtseinschränkung bisher vornehmlich im Hinblick auf den Unternehmensbereich, die Grundrechte des Unternehmens oder des Unternehmers behandelt worden.[192] Hier wird typischerweise die Frage nach der Zulässigkeit der Eingriffe in die »Unternehmensfreiheit«, »Marktfreiheit« oder »Wettbewerbsfreiheit« gestellt. In der Tat muß dieser Bereich durch praktisch alle globalsteuernden Maßnahmen berührt werden, denn es ist fast immer der Sinn solcher Maßnahmen, die Entscheidungen im Unternehmensbereich zu beeinflussen. So sollen etwa in Zeiten der Hochkunjunktur und einer Gefährdung der Preisstabilität die Gewinnaussichten der Unternehmen verschlechtert werden, um sie zu einer Reduzierung der geplanten Investitionen zu veranlassen. Das kann durch steuerrechtliche Maßnahmen (vgl. § 26 StabG), durch ausgabepolitische Maßnahmen (z. B. Einfrieren öffentlicher Mittel für den Straßenbau), durch geldpolitische oder außenwirtschaftliche Maßnahmen geschehen.[193]

Bei der Diskussion dieser Grundrechtsbeeinträchtigungen hat sich folgende Entwicklung ergeben: Zunächst ging man entsprechend der alten Grundrechtskonzeption des Grundrechts als Abwehrrecht gegenüber dem Staat davon aus, daß derartige Maßnahmen keine Wirkung auf den Grundrechtsbereich haben können, weil sie nicht unmittelbar wirken. Sie verbieten oder befehlen nicht direkt ein bestimmtes Handeln, sondern kommen zum annähernd gleichen Ergebnis durch finanziellen Anreiz oder finanzielle Abschreckung. Wegen dieses Effektes wurde nun überwiegend die Meinung vertreten, daß auch solchen indirekt wirkenden Maßnahmen gegenüber der Grundrechtsschutz zur Anwendung kommen müsse. Hierbei handelt es sich an sich wieder um eine konsequente Weiterentwicklung des liberal-rechtsstaatlichen Denkens. Aus naheliegenden Gründen ist dies Problem besonders im Hinblick auf Steuergesetze mit anderen als einnahmepolitischen Zielen diskutiert worden.[194] Bei diesen ergibt sich eine zusätzliche Besonderheit allerdings deswegen, weil zu dem indirekt wirkenden Eingriff in die Grundrechtssphäre noch ein direkter Eingriff durch die Steuerpflicht selbst entsteht. Im übrigen handelt es sich aber bei Steuergesetzen um kein anderes Problem als bei anderen indirekt wirkenden Mitteln der Globalsteuerung.[195] Bei Steuergesetzen ergibt es sich daraus, daß im Einklang mit der ursprünglichen Auffassung, wonach Steuergesetze nur der Einnahmeerzielung für die Erfüllung der allgemeinen Staatsaufgaben dienten, im wesentlichen die formalen Voraussetzungen des Gesetzes vorliegen mußten, um den steuerlichen Eingriff in den Grundrechtsbereich zu rechtfertigen. Insbesondere wurde allgemein ein Eingriff in den Schutzbereich des durch Art. 14 GG geschützten Eigentums abgelehnt.[196]

Werden Steuergesetze nun aber nicht bloß zur Einnahmeerzielung verwendet, sondern dienen sie praktisch als Ersatz für materielle Regelungen, so wurde folgerichtig gefordert, sie den gleichen grundrechtlichen Maßstäben zu unterwerfen wie diese.[197]

Das Bundesverfassungsgericht geht auch tatsächlich in dieser Weise vor, wie ein Vergleich zwischen den Beschlüssen zum Mineralölbevorratungsgesetz[198] und dem sog. Absicherungsgesetz[199] erweist. Beide Gesetze sind wirtschaftslenkender Natur. Das Mineralölbevorratungsgesetz ist jedoch ein Gesetz im klassischen Sinne, insofern es an bestimmte abstrakt und generell formulierte tatbestandsmäßige Voraussetzungen bestimmte Handlungspflichten als Rechtsfolge knüpft, die unmittelbar den vom Gesetzgeber verfolgten Zweck zum Inhalt haben. Demgegenüber wird der wirtschaftspolitische Zweck des Absicherungsgesetzes (Verminderung der Ausfuhr, Erhöhung der Einfuhr) nur indirekt angestrebt, indem der Gesetzgeber an die tatbestandsmäßigen Voraussetzungen lediglich eine Steuerpflicht knüpft, die die Unternehmen indirekt zu einem bestimmten vom Gesetzgeber erwünschten Verhalten veranlassen soll. In beiden Fällen prüft das Gericht die Verfassungsmäßigkeit an Hand der Grundrechte der betroffenen Unternehmen, insb. an Art. 12 Abs. 1 GG.[200]

Derartige Probleme des Grundrechtsschutzes gegenüber globalsteuernden Maßnahmen (nicht nur steuerpolitischen) hätten an sich auch früher schon auftauchen können, sind aber praktisch nicht wahrgenommen worden: die Probleme des Grundrechtsschutzes gegenüber den geldpolitischen Maßnahmen der Notenbank.

Ein Betroffensein durch Maßnahmen der Notenbank ist auf zwei Ebenen vorstellbar: Unmittelbar betroffen können die Geschäftsbanken sein, an die sich die Maßnahmen der Bundesbank großenteils direkt richten (z. B. Erhöhung der Mindestreserven, Veränderung der Diskont- und Lombardsätze, Festsetzung von Rediskontkontingenten etc.). Mittelbar betroffen sind aber auch alle übrigen Bürger, insb. die Unternehmen. Denn die Geschäftsbanken sollen ja durch die Maßnahmen der Bundesbank veranlaßt werden, entsprechende Maßnahmen gegenüber ihren Kunden vorzunehmen.

Das soll durch ein Beispiel verdeutlicht werden: Die Baufreiheit des Bürgers A kann in eindeutiger Weise beschränkt werden, indem ein entsprechendes Verbot oder eine Auflage etc. erlassen wird. Genauso wirksam kann aber sein, statt dessen den Diskontsatz so hoch zu setzen, daß der Bürger A (oder eine Gruppe von Bauwilligen) finanziell nicht mehr in der Lage ist, das beabsichtigte Bauvorhaben durchzuführen. Dennoch wurde nur die erste Maßnahme bisher als Grundrechtsproblem behandelt.

Diese Gruppe von Grundrechtsproblemen konnte – ebenso wie wir es hinsichtlich des Gesetzesbegriffes beim Bundesbankgesetz gesehen haben – vernachlässigt werden, solange es sich um einen Ausnahmebereich wie die Geldpolitik der Notenbank handelte, über deren Ausnahmesituation ein allgemeiner und stillschweigender Konsens herrschte. Wichtig werden diese Probleme auch hier, wenn diese Art der öffentlichen Verwaltung in den Mittelpunkt des staatlichen Handelns überhaupt rückt, wie es derzeit bei der staatlichen Wirtschafts- und insb. Konjunkturpolitik der Fall ist.

Das Beispiel der Bundesbank macht andererseits auch deutlich, daß die generelle Ausweitung des Grundrechtsschutzes auf diesen Teil der Staat-Bürger-Beziehung kaum vorstellbar ist. Das Bundesverfassungsgericht versucht zwar gegenüber wirtschaftslenkenden Gesetzen Grundrechtsschutz zu gewähren, jedoch zeigt eine nähere Betrachtung der Entscheidungen, daß auch hier ein wesentlicher Wandel gegenüber der sonst vertretenen Grundrechtsvorstellung eingetreten ist. Das Gericht räumt nämlich dem Gesetzgeber auf diesem Gebiet einen so weiten ›Beurteilungsspielraum‹ ein, daß von einer wirksamen Anwendung der Grundrechte auf diesem Gebiet praktisch kaum mehr die Rede sein kann.[201]

Einen ähnlichen Aspekt haben wir oben[202] bereits beim Gesetzesbegriff behandelt. Die Tatsache, daß die ökonomischen Begriffe des Stabilitätsgesetzes nicht mehr den Anforderungen des herkömmlichen Gesetzesbegriffes entsprechen, wirkt sich auch auf das Grundrechtsverständnis aus. Denn die ökonomischen Begriffe sind zugleich tatbestandsmäßige Voraussetzungen für wirtschaftspolitische Maßnahmen der Exekutive, die zu Eingriffen in den Grundrechtsbereich führen. Als Beispiel dafür können wir wieder die steuerrechtlichen Ermächtigungen des § 26 StabG anführen. Diese tatbestandsmäßigen Voraussetzungen entsprechen jedoch nicht mehr den herkömmlichen Forderungen der Bestimmtheit, die insbesondere an Gesetze, die zur

Grundrechtseinschränkung ermächtigen, gestellt werden. Da die Frage, unter welchen Voraussetzungen diese Grundrechtseinschränkungen zulässig sind, nicht mehr vom Gesetzgeber entschieden worden ist, sondern der ›politischen Dezision‹ der Exekutive unterliegt, ist auch eine gerichtliche Überprüfung nicht mehr möglich.

Ein ähnliches Problem wie das der Bestimmtheit der gesetzlichen Ermächtigung wird in der Literatur[203] unter dem Stichwort der Unschärfe des Eingriffs diskutiert. Bei einer globalsteuernden Maßnahme ist in der Regel nicht absehbar, welche Personen davon betroffen werden und wie stark sich der Eingriff auf den einzelnen auswirken wird. Auch das ist mit hergebrachten Vorstellungen nicht vereinbar.

Darüber hinaus versagten die ›Formtypik‹, der ›Begriffsapparat‹ gegenüber derartiger staatlicher Aktivität. Das soll an einem weiteren Detail beispielhaft verdeutlicht werden.

Das Bundesverfassungsgericht hat zu wirtschaftslenkenden Steuergesetzen mehrfach ausgeführt, daß das Gesetz nicht verhindern dürfe, die Steuer auf den Abnehmer zu überwälzen; ob ihm das gelinge, hänge von der Marktlage ab, und diese spiele für die Verfassungsmäßigkeit des Gesetzes keine Rolle.[204] Diese Auffassung geht offensichtlich von der Vorstellung aus, die Marktlage sei von staatlichen Einflüssen unabhängig. Nun ist es aber durchaus vorstellbar, daß die zuständigen wirtschaftspolitischen Instanzen gleichzeitig andere wirtschaftspolitische Maßnahmen treffen, die die Marktlage beeinflussen und die erst eine Marktlage schaffen, die die Überwälzbarkeit auf den Preis unmöglich machen. In Betracht käme etwa eine geld- oder fiskalpolitische Maßnahme, die die Nachfrage allgemein oder gezielt für bestimmte Märkte drosselt, oder eine gleichzeitige Verschiebung öffentlicher Aufträge in dem betreffenden Wirtschaftszweig, durch die die Überwälzung im Markt unmöglich wird.

Könnte diese zusätzliche Maßnahme dann als Grundrechtsverletzung vom Bundesverfassungsgericht aufgehoben werden?

Angesichts solcher Überlegungen erscheinen die Vorstellungen von H. Wagner realistischer, der meint, soweit staatliche »Maßnahmen Lenkungsfunktionen des Marktmechanismus wahrnehmen sollen, müssen wir gegenüber ihren Auswirkungen auf grundrechtlich geschützte Positionen so indolent sein wie gegenüber den Ergebnissen des Marktmechanismus«.[205] Wagner plädiert also praktisch dafür, daß jedenfalls für die Staat-Unternehmen-Beziehung für den Bereich der Globalsteuerung bzw. Wirtschaftslenkung prinzipiell die Grundrechte außer acht gelassen werden sollen. Ebenso wie die Unternehmen, bevor der Staat in dieser Weise tätig wurde, sich gegenüber den Auswirkungen der ›Marktgesetze‹ nicht auf die Berufsfreiheit des Art. 12 Grundgesetz, auf das Eigentum des Art. 14 oder auf Art. 2 Abs. 1 GG berufen konnten, wenn das Unternehmen z. B. durch eine Veränderung der Nachfrage oder andere ›Marktdaten‹ in Konkurs ging oder Gewinneinbußen hinnehmen mußte, so soll ihm dieses Recht auch nicht gegenüber entsprechend wirkenden hoheitlichen Maßnahmen zustehen. Oder: Ebenso wie ein Unternehmen gegenüber ›autonomen‹ Veränderungen des Marktes, die es anders als andere Unternehmen trifft, sich nicht auf Art. 3 GG berufen kann, so soll es das auch nicht gegenüber ungleich treffenden, ebso wirkenden Maßnahmen der staatlichen Wirtschaftssteuerung tun können.

Freilich stoßen solche Äußerungen noch auf einen erheblichen Widerstand der deutschen Staats- und Verfassungsrechtslehre, wie die Diskussion im Anschluß an die Referate von Friauf und Wagner auf der Tagung der Vereinigung der Deutschen Staatsrechtslehrer gezeigt hat. Fast alle Diskussionsredner haben sich mehr oder weniger entschieden gegen diese These Wagners gewendet.[206] [207]

Trotz dieser generellen Ablehnung der Wagnerschen These kamen die meisten Diskussionsredner jedoch zu keinem sehr anderen praktischen Ergebnis, weil sie nämlich die bereits besprochenen Schwierigkeiten in der Anwendung der Grundrechte gegenüber globalsteuernden Maßnahmen und damit die Relativierung der Anwendung der Grundrechte in diesem Bereich durchaus anerkannten.

Bachof[208] etwa spricht von der Grundthese Wagners als von einer »Bankrotterklärung des Staatsrechts« und bezweifelt, daß man gezielte Lenkungsmaßnahmen des Staates mit den Ergebnissen des Marktmechanismus gleichsetzen könne, was dem klassischen Grundrechtsverständnis entspricht. Andererseits meint er aber, daß man sich gegenüber den Maßnahmen der Notenbank nicht auf Grundrechte berufen könne. Dann bleibt zu fragen, welcher Unterschied insoweit denn zwischen Maßnahmen der Bundesbank und anderen wirtschaftspolitischen Maßnahmen der Globalsteuerung besteht.

Auch Fuß[209] meint, an dem Grundrechtsschutz gegenüber wirtschaftslenkenden Maßnahmen dürfe nicht gerüttelt werden, denn es bestehe ein erheblicher Unterschied zwischen den aus der Natur des Marktgeschehens resultierenden Wirkungen des Marktmechanismus auf der einen Seite und wirtschaftslenkenden Maßnahmen auf der anderen. Aber auch er räumt ein, die Berufung auf die Grundrechte helfe wenig, weil der Betätigungsspielraum der Exekutive außerordentlich weit sei auf Grund der flexiblen Begriffe, die in der Gesetzgebung verwendet werden, und weil diese unbestimmten Gesetzesbegriffe durch sehr weit gefaßte Gesetzesvorbehalte gedeckt würden.

Gegenüber solchen Auffassungen stellt sich die Frage, ob nicht zwischen ihnen und der Meinung Wagners nur ein theoretischer Unterschied bleibt, praktisch aber beide Auffassungen das Ergebnis haben, daß dieser Bereich der Staat-Bürger-Beziehung hier (Staat-Unternehmen-Beziehung) vom Grundrechtsschutz freigestellt wird.[210]

Ähnliche Probleme ergeben sich, wenn man die Grundrechtsfrage bei wirtschaftslenkenden Maßnahmen für die Staat-Bürger-Beziehung im Nichtunternehmensbereich stellt. Nimmt man die Äußerungen ernst, daß gezielte Lenkungsmaßnahmen des Staates nicht mit den Ergebnissen des Marktmechanismus gleichgestellt werden dürfen, so müßten auch die Auswirkungen globalsteuernder Maßnahmen auf den einzelnen Bürger als Grundrechtseingriffe betrachtet werden. So müßte beispielsweise eine antiinflationäre Politik mit dem Ergebnis einer etwas höheren Arbeitslosenquote als Grundrechtseingriff (Art. 2 und 12 GG) qualifiziert werden. Andererseits könnte eine Vollbeschäftigungspolitik, die eine etwas höhere Inflationsrate in Kauf nimmt, als Eingriff in Art. 14 GG betrachtet werden.[211]

4.2.2.2.2. Grundrechte als Rechte auf Leistung und Teilhabe

Ein sehr viel stärker einschneidender Wandel der Grundrechte als im bisher besprochenen Bereich der Abwehrrechte könnte sich dadurch ergeben, daß sich ein allmählicher Wandel der Grundrechte dahingehend abzeichnet, daß sie zugleich als Rechte auf Leistung und Teilhabe interpretiert werden.[212]

Rechtssoziologisch handelt es sich bei diesem Interpretationswandel sicher um eine Folge der neuen Aktivitäten des Staates, der sich nicht mehr bloß auf die Aufrechterhaltung der Rechtsordnung und die innere und äußere Sicherheit und Ordnung und auch nicht mehr bloß auf die Unterstützung der in Not Geratenen beschränkt, sich vielmehr in den wirtschaftlichen und gesellschaftlichen Bereich aktiv planend und gestaltend einschaltet.

Das Grundrecht als Abwehrrecht war zugeschnitten auf den liberalen Staat, der sich aus dem gesellschaftlichen Bereich im wesentlichen heraushielt und heraushalten sollte. Einem solchen Staat gegenüber waren Rechte, die es dem einzelnen ermöglichen würden, seine Grundrechte auch tatsächlich zu realisieren (unabhängig von seiner Vermögenssituation), schon deswegen ausgeschlossen, weil der Staat gar keine Aktivitäten entfaltete und entfalten sollte, um dem einzelnen die Mittel hierzu bereitzustellen. Dies Problem ist in der staats- und verfassungsrechtlichen Literatur an den sog. sozialen Grundrechten diskutiert worden. Es bestand allgemein Einigkeit darüber, daß es in einem liberalen Rechtsstaat solche Grundrechte nicht geben kann. Ein Recht auf Arbeit etwa kann es in einem Staat nicht geben, der – außer in der staatlichen Verwaltung – keine Arbeitsplätze zur Verfügung stellt und sich um den Arbeitsmarkt nicht kümmert, die Frage der Vollbeschäftigung vielmehr dem ›privaten‹ Marktmechanismus überläßt. Ähnlich steht es mit einem Recht auf Gesundheit bzw. Gesundheitsfürsorge oder Ausbildung. Solange diese Bereiche den Privaten vorbehalten bleiben, ist für derartige Grundrechte kein Raum. Wenn der Staat jedoch auf diese Bereiche einwirkt oder sie gar ausschließlich gestaltet, sind Grundrechte dieser Art nicht mehr von vornherein undenkbar.

Die Möglichkeit einer Neuinterpretation der Grundrechte als Leistungs- und Teilhaberrechte wird in jüngster Zeit auch in der Literatur diskutiert.[213]

Martens[214] hat drei verschiedene Argumentationsebenen beschrieben, auf denen interpretationsmethodisch eine solche neue Auslegung vorgenommen wird:

1. Eine »sozialstaatlich determinierte Grundrechtsauslegung« des Gleichheitssatzes und der Freiheitsrechte. Aus dem Gleichheitssatz wird eine »staatliche Verpflichtung zum Ausgleich gesellschaftlicher und wirtschaftlicher Ungerechtigkeit« entnommen, »z. B. zur Verwirklichung eines Rechts auf Bildung kraft sozialstaatlich gebotener Chancengleichheit«. »Als Korrelat der verfassungsrechtlichen Verpflichtung des Staates zur Beachtung des gesamtwirtschaftlichen Gleichgewichts (Art. 109 II GG) soll Art. 12 GG dem Arbeitnehmer ein Recht auf Gewährleistung eines hohen Beschäftigungsstandes, Art. 14 GG dem Sparer einen Anspruch auf Währungsstabilität garantieren.«
2. Eine »neue Spielart des institutionellen Grundrechtsdenkens«. Dieses führt ins-

besondere zur Annahme grundrechtlicher Ansprüche auf Förderung der Presse, des Rundfunks und der Kunst.

3. Die »staatliche Monopolisierung der Grundrechtsvoraussetzungen«. Dies war der Ansatzpunkt für einige Verwaltungsgerichte, um eine dem Art. 12 GG entsprechende Verpflichtung zur Schaffung von Studienplätzen anzunehmen.[215]

Besonders konsequent ist eine derartige Neuinterpretation der Grundrechte von Häberle[216] vorgenommen worden. Seiner Meinung nach ist die grundrechtliche Statuslehre Georg Jellineks »von ihrem spätabsolutistischen Kopf auf demokratische Füße zu stellen«.[217]

Er sieht daher eine »Wandlung der Grundrechte«, die durch »Wandlungen ihrer Dogmatik«[218] im Hinblick auf den Leistungsstaat erfolgen, in folgender Weise: Das Grundrecht als Abwehrrecht wird ergänzt durch den status activus processualis, den »Inbegriff aller Normen und Formen, die die Verfahrensbeteiligung der in ihren Grundrechten rechtlich oder tatsächlich Betroffenen regeln«[219], und den status activus und positivus, die »die sozialstaatliche und demokratische Form des status negativus«[220] sind. »Der neu interpretierte Gleichheitssatz aktiviert i. V. m. Art. 20 I GG alle Grundrechte zu sozialen Grundrechten im weiteren Sinne. Freiheit durch soziale Gleichheit: denn Freiheit ist ohne die tatsächlichen Voraussetzungen ihres Gebrauchs wertlos. Sie ist nicht mit dem individuellen und gesamtgesellschaftlichen status quo der Besitzstände identisch.«[221]

Besonders interessant für die Frage, ob sich derartige Interpretationsmöglichkeiten durchsetzen werden, ist die Entscheidung des Bundesverfassungsgerichts zum sog. numerus clausus an den Hochschulen.[222] Als Prüfungsmaßstab für die verfassungsrechtliche Zulässigkeit von Zulassungsbeschränkungen an den Hochschulen sieht das Gericht den Art. 12 Abs. 1 GG an, der allen Deutschen das Recht einräumt, Beruf, Arbeitsplatz und Ausbildungsstätte frei zu wählen.

Das Bundesverfassungsgericht geht hinsichtlich des Rechts auf freie Wahl der Ausbildungsstätte davon aus, daß bei der Einfügung dieses Rechts in das Grundgesetz und bei seiner anfänglichen Auslegung der Gedanke im Vordergrund gestanden habe, Art. 12 GG gewähre dem einzelnen ein Abwehrrecht gegen Freiheitsbeschränkungen im Ausbildungswesen. Der verfassungsrechtliche Rechtsschutz im Ausbildungswesen erschöpfe sich indessen nicht in der den Freiheitsrechten herkömmlich beigemessenen Schutzfunktion gegen Eingriffe der öffentlichen Gewalt. »Je stärker der moderne Staat sich der sozialen Sicherung und kulturellen Förderung der Bürger zuwendet, desto mehr tritt im Verhältnis zwischen Bürger und Staat neben das ursprüngliche Postulat grundrechtlicher Freiheitssicherung vor dem Staat die komplementäre Forderung nach grundrechtlicher Verbürgung der Teilhabe an den staatlichen Leistungen.« Das Gericht stellt hierbei interessanterweise auf die tatsächlichen Umstände ab: »Die Berufsfreiheit verwirklicht sich *gegenwärtig*[223] – abgesehen von dem der Sonderregelung des Art. 33 GG unterliegenden öffentlichen Dienst – vorwiegend im Bereich der privaten Berufs- und Arbeitsordnung und ist hier vornehmlich darauf gerichtet, die eigenpersönliche, selbstbestimmte Lebensgestaltung abzuschirmen, als Freiheit *von*[224] Zwängen oder Verboten im Zusammenhang mit Wahl und Ausübung des Berufes zu gewährleisten.« Demgegenüber ziele die freie Wahl der Ausbildungsstätte ihrer Natur nach auf freien Zugang *zu* Einrichtungen; »das Freiheitsrecht wäre ohne die tatsächliche Voraussetzung, es in Anspruch nehmen zu können, wertlos«. Das gelte besonders, wo der Staat – wie im Bereich des Hochschulwesens – ein faktisches, nicht beliebig aufgebbares Monopol für sich in Anspruch genommen habe und wo – wie im Bereich der Ausbildung zu akademischen Berufen – die Beteiligung an staatlichen Leistungen zugleich notwendige Voraussetzung für die Verwirklichung von Grundrechten sei. Hier folge daraus, daß der Staat Leistungen anbiete, ein Recht jedes hochschulreifen Staatsbürgers, an der damit gebotenen Lebenschance prinzipiell gleichberechtigt beteiligt zu werden. Art. 12 Abs. 1 GG in Verbindung mit Art. 3 Abs. 1 GG und dem Sozialstaatsgebot gewährleiste ein Recht des die subjektiven Zulassungsvoraussetzungen erfüllenden Staatsbürgers auf Zulassung zum Hochschulstudium seiner Wahl.

Das Verfasungsgericht erwägt sodann, ob diesem Grundrecht »ein objektiver sozialstaatlicher Verfassungsauftrag zur Bereitstellung ausreichender Ausbildungskapazitäten für die verschiedenen Studienrichtungen folgt ... und ob sich aus diesem Verfassungsauftrag unter besonderen Voraussetzungen ein einklagbarer Individualanspruch des Staatsbürgers auf Schaffung von Studienplätzen herleiten ließe.«

Das Gericht läßt diese Frage offen, »denn verfassungsrechtliche Konsequenzen kämen erst bei evidenter Verletzung jenes Verfassungsauftrages in Betracht«. Eine solche lasse sich nicht feststellen. Obwohl das Gericht im Ergebnis also sehr behutsam und vorsichtig ist, ist doch deutlich, daß seine Überlegungen als geradezu revolutionär für das herkömmliche Grundrechtsverständnis betrachtet werden müssen. Tatsächlich hat das Gericht ein liberales Abwehrgrundrecht hier zum erstenmal – wenn auch erst ansatzweise und vorsichtig – in ein soziales Grundrecht auf Bereitstellung der zur Realisierung erforderlichen materiellen Mittel umgedeutet: »das Freiheitsrecht wäre ohne die tatsächliche Voraussetzung, es in Anspruch nehmen zu können, wertlos« (!).

Letzlich macht das Gericht das Bestehen eines solchen sozialen Grundrechts nur davon abhängig, ob der Staat sich bereits weitgehend in diesen gesellschaftlichen Bereich eingeschaltet hat, oder ob – wie es das Gericht noch für den Bereich der Berufsfreiheit annimmt – es sich noch um einen Bereich der »privaten Lebensgestaltung« handelt (eine sehr liberale Ausdrucksweise für den noch als privat angesehenen Arbeitsmarkt).

Daß es sich hierbei nicht so sehr um die juristische Ausgestaltung des Grundrechts handelt als vielmehr um die tatsächliche Einschaltung des Staates in den ehemals als privat vorgestellten Bereich, ergibt sich auch aus den Ausführungen des Gerichts zur freien Wahl der Ausbildungsstätte. Zwar stellt das Gericht anscheinend auf die Natur des Grundrechts ab, also wohl etwas von den tatsächlichen Umständen Unabhängiges, wenn es ausführt, die freie Wahl der Ausbildungsstätte ziele *ihrer Natur nach* auf freien Zugang *zu* Einrichtungen. Vergleicht man aber den Bereich der Lehrlingsausbildung mit dem der akademischen Ausbildung, so kann man ohne weiteres annehmen, daß das Bundesverfassungsgericht, obwohl es in beiden Fällen um das Grundrecht der Ausbildungsfreiheit geht, für die Lehrlingsausbildung einen grundrechtlichen Anspruch auf Zugang ablehnen würde, eben weil hier der Staat die Ausbildung noch nicht übernommen hat, sie vielmehr Privaten überlassen ist. Gerade hier ist die öffentliche Diskussion, auch in diesem Bereich die Ausbildung in staatliche Regie zu übernehmen, schon so weit fortgeschritten, daß ein entsprechender Anspruch in absehbarer Zeit durchaus möglich erscheint.

Entwickelt man diesen Gedanken fort, so ist die allmähliche Umdeutung der Abwehrrechte in soziale Grundrechte in weiten Bereichen vorstellbar. Das gilt z. B. auch für das bisher abgelehnte Recht auf Arbeit. Art. 12 GG gewährleistet das Recht auf freie Wahl des Arbeitsplatzes. Auch hier erscheint uns der Satz des Bundesverfassungsgerichts anwendbar, »das Freiheitsrecht wäre ohne die tatsächliche Voraussetzung, es in Anspruch nehmen zu können, wertlos«. Noch will das Gericht »im Bereich der privaten Berufs- und Arbeitsordnung« es nur auf »die Freiheit von Zwängen oder Verboten im Zusammenhang mit Wahl und Ausübung des Berufes« beschränken. Es erscheint jedoch nicht unwahrscheinlich, daß Verfassungsrechtslehre und Verfassungsrechtssprechung auch hier zur Annahme eines sozialen Grundrechts gelangen, wenn sich erst die Einsicht durchsetzt, daß auch der Bereich von Berufs- und Arbeitsordnung in Wahrheit nicht mehr »privat« ist und in Zukunft immer weniger sein wird, sondern daß der Staat schon heute und in Zukunft vermutlich zunehmend diesen Bereich steuert und beeinflußt, daß es sich auch in diesem Bereich nicht um »private Lebensgestaltung« handelt, sondern von staatlicher Wirtschaftspolitik abhängig ist, ob der einzelne einen Arbeitsplatz findet.

Einen »objektiven sozialstaatlichen Verfassungsauftrag« zur Gewährleistung der Vollbeschäftigung anzunehmen, dürfte auch heute kein weiter Weg mehr sein, insbesondere nachdem das gesamtwirtschaftliche Gleichgewicht, zu dem anerkanntermaßen auch die Vollbeschäftigung gehört, durch die Novellierung des Art. 109 GG als verfassungsrechtlich gebotenes Ziel in das Grundgesetz aufgenommen worden ist. Dann würde sich entsprechend auch für das Recht auf Arbeit die vom Bundesverfassungsgericht für das Recht auf Ausbildungsfreiheit angesprochene Frage des »einklagbaren Individualanspruches des Staatsbürgers« gestützt auf Art. 12 Abs. 1 GG in Verbindung mit Art. 3 Abs. 1 GG und dem Sozialstaatsgebot, »an der damit gebotenen Lebenschance prinzipiell gleichberechtigt beteiligt zu werden«, stellen.

Das politisch aktuelle Thema des Umweltschutzes hat auch bereits dazu geführt, daß aus den Art. 1 und 2 GG ein »Grundrecht auf unschädliche Umwelt«[225] abgeleitet wird. Rupp[226] spricht von einem »Menschenrecht auf unschädliche Umwelt, von einem Recht, frei zu atmen, sauberes Wasser zu trinken, ungestört zu schlafen und nicht zwischen Müllbergen leben zu müssen«. Dementsprechend taucht nun auch schon im politischen Bereich der Begriff »soziales Grundrecht auf eine gesunde Umwelt«[227] auf. Diesem »neuen sozialen Grundrecht« entspreche die »Pflicht zur ständigen, kritischen Würdigung aller Planentscheidungen sowohl der öffentlichen Hand wie auch der Wirtschaft auf ihre Umweltverträglichkeit«. »Die Umweltverträglichkeitsprüfung ist damit eine konsequente Anwendung des neuen sozialen Grundrechts. Darüber hinaus wird aber dieses Grundrecht auch Auslegungs- und Abwägungsmaßstab für das geltende Recht und ein Kriterium für künftiges Recht sein müssen.«

Hierhin gehört auch das von Schwabe[228] aus den Art. 1 und 2 Abs. 2 in Verbindung mit dem Sozialstaatsprinzip abgeleitete Grundrecht auf Ermöglichung ärztlicher Behandlung.

Noch ist die ›herrschende‹ Grundrechtsinterpretation nicht auf diesem Stande.[229] Ein Teil der Verfassungsrechtslehre und das Bundesverfassungsgericht[230] haben jedoch erste Schritte in diese Richtung unternommen, und die Tendenz des Wandels der Grundrechte in diese Richtung ist unverkennbar.

4.2.2.3. Verhältnis des Parlaments zur Exekutive

Die neuen staatlichen Aktivitäten führen auch zu einem Wandel der Verfassung hinsichtlich des Verhältnisses des Parlaments zur Exekutive, weil auch in diesem Bereich sie einen Schritt weiter weg führen von den Vorstellungen des liberalen Rechtsstaates, wie sie dem herrschenden Verfassungsverständnis zugrunde liegen.

In der Politikwissenschaft hat sich allerdings schon seit längerer Zeit die Erkenntnis durchgesetzt, daß das Verhältnis des Parlaments zur Exekutive nicht mehr den oben beschriebenen liberal-rechtsstaatlichen, gewaltenteilenden Vorstellungen entspricht. Statt von den herkömmlichen Kategorien der Gewaltenteilung zwischen Legislative und Exekutive wird hier eher von einer Trennung zwischen Regierungsfraktion(en) und Regierung einerseits und Opposition andererseits gesprochen.[231] [232] Auf dem Boden dieser Vorstellungen erübrigen sich die folgenden Überlegungen weitgehend.[234] Es wären vielmehr Überlegungen anzustellen, wie sich das Verhältnis von Regierung und Parlamentsmehrheit zur Opposition verändert.

Demgegenüber findet diese neue, den tatsächlichen Gegebenheiten eher entsprechende Auffassung in der Staats- und Verfassungsrechtslehre nur langsam Eingang.[235] Hier ist vielmehr in Übereinstimmung mit Art. 20 Abs. 2 GG, wonach die Staatsgewalt durch besondere Organe der Gesetzgebung, der vollziehenden Gewalt und der Rechtssprechung ausgeübt wird, die herkömmliche Auffassung herrschend.[236] Bei den folgenden Erörterungen gehen wir daher wieder von dem liberal-rechtsstaatlichen Verständnis aus. Dieses baut auf der Gewaltenteilung zwischen Parlament und Exekutive auf. Auf dieser Grundlage gibt es freilich in der heutigen Staats- und Verfassungsrechtslehre unterschiedliche Auffassungen. Sie können im Rahmen dieser Arbeit nicht im einzelnen referiert werden.[237] Nach konsequent liberaler Auffassung ist grundlegend für das Verhältnis des Parlaments zur Exekutive, daß das Parlament die generellen und abstrakten Gesetze sowie den Haushaltsplan beschließt, Aufgabe der Exekutive jedoch deren bloße Ausführung sein sollte. Die Beziehung zwischen Parlament und Exekutive wird nach der liberalen Rechtsstaatstheorie weitgehend durch den Begriff des Gesetzes bestimmt.[238]

Im demokratisch-parlamentarischen System des Grundgesetzes wird das Verhältnis ferner dadurch gekennzeichnet, daß die Regierung vom Parlament gewählt wird. Von einem Teil der Staats- und Verfassungsrechtslehre wird allerdings schon seit langem ein eigenständiger Bereich der Regierung[239] und eine sog. gesetzesfreie Verwaltung anerkannt. Jedoch wurde dies stets auf solche Tätigkeit beschränkt, die nicht den Grundrechtsbereich (»Freiheit und Eigentum«) berührte. Zudem haben wir gezeigt, daß eine konsequente Weiterentwicklung des Rechtsstaatsgedankens im Hinblick auf die gewandelte ökonomische und soziologische Situation, wie Jesch und Rupp sie vorgenommen haben, diesen gesetzesfreien Bereich im Verhältnis Staat-Bürger zu überwinden suchte. Die Begründung hierfür aus der vorgestellten Funktion des Parlaments braucht hier nicht noch einmal wiederholt zu werden.

Wir haben bereits begründet, daß bei konsequenter Fortentwicklung des liberalen Rechtsstaatsdenkens die Exekutive auf den Gebieten Globalsteuerung und strategische Planung dem Parlament ebenso unterworfen werden müßte, wie es hinsichtlich der ›Eingriffsverwaltung‹ unbestritten ist.

Wollte man in diesem Sinne ganz konsequent sein, so müßte man den Vorbehalt des Gesetzes auch auf diese Tätigkeit der Exekutive ausdehnen. Zum annähernd gleichen Ergebnis kommt man aber auch, wenn man sich das eher formale Argument des Vorbehalts des Gesetzes nicht zu eigen macht, jedoch die nach bisher herrschender Grundgesetzinterpretation bestehende Gewichtsverteilung zwischen Parlament und Exekutive auch dann aufrechterhalten wissen will, wenn sich neue Aufgaben oder neue Techniken der Erfüllung von Staatsaufgaben ergeben.

»Das parlamentarische System des Grundgesetzes beruht auf dem Prinzip, daß dem Parlament das ›juristische Übergewicht‹ über die Regierung zukommt ... Dieses von Verfassungs wegen bestehende Übergewicht des Parlaments ergibt sich zwingend daraus, daß es unmittelbar Repräsentant des souveränen Volkes ist und dessen Prärogative ausübt.«[240] Diese Prärogative des Parlaments verwirklicht sich herkömmlicherweise dadurch, daß das Parlament selbst ›regelt‹, d. h. alle politischen Entscheidungen – normalerweise im Wege der Gesetzgebung – selbst trifft.

Eine Veränderung im Verhältnis von Parlament und Exekutive zu Lasten des Parlaments hat bereits zur Zeit der Daseinsvorsorge herkömmlicher Art bzw. des punktuellen Interventionismus eingesetzt. Denn auch diese staatliche Tätigkeit wurde weitgehend von der Exekutive unter Ausschaltung des Parlaments vorgenommen. Trotz der Forderungen, auch diesen Bereich dem Vorbehalt des Gesetzes zu unterwerfen, geschah diese Politik weitgehend in sogenannter gesetzesfreier Verwaltung.

Dieser Prozeß setzt sich durch die neue Politik verstärkt fort[241].

Die Veränderung des Verhältnisses von Parlament und Exekutive durch die neue Politik ist auch jetzt eine Folge des Umstandes, daß die neuen Aktivitäten größtenteils von der Exekutive wahrgenommen werden, das Parlament weitgehend ausgeschaltet ist. Es handelt sich hierbei also zunächst um einen empirischen Befund. Diese tatsächliche Lage wird dadurch zementiert, daß in der öffentlichen Meinung und in der wissenschaftlichen Literatur im allgemeinen die Auffassung herrscht, daß diese Aufgaben ihrer Natur nach auch nur von der Exekutive wahrgenommen werden können.

Im normativen Bereich entsprechen dieser tatsächlichen Lage eine Reihe von Rechtssätzen des Verfassungsrechts und des einfachen Rechts, durch die die neue tatsächliche Lage von Rechts wegen eingeführt worden oder nachträglich legalisiert worden ist. Der Wandel der Verfassung über die positiven Änderungen der Verfassung hinaus wird schießlich auch in diesem Bereich dadurch verdeutlicht, daß das Grundgesetz der neuen tatsächlichen Lage entsprechend interpretiert wird.

Das soll im folgenden näher erläutert werden.

4.2.2.3.1. Schwächung des Parlaments durch aktive Konjunkturpolitik

Seitdem K. Stern den Satz formuliert hat, Konjunkturpolitik ist sachlogisch gouvernemental,[242] wird dieser Sachverhalt nirgends mehr in Frage gestellt. In der Tat dürfte es so sein, daß die Konjunkturpolitik nur von der Regierung erfolgreich betrieben werden kann. Konjunkturpolitische Maßnahmen müssen schnell getroffen werden können. Ein zu später Einsatz einer beabsichtigten Maßnahme vereitelt häufig nicht nur den angestrebten Erfolg, sondern wirkt darüber hinaus häufig der beabsichtigten Wirkung entgegen. Das Problem ergibt sich vor allem aus den verschiedenen time-lags, nämlich der Zeitdifferenz, die zwischen dem Eintreten einer konjunkturellen Situation und ihrer Erkennbarkeit liegt, und der Zeitdifferenz zwischen der Anwendung eines Mittels der Konjunktursteuerung und seiner Wirkung. Es besteht daher weitgehend Einigkeit darüber, daß der parlamentarische Entscheidungsprozeß für eine sachgerechte Konjunkturpolitik zu langsam ist und das Parlament als Träger der Konjunkturpolitik daher weitgehend ausscheidet. Ferner ist die Erkenntnis der konjunkturellen Situation und die richtige Auswahl der einzusetzenden Mittel nur möglich, wenn der Entscheidungsträger personell entsprechend ausgerüstet ist, das trifft für den Bundestag nicht zu.

Es ist daher nicht erstaunlich, daß die Konjunkturpolitik auch in der Praxis weitgehend von der Bundesregierung und nicht vom Bundestag wahrgenommen wird. »Besonders im Bereich der finanzpolitischen Steuerung der wirtschaftlichen und sozialen Abläufe hat sich ... der Schwerpunkt der politischen Willensbildung immer stärker vom Bundestag zur Bundesregierung verlagert.«[243]

Hierbei handelt es sich nicht nur um eine tatsächliche Entwicklung, sondern die Funktionsverschiebung ist auch normativ geregelt. In diesem Zusammenhang sind vor allem das Stabilitätsgesetz und die Änderung des Art. 113 GG zu nennen.

Im Hinblick auf das Stabilitätsgesetz ist zunächst an das zu erinnern, was wir oben zum Gesetzesbegriff gesagt haben. Wir waren einerseits davon ausgegangen, daß das Stabilitätsgesetz einen Versuch darstellt, eine allgemeine Normierung des konjunkturellen Handelns der Exekutive vorzunehmen, die nähere Betrachtung des Gesetzes hatte jedoch gezeigt, daß es dem herkömmlichen Gesetzesbegriff nicht mehr entspricht. Die Schwächung des Parlaments durch die Globalsteuerung läßt sich daher allgemein an dem oben aufgezeigten Wandel des Gesetzesbegriffes ablesen.

Geht man davon aus, daß das Verhältnis des Parlaments zur Exekutive nach der herkömmlichen Auffassung weitgehend durch den Begriff des Gesetzes bestimmt war, so liegt auf der Hand, daß eine Veränderung dieses Begriffes oder eine Ersetzung des Gesetzes durch andere staatliche Maßnahmen zwangsläufig auch zur Veränderung des Verhältnisses von Parlament und Exekutive führt.

Den Wandel des Gesetzesbegriffes im Hinblick auf die Gesetze zur Konjunktursteuerung (insb. Stabilitätsgesetz) – und in noch stärkerem Maße im Hinblick auf die Gesetze zur strategischen Planung (insb. Gesetze über die Gemeinschaftsaufgaben) – haben wir darin gesehen, daß durch sie die politische Dezision vom Gesetzgeber auf die Exekutive übertragen wird.[244]

Darin spiegelt sich die »Verlagerung der politischen Willensbildung vom Bundestag zur Bundesregierung« im normativen Bereich wider.

Diese Verlagerung im Kräfteverhältnis von Parlament und Exekutive läßt sich an Hand einzelner Vorschriften des Stabilitätsgesetzes weiter verdeutlichen.

Konjunkturpolitik wird zu einem wesentlichen Teil mit den Mitteln der Fiskalpolitik betrieben, d. h. durch eine Variierung von Staatseinnahmen und Staatsausgaben. In der Terminologie des Verfassungsrechts werden somit die Kompetenz der Steuergesetzgebung und Haushaltsgesetzgebung berührt. Beide Bereiche gehören zum traditionellen Kernbereich der parlamentarischen Befugnisse.

In diesem Zusammenhang müssen folgende Bestimmungen des Stabilitätsgesetzes erwähnt werden:[245]

§ 26 StabG ermächtigt die Bundesregierung, das Steuerrecht (zeitlich begrenzt) durch Rechtsverordnung zu variieren. Die Abschreibungssätze des Einkommen- und Körperschaftssteuergesetzes können je nach Konjunkturlage nach oben oder unten revidiert werden, die Einkommen- und Körperschaftssteuer kann um 10 % erhöht oder ermäßigt werden. Der Gesetzgeber hat sich allerdings bei derartigen gesetzesändernden Rechtsverordnungen ein Mitspracherecht gesichert: Sie bedürfen der Zustimmung des Bundestages. Auch dieses Zustimmungserfordernis läßt aber die grundsätzliche Problematik einer Veränderung von Steuergesetzen durch Rechtsverordnungen bestehen.[246]

Für den Bereich der Staatsausgaben haben die §§ 5 bis 8 StabG die Bindung der Exekutive an den vom Parlament beschlossenen Haushaltsplan gelockert. Nach § 6 StabG können je nach der konjunkturellen Lage die Verfügung über bestimmte Ausgabemittel, die im Haushaltsplan vorgesehen sind, von der Bundesregierung verzögert oder ausgesetzt oder zusätzliche – nicht im Haushaltsplan vorgesehene – Ausgaben getätigt werden.[247] Zu diesem Zweck werden Leertitel in den Haushaltsplan eingesetzt. Zusätzliche Ausgaben dürfen zwar nur mit Zustimmung des Bundestages erfolgen; sie gilt als erteilt, wenn sie nicht binnen vier Wochen nach Eingang der entsprechenden Vorlage verweigert worden ist. Mit Recht weist aber Friauf[248] darauf hin, daß es sich hierbei nicht um eine »wirksame Bremse« handelt, weil der Bundestag der Vorlage nur im ganzen zustimmen oder sie im ganzen ablehnen kann.[249]

Bei dieser Bestimmung zeigt sich der Trend besonders deutlich, das Parlament zu einem »bloßen repräsentativen Kontrollorgan« zu machen, »bei dem die Intensität der Kontrolle überdies durch eine Reihe von strukturellen und institutionellen Gegebenheiten wesentlich herabgesetzt wird«.[250]

Besonders wichtig ist in diesem Zusammenhang auch die Neufassung des Art. 113 GG.[251] Danach bedürfen jetzt Gesetze, welche die von der Bundesregierung vorgeschlagenen Ausgaben des Haushaltsplanes erhöhen oder neue Ausgaben in sich schließen oder für die Zukunft mit sich bringen, der Zustimmung der Bundesregierung. Die Bundesregierung kann verlangen, daß der Bundestag die Beschlußfassung über solche Gesetze aussetzt. In diesem Fall hat die Bundesregierung innerhalb von sechs Wochen dem Bundestag eine Stellungnahme zuzuleiten.

Diese Verfassungsänderung ist von besonderer Bedeutung. Sie nimmt dem Parlament vollständig die Möglichkeit, den von der Regierung eingebrachten Haushaltsplan zu verändern, außer durch Haushaltskürzungen. Alle wichtigen Gesetze werden zudem von der Zustimmung der Regierung abhängig gemacht, denn alle wichtigen Gesetze sind ausgabewirksam. Steuern können nur noch erhöht, aber nicht mehr ohne Zustimmung der Regierung gesenkt werden. Insgesamt kann man sagen, daß der neue Art. 113 GG dem Parlament jegliche Gestaltungsmöglichkeit nimmt, die nicht die Zustimmung der Exekutive findet. So wird das ursprüngliche Verhältnis von Parlament und Exekutive auf diesem Sektor in sein Gegenteil verkehrt, jedoch ohne daß dem Parlament dafür andere Befugnisse zuwüchsen.

Der Wandel der Verfassung auf dem Gebiet der Beziehungen des Parlaments zur Exekutive auf Grund der staatlichen Konjunkturpolitik wird dadurch verdeutlicht, daß die Staats- und Verfassungsrechtslehre, soweit sie sich mit diesem Problem beschäftigt, zwar weitgehend die Schwächung des Parlaments zugunsten der Exekutive konstatiert,[252] jedoch aus der Einsicht, daß Konjunkturpolitik nun mal »sachlogisch gouvernemental« sei, die Frage nach der Verfassungsmäßigkeit ausklammert[253] oder diese explizit bejaht. Nicht untypisch dürfte die Stellungnahme von Stern sein, der hierzu ausführt: »Konjunkturpolitik ist und bleibt Aktion und Reaktion, die auch staatsrechtlich dem Funktionsbereich der Regierung zugehört.«[254]

4.2.2.3.2. Schwächung des Parlaments durch strategische Planung

Eine grundsätzliche Veränderung des Verhältnisses von Parlament und Exekutive sowie eine Gewichtsverlagerung zu Lasten des Parlaments wird sich zunehmend aus dem Einsatz der strategischen Planung in der Wirtschafts- und Gesellschaftspolitik ergeben.

Die ökonomische und politische Notwendigkeit dieses neuen Mittels der Politik ist bereits oben aufgezeigt worden.[255] Die Bedeutung des dadurch eintretenden Wandels zeigt sich bereits, wenn man sich daran erinnert, daß noch bis vor wenigen Jahren »Planung ein Tabu (war). In der politischen Praxis der Bundesrepblik galt Planung geradezu als Todsünde, und wenn man trotzdem plante, so versteckte man diese Tätigkeit tunlichst unter weniger verfänglichen Bezeichnungen. Im wissenschaftlichen Bereich war es nicht sehr viel anders.«[256] Das hat sich inzwischen grundlegend geändert. Die verfassungsrechtlichen Probleme der Planung und insbesondere auch ihre Auswirkung auf das Verhältnis von Parlament und Exekutive werden jetzt in der wissenschaftlichen Literatur ausführlich behandelt.[257] Mit diesen Problemen beschäftigt sich ebenso die Praxis; die Projektgruppen für Regierungs- und Verwaltungsreform der Bundesregierung[258] und die Enquete-Kommission für Fragen der Verfassungsreform des Deutschen Bundestages[259] haben sich intensiv mit diesen Fragen befaßt.

Die Notwendigkeit umfassender staatlicher Planung als »unabdingbare Voraussetzung für die Erfüllung staatlicher Aufgaben«[260] ist heute in Praxis[261] und Wissenschaft[262] unbestritten. »Dabei reichen Strukturplanungen auf einzelnen Gebieten nicht mehr aus, vielmehr ist es unumgänglich geworden, langfristige politische Rahmenpläne zu entwerfen, in denen Ziel und Prioritäten aller staatlichen Tätigkeiten fixiert werden.«[263]

Die Praxis staatlicher Planung steht freilich noch in den Anfängen.[264] Allgemein besteht Einigkeit darüber, daß man bisher im staatlichen Bereich noch nicht über geeignete Mittel und Methoden politischer Planung verfügt.[265] Die aus dem Bereich der praktischen Politik stammenden Veröffentlichungen beschäftigen sich daher noch immer hauptsächlich mit den Problemen der Organisation solcher Planung im Bereich von Regierung und Verwaltung.[266]

Für die weitere verfassungsrechtliche Entwicklung dürfte wohl angesichts der bestehenden und auch allgemein anerkannten Notwendigkeit politischer Planung der »rein tatsächliche Befund« entscheidend sein, »daß längerfristige staatliche Planungen größeren Umfangs fachlich wohl nur im Schoße einer zentralgelenkten, sachverständigen Organisation – mithin der Ministerialverwaltung – konzipiert, über längere Zeit zusammengefügt, nach politischer Entscheidung durchgeführt, kontrolliert und fortgeschrieben werden können. Die Parlamente wären nach Struktur und Arbeitsweise mit dieser Aufgabe weihin überfordert.«[267] Die tatsächliche Lage sieht also in diesem Bereich ähnlich aus wie in der Konjunkturpolitik, die man ebenfalls als »sachlogisch gouvernemental« bezeichnet hat.[268] Auch von den Autoren, die eine Verschiebung der Verteilung der politischen Gewichte zu Lasten des Parlaments bedauern, wird dieser »tatsächliche Befund« allgemein anerkannt.[269]

Generell kann man sagen, daß in der bisherigen Praxis die mittel- und langfristige Planung weitgehend unter Ausschaltung des Parlaments betrieben worden ist. Das gilt auch für die Planungen, die bisher auf Landesebene durchgeführt worden sind.[270]

Erst in jüngerer Zeit sind Bestrebungen festzustellen, die Parlamente von Bund und Ländern in diesem Bereich zu beteiligen.[271]

Durch diese Ausschaltung der Parlamente aus der strategischen Planung ergeben sich Auswirkungen auf ihre Gesetzgebungshoheit wie auf ihre Finanzgewalt. Friauf hat das in der Kurzformel zusammengefaßt, das Parlament werde zum »Vollzugsorgan der Regierungsplanung«[272]. Der Hauptgrund hierfür dürfte sein, »daß die Planung nicht mehr nur eine Vorbereitung politischer Entscheidungen darstellt, sondern den Charakter einer Vorverfügung über politische Entscheidungen, insbesondere solche des Parlaments im Bereich der Gesetzgebung und des Budgetrechts, gewinnt. Die Entscheidungsstationen verlagern sich, sie gehen – stufenweise – in den Planungsprozeß selbst ein.«[273]

In vielen Fällen werden die Planungen der Exekutive sich nicht realisieren lassen, ohne daß das Parlament gesetzgeberisch tätig wird oder entsprechende finanzielle Mittel im Haushaltsplan zur Verfügung stellt. »Damit ist der Bundestag zwangsläufig als *Vollzugsorgan*[274] in die von der Bundesregierung beschlossene Planung eingeschaltet. Er transformiert die in der planerischen Willensbildung konkretisierte politische Entscheidung der Bundesregierung in die geltende Rechtsordnung.«[275] Theoretisch ist das Parlament zwar verfassungsrechtlich befugt, die Sanktionierung der Regierungsplanung zu verweigern oder die Planung durch seine Vollzugsakte ganz oder teilweise abzuändern. Es besteht jedoch in der Literatur allgemein Einigkeit darüber, daß es diese Kompetenz faktisch nicht wahrnehmen kann. Als Ursachen hierfür werden genannt:[276] die »Interpedenz und Konsistenz des Planungskonzepts«,[277] die Abgestimmtheit der Planung mit anderen Entscheidungsträgern (Ländern, Gemeinden, supranationalen Institutionen, anderen Staaten, gesellschaftlichen Gruppen), das Fehlen eines eigenen Apparates des Parlaments zur Ausarbeitung einer Alternativplanung. So bleibt dem Parlament praktisch nur die Möglichkeit, das Gesamtkonzept anzunehmen oder abzulehnen, während eine Abänderung praktisch ausgeschlossen ist.[278] Aber auch die Möglichkeit der Ablehnung wird praktisch kaum gegeben sein. »Ein durch sorgfältige Planung und unter Minimierung des Fehlerrisikos hervorgebrachtes zweckrationales Handlungsprogramm eröffnet demjenigen, der den zentralen Planungsapparat kontrolliert, die Möglichkeit, seine eigenen politischen Wertkriterien langfristig zu Handlungsmaximen für das staatliche Gesamtsystem zu erheben.«[279] Das bedeutet, daß das Parlament die ihm verfassungsrechtlich eigentlich zustehende Möglichkeit, Gesetzes- und Haushaltsinitiativen der Regierung, soweit sie der Verwirklichung der Regierungsplanung dienen, faktisch nicht ablehnen kann. Die Regierung ist insoweit nicht Vollzugsorgan des Parlaments, sondern das Parlament wird zum Vollzugsorgan der Regierung.[280]

Der darin enthaltene Wandel des Verfassungsrechts kommt schon darin zum Ausdruck, daß »ein derartiger Vollzugscharakter gesetzgeberischer Maßnahmen ... uns heute nicht mehr in dem gleichen Maße systemwidrig (erscheint), wie er früheren Vorstellungen von einer unbedingten Souveränität und Suprematie der gesetzgebenden Gewalt hätte erscheinen müssen«.[281]

Charakteristisch hierfür ist auch, daß die Bestrebungen, die auf eine Stärkung der Parlamentsstellung in der Planung abzielen, nicht darauf gerichtet sind, die Regierung wieder zum Vollzugsorgan des Parlaments zu machen,[282] sondern lediglich wieder eine stärkere Beteiligung des Parlaments am Planungsprozeß bewirken wollen.[283]

Die bisher theoretisch gewonnene Erkenntnis der Gewichtsverlagerung vom Parlament zur Exekutive durch politische Planung läßt sich, soweit Planung bisher in der Bundesrepublik gesetzlich vorgeschrieben worden ist, auch empirisch nachweisen; diese Gesetze machen die Gewichtsverlagerung auch juristisch unmittelbarer greifbar.

Der Bundestag hat in den Gesetzen, durch die er die Finanzplanung und die Planung zur Durchführung der Gemeinschaftsaufgaben eingeführt hat, sich selbst weitgehend aus dem Planungsprozeß ausgeschaltet.

Hinsichtlich der Gesetze über die Gemeinschaftsaufgaben ist hierauf schon in anderem Zusammenhang eingegangen worden.[284] In diesen Gesetzen hat das Parlament praktisch die Regelungsbefugnis auf den »gemeinsamen Regierungsausschuß« übertragen. Darüber hinaus hat sich das Parlament hier faktisch auch seiner Haushaltshoheit begeben. Zwar bestimmt Art. 91 a Abs. 4 S. 4 GG: »Die Bereitstellung der Mittel bleibt der Feststellung in den Haushaltsplänen des Bundes und der Länder vorbehalten.« Praktisch ist jedoch kaum vorstellbar, daß die Parlamente die Bereitstellung der Mittel verweigern.[285] Denn die von der Bundesregierung in den Haushaltsplan eingestellten Mittel zur Realisierung der Rahmenplanung sind nur das Endergebnis eines langen Planungsprozesses, das aus aufeinander abgestimmten politischen Kompromissen der Länder und des Bundes beruht, so daß eine Änderung dieser Ansätze politisch unmöglich ist. Das kommt auch in den betreffenden Gesetzen selbst zum Ausdruck, die jeweils vorschreiben, daß der Rahmenplan mit den Finanzplänen von Bund und Ländern und entsprechenden sachlichen Plänen abzustimmen ist. Indem das Parlament sich selbst aus diesem Planungsprozeß ausgeschaltet hat, hat es sich faktisch auch der Haushaltshoheit insoweit begeben.[286]

Ähnlich liegen die Dinge bei der mittelfristigen Finanzplanung gem. Art. 109 Abs. 3 GG und § 9 StabG. Nach § 9 Abs. 2 StabG wird sie von der Bundesregierung beschlossen und dem Bundestag und Bundesrat nur »vorgelegt«.

Die mittelfristige Finanzplanung schränkt damit ebenfalls faktisch sowohl die materielle Regelungsbefugnis der Parlamente wie auch ihre Haushaltshoheit ein. Es liegt auf der Hand, daß die Planung bzw. Regelung der materiellen Aufgaben nicht unabhängig von der Finanzplanung erfolgen kann.[287] Das muß auch vom Parlament bei seiner Gesetzgebungsarbeit berücksichtigt werden. Die Auswirkungen auf die materielle Regelungsbefugnis ergeben sich auch aus § 10 StabG, wonach der Finanzplanung mehrjährige Investitionsprogramme und sonstige Bedarfsschätzungen der Bundesministerien zugrunde liegen, d. h. »mehrjährige nach sachlichen und politischen Prioritäten geordnete Rahmenpläne«.[288]

In engem Zusammenhang hiermit steht die Einschränkung der Haushaltshoheit des Parlaments. Formell bleibt sie zwar voll bestehen[289], jedoch hat Hettlage[290] mit Recht darauf hingewiesen, daß der Zweck einer mehrjährigen Finanzplanung nur erreicht werden kann, »wenn der Finanzplan das Parlament in seiner Haushaltsentscheidung weitgehend bindet«.[291] Daß dies tatsächlich der Fall ist, wird auch durch die Praxis bestätigt. Der Bundestagsabgeordnete Abelein[292] hat hierzu ausgeführt: »Der Hinweis auf die Zahlen und die Einzelaufstellungen des Haushaltsvolumens der mittelfristigen Finanzplanung hat sich in der Regel gegenüber Änderungswünschen des Bundestages als stärker erwiesen. Faktisch hat auf diese Weise die Bundesregierung wesentliche Teile der Befugnisse des Parlaments an sich gezogen.« Die eigentlich allein rechtsverbindlichen Haushaltspläne werden »in der großen Linie nur noch Vollzugsmaßnahmen«[293] der Finanzpläne.

Daher muß eine »mehrjährige Finanzplanung, die ihren Sinn wirklich erfüllen soll, ... notwendigerweise das politische und verfassungsrechtliche Verhältnis zwischen der Regierung als Exekutive und dem Parlament als Legislative berühren«.[294] Denn obgleich die Verschiebung der Gewichte zwischen Legislative und Exekutive zunächst faktischer Art ist, läßt sich ihre verfassungsrechtliche Relevanz nicht leugnen.[295] [296]

4.2.2.4. Verhältnis von Bund und Ländern

Ein tiefgreifender Wandel des Verfassungsrechts auf Grund der neuen staatlichen Aktivitäten zeichnet sich auch im Verhältnis von Bund und Ländern ab.[297]

Stärker als in anderen Bereichen der Verfassung ist dieser Wandel durch die Verfassungsänderungen der Jahre 1967 bis 1969 auch positivrechtlich in der Verfassung – hauptsächlich durch die sog. Finanzreform – verankert worden. Diese Verfassungsänderungen lassen sich inhaltlich in vier Gruppen einteilen:

1. Die materielle Gesetzgebungskompetenzen des Bundes auf den Gebieten der konkurrierenden und der Rahmengesetzgebung wurden erweitert. Der Bund bekam insbesondere die Kompetenz zur Regelung der Ausbildungsbeihilfen und zur Förderung der wissenschaftlichen Forschung, zur wirtschaftlichen Sicherung der Krankenhäuser, zur Regelung der Krankenhauspflegesätze und über Straßenbenutzungsgebühren sowie die Rahmenkompetenz über das Hochschulwesen und die Beamtenbesoldung.[298]
2. Der Zuständigkeitsbereich des Bundes auf dem Gebiet des Haushaltswesens der mittelfristigen Finanzplanung und des Steuerrechts wurde vergrößert. Der Bund kann für Bund und Länder gemeinsam geltende Grundsätze für das Haushaltsrecht, für eine konjunkturgerechte Haushaltswirtschaft und für eine mehrjährige Finanzplanung aufstellen. Die Steuergesetzgebungskompetenz des Bundes ist praktisch allumfassend geworden.[299] Zur Abwehr einer Störung des gesamtwirtschaftlichen Gleichgewichts können durch Bundesgesetz Vorschriften über Höchstbeträge, Bedingungen und Zeitfolgen der Aufnahme von Krediten *aller* Gebietskörper schaften und Zweckverbände und die Verpflichtung zum Halten von Konjunkturausgleichsrücklagen erlassen werden.[300]
3. Die früher von der Verfassung geforderte (praktisch freilich häufig durchbrochene) strikte Trennung der Aufgaben von Bund und Ländern wurde durch die Einführung der Gemeinschaftsaufgaben[301] und die Kompetenz nach Art. 104 a Abs. 4[302] (Finanzhilfen des Bundes an Länder und Gemeinden für besonders bedeutsame Investitionen, die zur Abwehr einer Störung des gesamtwirtschaftlichen Gleichgewichts oder zum Ausgleich unterschiedlicher Wirtschaftskraft im Bundesgebiet oder zur Förderung des wirtschaftlichen Wachstums erforderlich sind) teilweise aufgehoben. Dadurch wurde dem Bund zugleich ein entscheidender Einfluß auf die davon betroffenen Aufgabengebiete, die bisher nach der Verfassung

ausschließlich den Ländern zustanden, eingeräumt. Auf der Einnahmeseite wurde gleichzeitig der Steuerverbund von Bund, Ländern und Gemeinden verstärkt.[303]

4. Der Einfluß des Bundes auf die Gesetzesausführung wurde verstärkt durch Ausdehnung der Bundesauftragsverwaltung auf Geldleistungsgesetze.[304]

Diese Änderungen, insbesondere die Einführung der Gemeinschaftsaufgaben[305], bergen eine große Anzahl von Einzelproblemen. Hierauf soll jedoch in diesem Zusammenhang nicht eingegangen werden. Für uns ist wesentlich, daß sie – alle im Zusammenhang betrachtet – zu einer erheblichen Stärkung des Bundes und einer Schwächung der Länder geführt haben. Das ist einerseits eine Folge der Ausdehnung der materiellen Gesetzgebungskompetenzen, andererseits und in noch stärkerem Maße eine Folge des starken Einflusses, den der Bund auf dem Gebiet des Haushaltswesens und durch die Einführung der Gemeinschaftsaufgaben[306] bekommen hat. Für die praktischen Auswirkungen ist bei diesen zu berücksichtigen, daß durch sie weitgehend nur eine vorher schon bestehende (zum großen Teil verfassungswidrige) Praxis[307] legalisiert worden ist. Allerdings ist diese Praxis von der Staats- und Verfassungsrechtslehre zumeist ignoriert worden. Deswegen wird der Wandel um so deutlicher, wenn man ihn vor dem Hintergrund des in den fünfziger und bis Mitte der sechziger Jahre entwickelten Verständnisses des durch das Grundgesetz vorgeschriebenen Föderalismus stellt, das besonders die Eigenständigkeit der Länder betonte.[308] Mit Recht wurde wegen der politischen Wichtigkeit dabei auf die durch Art. 109 Abs. 1 GG statuierte selbständige Haushaltswirtschaft abgestellt. Maunz[309] ist der Meinung, die selbständige Haushaltswirtschaft sei ein Wesensmerkmal der Eigenstaatlichkeit eines jeden Landes, die u. a. auch in Art. 20, 28, 30 und 79 garantiert sei. Keine Seite, weder Bund noch Land, dürfe auf die Aufstellung des Haushaltsplanes der anderen Seite mittelbar einwirken, auch nicht durch Antragstellung, Anhörung, Benehmen oder Einvernehmen[310]. Von der Selbständigkeit der Haushaltswirtschaft ist freilich infolge der vielen Durchbrechungen im Grundgesetz selbst und der darüber noch hinausgehenden Praxis kaum etwas übrig. Im Konjunkturrat und Finanzplanungsrat[311] wird diese Selbständigkeit institutionell durchbrochen, sie dienen gerade der gegenseitigen Anhörung und Abstimmung von Bund und Ländern bei der Aufstellung von Haushalts- und Finanzplänen. Das gleiche gilt für die Gemeinschaftsaufgaben und die Investitionskompetenz des Bundes gem. Art. 104 Abs. 4 und die in diesem Rahmen gebildeten Koordinationsausschüsse.[312] So führt die jetzige Entwicklung dazu, daß man nicht ohne Grund die Staatsqualität der Länder in Frage stellen und sie als nur noch hochpotenzierte »Selbstverwaltungskörperschaften« betrachten kann.

Diese Entwicklung entspricht den Notwendigkeiten der neuen Politik und der allgemeinen wirtschaftlichen Entwicklung. Rationale Wirtschaftspolitik (insb. wirksame Konjunktur- und Wachstumspolitik) und eine effektive strategische Planung führen mit einer gewissen inneren Notwendigkeit zu einer Stärkung der zentralen Entscheidungsträger.[313]

Denn rationale Wirtschaftspolitik und planvolle Gestaltung erfordern insbesondere eine einheitliche, in sich möglichst widerspruchsfreie Politik. Den Zusammenhang zwischen wirtschaftlicher Notwendigkeit und Umgestaltung des Föderalismus hat die sogenannte Tröger-Kommission in ihrem Gutachten zur Finanzreform[314], durch das die hier relevanten Verfassungsänderungen weitgehend vorbereitet wurden, mit erstaunlicher Deutlichkeit ausgesprochen.[315]

Konjunkturpolitik kann z. B. nur dann erfolgreich sein, wenn alle Teile des Gesamtstaates eine einheitliche Politik verfolgen[316] und nicht ein Teil eine kontraktive, der andere eine expansive Politik verfolgt. Fiskalpolitik des Bundes ist um so wirksamer, je mehr ausgabewirksame Kompetenzen dem Bund zustehen. Einnahmepolitische Maßnahmen des Bundes (insbesondere Steuererhöhungen) sind nur möglich, wenn ihm auch die entsprechende Gesetzgebungskompetenz zusteht. Planung kann nur dann sinnvoll sein, wenn alle Teilplanungen koordiniert sind.[317]

Dem Erfordernis der Einheitlichkeit wäre daher technisch am einfachsten zu entsprechen, wenn sämtliche hier relevanten Entscheidungen von einem einzigen Entscheidungsträger gefällt würden. Da diese Lösung im Bundesstaat ausscheidet, mußte die Verfassung zumindest dahingehend geändert werden, daß die bisher unabhängigen Entscheidungsträger koordiniert wurden und nach Möglichkeit zusätzliche Entscheidungsbefugnisse auf den zentralen Entscheidungsträger verlagert wurden. Genau diesem Zweck dienen die hier relevanten Verfassungsänderungen.

Sie stärken die Stellung des Bundes, indem sie ihm zusätzliche Befugnisse insbesondere in ausgabewirksamen Bereichen sowie in der Steuergesetzgebung zuweisen und indem sie ihn auf dem Gebiet des Haushaltrechts mit Weisungsbefugnissen gegenüber den Ländern ausstatten. Dieser Sachverhalt wird durch den hierfür geprägten Begriff des kooperativen Föderalismus[318] allerdings eher verschleiert als beschrieben.

Daß es sich um einen Verfassungswandel handelt, der letztlich auf der auch sonst aufgewiesenen Abkehr vom herkömmlichen Rechtsstaatsdenken beruht, liegt auf dem Gebiet des Föderalismus weniger deutlich zutage. Inwieweit der Gedanke des Föderalismus ebenfalls aus dem liberalen Modell ableitbar ist, wie wir es oben im Hinblick auf Gewaltenteilung, Gesetzesbegriff und Grundrechte versuchte haben, mag hier offenbleiben.[319] Jedenfalls ist er in der Verfassungsauslegung der fünfziger und der ersten Hälfte der sechziger Jahre weitgehend in dieses Gedankengebäude eingebaut worden.[320] Das ist allerdings auf verschiedene Weise geschehen. Typisch hierfür dürfte einerseits sein, daß man in der Diskussion dieser Zeit das Schwergewicht auf die Eigenständigkeit der Länder legte und damit das für das liberale Denken eigentümliche Trennungsdenken auch in diesen Bereich hinein fortsetzte.[321] Der andere grundlegende Gedanke, der in Anbetracht der in der Wirklichkeit zunehmend geringer werdenden Eigenständigkeit der Länder großen Anklang in der Staats- und Verfassungslehre fand, war der der Legitimation des Föderalismus als eine zusätzliche horizontale Gewaltenteilung[322].

Dieser Gedanke, der sich auch vom Wort her an den ›Begriffsapparat‹ der liberalen Staatsrechtslehre anschloß, sah wie jene in der vertikalen Gewaltenteilung den eigentlichen Rechtfertigungsgrund in der Freiheitssicherung des einzelnen.[323]

Die Schwächung der Eigenständigkeit der Länder, die einhergeht mit einer Präjudizierung der Entscheidungen der Landesparlamente durch die Vorentscheidungen in den Koordinationsgremien von Bund und Ländern[324], muß deswegen als ein wichtiger Aspekt des Verfassungswandels im Rahmen der wirtschaftlichen Entwicklung betrachtet werden, und zwar ebenso wie die übrigen Teilaspekte dieses Verfassungswandels als eine Abkehr vom herkömmlichen durch den Begriffsapparat des bürgerlichen Rechtsstaates geprägten Verfassungsverständnis.

4.2.2.5. Außerverfassungsrechtliche Koordinierungsinstanzen

Es ist in dieser Arbeit bereits mehrfach darauf hingewiesen worden, daß in einem nichtzentralistischen Gemeinwesen mit einer Vielzahl von staatlichen und gesellschaftlichen Instanzen bzw. autonomen Gruppen, die irgendwie auf das gesamtwirtschaftliche Geschehen Einfluß ausüben, eine rationale Wirtschaftspolitik und Planung nur dann möglich ist, wenn eine Koordination all dieser Entscheidungsträger stattfindet.

In der Bundesrepublik ergibt sich dieses Problem im staatlichen Bereich insb. aus der föderalen Gliederung, obwohl – wie wir gesehen haben – hier bereits durch eine Reihe von Verfassungsänderungen eine Gewichtsverlagerung zum Zentralstaat hin stattgefunden hat. Das gleiche Problem ergibt sich außerdem aus dem Bestehen autonomer Gruppen, von denen in diesem Zusammenhang insbesondere die Tarifparteien eine erhebliche Rolle spielen.

In der Bundesrepublik gibt es zur Koordinierung der Gebietskörperschaften nach einer Aufstellung von Rietdorf[325] vom August 1972 13 derartige Koordinierungsgremien. Es handelt sich hierbei um den Konjunkturrat für die öffentliche Hand[326], den Finanzplanungsrat[327], vier Planungsausschüsse für Gemeinschaftsaufgaben nach Art. 91 a und 91 b GG[328], vier Gremien, in denen Bund und Länder Aufgaben nach Art. 104a Abs. 4 GG koordinieren[329], ein Bund-Länder-Gremium für das Bundesraumordnungsprogramm[330], ein weiteres für das Verkehrswegeprogramm[331] und schließlich eine Sachverständigengruppe von Bund und Ländern für eine Gesamtproblemanalyse der längerfristigen öffentlichen Aufgaben[332].

Zur Koordinierung des Staates mit den gesellschaftlichen Gruppen gibt es die Konzertierte Aktion[333] und die Sozialpolitische Gesprächsrunde[334].

In diesen Zusammenhang gehört schließlich auch der Sachverständigenrat zur Begutachtung der gesamtwirtschaftlichen Entwicklung[335], wenngleich dieser nur mittelbar der Koordinierung wirtschaftlicher Entscheidungsträger dient und nicht selbst Koordinationsorgan ist.

All diesen Gruppen ist gemeinsam, daß sie mit der Wahrnehmung wichtiger öffentlicher Aufgaben betraut sind ohne direkte verfassungsrechtliche Legitimation. Dieses Problem stellt sich fraglos für die genannten Gremien in unterschiedlicher Weise und unterschiedlicher Schärfe. Dennoch gab es bisher unstreitig »Regierungsaufgaben, die wegen ihrer politischen Tragweite nicht generell der Regierungsverantwortung entzogen und auf Stellen übertragen werden dürfen, die von Regierung und Parlament unabhängig sind, andernfalls würde es der Regierung unmöglich gemacht, die von ihr geforderte Verantwortung zu tragen, da auf diese Weise unkontrollierte und niemand verantwortliche Stellen Einfluß auf die Staatsverwaltung gewinnen würden«.[336]

Aus diesen Gründen gehörte es bisher zu den Grundsätzen des Rechtsstaates und wurde das Grundgesetz dahingehend ausgelegt, »daß die im Grundgesetz errichteten Institutionen einen *numerus clausus der Verfassungsorgane* bilden, auf die sämtliche staatliche Funktionen restlos aufgeteilt sind«.[337] Dieser Grundsatz wurde für das Grundgesetz auch aus der bundesstaatlichen Struktur abgeleitet. In einem föderal gegliederten Staat »besteht ein wichtiges Interesse der Bundesstaaten daran, daß die Verfassungsorgane des Zentralstaates und damit dessen Funktion ohne Zustimmung der Bundesstaaten auch nicht nur quantitativ vermehrt werden. Die Annahme vom numerus clausus der Verfassungsorgane nötigt zu der Schlußfolgerung, daß es keine staatlichen Funktionen gibt, die nicht letzten Endes, sei es auch vermittels einer Hierarchie von Behörden, einem dieser Organe zugeordnet wären, das dafür die Verantwortung trägt und dementsprechend mit Weisungsbefugnissen mit Bezug auf diese Funktion ausgestattet ist.«[338]

Mit diesen Grundsätzen sind letztlich alle genannten Gremien nicht vereinbar. Das gilt jedenfalls für die Organe, die praktisch Aufgaben mit Verfassungsrang wahrnehmen (Konjunkturrat für die öffentliche Hand, Finanzplanungsrat, Planungsausschüsse für die Gemeinschaftsaufgaben mit eigener Entscheidungsbefugnis, Konzertierte Aktion, Sozialpolitische Gesprächsrunde und Sachverständigenrat).

4.2.2.5.1. Konzertierte Aktion und Sozialpolitische Gesprächsrunde

Die hier auftauchenden Probleme sind bisher am ausführlichsten im Hinblick auf die Konzertierte Aktion diskutiert worden. Kritik an dieser Institution aus verfassungsrechtlicher Sicht sind bisher besonders von Rupp[339] und Biedenkopf[340] geübt worden.

Rupp kommt zu dem Ergebnis, die Konzertierte Aktion führe zum ersatzlosen Abbau der bisherigen demokratischen Ordnungsprinzipien. Käme ihr die vom Bundeswirtschaftsminister zugedachte Rolle zu, so stelle sie den Parlamentarismus und damit eines der tragenden Verfassungsprinzipien selbst in Frage: »Die Konzertierte Aktion übernähme Funktionen und Aufgaben von im Regelkreis verfassungsmäßiger Verantwortung und Bindung befindlicher Verfassungsorgane, bewegte sich jenseits verfassungsrechtlicher Legalität und Legitimation und ließe das gesamte Funktionieren des politischen Systems leerlaufen und zur Farce werden.«[341]

Rupps verfassungsrechtliche Betrachtung der Konzertierten Aktion geschieht unter zwei Aspekten: einerseits unter dem Aspekt der Demokratie, andererseits unter dem Aspekt des Rechtsstaates.

Unter dem Demokratieaspekt fragt er, ob sie ein taugliches Partizipationsmodell ist, als »Stimulans demokratischer Mitwirkung fungieren könnte«.[342]

Diese Frage verneint er, weil

- der Informationsvorsprung der Regierung nur zu einer Pseudobeteiligung der Teilnehmer der Konzertierten Aktion führe,

- die Gefahr der Manipulation der Teilnehmer durch die Regierung bestehe,
- die Auswahl der Teilnehmer »nicht demokratischen, sondern bürokratischen Gesichtspunkten« folge (»viel näher läge der Vergleich mit einem technokratischen Kartell der Macht«[343]),
- die Konzertierte Aktion viel zu weit vom Demos entfernt sei und als Pseudopartizipation nur der Selbsttäuschung Vorschub leiste,
- es sich schließlich bei den Teilnehmern der Konzertierten Aktion um Vertreter zu heterogener Gruppen handele, als daß die Möglichkeit einer argumentativ beeinflußbaren Meinungsbildung und Diskussion bestehe.[344]

Die wichtigere Fragestellung Rupps ist, »wie sich die Konzertierte Aktion im System der Rechtsverfassung ausnähme, käme ihr die vom Bundeswirtschaftsminister zugedachte Rolle eines wirtschafts- und gesellschaftspolitischen Hauptstellwerks von ›Makrodezisionen‹ zu«.[345] Nach Rupps Meinung stellt diese Art der konzertierten Aktion sämtliche rechtsstaatlichen Verfassungsinstitutionen in Frage.

Rupp spricht es zwar nicht selbst aus, es liegt jedoch seinen Ausführungen eindeutig zugrunde, daß dies eine Folge der in der Konzertierten Aktion institutionell vorgenommenen Aufhebung der Trennung von Staat und Gesellschaft ist.[346] Denn auf ihr, gerade auch auf ihrer formalen Trennung, beruhen die Begriffe und Institutionen des liberalen Rechtsstaates. »Die Konzertierte Aktion zeichnet sich dadurch aus, daß sie aus der verfassungsrechtlichen Herrschaftsorganisation herausfällt.«[347] Deswegen kann sie selbst und können ihre Handlungen nicht mehr mit dem Begriffssystem des liberalen Rechtsstaates erfaßt werden. Damit sind aber zugleich die »freiheitsverbürgenden rechtsstaatlichen Institute« auf sie nicht mehr anwendbar.

So lassen sich die Beschlüsse der Konzertierten Aktion unter keine der herkömmlichen Kategorien juristischen Handelns einordnen. Sie sind weder Gesetz noch Rechtsverordnung, noch Verwaltungsakt, noch gehören sie zu einer der Kategorien des Privatrechts. Die Möglichkeit einer solchen Einordnung ist in unserem Rechtssystem jedoch kein Selbstzweck, auf ihr beruhen vielmehr die rechtsstaatlichen Sicherungen, insb. die Nachprüfbarkeit durch die Gerichte. Die Konzertierte Aktion ist entgegen dem Rechtsstaatsgedanken und entgegen Art. 19 Abs. 4 GG in ihren Beschlüssen nicht durch die Gerichte überprüfbar.

Die Konzertierte Aktion läßt sich auch in das Verhältnis von Regierung und Parlament nicht einordnen; sie sprengt das parlamentarische System, das seiner ursprünglichen Funktion nach ebenfalls freiheitsverbürgend sein sollte. Die Konzertierte Aktion trifft einerseits Entscheidungen, die das Gemeinwohl betreffen. Andererseits sind die Vertreter der Verbände dazu jedoch nicht demokratisch-parlamentarisch legitimiert. Weder haben sie einen entsprechenden Wählerauftrag, noch sind sie gegenüber dem Parlament entsprechend verantwortlich. Auch der Wirtschaftsminister und die übrigen staatlichen Repräsentanten in der Konzertierten Aktion entgleiten in diesem Bereich der parlamentarischen Verantwortung.

Nach dem rechtsstaatlichen Verfassungssystem können staatliche Aufgaben – und zu ihnen gehört heute auch die Wirtschaftspolitik – nur von den hierzu in der Verfassung ermächtigten, staatlichen Organen wahrgenommen werden. Eine Übertragung auf andere Institutionen, die in diesem Falle halb staatlich, halb gesellschaftlich sind, ist mit jenen Vorstellungen nicht vereinbar. Ihnen gegenüber ist das System rechtsstaatlicher Sicherungen und Balancen hilflos. »Die Partizipation an einem multilateralen Herrschaftspakt von Staat und autonomen Gruppen der Gesellschaft führt deshalb mit innerer Konsequenz aus der grundrechtlichen Rechts- und Rechtsschutzsystematik heraus und in ein apokryphes Netz von Bindungen und Sperren hinein, das um so gefährlicher ist, als es jenseits des verfassungsrechtlichen Ordnungssystems liegt und eine Rückkehr zur Verfassung bei fortschreitender Verdichtung dieses Netzes kaum mehr erlaubt.«[348]

Die Mehrzahl der Staats- und Verfassungsrechtler begegnet solcher rechtsstaatlichen Kritik an der Konzertierten Aktion mit dem Hinweis auf die juristische Unverbindlichkeit aller Beschlüsse dieser Einrichtung.[349] Für Stern etwa, dessen Stellungnahme für diese Richtung charakteristisch ist, wären solche Bedenken nur dann begründet – da die Konzertierte Aktion durch Art. 109 GG nicht ausdrücklich abgesichert sei –, wenn ›die selbständige politische Entscheidungsgewalt der Regierung‹ bzw. ihre alleinige Verantwortlichkeit gegenüber dem Parlament beeinträchtigt oder die verfassungsmäßig garantierte Entscheidungsfreiheit der Gebietskörperschaften oder der Sozialpartner tangiert wären. Das ist nach Sterns Meinung aber nicht der Fall, weil durch die Konzertierte Aktion die Beteiligten rechtlich nicht gebunden seien und ihnen keinerlei Berechtigungen oder Verpflichtungen daraus erwüchsen.[350]

Dieser Argumentationsweise, die aus der juristischen Unverbindlichkeit der Beschlüsse der Konzertierten Aktion ihre juristische und insbesondere verfassungsrechtliche Irrelevanz ableitet, wirft Rupp[351] mit Recht »Wirklichkeitsblindheit« vor. Denn Empfehlungen oder »Orientierungsdaten«, wenn sie von der Regierung zur »Darstellung der gesamtwirtschaftlichen Zusammenhänge im Hinblick auf die gegebene Situation« gegeben werden, erfolgten ja nicht aus bloßer Mitteilungsfreude, sondern – wie das Gesetz unmißverständlich sage – zum Zwecke eines aufeinander abgestimmten Verhaltens und »zur Erreichung der Ziele des § 1 des Gesetzes«. So stellt die Kritik Rupps mit Recht darauf ab, daß nicht die formale juristische Ausgestaltung der Konzertierten Aktion, sondern die tatsächliche Wirkung »dieser neuartigen Technik des Regierens«[352] auch für die verfassungsrechtliche Würdigung entscheidend ist.

Die Streitfrage, ob die Konzertierte Aktion wegen einer Kollision mit Art. 20 und evtl. auch anderen Vorschriften des Grundgesetzes verfassungsrechtlich bedenklich oder gar verfassungswidrig[353] ist oder ob sie – wie andere Autoren meinen – wegen der fehlenden juristischen Verbindlichkeit ihrer Beschlüsse verfassungsrechtlich tragbar ist, braucht im Rahmen dieser Arbeit nicht entschieden zu werden.

Für unsere Fragestellung genügt die Feststellung, daß einige Autoren die Verfassungsmäßigkeit in Frage stellen und daß diese Autoren entweder sehr stark vom Neoliberalismus beeinflußt sind oder in besonders starkem Maße in der liberalen Tradition des Staatsrechts stehen. Wir haben oben nachzuweisen versucht, daß das herkömmliche staats- und verfassungsrechtliche Begriffssystem auf den liberalen

Vorstellungen von Staat und Gesellschaft beruht. Es ist deswegen nicht erstaunlich, daß die Autoren, die am stärksten dieser Tradition verpflichtet sind, am sensibelsten auf die Veränderungen im Bereich des Verfassungsrechts reagieren, die letztlich eine Folge der gesellschaftspolitischen Aspekte der Konzertierten Aktion sind. Wenn Rupp z. B. der Ansicht ist, die Konzertierte Aktion verstoße gegen Art 20 und 19 Abs. 4 GG und die Grundrechtsbestimmungen, so handelt es sich um eine qualitativ andere Feststellung als etwa die, daß eine Gebührenordnung oder eine Polizeiverfügung gegen das Grundgesetz verstoße. Denn hierbei handelt es sich um isolierte verfassungswidrige Hoheitsakte. Hingegen folgt die Verfassungswidrigkeit der Konzertierten Aktion für Rupp letztlich daraus, daß diese neue Institution überhaupt nicht mehr in das rechtsstaatliche Verfassungssystem hineinpaßt. Das Konzept des liberalen Rechtsstaates und das Konzept, auf dem die Konzertierte Aktion fußt, beruhen, wie Ritter[354] richtig sagt, auf gegensätzlichen Staats- und Gesellschaftsbegriffen. Der bürgerliche Rechtsstaat beruht auf der Vorstellung der Trennung von Staat und Gesellschaft, einer Gesellschaft von machtlosen Individuen, die Konzertierte Aktion hebt diese Trennung institutionell auf und ersetzt sie durch ein »Bündnis von Wirtschaft und Staat«[355]. Während die liberale Rechtsstaatskonzeption – wie sie etwa noch in der Konzeption des GWB zum Ausdruck kommt – die wirtschaftliche Macht bekämpft, bedient sich die Konzertierte Aktion gerade dieser Macht und ist auf sie angewiesen. Dies ist letztlich der Grund, weswegen die Konzertierte Aktion ins liberale Rechtsstaatssystem nicht hineinpaßt und von einigen Autoren als verfassungswidrig oder verfassungsrechtlich bedenklich betrachtet wird.

Was über die Konzertierte Aktion gesagt worden ist, trifft letztlich auch für die Sozialpolitische Gesprächsrunde zu, auch wenn ihr in der Öffentlichkeit sehr viel weniger Aufmerksamkeit zuteil wird.

4.2.2.5.2. Konjunkturrat und Finanzplanungsrat

Der Konjunkturrat für die öffentliche Hand und der Finanzplanungsrat werfen gleiche oder ähnlich gelagerte Probleme auf, wie wir sie hinsichtlich der Konzertierten Aktion erörtert haben. Hier steht allerdings (ebenso wie bei den Planungsausschüssen von Bund und Ländern) der föderale Aspekt im Mittelpunkt. Im folgenden werden daher stärker die föderalen Probleme behandelt, während die im Zusammenhang mit der Konzertierten Aktion behandelten Aspekte nicht alle wiederholt werden sollen.

Der Konjunkturrat[356] nimmt Aufgaben wahr, die grundsätzlich Aufgaben der Verfassungsorgane sind. Nach § 18 Abs. 2 StabG berät er alle zur Erreichung der Ziele des Stabilitätsgesetzes erforderlichen konjunkturpolitischen Maßnahmen, die Möglichkeiten der Deckung des Kreditbedarfs der öffentlichen Haushalte und ist insbesondere vor allen Maßnahmen nach den §§ 15, 19 und 20 StabG, d. h. vor dem Erlaß von Rechtsverordnungen, die Kreditlimitierungen anordnen oder anordnen, Mittel in die Konjunkturausgleichsrücklagen einzubringen, zu hören. Der Konjunkturrat stellt nach § 22 Abs. 1 StabG unter Berücksichtigung der Lage am Kapitalmarkt einen Zeitplan für jeweils längstens drei Monate auf, in dem die Reihenfolge der Kreditaufnahme durch die öffentlichen Hände und die Höhe des Betrages festzulegen sind und die Kreditbedingungen festgelegt werden können. Daß es sich hierbei um Aufgaben handelt, die nach herkömmlicher Grundgesetzauffassung von den in der Verfassung vorgesehenen Organen wahrgenommen werden müßten, wird auch von den Autoren nicht bestritten, die gleichwohl die Einrichtung und Kompetenzen des Konjunkturrates für verfassungskonform halten.[357]

Diese Autoren beschwichtigen jedoch alle verfassungsrechtlichen Bedenken damit, daß es sich nur um ein beratendes und empfehlendes, nicht um ein entscheidendes Gremium handele, denn »›die selbständige politische Entscheidungsgewalt der Regierung‹ (BVerfGE 9, 281), ihre verantwortliche Willensentscheidung gegenüber Volk und Parlament (BayVerfGH 4 II 47) werden dadurch nicht beeinträchtigt«.[358]

Auch hier wird also wieder aus der juristischen Unverbindlichkeit der Beschlüsse ihre juristische und verfassungsrechtliche Irrelevanz abgeleitet. Das ist hier ebensowenig überzeugend wie bei der Konzertierten Aktion. Die faktische Bedeutung der Beschlüsse des Konjunkturrates dürfte sogar noch erheblich größer sein als die der Konzertierten Aktion. »Der Konjunkturrat dient einerseits der Bundesregierung dazu, konjunktur- und haushaltspolitische Entscheidungen der Länder und Gemeinden zu beeinflussen, andererseits ermöglicht er den Ländern und Gemeinden, Einfluß auf konjunktur- und haushaltspolitische Entscheidungen des Bundes zu nehmen. Diese Koordinations- und Vorentscheidungsfunktion wird gestärkt durch die Zusammensetzung des Konjunkturrates. Rechtlich fehlt dem ›Mischorgan‹ Konjunkturrat jegliche Entscheidungsbefugnis; faktisch wird seine Beratung Vorentscheidung sein, wenn er seine Funktion der Koordination der Konjunktur- und Haushaltspolitik zwischen Bund, Ländern und Gemeinden erfüllen soll.«[359] Auch seitens der Regierung wird hervorgehoben,[360] die Beschlüsse des Konjunkturrates hätten »großes politisches Gewicht«. Dafür spreche schon der Rang seiner Mitglieder. Tatsächlich könne festgestellt werden, daß das Verantwortungsbewußtsein der einzelnen Glieder unseres Bundesstaates für das Ganze gefördert worden sei, daß ihr Verständnis für eine antizyklische Wirtschafts- und Finanzpolitik aus einem Guß zum Wohle des Ganzen gewachsen sei und daß sie sich daher bemühten, die im Rat erarbeiteten Empfehlungen und Maßstäbe zu beachten und durchzusetzen.

Daraus ergibt sich die erhebliche verfassungsrechtliche Relevanz dieses Organs[361], das neben dem auch bei der Konzertierten Aktion behandelten Aspekt des Rechtsstaats und der Gewaltenteilung insbesondere die föderale Struktur der Verfassung tangiert. Durch einfaches Bundesgesetz ist mit dem Konjunkturrat ein Verfassungsorgan geschaffen worden, das der gegenseitigen Beeinflussung und Abstimmung von Bund, Ländern und Gemeinden dient. Der Bund gewinnt einen bisher in der Verfassung nicht vorgesehenen Einfluß auf Länder und Gemeinden, zumal in einer der Verfassung bisher fremden Form, nämlich weder in der Form von Gesetzen und Verordnungen noch einer der verfassungsrechtlich verankerten Möglichkeiten (z. B. der allgemeinen Verwaltungsvorschrift gemäß Art. 85 Abs. 2 GG).

Damit ergeben sich auch für den föderalen Bereich die im Rahmen der Konzertierten Aktion erörterten Probleme dadurch, daß die »rechtsstaatliche Formtypik« verlassen wird. Die Bundesregierung hat auch in der amtlichen Begründung zum Stabilitätsgesetz erklärt,[362] der Konjunkturrat (im Entwurf hieß es noch Ausschuß für öffentlichen Kredit) werde »eine Kooperation von Bund, Ländern und Gemeinden einleiten, die einen künftigen Rückgriff auf das Verordnungsrecht der Bundesregierung (zur Beschränkung der Kreditaufnahme der öffentlichen Hände) möglichst entbehrlich macht«.

Zugleich steht dieses Organ verfassungsrechtlich gesehen in einem gewissen Konkurrenzverhältnis zum Bundesrat. Denn wie auch Stern[363] im Hinblick auf den seinerzeit vom Lande Hessen vorgeschlagenen Finanzrat ausgeführt hat, »ist nicht zu übersehen, daß jeder Bund-Länderrat eine Schwächung der föderalen Integrationskraft des Bundesrates als des Organs darstellt, durch das die Länder bei der Bildung des Bundeswillens mitwirken (Art. 50 GG)«.

Ferner bezieht es die Gemeinden unmittelbar in die Regierungstätigkeit ein, was ebenfalls nicht der ursprünglichen grundgesetzlichen föderalen Konzeption entspricht.

Der Konjunkturrat ist ein neues gesamtstaatliches Organ, ein ›Mischorgan‹ aus Bund, Ländern und Gemeinden.[364] Demgegenüber waren bisher alle staatlichen Organe entweder Bundes- oder Landesorgane.

Die gleichen Probleme wie beim Konjunkturrat ergeben sich beim Finanzplanungsrat. Auch er nimmt Aufgaben wahr, die Aufgaben der Verfassungsorgane sind. Gemäß § 51 Abs. 2 Haushaltsgrundsätzegesetz gibt der Finanzplanungsrat Empfehlungen für eine Koordinierung des Bundes und der Länder und der Gemeinden und Gemeindeverbände. Dabei sollen eine einheitliche Systematik der Finanzplanungen aufgestellt sowie einheitliche volks- und finanzwirtschaftliche Annahmen für die Finanzplanungen und Schwerpunkte für eine den gesamtwirtschaftlichen Erfordernissen entsprechende Erfüllung der öffentlichen Aufgaben ermittelt werden. Der Finanzplanungsrat hat zudem gemäß § 53 ein Auskunftsrecht gegenüber Bund und Ländern.[365]

Auch der Finanzplanungsrat gibt nach dem Wortlaut des Gesetzes nur Empfehlungen, die faktische Bindungswirkung dürfte jedoch etwa ebenso groß sein wie die des Konjunkturrates. Bezeichnend hierfür ist, daß der Bundesrat in seiner Stellungnahme zum Entwurf des Haushaltungsgrundsätzegesetzes[366] verlangt hatte, daß es nicht zu den Aufgaben des Finanzplanungsrates gehören sollte, Schwerpunkte für die Erfüllung der öffentlichen Aufgaben zu ermitteln. Zur Begründung hatte der Bundesrat angeführt: »Die Schwerpunkte für die Erfüllung der öffentlichen Aufgaben müssen von den Regierungen und Parlamenten bestimmt werden, nicht vom Finanzplanungsrat. Auch wenn die vom Finanzplanungsrat ermittelten Schwerpunkte nur Gegenstand von Empfehlungen wären, so hätten sie jedoch ein solches politisches Gewicht, daß die Entscheidungsfreiheit der genannten Gremien tatsächlich beeinträchtigt würde.«[367]

Berücksichtigt man im Zusammenhang hiermit die große politische Bedeutung der Finanzplanung, ihre faktische Auswirkung auf die gesamte mittelfristige Erfüllung öffentlicher Aufgaben, insbesondere ihre faktische Bindungswirkung für die materielle und die Haushaltsgesetzgebung,[368] so ergibt sich, daß die verfassungspolitische und verfassungsrechtliche Relevanz des Finanzrates die des Konjunkturrates eher noch übersteigt.

4.2.2.5.3. Planungsausschüsse auf Grund der Gemeinschaftsaufgaben nach Art. 91 a GG

Die Planungsausschüsse, die auf Grund der Gesetze über die Gemeinschaftsaufgaben nach Art. 91a GG eingesetzt worden sind, unterscheiden sich in zweifacher Weise vom Konjunktur- und Finanzplanungsrat.

Sie sind auf einem sehr viel engeren, genau begrenzten Gebiet tätig und haben nicht nur eine faktische, sondern auch eine juristische Entscheidungsfunktion. Ihnen ist – wie oben[369] bereits ausgeführt – die eigentliche Regelungsbefugnis im Rahmen der durch die entsprechenden Gesetze festgelegten politischen Ziele übertragen.[370]

Sie nehmen damit ebenfalls Aufgaben war, die herkömmlicherweise die der Verfassungsorgane sind. Zudem kann bei ihnen auch das für den Konjunkturrat und den Finanzplanungsrat stets herangezogene Argument, daß diese Gremien nur Empfehlungen abgäben, nicht aber Entscheidungen träfen, nicht mehr herangezogen werden. Als verfassungsrechtliche Grundlage wird für dieses »neuartige verfassungsrechtliche Institut«[371] Art. 91 a Abs. 3 S. 1 GG genannt. Das kann freilich nicht darüber hinwegtäuschen, daß diese neuen Verfassungsorgane nicht durch die Verfassung selbst eingerichtet sind, daß sie Stellen sind, die von Regierungen und Parlamenten in Bund und Ländern unabhängig sind.

Zwar können die einzelnen Mitglieder der Ausschüsse von den sie entsendenden Regierungen zur Rechenschaft gezogen werden, mögen weisungsabhängig sein,[372] die Ausschüsse als Ganze entziehen sich jedoch dem System parlamentarischer Verantwortlichkeiten.

Als Konsequenz der bisher nicht vorgesehenen gemeinsamen Aufgabenerledigung sprengen sie ebenfalls das bisherige föderale System. Auch sie sind Verfassungsorgane auf einer bisher nicht vorhandenen Ebene des Gesamtstaates, ›Mischorgane‹ aus Bund und Ländern.[373]

4.2.2.5.4. Sachverständigenrat zur Begutachtung der gesamtwirtschaftlichen Entwicklung

In der Reihe der außerverfassungsrechtlichen Verfassungsorgane muß schließlich noch der Sachverständigenrat zur Begutachtung der gesamtwirtschaftlichen Entwicklung erwähnt werden. Zwar dient er – anders als die bisher behandelten Gremien – nicht unmittelbar der Koordinierung wirtschaftlicher Entscheidungsträger. Nach § 2 des Gesetzes soll der Sachverständigenrat die gesamtwirtschaftliche Lage und deren absehbare Entwicklung darstellen und insbesondere die Ursachen von Spannungen zwischen gesamtwirtschaftlichem Angebot und gesamtwirtschaftlicher Nachfrage aufzeigen, die die Ziele des ›magischen Vierecks‹ gefährden. Nach den Vorstellungen des Wirtschaftsausschusses[374] sollte dadurch »ein wesentlicher Beitrag zur Versachlichung der wirtschaftspolitischen Auseinandersetzung« geleistet werden.

Letztlich sollte also das Gutachten auch eine Koordinierung aller wirtschaftspolitischen Entscheidungsträger herbeiführen, weil man hoffte, daß durch das Votum einer wissenschaftlichen, neutralen Instanz alle Beteiligten (insbesondere auch die autonomen Gruppen) zu einem Konsensus kommen würden und vor allem Verteilungskämpfe verhindert würden. Dieses Anliegen kommt auch in den Gutachten des Sachverständigenrates stets sehr stark zum Ausdruck.

In der Literatur sind sehr bald nach Erlaß des Gesetzes über die Errichtung des Sachverständigenrates verfassungsrechtliche Bedenken angemeldet worden, die sich ebenfalls darauf gründen, daß es sich bei ihm um ein Verfassungsorgan handele ohne verfassungsrechtliche Legitimation und Verankerung.[375] [376] Der Sachverständigenrat habe einen öffentlichen Status und verfassungsrechtlichen Rang. Nicht nur Entscheidung, auch Begutachtung im wirtschaftspolitischen Bereich gehörten zu den Aufgaben der Regierung und der gesetzgebenden Körperschaften.[377] »Verfassungsrechtlich ist bei dem Sachverständigenrat der Punkt erreicht, an dem fachkundige Beratung der politischen Instanzen, gegen die nichts einzuwenden ist, in eine unverantwortliche Nebenregierung umschlägt, die der demokratischen Legitimation entbehrt.«[378] Durch die Veröffentlichung der Gutachten und die Pflicht der Bundesregierung zur Stellungnahme gegenüber dem Parlament sei dem Sachverständigenrat »ein Selbsthandlungs- und Initiativrecht eingeräumt, das dem Gesetzesinitiativrecht der Bundesregierung nicht unähnlich ist. Für die Planung und Initiierung der langfristigen Wirtschaftspolitik bestehen mithin in der Bundesrepublik zwei Regierungsorgane: die Bundesregierung und deren Wirtschaftsminister auf der einen, der Sachverständigenrat auf der anderen Seite.«[378] Dies unterlaufe die Einheit der Regierungsgewalt und die Richtlinienkompetenz des Bundeskanzlers. Obgleich der Sachverständigenrat kein selbständiges Entscheidungsrecht habe, sei er doch in der Lage (und solle das gerade), der Regierung durch seine Initiativen das Gesetz des Handelns vorzuschreiben. Durch seinen unmittelbaren Zugang zur Öffentlichkeit erhielten seine Gutachten indirekte Verbindlichkeit.

Im Hinblick auf die demokratisch-parlamentarische Verantwortlichkeit wird auf die in § 2 Abs. 1 des Gesetzes statuierte Unabhängigkeit und die Nichtabsetzbarkeit (§ 7) der Mitglieder hingewiesen. Es handele sich um das »Schulbeispiel einer ›indirekten Gewalt‹«[380]. »Nicht nur die Exekutive, auch der einfache Gesetzgeber kann nicht Instanzen schaffen, die die vom Grundgesetz als einheitlich gedachte Regierungsgewalt unterlaufen und dabei selbst keinerlei Kontrolle und Verantwortlichkeit unterliegen.«[381]

4.2.2.5.5. Bestrebungen zur Errichtung eines Bundeswirtschafts- und Sozialrates

Es erscheint nicht ausgeschlossen, daß die Notwendigkeit der Koordinierung der verschiedenen wirtschaftlichen Entscheidungsträger mit gesamtwirtschaftlicher Relevanz, die bisher in diesen verschiedenen Gremien geschieht, in Zukunft zur Errichtung eines Bundeswirtschafts- und Sozialrates führen wird. Die Diskussion um die Errichtung eines solchen neuen Verfassungsorgans hat sich jedenfalls besonders im Hinblick auf eine Weiterentwicklung der Konzertierten Aktion in den letzten Jahren sehr belebt.[382]

So brachten am 16. 8. 1971 einige CDU-Abgeordnete einen Gesetzentwurf über die Errichtung eines Bundeswirtschafts- und Sozialrates ein.[383] Nach dem Entwurf soll dieser Rat aus 60 Vertretern von Unternehmen, Gewerkschaften und des »öffentlichen Lebens« bestehen, deren Aufgabe es sein soll, den Bundestag und Bundesrat in wirtschafts- und sozialpolitischen Fragen zu beraten.

Auch der DGB-Bundesausschuß hat am 3. 3. 1971 Empfehlungen zur Errichtung eines Bundeswirtschafts- und Sozialrates verabschiedet,[384] der noch weitergehende Kompetenzen als der aus den Reihen der CDU vorgeschlagene Bundeswirtschafts- und Sozialrat haben soll.

Die Errichtung eines solchen Rates würde den bereits eingetretenen Verfassungswandel weiterführen. Denn – wie Badura[385] mit Recht ausführt – eine solche Institution würde »zu den Grundsätzen der parlamentarischen Demokratie in einen gewissen Widerspruch treten«; ein weiterer Schritt fort von den herkömmlichen Vorstellungen des bürgerlichen Rechtsstaates würde vollzogen.

ANMERKUNGEN

1. Die Arbeitslosenquote sank von 1955 bis 1956 von 5,3 % auf 3,9 %. Das bedeutet für heutige Vorstellungen in der BRD immer noch nicht Vollbeschäftigung (die Bundesregierung strebte z. B. im Jahreswirtschaftsbericht 1970 eine Arbeitslosenquote von 0,7 % bis 1,2 % an). Dennoch sprechen einige Autoren davon, daß 1955 die Vollbeschäftigung erreicht worden sei. Vgl. so z. B. H. H. Götz »Weil alle besser leben wollen ...«, 1963, S. 57; H. Ehrenberg »Die Erhard-Saga«, o. J., S. 21; ähnlich auch das Gutachten des Sachverständigenrates 1964/65 (»Stabiles Geld – stetiges Wachstum«), RdZf. 83 ff.

2. Wissenschaftlicher Beirat beim Bundeswirtschaftsministerium, Gutachten vom 3. 7. und 8. 7. 1956, »Instrumente der Konjunkturpolitik und ihre rechtliche Institutionalisierung«, in: 4. Bd. Gutachten vom Januar 1956 bis Dezember 1956, 1957, S. 34 ff.

3. Steueränderungsgesetz 1961, BGBl. I S. 981, Art. 1, Nr. 13 d.

4. Die Äußerungen von A. Müller-Armack sind hier deswegen von besonderem Interesse, weil er maßgeblich an der Gestaltung der Wirtschaftspolitik teilgehabt hat. Seit 1952 war er kommissarischer Leiter der Hauptabteilung I (Wirtschaftspolitik), von 1958 bis 1963 Staatssekretär im Bundeswirtschaftsministerium.

5. So der Titel eines Aufsatzes, A. Müller-Armack »Die zweite Phase der sozialen Marktwirtschaft. Ihre Ergänzung durch das Leitbild einer neuen Gesellschaftspolitik«, zit. nach ders., Wirtschaftsordnung und Wirtschaftspolitik, 1966, S. 293 ff.

6. Ders. a.a.O., S. 269.

7. Ders. a.a.O., S. 274.

8. Ders. a.a.O., S. 283.

9. Bundestagsdrucksache *zu* IV/1752, Anl. 1, S. 14 ff.

10. »Bericht über die Wirtschaftsentwicklung im Jahre 1962 und Aussichten für 1963 (Wirtschaftsbericht 1963)«, Bundestagsdrucksache IV/1010.

11. Ebenda, S. 2.

12. A.a.O., insb. S. 12.

13. Zu dem Wandel, den dieser Bericht gegenüber der bisher verfolgten Politik darstellt,

vgl. sehr pointiert A. Shonfield »Geplanter Kapitalismus«, deutsche Übersetzung 1968, S. 343 ff.

14. So kann K. Kleps mit Recht kritisch anmerken, der Bericht stelle den Staat neben die privaten Verbraucher und Investoren, ohne ihm gleichzeitig auch eine wirtschaftspolitische Verantwortlichkeit zuzusprechen, die über sein bloßes Investieren und Konsumieren hinausreiche, ders. »Langfristige Wirtschaftspolitik in Europa«, 1966, S. 395.

15. Gem. Gesetz über die Bildung eines Sachverständigenrates zur Begutachtung der gesamtwirtschaftlichen Entwicklung vom 14. 8. 1963, BGBl. I S. 685.

16. § 2 des Gesetzes lautet: »Der Sachverständigenrat soll in seinem Gutachten die jeweilige gesamtwirtschaftliche Lage und deren absehbare Entwicklung darstellen. Dabei soll er untersuchen, wie im Rahmen der marktwirtschaftlichen Ordnung gleichzeitig Stabilität des Preisniveaus, hoher Beschäftigungsstand und außenwirtschaftliches Gleichgewicht bei stetigem und angemessenem Wachstum gewährleistet werden können.«

17. So der Wortlaut des § 1 Abs. 1 des Gesetzes.

18. L. Erhard »Geist und Prinzipien der deutschen Wirtschaftspolitik«, in: ders., Wirken und Reden, o. J., S. 214. Vgl. auch bei K. Kleps »Langfristige Wirtschaftspolitik in Europa«, 1966, S. 397 f.

19. L. Erhard »Politik der Mitte und der Verständigung«, ebenda S. 152.

20. Bundestagsdrucksache *zu* IV/1752, Anl. 1, S. 16.

21. Finanzbericht 1965, S. 525 ff.

22. K. Kleps a.a.O., S. 398 f.

23. Kommission für die Finanzreform »Gutachten über die Finanzreform in der Bundesrepublik Deutschland«, 1966.

24. Vgl. bes. L. Erhard »Die ›Formierte Gesellschaft‹. Programm für die politische Ordnung Deutschlands«, in: Gesellschaftspolitische Kommentare, Bd. 12 (1965), S. 73 f. Das Konzept ist im übrigen besonders von L. Schütze, W. Riek, R. Wilhelmi und H. J. Unland fast ausschließlich in der genannten Zeitschrift vertreten worden. Zu den geistigen Vätern dieses Konzepts hat L. Schütze »Von der Klassengesellschaft zur Formierten Gesellschaft«, in: Gesellschaftspolitische Kommentare, Bd. 12 (1965), S. 110, ausgeführt: »Erhards Konzeption ... basiert auf den Erkenntnissen namhafter Politikwissenschaftler, Soziologen und Nationalökonomen.« Genannt werden: Eric Voegelin, Goetz Briefs, Johannes Messner und Rüdiger Altmann. »Goetz Briefs Analyse der befestigten Gewerkschaften ist wohl am unmittelbarsten benachbart den Analysen und Vorschlägen von Ludwig Erhard.«

25. Vgl. L. Erhard »Die ›Formierte Gesellschaft‹«, in: Gesellschaftspolitische Kommentare, Bd. 11 (1965), S. 74; ders. »Ziele christlich-demokratischer Politik heute«, ebenda, S. 75: »Wir können uns es nicht leisten, auf eine Reform der deutschen Demokratie zu verzichten.«

26. Zur Kritik aus neoliberaler Sicht vgl. C. Mötteli »Gesellschaft, Staat und Wirtschaft«, in: Ordo, Bd. 16 (1966), S. 229 ff., insb. S. 238 ff. R. Opitz »Der große Plan der CDU: die ›Formierte Gesellschaft‹«, in: Blätter für deutsche und internationale Politik, Bd. 10 (1965), S. 750 ff., macht in seiner sehr kritischen Analyse der Formierten Gesellschaft besonders auf Passagen bei ihren Befürwortern aufmerksam, die ein Anknüpfen an bestimmte faschistische Prinzipien der Gesellschaftsordnung vermuten lassen.

27. Vgl. Art. 109 Abs. 2 GG (n.F.).

28. Vgl. § 1 StabG.

29. Im Jahreswirtschaftsbericht 1970 sind folgende Qualifizierungen vorgenommen worden: Arbeitslosenquote: 0,7 %–1,2 %, Preissteigerungsrate: 0,7 %–2 %, Wirtschaftswachs-

tum: gut 4 % bis reichlich 4,5 % (S. 44). Hierbei handelt es sich um die mittelfristige Projektion, für die kurzfristige Projektion vgl. im Jahreswirtschaftsbericht 1970, S. 13 ff.

30. H. Kohn »Das Gesetz zur Förderung der Stabilität und des Wachstums«, BMWi-Texte, 3. Aufl. 1970, S. 19.

31. Vgl. H. J. Schmahl »Globalsteuerung – Zwischenbilanz einer neuen Konjunkturpolitik«, Hamburger Jahrbuch für Wirtschafts- und Gesellschaftspolitik, Bd. 16 (1971), S. 272.

32. Vgl. z.B. H. Kohn »Das Gesetz zur Förderung der Stabilität und des Wachstums«, BMWi-Texte, 3. Aufl. 1970, S. 14 f.; H. Giersch »Allgemeine Wirtschaftspolitik«, 1. Bd., 1960, S. 22, definiert rationale Wirtschaftspolitik als eine Politik, »die planmäßig auf die Verwirklichung eines umfassenden, wohldurchdachten und in sich ausgewogenen Zielsystems gerichtet ist und dabei den höchsten Erfolgsgrad erreicht, der unter den jeweiligen Umständen möglich ist«.

33. Vgl. K. Schiller »Preisstabilität durch globale Steuerung der Marktwirtschaft«, 1966, S. 21; ders., Reden zur Wirtschaftspolitik 1, BMWi-Texte, 1967 (»Marktwirtschaft mit Globalsteuerung«), S. 40 ff.

34. Vgl. K. Schiller »Preisstabilität durch globale Steuerung der Marktwirtschaft«, a.a.O., S. 21.

Auf der Tagung der Studienvereinigung Kartellrecht am 11. Januar 1968 sprach Schiller von der Doppelaufgabe der Wirtschaftspolitik: »Sie hat einerseits die Aufgabe, die Ordnung durch Wettbewerb und damit die Freiheit der unternehmerischen Einzelentscheidungen im Markt zu schützen. Sie muß andererseits aber auch dafür sorgen – das schafft der marktwirtschaftliche Prozeß von sich aus noch nicht –, daß im Wirtschaftsablauf die großen gesamtwirtschaftlichen Ziele, nämlich Stabilität des Geldwertes, hoher Beschäftigungsgrad, außenwirtschaftliches Gleichgewicht und stetiges angemessenes Wachstum der Wirtschaft erreicht werden oder soweit wie möglich erreicht werden kann. Der einen Aufgabe oder der einen Seite der Doppelaufgabe dient das Gesetz gegen Wettbewerbsbeschränkungen. Die Erfüllung der anderen Seite streben wir mit Hilfe seines jüngeren Bruders, nämlich mit dem Gesetz zur Förderung der Stabilität und des Wachstums der Wirtschaft an. Nach meiner Ansicht stehen nun beide Gesetze zueinander wie der linke und der rechte Schuh ...« (Reden zur Wirtschaftspolitik 3, BMWi-Texte, o. J., S. 103).

35. Vgl. Art. 109 Abs. 2 GG (n. F.): »Bund und Länder haben bei ihrer Haushaltswirtschaft den Erfordernissen des gesamtwirtschaftlichen Gleichgewichts Rechnung zu tragen.«

36. H. Körner »Die gesellschaftspolitische Dimension der Wirtschaftspolitik«, in: Jahrbuch für Sozialwissenschaften, Bd. 22 (1971), S. 3. Vgl. auch K. Schiller »Preisstabilität durch globale Steuerung der Marktwirtschaft«, 1966, S. 21: »Die optimale Zuordnung der Lenkungsmittel besteht demnach in der kombinierten Anwendung des Prinzips der Selbststeuerung für die Mikrorelationen und der Globalsteuerung für die Makrorelationen.« Das Problem der Koordination der beiden Ebenen hat auch E. Hoppmann (»Konzertierte Aktion und der ›Rahmen der marktwirtschaftlichen Ordnung‹«, in: ders. [Hrsg.], Konzertierte Aktion, 1971, S. 267 f.) besonders prononciert herausgearbeitet: »Derartige (makroökonomische) Größen und Relationen spielen jedoch in dem Prozeß ihrer Bestimmung selbst keine Rolle. Veränderungen dieser Größen und Relationen sind Auswirkungen des marktwirtschaftlichen Preisbildungs- und Produktionsprozesses, d.h. des mikroökonomischen Prozesses ... Wie sich die makroökonomischen Größen und Relationen verändern und welches Ausmaß diese Veränderungen haben, ist Auswirkung autonomer Entscheidungen der mikroökonomischen Entscheidungseinheiten und des aus diesen resultierenden mikroökonomischen Prozesses. Deshalb ergibt sich das Problem, wie die autonomen Wirtschaftssubjekte, d. h. die

Elemente des mikroökonomischen Prozesses, dazu gebracht werden können, diejenigen Handlungen vorzunehmen, die den Steuerleuten vom Standpunkt der Globalsteuerung notwendig erscheinen.«

37. Zur Wirkungsweise der Geldpolitik vgl. neuerdings wieder E. Dürr »Reform der Geldpolitik statt konzertierter Aktion«, in: E. Hoppmann (Hrsg.), Konzertierte Aktion, 1971, S. 139 ff., und A. Woll »Inflationstheoretische Begründung der konzertierten Einkommenspolitik«, ebenda, S. 117 ff. Zur Fiskalpolitik neuerdings D. Pohmer / W. Göckeler »Konzertierte Aktion und Finanzpolitik«, ebenda, S. 69 ff.

38. Die sog. Neoquantitätstheoretiker sind im Prinzip der Meinung, daß die Instrumente der Geld- und Fiskalpolitik keiner Ergänzung bedürfen, sondern nur konsequent und richtig eingesetzt zu werden brauchen, um wirksam zu sein. Vgl. in diesem Sinne insbesondere eine Reihe von Beiträgen in dem von E. Hoppmann herausgegebenen Sammelband »Konzertierte Aktion« (1971), z. B. die Beiträge von A. Woll »Inflationstheoretische Begründung einer konzertierten Einkommenverteilung«, S. 117 ff.; E. Heuß »Makroökonomie und Stabilitätsgesetz«, S. 91 ff.; E. Hoppmann »Konzertierte Aktion und der ›Rahmen der marktwirtschaftlichen Ordnung‹«, S. 265 ff.

39. H. Körner »Die gesellschaftspolitische Dimension der Wirtschaftspolitik«, Jahrbuch für Sozialwissenschaften, Bd. 22 (1971), S. 3.

40. Ders. a.a.O., S. 3. Körner geht vor allem davon aus, daß die »Verhaltensannahmen in der Theorie der Wirtschaftspolitik nicht den in der Realität gegebenen Tatsachen entsprechen«. Besonders bedenkenswert erscheint uns insoweit, ob nicht der Theorie der indirekten Methoden der Wirtschaftspolitik als wesentliche Voraussetzung eine weitgehend wettbewerblich strukturierte Wirtschaft zugrunde liegt, der die Realität immer weniger entspricht. Vgl. hierzu auch H. Arndt »Stagflation«, in: Wirtschaftswoche 1972, Heft 1, S. 20 ff.; Gutachten des Sachverständigenrates 1971, Ziff. 379 ff. Auch die Bundesregierung hat ausgeführt, inzwischen spreche auch die Erfahrung dafür, daß die staatliche Konjunkturpolitik um so schlechter greife, je weniger die Märkte wettbewerblich strukturiert seien. (Stellungnahme der Bundesregierung zum Tätigkeitsbericht des Bundeskartellamtes 1971, Bundestagsdrucksache VI/3570 S. V.)

41. Vgl. K. Schiller, Reden zur Wirtschaftspolitik 4, BMWi-Texte, o. J., S. 216: »Mit der Konzertierten Aktion haben wir eine Transmissionseinrichtung gefunden, um bestimmte Verhaltensweisen auf die von den Verbänden vertretenen Teile der Wirtschaft zu übertragen.« An anderer Stelle hat Schiller jedoch beklagt, daß der Einfluß der Konzertierten Aktion auf die dort Vertretenen noch zu gering sei: »Die ganze Konzertierte Aktion darf sich nicht sozusagen auf nur einem level abspielen, sondern sie muß transformiert werden. Das, was wir dort erarbeitet haben, sollte stärker auf beiden Seiten in die organisierten Gruppen hineintransportiert werden ... Da fehlt einfach der Informationsstrom von oben nach unten ...« (K. Schiller, Reden zur Wirtschaftspolitik 7, BMWi-Texte, 1970, S. 49 f.).

Die Diskussion um die Globalsteuerung hat sich insbesondere an der Konzertierten Aktion entzündet. Vgl. hierzu K. H. Biedenkopf »Rechtsfragen der Konzertierten Aktion«, in: Betriebsberater 1968, S. 1005 ff.; E.-H. Ritter »Der Wandel der Wirtschaftspolitik und die wirtschaftsverfassungsrechtliche Bedeutung des Gesetzes gegen Wettbewerbsbeschränkungen«, in: Betriebsberater 1968, S. 1393 ff.; E. Hoppmann (Hrsg.) »Konzertierte Aktion. Kritische Beiträge zu einem Experiment«; ders. »Konzertierte Aktion als Instrument der Globalsteuerung«, in: Wirtschaftswissenschaftliches Studium 1972, S. 7 ff.; O. Schlecht »Konzertierte Aktion als Instrument der Wirtschaftspolitik«, 1968; K.-J. Gördel / M. M. Schöpf »Antwort auf Biedenkopf«, in: Der Volkswirt 1968, Nr. 31, S. 23 f.

42. H. Kohn »Das Gesetz zur Förderung der Stabilität und des Wachstums«, BMWi-Texte, 3. Aufl. 1970, S. 22. Vgl. zur Begriffsbestimmung auch H. Adam »Die Konzertierte Aktion in der Bundesrepublik«, 1972, S. 5; E. Hoppmann »Konzertierte Aktion und der ›Rahmen der marktwirtschaftlichen Ordnung‹«, in: ders. (Hrsg.), Konzertierte Aktion, 1971, S. 269.

43. Der Kreis der regelmäßigen Teilnehmer an den Sitzungen der Konzertierten Aktion entspricht nicht ganz dem im Gesetz genannten: »An den Gesprächen der ›Konzertierten Aktion‹ nehmen Vertreter der Gewerkschaften, der Bundesvereinigung Deutscher Arbeitgeberverbände, des Deutschen Industrie- und Handelstages, des Groß- und Außenhandels, des Einzelhandels, des Handwerks, des Bauernverbandes und des Kreditgewerbes, zwei oder drei Mitglieder des Sachverständigenrates zur Begutachtung der gesamtwirtschaftlichen Entwicklung sowie der Bundeswirtschaftsminister (als Vorsitzender), der Bundesfinanzminister und der Bundesarbeitsminister (oder deren Staatssekretäre) teil, außerdem das Bundeskanzleramt (als Beobachter) und die Deutsche Bundesbank« (H. Kohn a.a.O.). Die Länder und Gemeinden, die zum Kreis der in § 3 StabG Genannten gehören, »nehmen aus Gründen der Praktikabilität« (H. Kohn a.a.O.) nicht teil. (Die Abstimmung mit ihnen findet im Konjunktur- und Finanzplanungsrat statt.) Außer den oben Genannten werden anscheinend auch andere fallweise beigezogen wie etwa der Präsident des Bundeskartellamtes (vgl. bei E. Hoppmann a.a.O., S. 270) oder Vertreter des Beamtenbundes.

44. Zur wirtschaftspolitischen Funktion der Konzertierten Aktion vgl. u. a. E. Hoppmann (Hrsg.) »Konzertierte Aktion«, 1971; J. Klaus »Der Wandel ordnungspolitischer Vorstellungen durch Globalsteuerung und Konzertierte Aktion«, in: Zeitschrift für Nationalökonomie und Statistik, Bd. 29 (1969), S. 385 ff.; B. Külp »Bonn hat seine Rolle schlecht gespielt«, in: Der Volkswirt vom 27. Juni 1969; M. Teschner »Wachstumssteuerung durch Konzertierte Aktion«, in: Konjunkturpolitik, Bd. 13 (1967), S. 58 ff.; H.-J. Rüstow »Orientierungsdaten für die Lohnpolitik im Rahmen einer Konzertierten Aktion«, in: Konjunkturpolitik Bd. 13 (1967), S. 259 ff.; H. Adam »Die Konzertierte Aktion in der Bundesrepublik«, 1972. Ferner zahlreiche Vorträge von K. Schiller, die vom Bundesministerium für Wirtschaft veröffentlicht worden sind, Reden zur Wirtschaftspolitik, BMWi-Texte.

45. Auch der Sachverständigenrat hat die Konzertierte Aktion in erster Linie als Instrument der Einkommenspolitik empfohlen, vgl. dazu die Gutachten 1964/65 RdZf. 247 ff., 1965/66 RdZf. 178 ff., 1969/70 RdZf. 215 ff.

46. K. Schiller, Reden zur Wirtschaftspolitik 6, o. J., S. 177.

47. O. Schlecht »Konzertierte Aktion als Instrument der Wirtschaftspolitik«, 1968, S. 20.

48. H. Adam »Die Konzertierte Aktion in der Bundesrepublik«, 1972, S. 25 ff.

49. Vgl. E. Hoppmann »Konzertierte Aktion als Instrument der Globalsteuerung«, in: Wirtschaftswissenschaftliches Studium 1972, S. 9.

50. Besonders der Lohn-lag hatte im September 1969 die »spontanen Streiks« hervorgerufen, durch die die Gewerkschaften zu einer aktiveren Tarifpolitik genötigt wurden.

51. J. Klaus »Der Wandel ordnungspolitischer Vorstellungen durch Globalsteuerung und Konzertierte Aktion«, in: Zeitschrift für Nationalökonomie, Bd. 29 (1969), S. 385 ff.

52. Wenn auch die praktische Relevanz der Konzertierten Aktion inzwischen zurückgegangen ist, so ist doch die gesellschafts- und wirtschaftspolitische Diskussion um die Notwendigkeit eines solchen Koordinierungsorgans nicht verstummt; vgl. dazu unten die Vorschläge zur Errichtung eines Bundeswirtschafts- und Sozialrates. Ferner werden seitens der Wirtschaftsverbände und der politischen Parteien immer wieder Vorschläge für einen ›Stabilitätspakt‹ gemacht (vgl. z. B. den Vorschlag des Bundesverbandes der Deutschen Industrie

in: Frankfurter Allgemeine Zeitung vom 31. 5. 1974, S. 13, und den Plan der CDU für ein »regelgebundenes Verhalten« der »großen Gruppen in Wirtschaft und Gesellschaft«, Süddeutsche Zeitung vom 20. 6. 1974, S. 19).

53. E. Kantzenbach »Die Funktionsfähigkeit des Wettbewerbs«, 1966. In diese Richtung weisen auch Äußerungen, die der Präsident des Bundeskartellamtes in jüngerer Zeit gemacht hat: »Wenn sich eine engere Zusammenarbeit zwischen Wirtschaft und Verwaltung bzw. den zuständigen Ministerien ergäbe, etwa nach japanischem Modell in gemischten Kommissionen, die alle Probleme vorklärten und dann konzertiert lösten, dann ›könnte man auch überlegen, ob unsere Handfeuerwaffe – Kartellgesetz nicht geändert werden müßte. Dann könnte man die Kartelle innerhalb der Wirtschaft eher unter dem Gesichtspunkt des Mißbrauchs betrachten als unter dem des Verbotes‹.« (Handelsblatt vom 1. März 1972 »Kein Mißbrauch der Mißbrauchskontrolle. ›Handelsblatt‹-Gespräch mit dem Präsidenten des Bundeskartellamtes.«)

54. Vgl. z. B. D. Schmidtchen »Wirtschaftspolitik im Dienst von ›Kapitalinteressen‹«, in: Ordo, Bd. 22 (1971), S. 69 ff.; E. Hoppmann »Neue Wettbewerbspolitik«, in: Jahrbücher für Nationalökonomie und Statistik, Bd. 184 (1970), S. 397 ff. Hier findet sich übrigens eine gewisse Übereinstimmung »neomarxistischer« mit neoliberaler Kritik, vgl. dazu z. B. die Zustimmung Schmidtchens (a.a.O.) zu J. Huffschmids »Die Politik des Kapitals«, 1969, S. 122, diesbezüglichen Äußerungen, während Schmidtchen Huffschmid im übrigen stark kritisiert.

55. Vgl. z. B. E. Hoppmann »Wettbewerb als Norm der Wettbewerbspolitik«, in: Ordo, Bd. 18 (1967), S. 77 ff.

56. Als praktisches Beispiel dieser »ideologischen« Rechtfertigungsfunktion der Kantzenbachschen Theorie kann die Schrift von H. Jürgensen (unter Mitarbeit von D. Aldrup, P. Ibeher, J. Imhoff) »Der Rationalisierungseffekt von Linienkonferenzen in Fahrtgebieten von besonderem Interesse für die kontinentaleuropäische Schiffahrt«, 1971, betrachtet werden.

57. D. Schmidtchen »Wirtschaftspolitik im Dienst von ›Kapitalinteressen‹«, in: Ordo, Bd. 22 (1971), S. 70.

58. Zum Begriff vgl. Erster Bericht zur Reform der Struktur von Bundesregierung und Bundesverwaltung, Bonn 1969, S. 221.

59. W.-D. Narr »Theoriebegriffe und Systemtheorie«, 2. Aufl. 1971, S. 18.

60. K. v. Dohnanyi »Finanzplanung als politische Strategie«, in: Bulletin des Presse- und Informationsamtes der Bundesregierung 1970, Nr. 2, S. 11. In diesen Zusammenhang der politischen Planung gehört auch das sog. Langzeitprogramm der SPD, das einen »ökonomisch-politischen Orientierungsrahmen für die Jahre 1973–1985« enthält, dessen Entwurf vorliegt. Vgl. dazu H. Schmidt »Die Zukunft planen«, in: Marktwirtschaft 1972, Heft 8, S. 4 f.

61. Vgl. dazu z. B. die »Tagesnachrichten« des Bundesministers für Wirtschaft und Finanzen vom 27. August 1971, Nr. 6442, S. 5: »Während in der zurückliegenden Zeit die Hauptaufgabe dieser Haushalte (von Bund, Ländern und Gemeinden, J. G.) in der Beschaffung und Bereitstellung von Mitteln für eine ausreichende öffentliche Leistungsdarbietung zugunsten der Gesellschaft gesehen wurde, sind im Laufe der Zeit weitere Funktionen hinzugetreten. Dies zeigt sich insb. darin, daß die öffentliche Hand bei der Aufgabenerfüllung wesentlich stärker als früher auf Wirtschaft und Gesellschaft Einfluß nehmen kann. Die neue Ausrichtung der Finanzpolitik in der Bundesrepublik findet ihren sichtbaren Ausdruck vor allem im ›Gesetz zur Förderung der Stabilität und des Wachstums der Wirtschaft‹ vom

8. Juni 1967, das sowohl für den Bund als auch für die Länder eine Politik der Verwirklichung der Hauptziele, nämlich Stabilität des Preisniveaus, hoher Beschäftigungsstand, außenwirtschaftliches Gleichgewicht bei stetigem und angemessenem Wirtschaftswachstum vorschreibt.«

Aus der juristischen Literatur vgl. dazu auch die beiden Referate auf der Staatsrechtslehrertagung 1968 von K. Friauf und H. Wagner »Öffentlicher Haushalt und Wirtschaft«, in: VVDStRL Heft 27. Aus der schon fast unübersehbaren wirtschafts- und finanzwissenschaftlichen Literatur sei hier nur genannt: H. Timm »Bemerkungen zur wirtschaftspolitisch orientierten nichtfiskalischen Besteuerung«, in: Finanzarchiv, N. F., Bd. 27 (1968), S. 87 ff., mit umfassendem Literaturnachweis.

62. W.-D. Narr »Theoriebegriffe und Systemtheorie«, 2. Aufl. 1971, S. 18.

63. Vgl. dazu K. Lompe »Gesellschaftspolitik und Planung«, 1971, insb. S. 142 ff., 156 ff., mit zahlreichen Hinweisen; H. Klages »Planungspolitik«, 1971, der die wissenschaftliche Diskussion seit Karl Mannheim aufzeigt. Gegen solche Planungstendenzen schreiben u. a. Autoren wie Popper, Jonas, Lindblohm und Neoliberale (z. B. Eucken, Hayek, Röpke), vgl. dazu bei Klages a.a.O., S. 16 ff. Zum Teil beschreiben diese Autoren einen idealtypischen, zum Liberalismusmodell tendierenden Zustand oder sie wenden sich gegen den auch von ihnen erkannten planerischen Trend der Realität. Für die aktuelle Diskussion der Bundesrepublik wäre hier beispielhaft Hoppmann zu nennen, vgl. dazu den von ihm herausgegebenen Sammelband »Konzertierte Aktion«, 1971. Diese Autoren können jedoch nicht gegen die Richtigkeit des behaupteten Trends in der Wirklichkeit angeführt werden, gegen den sie sich gerade wenden.

Aus dem Bereich der juristischen Literatur vgl. dazu K. Stern »Grundfragen der globalen Wirtschaftssteuerung«, 1969, S. 11: »Es gehört zum Kennzeichen des modernen Staates in der gesamten westlichen Welt, daß er teils früher, teils später die Erfüllung der ihm gestellten Aufgaben nicht mehr der Improvisation oder der kurzfristigen, aus der Notwendigkeit des Tages fließenden ad-hoc-Entscheidung überlassen kann, sondern die Institution mittel- bis langfristiger Planung in sein politisches Instrumentarium zu übernehmen gezwungen ist.«

64. H. Klages »Planungspolitik«, 1971, S. 48.

65. Klages nimmt damit einen Begriff Lindblohms auf. Lindblohm geht davon aus, daß »sich die Menschen untereinander koordinieren können, ohne daß sie jemand koordiniert, ohne daß sie ein gemeinsames Ziel haben und ohne daß Regeln existieren, die ihre gegenseitigen Beziehungen festlegen«, zit. nach H. Klages »Planungspolitik«, 1971, S. 25. Lindblohms Begriff des »partisam mutual adjustment« knüpft also direkt an die oben beschriebenen Vorstellungen an.

66. J. K. Galbraith »The New Industrial State«, 1967, zit. nach der deutschen Ausgabe »Die moderne Industriegesellschaft«, 1970.

67. A. Shonfield »Geplanter Kapitalismus«, deutsche Übersetzung 1968, S. 308 f.

68. Vgl. den Tätigkeitsbericht des Bundeskartellamtes 1970, Bundestagsdrucksache VI, 2380, S. 13 ff.; Tätigkeitsbericht des Bundeskartellamtes 1971, Bundestagsdrucksache VI, 3570, S. 5 ff.; Jahresgutachten 1971 des Sachverständigenrates, Bundestagsdrucksache VI, 2847, RdZf. 384 ff. Vgl. zur Aussagefähigkeit von Konzentrationsmeßziffern und Fusionszahlen über die Wettbewerbsintensität sehr kritisch D. Schmidtchen »Wirtschaftspolitik im Dienst von Kapitalinteressen«, in: Ordo, Bd. 21 (1971), S. 51 ff. Erstaunlicherweise geht Schmidtchen aber in seiner Kritik der Konzertierten Aktion im selben Aufsatz (S. 69 ff.) ebenfalls davon aus, daß die Wettbewerbsintensität in der BRD abnimmt. Implizit unterstellt auch er dabei, daß dies eine Folge zunehmender Oligopolisierung und zunehmender Unternehmensgröße ist.

69. Vgl. dazu auch E. Kantzenbach »Gedanken zur wirtschaftspolitischen Grundentscheidung«, Jahrbuch für Sozialwissenschaft, Bd. 19 (1968), S. 171 ff. Kantzenbach übernimmt Gedanken von Means und Berle und – in abgeschwächter Form – von Galbraith. Seine Überlegungen beruhen auf der Unterscheidung des Bereichs »privatkapitalistischer« vom Bereich »kollektivkapitalistischer« Unternehmen. »Privatkapitalistisch« sind »überschaubare Unternehmenseinheiten, in denen alle wesentlichen dispositiven Funktionen unmittelbar durch den oder die Eigentümer erfüllt werden und bei denen die persönlichen Lebensumstände dieser Unternehmer in enger Abhängigkeit vom wirtschaftlichen Erfolg der Unternehmung stehen« (S. 172 f.). Das kollektivkapitalistische Unternehmen ist vor allem gekennzeichnet durch die Trennung von Eigentum und Unternehmerfunktion und »die Lösung der persönlichen Lebensumstände aller Beteiligten, insbesondere der Unternehmer und Eigentümer, vom wirtschaftlichen Erfolg der Unternehmung« (S. 173). Der grundlegende Unterschied zwischen den Steuerungssystemen der privat- und der kollektivkapitalistischen Unternehmen besteht nach Kantzenbach darin, daß im kollektivkapitalistischen Steuerungssystem neben die Koordination durch den Markt die Koordination innerhalb der einzelnen Unternehmensorganisationen durch zentrale Planung und Lenkung tritt. »In der historischen Entwicklung des Kapitalismus haben weitgehend verselbständigte Großunternehmen eine derartiges quantitatives Gewicht erreicht, daß sie m. E. in der Wirtschaftstheorie und -politik einer gesonderten Berücksichtigung bedürfen.« (S. 177).

70. Vgl. z. B. M. Abelein »Finanzplanung und Haushaltsrecht«, in: ZRP 1969, S. 242 ff., Abelein verweist auch auf das Troeger-Gutachten von 1966, in dem es bereits heißt: »Die Finanzplanung kommt dem Anspruch des Staatsbürgers, insb. der Privatwirtschaft entgegen, über die wirtschaftspolitischen Vorstellungen der Regierung rechtzeitig und ausreichend unterrichtet zu werden.«

71. Insgesamt hatte der Siemenskonzern im Geschäftsjahr 1970/71 306 000 Mitarbeiter, davon 234 000 in der BRD (einschließlich West-Berlin), vgl. Siemens-Geschäftsbericht 1970/71, S. 10 f.

72. In der Diskussion über die wirtschaftliche und gesellschaftliche Entwicklung und bes. in der Auseinandersetzung neoliberaler Autoren mit marxistischen Ansichten spielt oft die Frage nach der »Zwangsläufigkeit« solcher historischen Prozesse eine Rolle. Vgl. dazu z. B. D. Schmidtchen »Wirtschaftspolitik im Dienst von Kapitalinteressen«, in: Ordo, Bd. 22 (1971), S. 71, der in der Auseinandersetzung mit Huffschmid schreibt: »Veränderungen im Überbau haben mit der Entwicklung der Globalsteuerung und der ›neuen Wettbewerbspolitik‹ zweifellos stattgefunden. Es ist auch nicht zu bestreiten, daß sich die Produktionsverhältnisse geändert haben, was in einer nichtstationären Wirtschaft die Regel ist. Es ist jedoch zu fragen, ob diese Entwicklungen in den Produktionsverhältnissen zwangsläufig sind, und ob dieser vermutlichen Zwangsläufigkeit in der Basis eine Zwangsläufigkeit in der Wirtschaftspolitik entspricht.« Von einer solchen »Zwangsläufigkeit« gehen wir selbstverständlich nicht aus, wenn wir von Zusammenhängen zwischen wirtschaftlichen, gesellschaftlichen und juristischen bzw. staatlichen Bereichen sprechen. Die Frage nach der »Zwangsläufigkeit« in der Auseinandersetzung mit marxistischen Autoren dürfte im übrigen auch auf einem Mißverständnis beruhen, vgl. dazu oben S. 16, Anm. 3.

73. Auch P. Häberle »Grundrechte im Leistungsstaat«, in: VVDStRL Heft 30 (1972), S. 43 ff., untersucht den Bedeutungswandel, den »das juristische Vokabular des bürgerlichen Rechtsstaates« (S. 66) durch den »sozialen Leistungsstaat« erfährt. Was Häberle als sozialen Leistungsstaat bezeichnet, stimmt im wesentlichen mit unseren Vorstellungen von den neuen staatlichen Aktivitäten überein. Häberle gibt hierfür allerdings nur eine idealistische Erklä-

rung: »Die von der liberalen Wirtschaftsordnung provozierten Zustände riefen den sozialen Leistungsstaat auf den Plan, der im Namen sozialer Gerechtigkeit lenken, planen, steuern und verteilen muß ...« (S. 66). Demgegenüber legen wir den Akzent darauf, daß der Wandel auf der staatlichen und verfassungsrechtlichen Ebene in engem Zusammenhang mit der wirtschaftlichen Entwicklung steht.

74. Vgl. oben S. 65 ff., 115 ff.

75. Insb. Art. 109 Abs. 2–4 GG in der Fassung des 15. Gesetzes zur Änderung des Grundgesetzes vom 8. Juni 1967 (BGBl. I S. 581) sowie Art. 104a Abs. 4 GG in der Fassung des 21. Gesetzes zur Änderung des Grundgesetzes vom 12. 5. 1969 (BGBl. I S. 359).

76. H. Krüger »Allgemeine Staatslehre«, 2. Aufl. 1966, S. 282 ff.; H. P. Ipsen »Rechtsfragen der Wirtschaftsplanung«, in: J. H. Kaiser (Hrsg.), Planung, Bd. 2, 1966, S. 87; ders., Diskussionsbeitrag, in: VVDStRL Heft 24 (1966), S. 222.

77. K. Stern in: Stern / Münch »Gesetz zur Förderung der Stabilität und des Wachstums der Wirtschaft«, 1967, S. 53. Vgl. in diesem Sinne auch P. Badura »Auftrag und Grenzen der Verwaltung im sozialen Rechtsstaat«, in: DöV 1968, S. 446 ff.; R. Schmidt »Wirtschaftspolitik und Verfassung«, 1971, S. 193; P. Häberle »Grundrechte im Leistungsstaat«, in: VVDStRL Heft 30 (1972), S. 58.

78. Hieraus läßt sich auch ein Wandel der Verfassung durch Neuinterpretation aufzeigen, ohne daß die hier im einzelnen geschehen soll. Dennoch dürfte die Aussage erlaubt sein, daß die früher h. M. das Sozialstaatsprinzip eher i. S. einer verfassungsrechtlichen Verankerung bestehender fürsorgerischer Gesetzgebung als i. S. einer Gestaltung der Sozialordnung verstanden hat.

79. P. Häberle »Grundrechte im Leistungsstaat«, in: VVDStRL Heft 30 (1972), S. 85. Vgl. auch H. Wagner »Öffentlicher Haushalt und Wirtschaft«, in: VVDStRL Heft 27 (1969), S. 72: »Der Mehrzahl unserer Bürger geben die heute gängigen Eigentumsformeln weder Freiheit noch Krisensicherheit: die am stärksten verbreitete Form, das belastete Eigenheim ist vom regelmäßigen Einkommen zwecks Schuldentilgung abhängig und also bei Arbeitslosigkeit eine zusätzliche Belastung ... nicht das Eigentum ist heute Grundlage für eine eigenverantwortliche Lebensgestaltung, sondern eine florierende Wirtschaft, die dem einzelnen Bewegungsfreiheit gibt. Die heute mögliche Freiheit ist also an die Konjunktur und vor allem an die Vollbeschäftigung gebunden. Nur dann kann der einzelne sich frei entfalten; nur dann ist die Würde des Menschen gesichert.«

80. F. Reichert-Facilides »Geldwertschwankungen und Privatrecht«, in: JZ 1969, S. 619; E. Benda »Die aktuellen Ziele der Wirtschaftspolitik und die tragenden Grundsätze der Wirtschaftsverfassung«, in: NJW 1967, S. 852, mit weiteren Hinweisen; vgl. auch R. Schmidt »Wirtschaftspolitik und Verfassung«, 1971, S. 197, mit weiteren Hinweisen.

81. Insb. von K. H. Friauf »Verfassungsrechtliche Grenzen der Wirtschaftslenkung durch Steuergesetze«, 1966; die Literatur hierzu ist schon fast unüberschaubar, genannt sei hier nur noch K. Vogel »Steuerrecht und Wirtschaftslenkung«, in: Jahrbuch für Fachanwälte für Steuerrecht, 1968/69, S. 225 ff.

82. Vgl. oben S. 91 ff.

83. H. H. Rupp »Zur Problematik öffentlich-rechtlicher Machtpotenzierung durch Funktionenkombination«, in: NJW 1968, S. 569 ff.; ders. »Konzertierte Aktion und freiheitlich-rechtsstaatliche Demokratie«, in: E. Hoppmann (Hrsg.), Konzertierte Aktion, 1971, S. 1 ff.; ders. »Der Auftrag des Grundgesetzes«, in: Frankfurter Allgemeine Zeitung v. 30. 11. 1972, S. 22. Ansätze, auch die neuen staatlichen Aktivitäten, in ein entsprechend weiter entwickeltes Rechtsstaatssystem einzubetten, nämlich im Hinblick auf eine Weiterentwicklung und

Neudeutung der Grundrechte finden sich aber bei Rupp in seinem Aufsatz »Die verfassungsrechtliche Seite des Umweltschutzes«, in: JZ 1971, S. 401 ff., vgl. dazu auch unten S. 150.

84. Vgl. oben S. 19 ff.

85. E. Forsthoff »Lehrbuch des Verwaltungsrechts«, Bd. 1, 9. Aufl. 1966, S. 55.

86. E. Forsthoff »Der Staat der Industriegesellschaft«, 1971, S. 21.

87. Ders. »Zur heutigen Situation einer Verfassungslehre«, in: Epihorsis. Festgabe für Carl Schmitt, Bd. 1, 1968, S. 186.

88. Vgl. dazu die pointierte Beschreibung von H. H. Rupp, Diskussionsbeitrag, in: VVDStRL Heft 27 (1969), S. 87: »Auf der einen Seite eine vom Staat geschützte und geordnete Privatwirtschaft, auf der anderen Seite eine totale Staatswirtschaft in verschiedenen Erscheinungsformen.« Der Begriff ›Staatswirtschaft‹ ist in diesem Zusammenhang freilich etwas irreführend.

89. P. Häberle »Grundrechte im Leistungsstaat«, in: VVDStRL Heft 30 (1972), S. 58.

90. Vgl. K. H. Friauf »Öffentlicher Haushalt und Wirtschaft«, in: VVDStRL Heft 27 (1969), S. 3; H. Wagner »Öffentlicher Haushalt und Wirtschaft«, ebenda, S. 48; E. Forsthoff »Von der Staatsrechtswissenschaft zur Rechtsstaatswissenschaft«, in: Studium Generale, Bd. 21 (1968), S. 698; E. Stachels »Das Stabilitätsgesetz im System des Regierungshandelns«, 1970, S. 24; nicht ganz so deutlich K. Stern »Grundfragen der globalen Wirtschaftssteuerung«, 1969.

91. So insb. K. Biedenkopf »Rechtsfragen der Konzertierten Aktion«, in: BB 1968, S. 1009.

92. Vgl. so z.B. O. Schlecht »Konzertierte Aktion als Instrument der Wirtschaftspolitik«, 1968, S. 4; H. Kohn »Das Gesetz zur Förderung der Stabilität und des Wachstums«, BMWi-Texte, 3. Aufl. 1970, S. 5.

93. K. Schiller, Reden zur Wirtschaftspolitik 1, 1967, S. 45. Auch Stern hält es für einen »gänzlich müßigen Streit, ob das Kartellgesetz das Grundgesetz der Wirtschaft sei oder das Stabilitätsgesetz«, K. Stern »Konjunktursteuerung und kommunale Selbstverwaltung«, 1968, E 11, Anm. 7.

94. Vgl. oben S. 60 f.

95. K. Biedenkopf »Rechtsfragen der Konzertierten Aktion«, in: BB 1968, S. 1005; ders. »Ordnungspolitische Probleme der neuen Wirtschaftspolitik«, in: Jahrbuch für Sozialwissenschaft, Bd. 19 (1968), S. 308 ff.

96. E. H. Ritter »Der Wandel der Wirtschaftspolitik und wirtschaftsverfassungsrechtliche Bedeutung des Gesetzes gegen Wettbewerbsbeschränkungen«, in: BB 1968, S. 308 ff.

97. H. H. Rupp »Konzertierte Aktion und freiheitlich-rechtsstaatliche Demokratie«, in: E. Hoppmann (Hrsg.), Konzertierte Aktion, 1971, S. 1 ff.

98. E. H. Ritter a.a.O., S. 1395.

99. Dieser Frage wird in dieser Arbeit nicht weiter nachgegangen. Ritter verneint sie aber zu Recht im Ergebnis, bes. unter Hinweis auf das sog. Investitionshilfeurteil des Bundesverfassungsgerichts, in dem das Gericht die »wirtschaftspolitische Neutralität« des Grundgesetzes festgestellt hat. Anders aber anscheinend H. H. Rupp »Rechtsfragen der Konzertierten Aktion«, in: E. Hoppmann (Hrsg.), Konzertierte Aktion, 1971, S. 1 ff., der im Hinblick auf die Konzertierte Aktion von »schweren verfassungsrechtlichen Bedenken« spricht. Berücksichtigt man Äußerungen Rupps, wonach schon eine Ausweitung des Postscheckdienstes verfassungswidrig sein soll, weil dadurch »das grundgesetzlich stabilisierte Balancement von privater Wirtschaftsfreiheit und staatlichem Funktionsbereich verändert« würde (vgl. oben S. 80), so ist schwer vorstellbar, daß er eine aktive Wirtschaftspolitik für

grundgesetzkonform halten kann. Vgl. dazu neuerdings ders. »Der Auftrag des Grundgesetzes«, in: Frankfurter Allgemeine Zeitung vom 30. 11. 1972, S. 22. An Einzelproblemen wird ohnehin das allgemeine Problem oft sehr viel deutlicher; das zeigte sich am Beispiel des sog. Konjunkturzuschlagsgesetzes des Jahres 1970 (BGBl. I S. 1125), das von einigen Autoren für verfassungswidrig gehalten wird, so z.B. P. Kirchhof / H. Walter »Die verfassungsrechtliche Problematik des rückzahlbaren Konjunkturzuschlages«, in: NJW 1970, S. 1575 ff. Eine nähere Analyse dieser Publikationen würde erweisen, daß der Grundgesetzinterpretation dieser Autoren ebenfalls ein liberales Vorverständnis zugrunde liegt. Bei Kirchhof / Walter wird dies ganz deutlich bei der Interpretation des Art. 74 Ziff. 11 GG. Es würde sich bei diesen Autoren ergeben, daß sie bei konsequenter Weiterführung ihrer Gedanken die neue Wirtschaftspolitik überhaupt für verfassungswidrig halten müßten. (Zur Verfassungsmäßigkeit des Konjunkturzuschlagsgesetzes vgl. die Entscheidung des Bundesverfassungsgerichts in: NJW 1971, S. 319 f.)

100. K. Schiller »Konjunkturpolitik auf dem Wege zu einer Affluent Society«, in: Jahre der Wende. Festgabe für A. Möller, 1968, S. 71.

101. Ders. a.a.O. Vgl. auch ders., Reden zur Wirtschaftspolitik 7, BMWi-Texte, 1970, S. 119: »Wir wissen, daß es in der modernen Wirtschaft keine Rückkehr zum wettbewerbspolitischen Biedermeier des frühen 19. Jahrhunderts gibt. Ein solches Biedermeier-Konzept paßt einfach nicht zu unserer industriellen Wirklichkeit und Zukunft.«

102. Ders., Reden zur Wirtschaftspolitik 7, S. 48 f.; vgl. auch ders., Reden zur Wirtschaftspolitik 4, o. J., S. 216; ders. »Konjunkturpolitik auf dem Wege zu einer Affluent Society«, a.a.O., S. 72.

103. Ders. »Konjunkturpolitik auf dem Wege zu einer Affluent Society«, a.a.O., S. 71.

104. Sachverständigenrat, Gutachten 1965/66, Vorwort, Ziff. 7 c.

105. Ders., Gutachten 1969/70, RdZf. 215.

106. O. Schlecht (seinerzeit Chef der Grundsatzabteilung im Bundeswirtschaftsministerium) hat ausdrücklich davon gesprochen, daß wir nicht mehr in einer »reinen Privatrechtsgesellschaft« lebten, und hat sich damit auch terminologisch von den Vorstellungen des Neoliberalismus distanziert, vgl. ders. »Konzertierte Aktion als Instrument der Wirtschaftspolitik«, 1968, S. 21.

107. Hieran wird noch einmal deutlich, warum einige Autoren von einem Gegensatz zwischen dem GWB und dem Stabilitätsgesetz sprechen. Denn das GWB – als bisheriges ›Grundgesetz der Wirtschaft‹ – sollte der Konzeption nach private wirtschaftliche Macht verhindern oder sie zumindest kontrollierbar machen, das Stabilitätsgesetz setzt sie – jedenfalls im § 3 – voraus. Vgl. dazu auch E. H. Ritter »Der Wandel der Wirtschaftspolitik und die wirtschaftsverfassungsrechtliche Bedeutung des Gesetzes gegen Wettbewerbsbeschränkungen«, in: BB 1968, S. 1395.

108. Zum Selbstbeschränkungsabkommen der deutschen Mineralölindustrie, das in diesem Zusammenhang hauptsächlich genannt wird, vgl. K. Biedenkopf »Zur Selbstbeschränkung auf dem Heizölmarkt«, in: BB 1966, S. 1113 ff. Zum angesprochenen Problem allgemein vgl. K. Markert »Kartelle als Mittel staatlicher Wirtschaftsplanung«, in: J. H. Kaiser (Hrsg.), Planung, Bd. 4, 1971, S. 191 ff.

109. Vgl. G. Stolper »Deutsche Wirtschaft seit 1870«, 2. erg. Aufl. 1966, S. 118 f., 143, 147 ff.

110. K. Schiller, Reden zur Wirtschaftspolitik 2, BMWi-Texte, 1967, S. 82.

111. Daraus zu folgern, »die ›aufgeklärte‹ Marktwirtschaft sei in ihrer Programmatik – nicht unbedingt auch in ihrer praktischen Politik – sozialistisch«, wie C. Watrin »Geldwert-

stabilität, Konzertierte Aktion und autonome Gruppen«, in: E. Hoppmann (Hrsg.), Konzertierte Aktion, 1971, S. 214 f., dies tut, ist verfehlt. Hierfür genügt ein Hinweis auf die Ähnlichkeit zur ›Formierten Gesellschaft‹, die von konservativen Teilen der CDU vertreten wurde, vgl. dazu oben S. 117 f.

112. K. Schiller »Konjunkturpolitik auf dem Wege zu einer Affluent Society«, in: Jahre der Wende. Festgabe für A. Möller, 1968, S. 72.

113. Ders., Reden zur Wirtschaftspolitik 4, BMWi-Texte, o. J., S. 14.

114. E. Forsthoff »Der Staat der Industriegesellschaft«, 1971, S. 123. Forsthoff fährt fort: »Damit ist eine Verfassungslage entstanden, die an die konstitutionelle Monarchie erinnert, in welcher der Monarch seine Macht mit dem Parlament teilte, nur mit dem Unterschied, daß diese Machtteilung in der konstitutionellen Monarchie in der Verfassung vorgesehen war, während sie nun parakonstitutionelle Realität ist.« Forsthoff hat übrigens schon 1968 auf diese Entwicklung hingewiesen und die Frage gestellt, ob wir nicht in einer Entwicklung stehen, die den Staat ablöst und ihn durch eine noch nicht benennbare neue Form der sozialen und politischen Einheit ersetzt. Ders. »Von der Staatsrechtswissenschaft zur Rechtsstaatswissenschaft«, in: Studium Generale, Bd. 21 (1968), S. 698.

115. Vgl. oben S. 20 f.

116. H. Ehmke »Wirtschaft und Verfassung«, 1961, S. 61.

117. Ehmke spricht stets von der »spätkonstitutionellen« Begriffswelt, vgl. dazu oben zur Kritik an der Terminologie, S. 93.

118. F. Neumann »Der Funktionswandel des Gesetzes im Recht der bürgerlichen Gesellschaft«, in: ders., Demokratischer und autoritärer Staat, Neudruck 1971, S. 39 ff.

119. H. Ehmke »Wirtschaft und Verfassung«, 1961, S. 64. Ehmke will damit die »historische Unrichtigkeit« des Gesetzesbegriffes von Carl Schmitt nachweisen. Tatsächlich beweist das jedoch nur, daß die soziale Funktion des »allgemeinen« Gesetzes sich gewandelt hat. War es ursprünglich die Forderung des aufstrebenden Bürgertums gegenüber den Privilegien von König und Feudaladel, dient es nun dazu, die inzwischen errungene Position des Bürgertums abzusichern.

120. Inhaltlich – nach seinen sozialen Funktionen – vermag dieser Gesetzesbegriff selbstverständlich nicht mehr zu leisten als der formale Rechtsstaat, dem er entspricht, vgl. dazu oben S. 29 ff.

121. Der Begriff stammt von Forsthoff, vgl. dazu H. Ehmke a.a.O., S. 66. Vgl. im übrigen statt aller K. Zeidler »Maßnahmegesetz und klassisches Gesetz«, 1961.

122. Vgl. J. Habermas »Strukturwandel der Öffentlichkeit«, 4. Aufl. 1969, S. 196: »Da die Trennung von Staat und Gesellschaft überwunden wird und der Staat vorsorgend, verteilend und verwaltend in die Gesellschaftsordnung eingreift, läßt sich die Generalität der Norm als Prinzip nicht mehr durchweg halten.« Vgl. ferner S. Leibfried / M. Quilich »Planung im Sozialstaat«, in: Atomzeitalter 1967, S. 554.

123. Vgl. K. Huber »Maßnahmegesetz und Rechtsgesetz«, 1963, S. 177.

124. Hiervon ist das Problem zu unterscheiden, daß durch den Erlaß des Stabilitätsgesetzes eine noch größere Funktionsverschiebung zu Lasten des Parlaments aufgrund der Globalsteuerung durch die Einführung von Mitsprache- und Kontrollrechten verhindert werden sollte.

125. K. Stern hat in diesem Zusammenhang ausgeführt, Gesetze wie das Haushaltssicherungsgesetz aus dem Jahre 1965, das Finanzplanungsgesetz von 1966 und das Absicherungsgesetz (1968) verdeutlichten, daß es ein Specificum dieser Art staatlicher Tätigkeit sei, das Gesetz instrumental und nicht mehr normativ zu nutzen, ders. »Grundfragen der globalen

Wirtschaftssteuerung«, 1969, S. 33. So wichtig dieser Aspekt sein mag, so soll hierauf doch nicht weiter eingegangen werden. Er erhellt zwar auch eine Abkehr von bisherigen liberal-rechtsstaatlichen Vorstellungen, doch dürfte es sich hierbei um nichts Neues gegenüber früheren ›interventionistischen‹ Regelungen (Maßnahmegesetzen einer best. Kategorie) handeln, vgl. dazu insb. E. Forsthoff »Über Maßnahmegesetze«, in: Gedächtnisschrift für W. Jellinek, 2. Aufl. 1962, S. 221 ff., insb. S. 226.

126. R. Herzog »Gesetzgeber und Verwaltung«, in: VVDStRL Heft 24 (1966), S. 190 ff.

127. Ders. a.a.O., S. 191.

128. Vgl. hierzu das Bundesverwaltungsgericht (DVBl. 1973, S. 854 ff.). Das Gericht begründet die Verfassungsmäßigkeit der Mindestreservepolitik mit Art. 88 GG, der gegenüber anderen GG-Prinzipien als speziellere Norm aufgefaßt wird.

129. Herzog unterscheidet in seinem Referat stets zwischen Verwaltung und Regierung. Wir vernachlässigen hier bewußt diese Unterscheidung, einerseits, weil sie ohnehin schon über das liberale Rechtsstaatsdenken hinaus führt (vgl. dazu Th. Ellwein »Einführung in die Regierungs- und Verwaltungslehre«, 1966, S. 72, 111, 196 f., mit weiteren Nachweisen), andererseits, weil sie für die Staat-Bürger-Beziehung ohne Belang ist.

130. K. Stern in: Stern / Münch »Gesetz zur Förderung der Stabilität und des Wachstums der Wirtschaft«, 1967, S. 91.

131. K. H. Friauf »Öffentlicher Haushalt und Wirtschaft«, in: VVDStRL Heft 27 (1969), S. 37.

132. K. Vogel »Steuerrecht und Wirtschaftslenkung«, in: Jahrbuch der Fachanwälte für Steuerrecht 1968/69, S. 237; A. Möller (Hrsg.) »Gesetz zur Förderung der Stabilität und des Wachstums der Wirtschaft«, 1968, S. 77.

133. K. H. Friauf a.a.O., S. 37. Auch von Wirtschaftswissenschaftlern wird betont, daß § 1 StabG nur »ein scheinbar abgeschlossenes und scheinbar in sich geschlossenes Zielsystem ergibt.« Das gesamtwirtschaftliche Gleichgewicht als operationaler Begriff zur Bezeichnung einer Zielkombination oder einer wirtschaftspolitischen Handlungsweise gebe es nicht; die in § 1 S. 2 StabG genannten Ziele seien nicht präzisiert und in ihrem wechselseitigen Verhältnis ungeklärt; vgl. so Wissenschaftlicher Beirat beim BMWi »Grundfragen der Wirtschaftspolitik«, in: Bulletin des Presse- und Informationsamtes der Bundesregierung 1973, S. 405 f.

134. K. H. Biedenkopf »Rechtsfragen der Konzertierten Aktion«, in: BB 1968, S. 1006.

135. So aber die ›herrschende‹ Meinung, vgl. z. B. Th. Maunz in: Maunz / Dürig / Herzog, Grundgesetz. Kommentar, Bd. 2, 1971, Art. 109, Ziff. 24, im Hinblick auf Art. 109 Abs. 2 GG.

136. Vgl. dazu A. Möller (Hrsg.) a.a.O., S. 16, wo mitgeteilt wird, daß auch in den parlamentarischen Beratungen des Stabilitätsgesetzes der Gedanke eine Rolle spielte, daß der überkommene Gesetzesbegriff und die Gesetzessprache nicht geeignet seien, wirtschafts- und finanzpolitische Zielsetzungen zu erfassen.

137. K. Stern in: Stern / Münch »Gesetz zur Förderung der Stabilität und des Wachstums der Wirtschaft«, 1967, S. 91.

138. K. H. Friauf »Öffentlicher Haushalt und Wirtschaft«, VVDStRL Heft 27 (1969), S. 37 f.

139. R. Herzog »Gesetzgeber und Verwaltung«, VVDStRL Heft 24 (1966), S. 191.

140. V. Götz »Gesetz zur Förderung der Stabilität und des Wachstums der Wirtschaft und Art. 109 GG«, Besprechung zum gleichnamigen Buch von A. Möller (Hrsg.) in: JZ 1969, S. 756.

141. M. Schmidt-Preuß »Plan-Programm und Verfassung – Bemerkungen zu § 1 Stabili-

tätsgesetz«, in: DVBl. 1970, S. 536, bezeichnet den § 1 Stabilitätsgesetz als »Planprogramm«, »womit zum Ausdruck gebracht werden soll ..., daß den staatlichen wirtschaftspolitischen Instanzen ein differenziertes Planungsinstrumentarium zur Verfügung steht, das vielfältige Elemente der indikativen (...), der influenzierenden (...) sowie der imperativen (...) Planung enthält. Zum anderen soll deutlich gemacht werden, daß der Einsatz der einzelnen Konjunktursteuerungsinstrumente nicht ein Ergebnis von Begriffsanalyse und Rechtsanwendung, sondern jeweils ein Problem von Prognose und Entscheidung und somit ein Stück komplizierter politischer Einheitsbildung ist«.

142. R. Schmidt »Wirtschaftspolitik und Verfassung«, 1971, S. 196.

143. So unter Berufung auf F. Kübler »Kodifikation und Demokratie«, in: JZ 1969, S. 645 ff., der aber ein anderes Problem behandelt.

144. K. Stern in: Stern / Münch »Gesetz zur Förderung der Stabilität und des Wachstums der Wirtschaft«, 1967, S. 91.

145. V. Götz rechnet diese Vorschrift zu den »verwaltungsrechtlichen Bestandteilen« des Gesetzes, ders. »Gesetz zur Förderung der Stabilität und des Wachstums der Wirtschaft und Art. 109 GG« (Buchbesprechung), in: JZ 1969, S. 756.

146. Das Bundesverfassungsgericht hat zum Konkretisierungserfordernis bei Steuergesetzen früher ausgeführt (BVerfGE 7, 283): »Ein Gesetz, das eine Steuer einführt und es dem Verordnungsgeber überläßt, das für sie Wesentliche zu bestimmen, verstößt gegen das Prinzip der Rechtsstaatlichkeit. Aus dem Rechtsstaatsprinzip ergibt sich, daß die Ermächtigung an den Verordnungsgeber so bestimmt sein muß, daß schon aus ihr und nicht erst aus der auf sie gestützten Verordnung erkennbar und vorhersehbar sein muß, was von dem Bürger gefordert werden kann.«

147. K. H. Friauf »Öffentlicher Haushalt und Wirtschaft«, in: VVDStRL Heft 27 (1969), S. 37.

148. K. Stern in: Stern / Münch »Gesetz zur Förderung der Stabilität und des Wachstums der Wirtschaft«, 1967, S. 198; R. Schmidt »Wirtschaftspolitik und Verfassung«, 1971, S. 213.

149. Daß diese Vorschrift des Stabilitätsgesetzes die Regierung nur zum Erlaß von Rechtsverordnungen und nicht zu Verwaltungsakten ermächtigt, spielt hierbei keine Rolle, weil auch Art. 80 GG die Voraussehbarkeit exekutivischen Handelns aufgrund des Gesetzes, das zum Erlaß von Rechtsverordnungen ermächtigt, verlangt.

150. Vgl. dazu auch unten S. 159 ff.

151. K. Stern »Die Neufassung des Art. 109 GG«, in: NJW 1967, S. 1833.

152. Das bejaht z. B. Th. Maunz in: Maunz / Dürig / Herzog, Grundgesetz. Kommentar, Bd. 2, 1971, Art. 109, Ziff. 28, im Hinblick auf den Begriff konjunkturgerechte Haushaltswirtschaft in Art. 109 Abs. 3 GG. K. A. Bettermann hält beispielsweise die von den Verantwortlichen in den Jahren 1973/74 betriebene Wirtschaftspolitik, die er als »Unterordnung der Stabilität unter Wachstum und Vollbeschäftigung« beurteilt für »verfassungswidrig und gesetzwidrig«, ders. »Die Geldentwertung als Rechtsproblem«, in: ZRP 1974, S. 17.

153. Vgl. hierzu auch R. Zuck »Verfassungsrechtliche Probleme des Stabilitätsgesetzes«, in: JZ 1967, S. 698. Zuck meint sowohl die ›Störung des gesamtwirtschaftlichen Gleichgewichts‹ als auch die ›Gefährdung der Ziele des § 1 StabG‹ seien außerordentlich unbestimmt und ließen sich so weit auslegen, daß praktisch ein Eingreifen des Bundes jederzeit möglich sei. »Wäre das richtig, dann könnte die Eigenstaatlichkeit der Länder, und damit Art. 79 III GG, tangiert sein: die Entscheidungsbefugnis der Länder auf wichtigen Teilgebieten der Wirtschaft stünde zur ständigen Disposition der Bundesregierung.« Zuck meint weiter, dieses Ergebnis ließe sich vermeiden, indem man diese beiden Begriffe einschränkend auslege, die

Störung müsse wesentlich, die Gefährdung erheblich sein. Sowohl Zucks verfassungsrechtliche Bedenken wie auch sein Versuch einer ›verfassungskonformen Auslegung‹ zeigen wieder nur die fehlende Übereinstimmung der neuen Rechtsbegriffe mit dem herkömmlichen verfassungsrechtlichen Denken. Teilt man die verfassungsrechtlichen Bedenken Zucks und geht ferner davon aus, daß die politische Dezision dem Gesetzesadressaten übertragen wurde, so würden die betr. Regelungen gegen Art. 79 Abs. 3 GG verstoßen. Nur wird die ganze Betrachtungsweise der neuen wirtschaftspolitischen Wirklichkeit nicht gerecht.

154. K. H. Biedenkopf »Rechtsfragen der Konzertierten Aktion«, in: BB 1968, S. 1006.

155. K. Stern in: Stern / Münch »Gesetz zur Förderung der Stabilität und des Wachstums der Wirtschaft«, 1967, S. 74.

156. Vgl. dazu J. Kölble »Pläne im Bundesmaßstab oder auf bundesrechtlicher Ebene«, in: J. H. Kaiser (Hrsg.), Planung, Bd. 1, 1965, S. 91 ff.

157. Vgl. dazu H. Harnischfeger »Planung in der sozialstaatlichen Demokratie«, 1969, S. 95 ff.; S. Leibfried / M. Quilisch »Planung im Sozialstaat«, in: Atomzeitalter 1967, S. 554.

158. H. Harnischfeger a.a.O., S. 12.

159. Hieran läßt sich auch ein Wandel der Verfassung durch Neuinterpretation aufzeigen, ohne daß dies hier im einzelnen geschehen soll. Dennoch dürfte die Aussage erlaubt sein, daß die früher herrschende Meinung das Sozialstaatsprinzip eher im Sinne einer verfassungsrechtlichen Verankerung bestehender fürsorgerischer Gesetzgebung, weniger aber im Sinne eines Auftrages einer Gestaltung der Sozialordnung verstanden hat.

160. So z.B. J. Kölble »Pläne im Bundesmaßstab oder auf bundesgesetzlicher Grundlage« in: J. H. Kaiser (Hrsg.), Planung, Bd. 1, 1965, S. 99 f.; B. Tiemann »Die neuen Gemeinschaftsaufgaben (Art. 91 a, b GG) im System des Grundgesetzes«, in: DöV 1970, S. 163. Der Begriff geht auf Heckel zurück, der ihn zur Charakterisierung der Rechtsnatur des Haushaltsplans verwendet, vgl. Tiemann a.a.O.

161. Ein Teil der juristischen Literatur befaßt sich eingehend damit, die verschiedenen Arten der Planung zu klassifizieren, um sie einer jeweils gesonderten Betrachtung zu unterwerfen; vgl. dazu z.B. U. Scheuner »Verfassungsrechtliche Probleme einer zentralen staatlichen Planung«, in: J. H. Kaiser (Hrsg.), Planung, Bd. 1, 1965, S. 83 ff.; aus der jüngeren Literatur H. Harnischfeger »Planung in der sozialstaatlichen Demokratie«, 1970, S. 98 ff. Im Rahmen dieser Abhandlung kann hierauf jedoch verzichtet werden, weil es uns nur auf die generelle Aussage ankommt, daß Pläne insgesamt aus dem rechtsstaatlichen Begriffssystem herausfallen. Die Klassifikationsversuche sind zudem i.d.R. deswegen wenig hilfreich, weil sie entspr. herkömmlichen Vorstellungen zunächst danach unterscheiden, ob die Pläne ›Außenwirkung‹ haben bzw. nach ›außen‹ Gebots- oder Verbotswirkung haben. Dieser Unterschied verliert jedoch erheblich an Relevanz, wenn man davon ausgeht, daß mit anderen Mitteln (insb. finanziellen Anreizen oder Abschreckungen) ebenso wirksam geregelt werden kann. Mit Recht wird darauf hingewiesen, daß »gerade die informierende und influenzierende Planung ... im Hinblick auf das Demokratie- und das Rechtsstaatsgebot besondere Probleme« aufwerfe, S. Leibfried / M. Quilisch »Planung im Sozialstaat«, in: Atomzeitalter 1967, S. 557.

Aus der älteren Literatur, die sich noch vorwiegend mit dem Verwaltungsplan beschäftigte, sei auf M. Imboden »Der Plan als verwaltungsrechtliches Institut«, in: VVDStRL Heft 18 (1960), S. 113, hingewiesen.

162. E. Forsthoff »Über Mittel und Methoden moderner Planung«, in: J. H. Kaiser (Hrsg.), Planung, Bd. 3, 1968, S. 22 f.

163. Vgl. dazu unten S. 155 ff.

164. BGBl. I S. 873.

165. BGBl. I S. 1556.

166. BGBl. I S. 1673.

167. BGBl. I S. 1861.

168. Am lapidarsten § 1 Hochschulbauförderungsgesetz: »Der Ausbau und Neubau von wissenschaftlichen Hochschulen einschließlich der Hochschulkliniken wird von Bund und Ländern nach Maßgabe dieses Gesetzes als Gemeinschaftsaufgabe durchgeführt.«

169. R. Herzog »Gesetzgeber und Verwaltung«, in: VVDStRL Heft 24 (1966), S. 37 f.

170. K. H. Friauf »Öffentlicher Haushalt und Wirtschaft«, in: VVDStRL Heft 27 (1969), S. 5.

171. Vgl. oben S. 118 ff.

172. Vgl. dazu oben S. 121 ff.

173. K. H. Friauf a.a.O., S. 6.

174. Vgl. dazu z.B. F. Neumark »Interventionistische und dirigistische Steuerpolitik«, in: ders., Wirtschafts- und Finanzprobleme des Interventionsstaates, 1961, S. 279.

175. Vgl. z.B. Th. Keller »Merkliche und unmerkliche Steuern«, in: Finanzarchiv N. F., Bd. 27 (1968), S. 117; H. Timm »Bemerkungen zur wirtschaftspolitisch orientierten nichtfiskalischen Besteuerung«, ebenda, S. 95 ff.

176. Als besonders bekanntes Beispiel aus jüngerer Zeit kann hier das Gesetz über die Besteuerung des Straßengüterfernverkehrs (BGBl. I 1968, S. 1461) genannt werden (vgl. dazu K. H. Friauf »Sondersteuern als verfassungsgerechtes Mittel zur Eindämmung des Straßengüterfernverkehrs?«, in: BB 1967, S. 1345 ff.; B. Schmidt-Bleibtreu »Maßnahmen zur Eindämmung des Straßengüterfernverkehrs«, in: BB 1968, S. 261 ff.; Ch. Runge / P. Kohlhaas »Verfassungsrechtliche Bedenken gegenüber dem Leber-Plan«, in: BB 1968, S. 844 ff.

177. Über den Umfang der Subventionen zur Zeit des punktuellen Interventionismus sind bereits oben S. 65 ff. Angaben gemacht worden. Die Subventionen des Bundes im Jahre 1971 beliefen sich auf über 31 Mrd. DM (Finanzbeihilfen 9,8 Mrd. DM, Steuervergünstigungen 21,3 Mrd. DM), vgl. dazu D. Albrecht / K. Wesselkock »Subventionen und Subventionspolitik«, 1961, S. 27, dort werden auch die hier verwendeten Begriffe näher definiert.

178. Vgl. dazu die §§ 5 ff., 26 ff. StabG. Darüber hinaus werden immer wieder Konjunktursteuerungsgesetze erlassen, weil die im Stabilitätsgesetz vorgesehenen Instrumente nicht ausreichen, so z.B. das Konjunkturzuschlagsgesetz vom 23. 7. 1970, BGBl. I S. 1125; vgl. hierzu auch P. Kichhof / H. Walter »Die verfassungsrechtliche Problematik des rückzahlbaren Konjunkturzuschlags«, in: NJW 1970, S. 1575 ff.

179. K. H. Friauf »Öffentlicher Haushalt und Wirtschaft«, in: VVDStRL Heft 27 (1969), S. 7; vgl. dazu bes. H. H. Rupp »Zur Problematik öffentlich-rechtlicher Machtpotenzierung durch Funktionenkombination«, in: NJW 1968, S. 569 ff.

180. Die gesamte Literatur hierzu läßt sich kaum mehr überblicken. Auseinandersetzungen hiermit fanden bereits auf der Staatsrechtslehrertagung 1952 mit den Referaten von U. Scheuner und A. Schüle »Die staatliche Intervention im Bereich der Wirtschaft«, in: VVDStRL Heft 11 (1954), statt. Mit dem Thema setzen sich auch alle oben behandelten Autoren des Wirtschaftsverfassungsrechts auseinander. Die Staatsrechtslehrertagung hat sich 1966 besonders mit Subventionen befaßt: H. P. Ipsen und H. F. Zacher »Verwaltung durch Subventionen«, in: VVDStRL Heft 25 (1967), S. 257 ff.

181. K.H. Friauf »Öffentlicher Haushalt und Wirtschaft«, in: VVDStRL Heft 27 (1969), S. 11.

182. Ders. a.a.O., S. 11.

183. In der juristischen Literatur wird bei Steuergesetzen zu wirtschaftspolitischen Zwekken i.d.R. auch die Frage des verfassungsrechtlichen Steuerbegriffs diskutiert. Dieser Frage soll hier nicht nachgegangen werden, vgl, dazu bes. K. H. Friauf »Verfassungsrechtliche Grenzen der Wirtschaftslenkung und Sozialgestaltung durch Steuergesetze«, 1966. Von der herrschenden Meinung und der Rechtsprechung wird die Meinung vertreten, daß dem Steuerbegriff des Grundgesetzes die Definition des § 1 Reichsabgabenordnung zugrunde liege. Interessanter ist für unsere Fragestellung die These von F. Klein »Gleichheitssatz und Steuerrecht«, 1966, S. 33 f., wonach die Verfassung ihren materiellen Gehalt ändert, wenn sich die zugrunde liegenden fachwissenschaftlichen Begriffe ändern. Friauf meint dazu, damit werde der Umfang der Kompetenz zur Steuergesetzgebung vom finanzwissenschaftlichen Theorienstreit abhängig gemacht. »Nicht nur der überzeugte Positivist wird zumindest an diesen Konsequenzen erkennen, daß die Auffassung Kleins nicht haltbar ist.« K. H. Friauf »Sondersteuern als verfassungsgerechtes Mittel zur Eindämmung des Straßengüterfernverkehrs?«, in: BB 1967, S. 1346, Anm. 17. In der Tat widerspricht Kleins Auffassung dem Selbstverständnis der Rechtswissenschaft. Dennoch dürfte seine Aussage die tatsächliche Lage, die durch die Interpretationsgewohnheiten unserer Staats- und Verfassungsrechtslehre geprägt wird, richtig wiedergeben; das trifft in bes. starkem Maße für den Steuerbegriff zu.

184. Es handelt sich um folgende Verfassungsänderungen: Das 15. Gesetz zur Änderung des Grundgesetzes vom 8. 6. 1967 (BGBl. I S. 581) – Änderung des Art. 109 GG; 20. Gesetz zur Änderung des Grundgesetzes vom 12. 5. 1969 (BGBl. I S. 357) – Änderung der Art. 109 Abs. 3, 110, 112, 113, 114, 115; 21. Gesetz zur Änderung des Grundgesetzes vom 12. 5. 1969 (BGBl. I S. 359) – sog. Finanzreformgesetz: Einführung der Art. 91 a, 91 b und des Art. 104 a, Änderung der Art. 104–108; in diesen Zusammenhang gehört auch das 22. Gesetz zur Änderung des Grundgesetzes vom 12. 5. 1969 (BGBl. I S. 363) – Änderung der Art. 74, 75, 96 Abs. 4, ferner das 24. Gesetz zur Änderung des Grundgesetzes vom 28. 7. 1969 (BGBl. I S. 985) – Änderung des Art. 120 Abs. 1; das 21. Gesetz zur Änderung des Grundgesetzes vom 31. 7. 1970 (BGBl. I S. 1161) – Änderung u. a. des Art. 91 a Abs. 1.

185. Auch E. Benda »Aktuelle Ziele der Wirtschaftspolitik und tragende Grundsätze der Wirtschaftsverfassung«, in: NJW 1967, S. 852, weist darauf hin, die verfassungsrechtliche Tragweite der Änderung des Art. 109 GG lasse sich nicht allein aus dem neuen Inhalt dieser Norm entnehmen.

186. K.H. Friauf »Öffentlicher Haushalt und Wirtschaft«, in: VVDStRL Heft 27 (1969), S. 11.

187. »Formtypik und Rechtstechnik des bürgerlichen Rechtsstaats haben für die Grundrechte im Leistungsstaat zwar nach wie vor Bedeutung, reichen aber nicht mehr aus.« (P. Häberle »Grundrechte im Leistungsstaat«, in: VVDStRL Heft 30 [1972], S. 45.) Ob der moderne Staat mit dem Begriff ›Leistungsstaat‹ besonders zutreffend beschrieben ist, erscheint allerdings zweifelhaft.

188. Von den jüngsten Stellungnahmen hierzu vgl. z.B. U. Scheuner »Die Funktion der Grundrechte im Sozialstaat«, in: DöV 1971, S. 505 ff.; K. H. Friauf »Zur Rolle der Grundrechte im Interventions- und Leistungsstaat«, in: DVBl. 1971, S. 674.

189. So konnte es auch hier schon zu Überlegungen kommen, die die Inadäquanz des juristischen Instrumentariums gegenüber den tatsächlichen Gegebenheiten widerspiegelten. Das illustriert der von H. P. Ipsen (»Verwaltung durch Subventionen«, VVDStRL Heft 25 [1967], S. 268) und von H. Wagner (»Öffentlicher Haushalt und Wirtschaft«, VVDStRL

Heft 27 [1969], S. 70) wiedergegebene Fall, in dem das Bundesverwaltungsgericht entschieden hat (NJW 1966, 1236 f.), daß einem schleswig-holsteinischen privaten Gymnastik- und Tanzschulunternehmen eine Subventionierung trotz Fehlens aller gesetzlichen und haushaltsmäßigen Voraussetzungen aufgrund von Art. 7 Abs. 4 GG möglicherweise nicht verweigert werden darf.

190. H. Wagner a.a.O., S. 70.

191. R. Schmidt »Wirtschaftspolitik und Verfassung«, 1971, S. 248.

192. Vgl. R. Schmidt a.a.O., S. 251 ff., mit zahlreichen Hinweisen; H. P. Ipsen »Rechtsfragen der Wirtschaftsplanung«, in: Kaiser (Hrsg.) »Planung«, Bd. 2, 1966, S. 93 ff.; ferner die unten zitierten Autoren zur Frage der wirtschaftslenkenden Steuergesetze (Anm. 194).

193. Zu den verschiedenen Maßnahmen der Globalsteuerung vgl. oben S. 18 ff.

194. Vgl. insb. K. H. Friauf »Verfassungsrechtliche Grenzen der Wirtschaftslenkung und Sozialgestaltung durch Steuergesetze«, 1966, mit weiteren Nachweisen; R. Schmidt »Wirtschaftspolitik und Verfassung«, 1971, S. 206 ff., mit Nachweisen zum jüngeren Schrifttum.

195. Vgl. aus jüngerer Zeit die umfassende Untersuchung von H.-U. Gallwas »Faktische Beeinträchtigungen im Bereich der Grundrechte«, 1970; K. H. Friauf »Grundrechte im Interventions- und Leistungsstaat«, in: DVBl. 1971, S. 679 ff. Ipsen vertritt z. B. die Meinung, daß sich die Zulässigkeit hoheitlicher Wirtschaftsplanung an der von ihm aus Art. 2 Abs. 1 GG hergeleiteten »Wirtschaftsfreiheit«, der »unternehmerischen Dispositionsfreiheit« bemißt; hierbei unterscheidet er nicht, ob diese staatliche Planung mit direkt oder indirekt wirkenden Mitteln realisiert wird, H. P. Ipsen »Rechtsfragen der Wirtschaftsplanung«, in: Kaiser (Hrsg.) »Planung« II, 1966, S. 95.

196. So auch die ständige Rechtsprechung des Bundesverfassungsgerichts, vgl. zuletzt das Urteil zum sog. Absicherungsgesetz (NJW 1971, S. 1605); etwas anderes nimmt das Gericht nur im Falle der »Erdrosselungssteuer« an, zuletzt BVerfGE 23, 288; zur Kritik vgl. K. H. Friauf »Verfassungsrechtliche Grenzen der Wirtschaftslenkung und Sozialgestaltung durch Steuergesetze«, 1966, S. 241 ff.

197. In jüngster Zeit wird das Argument auch auf herkömmliche Steuern mit nur einnahmepolitischer Zielsetzung ausgedehnt, um kostspielige gesellschaftspolitische Reformen, die nur über (höhere) Steuern finanziert werden können, als verfassungsrechtlich verboten hinzustellen. Die Argumentationskette ist hierbei die folgende: Entgegen der bisherigen Meinung ist jede Steuererhebung ein Eingriff in den Schutzbereich des durch Art. 14 GG geschützten Eigentums. Kostspielige soziale Reformen können nur über Steuern finanziert werden. Nach dem Grundsatz der Verhältnismäßigkeit sind diese Steuern somit nur zulässig, wenn die beabsichtigten Reformen einem legitimen öffentlichen Zweck dienen. Mit dieser Argumentation verneint Martens die verfassungsrechtliche Zulässigkeit der Einführung des sog. Nulltarifs im öffentlichen Nahverkehr. (W. Martens »Grundrechte im Leistungsstaat«, in: VVDStRL Heft 30 [1972], S. 19 f.)

198. Gesetz über Mindestvorräte an Erdölerzeugnissen vom 9. September 1965 (BGBl. I S. 1217 ff.); BVerfGE 30, S. 292 ff.

199. Gesetz über Maßnahmen zur außenwirtschaftlichen Absicherung gem. § 4 des Gesetzes zur Förderung der Stabilität und des Wachstums der Wirtschaft vom 29. 11. 1968 (BGBl. I S. 1259 ff.); BVerfG, NJW 1971, S. 1603 ff.

200. Unzutreffend ist daher die Meinung von M. Kloepfer (»Das Geeignetheitsgebot bei wirtschaftslenkenden Steuergesetzen«, in: NJW 1971, S. 1885 ff.), der in einer Abhandlung zur Entscheidung über das Absicherungsgesetz im Hinblick auf die Rechtsprechung des Bundesverfassungsgerichts die Auffassung vertritt, die Grundrechte hätten der staatlichen Wirt-

schaftslenkung bisher kaum durchgängige Beschränkungen anzulegen vermocht. Als wirksame Kontrollen blieben insb. die Maßstäbe des Rechtsstaates, wozu auch der Geeignetheitsgrundsatz gehöre. Tatsächlich prüft das Gericht die Frage der Geeignetheit der Maßnahme in beiden Fällen nur unter dem Gesichtspunkt des Grundrechtsschutzes. Nach dem Grundsatz der Verhältnismäßigkeit ist ein Grundrechtseingriff nach der Rechtsprechung des Bundesverfassungsgerichts nur zulässig, wenn er u. a. geeignet ist, den vom Gesetzgeber intendierten Zweck zu erreichen (vgl. zuletzt BVerfGE 30, 316). Eine Prüfung am Rechtsstaatsprinzip unabhängig von der Frage eines Grundrechtseingriffes wäre im übrigen auch in den in Rede stehenden Verfahren der Verfassungsbeschwerde schon aus prozessualen Gründen nicht möglich gewesen.

201. Ein treffendes Beispiel ist auch hier das sog. Absicherungsgesetz, insb. die sog. Altverträge, die bereits vor Erlaß des Gesetzes abgeschlossen worden waren.

202. Vgl. oben S. 131 ff.

203. Vgl. insb. K. H. Friauf »Verfassungsrechtliche Grenzen der Wirtschaftslenkung und Sozialgestaltung durch Steuergesetze«, 1966, S. 33 ff.

204. Vgl. zuletzt BVerfGE 30, 326.

205. H. Wagner »Öffentlicher Haushalt und Wirtschaft«, in: VVDStRL Heft 27 (1969), S. 72 ff., vgl. insb. Leitsatz 16 a, S. 80.

206. So W. v. Simson, Diskussionsbeitrag, VVDStRL Heft 27 (1969), S. 83; H. H. Rupp, Diskussionsbeitrag, ebenda, S. 87; F. Münch, Diskussionsbeitrag, ebenda, S. 89; K. Vogel, Diskussionsbeitrag, ebenda, S. 93; O. Bachof, Diskussionsbeitrag, ebenda, S. 97 f.; E.-W. Fuß, Diskussionsbeitrag, ebenba, S. 99; W. Schaumann, Diskussionsbeitrag, ebenda, S. 100 f.; H. F. Zacher, Diskussionsbeitrag, ebenda, S. 102.

207. In der Literatur vgl. zu Wagners These R. Schmidt »Wirtschaftspolitik und Verfassung«, 1971, S. 247 ff.

208. O. Bachof a.a.O., S. 97 f.

209. E.-W. Fuß, Diskussionsbeitrag, VVDStRL Heft 27 (1969), S. 99.

210. Hierzu paßt es, daß Fuß (a.a.O.) davon spricht, »daß die Publizität wirtschaftspolitischer Maßnahmen in besonderem Maße geeignet ist, das rechtsstaatliche Verhältnis von Staat und Bürger ... optimal zu gestalten«.

211. Vgl. dazu die oben S. 179, Anm. 80, zitierte Literatur, ferner: H. P. Ipsen »Über das Grundgesetz – nach 25 Jahren«, in: DöV 1974, S. 296; K. A. Bettermann »Die Geldentwertung als Rechtsproblem«, in: ZRP 1974, S. 17 f.

212. »Die Grundrechte verlassen hier den status negativus und wandern in den status positivus hinüber. Die Erwägung derartiger Ansprüche signalisiert einen fundamentalen Wandel des überkommenen Grundrechtsverständnisses ...« (W. Martens »Grundrechte im Leistungsstaat«, in: VVDStRL Heft 30 [1972], S. 21).

213. So insb. P. Häberle »Grundrechte im Leistungsstaat«, in: VVDStRL Heft 30 (1972), S. 43 ff.; weniger entschieden: H. H. Rupp »Die verfassungsrechtliche Seite des Umweltschutzes«, in: JZ 1971, S. 401 ff.; K. H. Friauf »Grundrechte im Interventions- und Leistungsstaat«, in: DVBl. 1971, S. 671; ganz vorsichtige Ansätze bei U. Scheuner »Die Funktion der Grundrechte im Sozialstaat«, in: DöV 1971, S. 505 ff.; stark ablehnend bes. W. Martens »Grundrechte im Leistungsstaat«, in: VVDStRL Heft 30 (1972), S. 7 ff.

214. W. Martens a.a.O., S. 26 ff.

215. Vgl. im einzelnen die Nachweise bei W. Martens a.a.O., S. 28, Anm. 104.

216. P. Häberle »Grundrechte im Leistungsstaat«, in VVDStRL Heft 30 (1972), S. 43 ff.

217. Ders. a.a.O., S. 80.

218. Ders. a.a.O., S. 137, Leitsatz 27.

219. Ders. a.a.O., S. 137, Leitsatz 28.

220. Ders. a.a.O., S. 137, Leitsatz 29.

221. Ders. a.a.O., S. 140, Leitsatz 43.

222. BVerfG NJW 1972, S. 1561 ff.

223. Hervorhebung durch den Verf.

224. Hervorhebung im Original.

225. H. H. Rupp »Die verfassungsrechtliche Seite des Umweltschutzes«, in: JZ 1971, S. 401 f.

226. Ders. a.a.O., S. 402.

227. H.-D. Genscher »Soziales Grundrecht auf eine gesunde Umwelt«, in: Bulletin des Presse- und Informationsamtes der Bundesregierung 1973, S. 305 ff.

228. J. Schwabe »Krankenversorgung und Verfassungsrecht«, in: NJW 1969, S. 2274 ff.

229. Vgl. dazu besonders die Diskussion im Anschluß an die Referate von W. Martens und P. Häberle auf der Staatsrechtslehrertagung 1971, VVDStRL Heft 30 (1972), S. 142 ff. Entschieden gegen derartige Vorstellungen hat sich auf dieser Tagung W. Martens in seinem Referat »Grundrechte im Leistungsstaat«, a.a.O., S. 7 ff., gewandt. Seine Ablehnung »grundrechtlicher Leistungs- und Teilhabeansprüche« gipfelt in der Feststellung: Soziale Gegebenheiten könne der Staat – zu Ende gedacht – im Unterschied zu freiheitssichernden Normenkomplexen nur um den Preis der Freiheit garantieren. Wo also Freiheitsgarantien im Sinne von Existenzgarantien interpretiert würden, trete die freiheitliche Verfassung in einen Widerspruch zu sich selbst (a.a.O., S. 33). Diese Meinung steht ganz in der Tradition der herkömmlichen liberalen Rechtsvorstellungen, wie sie insb. von Forsthoff vertreten worden sind, die von einem Gegensatz von Sozialstaat und Rechtsstaat ausgehen.

230. Wie weit die ›herrschende‹ Meinung noch von den Auffassungen des Urteils entfernt ist, zeigt eine Äußerung von Ipsen (ders. »Über das Grundgesetz – nach 25 Jahren«, in: DöV 1974, S. 295 f.), der zum numerus-clausus-Urteil ausführt: Wo sozialstaatliche Realisierung durch Grundrechtsauf- und -umwertung dieser Art stattfinde und der Teilhabeanspruch nicht durch staatliche Zuteilung aus öffentlichen Mitteln, sondern unmittelbar durch Inanspruchnahme anderer Grundrechtsträger stattfinden müsse, setze das Verhältnis von Staat und Wirtschaft dem Sozialstaatsprinzip seine Grenze. Denn der Staat verfüge nur in beschränktem Umfang über die Wirtschaft – beschränkt einmal im Sinne einer Eigentümerdisposition über öffentliche Unternehmen, beschränkt noch mehr im Sinne seiner rechtlichen Potenz. Seiner Verfassungsgewalt setzten trotz des Art. 109 GG neuer Fassung die dem Grundgesetz immanente Wirtschaftsverfassung und in ihr insb. Art. 15 GG nicht überschreitbare Grenzen, und dies selbst dann, wenn nicht gerade ein Vorrang der Wirtschaft vor dem Staat behauptet werde. Hierfür erweise sich für das 25jährige Grundgesetz von Bedeutung, daß sein Art. 15 mit seiner Sozialisierungsermächtigung bislang nicht zu Anwendung gekommen sei. Interessant ist dies insb., weil gegenüber der »Gefahr« einer »sozialstaatlichen« Grundgesetzinterpretation auf die sog. Wirtschaftsverfassung und ein vorausgesetztes Verhältnis von Staat und Wirtschaft zurückgegriffen wird. Selbst der tatsächlichen Nichtanwendung des Art. 15 GG wird anscheinend normative Kraft beigemessen.

231. So auch K. Redeker »Staatliche Planung im Rechtsstaat«, in: JZ 1968, S. 538.

232. Erstmals in der deutschen Verfassungsgeschichte ist dies mit der Verfassungsänderung Hamburgs 1972 auch positives Recht geworden.

233. Vgl. z. B. Th. Ellwein »Einführung in die Regierungs- und Verwaltungslehre«, 1966, S. 126; W. Hennis »Parlamentarische Opposition und Industriegesellschaft«, in: ders.

»Politik als praktische Wissenschaft«, 2. Aufl. 1968, S. 105; K. Lompe »Gesellschaftspolitik und Planung«, 1971, S. 264.

234. Vgl. in diesem Sinne z. B. P. Badura »Verfassungsfragen der Finanzplanung«, in: Festgabe für Th. Maunz, 1971, S. 13.

235. Vgl. z. B. E. Stein »Lehrbuch des Staatsrechts«, 1968, S. 30 ff.; W. Leisner »Die quantitative Gewaltenteilung. Für ein neues Verständnis der Trennung der Gewalten«, in: DöV 1969, S. 409 ff.: F. Kübler »Kodifikation und Demokratie«, in: JZ 1969, S. 648; P. Badura a.a.O., S. 13.

236. Typisch etwa A. Kewenig (»Zur Revision des Grundgesetzes: Planung im Spannungsverhältnis von Regierung und Parlament«, in: DöV 1973, S. 30), der zwar die empirische Richtigkeit der politikwissenschaftlichen Theorie anerkennt, für die verfassungsrechtlichen Probleme aber dennoch von der herkömmlichen Gewaltenteilungstheorie ausgeht. Vgl. auch U. Scheuner »Die Lage des parlamentarischen Regierungssystems in der Bundesrepublik«, in: DöV 1974, S. 437.

237. Vgl. dazu die Aufzählung bei K. H. Friauf »Die verfassungsrechtliche Problematik einer politischen Ziel- und Mittelplanung der Bundesregierung im Hinblick auf ihr Verhältnis zum Deutschen Bundestag«, in: 1. Bericht zur Reform der Struktur von Bundesregierung und Bundesverwaltung, 1969, Anlagenband, S. 624 ff. Friauf (a.a.O., S. 627 f.) weist im übrigen darauf hin, daß eine grundsätzliche Untersuchung über Stellung und sachliche Kompetenzen der Bundesregierung und über die spezifische Struktur des parlamentarischen Prinzips unter dem Grundgesetz noch ausstehe. Sie setze insbesondere eine grundsätzliche inhaltliche Neufundierung der Staatsfunktionen und eine Befreiung der staatsrechtlichen Kategorien von manchen bis heute mitgeschleppten spezifischen Fragestellungen und Lösungsansätzen des monarchischen Konstitutionalismus voraus.

238. Vgl. dazu auch K. Vogel »Gesetzgeber und Verwaltung«, in: VVDStRL Heft 24 (1966), S. 137 ff.

239. Vgl. dazu die Nachweise und Ausführungen bei K. H. Friauf a.a.O., S. 622 ff.

240. Ders. a.a.O., S. 669, mit weiteren Hinweisen. Ob man den Wandel der Verfassung mißt an einem weiterentwickelten Gesetzesvorbehalt oder an einer aus dem Prinzip der parlamentarischen Demokratie entwickelten Prärogative des Parlaments ist ein in unserem Zusammenhang weniger bedeutender dogmatischer Unterschied.

241. Vgl. zu diesem Zusammenhang auch H. H. Rupp »Die Dogmatik des Verwaltungsrechts und die Gegenwartsaufgaben der Verwaltung«, in: DVBl. 1971, S. 671 f.

242. K. Stern in: Stern / Münch »Gesetz zur Förderung der Stabilität und des Wachstums der Wirtschaft«, 1967, S. 55. Zustimmend z. B. K. H. Friauf a.a.O., S. 662.

243. K. H. Friauf a.a.O., S. 662.

244. Vgl. oben S. 131 ff., 137 ff.

245. Zur mittelfristigen Finanzplanung (§ 9 StabG) vgl. unten S. 158 ff.

246. Vgl. hierzu auch K. H. Friauf »Öffentlicher Haushalt und Wirtschaft«, in: VVDStRL Heft 27 (1969), S. 30, der dies für einen »bemerkenswerten Einbruch in eine bisher nicht angetastete Domäne des Parlaments« hält.

247. F. Neumark (»Fiskalpolitik und Wachstumsschwankungen«, 1968, S. 43) wertet § 6 StabG als »gewaltige Machtverschiebung zugunsten der Exekutive«. Vgl. dazu aber auch E. Stachels »Das Stabilitätsgesetz im System des Regierungshandelns«, 1970, S. 33 ff.

248. K. H. Friauf a.a.O., S. 30.

249. Vgl. dazu A. Möller (Hrsg.) »Kommentar zum Gesetz zur Förderung der Stabilität und des Wachstums der Wirtschaft«, 2. Auflage 1969, S. 120, Anm. 9 zu § 8.

250. K. H. Friauf a.a.O., S. 31.

251. 20. Gesetz zur Änderung des Grundgesetzes vom 12. 5. 1969, BGBl. I S. 357.

252. So z. B. K. Stern in Stern / Münch »Gesetz zur Förderung der Stabilität und des Wachstums der Wirtschaft«, 1967, S. 55; K. H. Friauf a.a.O., S. 24 ff. (»Umfunktionierung des Parlaments«); R. Schmidt »Wirtschaftspolitik und Verfassung«, 1971, S. 213; H. H. Rupp »Die Dogmatik des Verwaltungsrechts und die Gegenwartsaufgaben der Verwaltung«, in: DVBl. 1971, S. 671 ff.

253. So insb. K. H. Friauf a.a.O., S. 24 ff.

254. K. Stern in: Stern / Münch »Gesetz zur Förderung der Stabilität und des Wachstums der Wirtschaft«, 1967, S. 55; im Ergebnis ebenso R. Schmidt »Wirtschaftspolitik und Verfassung«, 1971, S. 213; E. Stachels »Das Stabilitätsgesetz im System des Regierungshandelns«, 1970, S. 54; R. Zuck »Verfassungsrechtliche Probleme des Stabilitätsgesetzes«, in: JZ 1967, S. 697.

255. Vgl. oben S. 121 ff.

256. W. Kewenig »Zur Revision des Grundgesetzes: Planung im Spannungsverhältnis von Regierung und Parlament«, in: DöV 1973, S. 23.

257. Die gesamte Literatur kann bereits nicht mehr wiedergegeben werden. Eine sehr gute Darstellung des Meinungsstandes mit ausführlichen Literaturnachweisen findet sich bei D. Oberndörfer / M. Schmitz »Politische Planung«, in: 1. Bericht zur Reform der Struktur von Bundesregierung und Bundesverwaltung, 1969, Anlagenband, S. 325 ff. Von der neuesten Literatur seien genannt: E.-W. Böckenförde »Planung zwischen Regierung und Parlament«, in: Der Staat, Bd. 11 (1972), S. 459 ff.; H. C. F. Liesegang »Zum Entwurf eines Gesetzes über die parlamentarische Kontrolle der Regierungsplanung«, in: ZRP 1972, S. 259 ff.; W. Kewenig »Zur Revision des Grundgesetzes: Planung im Spannungsverhältnis von Regierung und Parlament«, in: DöV 1973, S. 23.

258. Vgl. den 1. Bericht zur Reform der Struktur von Bundesregierung und Bundesverwaltung vom 31. 8. 1969, S. 183 ff. Die Projektgruppe, die den Bericht erstellt hat, wurde 1968 gebildet, vgl. Bulletin des Presse- und Informationsamtes der Bundesregierung 1969, S. 1062 ff.; dazu auch R. Wahl »Die politische Planung in den Reformüberlegungen der Bundesregierung«, in: DöV 1971, S. 42 ff.

259. Vgl. den »Zwischenbericht der Enquete-Kommission für Fragen der Verfassungsreform gemäß Beschluß des Deutschen Bundestages« vom 21. 9. 1972, Bundestagsdrucksache VI/3829, S. 45 ff. Die Kommission wurde 1971 gegründet; Näheres über Vorgeschichte und Organisation bei W. Sandtner »Zwischenbericht über die Enquete-Kommission Verfassungsreform«, in: DVBl. 1971, S. 682, und ders. »Ein Jahr Enquete-Kommission Verfassungsreform«, in: DVBl. 1972, S. 325.

260. H. C. F. Liesegang a.a.O., S. 259.

261. Auf Bundesebene wurde diese Notwendigkeit zum erstenmal in der Regierungserklärung Kiesingers vom 13. 12. 1966 offiziell ausgesprochen. Vgl. dazu ferner die Berichte der beiden genannten Kommissionen von Bundesregierung und Bundestag. Aus neuerer Zeit vgl. auch R. Jochimsen »Planung im staatlichen Bereich«, in: Bulletin des Presse- und Informationsamtes der Bundesregierung 1971, S. 1237 ff.; H. Ehmke ebenda, S. 2029 ff.

262. Zur ökonomischen und politikwissenschaftlichen Literatur vgl. die oben in Kap. 4.1.3.2 angegebenen Hinweise. Zur juristischen Literatur vgl. S. 124 f. Aus neuester Zeit vgl. auch R. Wahl »Notwendigkeit und Grenzen langfristiger Aufgabenplanung«, in: Der Staat 1972, S. 459 ff.

263. H. C. F. Liesegang »Zum Entwurf eines Gesetzes über die parlamentarische Kontrolle der Regierungsplanung«, in: ZRP 1972, S. 259.

264. Vgl. dazu besonders R. Jochimsen »Planung im staatlichen Bereich«, in: Bulletin des Presse- und Informationsamtes der Bundesregierung 1971, S. 1238 f., der dazu ausgeführt hat: »In der BRD begegnet man heute einer kaum noch übersehbaren Fülle von staatlichen Plänen und Programmen ... Die bisher vornehmlich mittelfristigen Pläne und Programme der Ressorts werden jedoch auf der Ebene der Gesamtregierung nur »negativ« koordiniert, d. h. Interessen- und Sachkollisionen ausgemerzt und so eine möglichst einlinige Zuordnung der Problemstellung und Lösungsfindung ... herausgeschält. Die in den Regierungserklärungen und sonstigen Beschlüssen der Regierung enthaltenen politischen Ziele waren wegen der noch fehlenden mittel- und längerfristigen Planung oberhalb der Ressortebene häufig nur wenig operational definiert ... Seit 1967 ist immer wieder darauf hingewiesen worden, daß die mittelfristige Finanzplanung neben der Haushaltsprojektion um eine echte Aufgabenplanung ergänzt werden sollte ... Die Beschränkung der Planungsaktivitäten auf den mittelfristigen Bereich – und hier insbesondere auf die Finanzplanung und die wirtschaftlichen Zielprojektionen – haben häufig den Versuch der Politik, neue Ziele zu setzen, eher gehindert als gefördert.«

265. Zur Kritik an der Finanzplanung vgl. bes. F. Naschold »Anpassungsplanung oder politische Gestaltungsplanung?«, in: W. Steffani (Hrsg.) , Kritik, Bd. III, Parlamentarismus ohne Transparenz, 1971, S. 69 ff.; R. Wahl »Notwendigkeit und Grenzen langfristiger Aufgabenplanung«, in: Der Staat, Bd. 11 (1972), S. 476 ff.; R. Jochimsen »Planung im staatlichen Bereich«, in: Bulletin des Presse- und Informationsamtes der Bundesregierung 1971, S. 1236 ff.; H. Ehmke »Planung im Regierungsbereich – Aufgaben und Widerstände«, ebenda, S. 2026 ff.

266. R. Jochimsen a.a.O.; ders. »Zum Aufbau und Ausbau eines integrierten Aufgabenplanungssystems und Koordinationssystems der Bundesregierung«, in: J. H. Kaiser (Hrsg.), Planung VI, S. 35 ff., sowie die übrigen deutschen Beiträge in diesem Band; H. Ehmke a.a.O.

267. K. H. Friauf »Die verfassungsrechtliche Problematik einer politischen Ziel- und Mittelplanung der Bundesregierung im Hinblick auf den Deutschen Bundestag«, in: 1. Bericht zur Reform der Struktur von Bundesregierung und Bundesverwaltung, 1969, Anlagenband, S. 649.

268. Vgl. oben S. 153.

269. Vgl. dazu insb. die Zusammenstellung der Literatur hierzu bei D. Oberndörfer / M. Schmitz »Planungskompetenz im Regierungssystem«, in: 1. Bericht zur Reform der Struktur von Bundesregierung und Bundesverwaltung, 1969, Anlagenband, S. 325; K. H. Friauf, ebenda, S. 649; aus der neueren Literatur vgl. W. Kewenig »Zur Revision des Grundgesetzes: Planung im Spannungsverhältnis von Regierung und Parlament«, in: DöV 1973, S. 23 ff., insb. S. 28 ff.

270. Nur Nordrhein-Westfalen hat bisher durch eine Novelle zum Landesplanungsgesetz vom 30. 5. 1972 die Mitwirkung des Landesparlaments vorgeschrieben. 1974 wurde zum erstenmal das »Gesetz zur Landesentwicklung (Landesentwicklungsprogramm)« vom Landtag beschlossen. Vgl. auch H. C. F. Liesegang »Zum Entwurf eines Gesetzes über die parlamentarische Kontrolle der Regierungsplanung«, in: ZRP 1972, S. 259. Zum Bereich der Bildungsplanung der Länder vgl. R. Wimmer »Gewaltenteilung oder Gewaltenkooperation in der Bildungsplanung«, in: ZRP 1970, S. 199 ff.

271. Vgl. H. C. F. Liesegang a.a.O.; ferner die Vorschläge der Enquete-Kommission Verfassungsreform in ihrem Zwischenbericht, Bundestagsdrucksache VI/3829, S. 45 ff.

272. K. H. Friauf »Die verfassungsrechtliche Problematik einer politischen Ziel- und Mittelplanung der Bundesregierung im Hinblick auf den Deutschen Bundestag«, in: 1. Be-

richt zur Reform der Struktur von Bundesregierung und Bundesverwaltung, 1969, Anlagenband, S. 665.

273. Die Enquete-Kommission Verfassungsreform in ihrem Zwischenbericht, Bundestagsdrucksache VI/3829, S. 46; ebenso E.-W. Böckenförde »Planung zwischen Regierung und Parlament«, in: Der Staat, Bd. 11 (1972), S. 442.

274. Im Original hervorgehoben.

275. K. H. Friauf a.a.O., S. 666.

276. Vgl. K. H. Friauf a.a.O., S. 659 f.; H. C. F. Liesegang / R. Plöger »Schwächung der Parlamente durch den kooperativen Föderalismus?«, in: DöV 1971, S. 233 ff.; A. Kewenig »Zur Revision des Grundgesetzes: Planung im Spannungsverhältnis von Regierung und Parlament«, in: DöV 1973, S. 28 ff.; E.-W. Böckenförde a.a.O., S. 448.

277. Formulierung von K. H. Friauf a.a.O., S. 659.

278. So die übereinstimmende Meinung der Literatur, die auch von der Enquete-Kommission Verfassungsreform in ihrem Zwischenbericht zum Ausdruck gebracht worden ist, Bundestagsdrucksache VI/3829, S. 46.

279. K. H. Friauf a.a.O., S. 661.

280. Dies geht noch erheblich über die faktische Abhängigkeit des Parlaments, die auch sonst durch das Initiativrecht der Regierung besteht, hinaus.

281. So K. H. Friauf a.a.O., S. 666.

282. Nur vereinzelt werden Stimmen laut, die dies befürworten, in diesem Sinne etwa H. Harnischfeger »Planung in der sozialstaatlichen Demokratie«, 1969, zusammenfassend These 11, S. 148; S. Leibfried / M. Quilisch »Planung im Sozialstaat«, in: Atomzeitalter 1967, S. 614 ff.

283. Selbst die Enquete-Kommission des Bundestages strebt dies nicht an, sondern begnügt sich mit der Forderung nach einer »Planung ›zur gesamten Hand‹ von Parlament und Regierung«, vgl. den Zwischenbericht, Bundestagsdrucksache VI/3829, S. 46 f.; in diesem Sinne auch A. Kewenig »Zur Revision des Grundgesetzes: Planung im Spannungsverhältnis von Parlament und Regierung«, in: DöV 1973, S. 29; diese Meinung scheint sich derzeit in der Literatur durchzusetzen. Einen recht guten Überblick über die verschiedenen Modelle der Einschaltung des Parlaments gibt E.-W. Böckenförde »Planung zwischen Regierung und Parlament«, in: Der Staat, Bd. 11 (1972), S. 445 ff., teilweise wird auch bereits – entsprechend der regelmäßigen Praxis – nur eine nachträgliche und damit ineffektive Kontrolle für zulässig gehalten, so z. B. H. C. F. Liesegang »Zum Entwurf eines Gesetzes über die parlamentarische Kontrolle der Regierungsplanung«, in: ZRP 1972, S. 259; R. Goroncy »Gemeinschaftsaufgaben und Parlament«, in: ZRP 1972, S. 61 ff. Die Bundesregierung vertritt die Auffassung, »daß ein Aufgabenplanungssystem der Regierung derzeit in der Entwicklung sei, daß die wissenschaftliche Diskussion über die Auswirkungen der Planung auf das verfassungsrechtliche Zuordnungsverhältnis von Parlament und Regierung noch nicht abgeschlossen sei und daß zureichende praktische Erfahrungen über ein Zusammenwirken von Regierung und Parlament im Bereich der Planung noch nicht vorlägen« und ist daher »gegen die verfassungsrechtliche Institutionalisierung einer Parlamentsbeteiligung an der Planung schon zum jetzigen Zeitpunkt«, nach dem Zwischenbericht der Enquete-Kommission Verfassungsreform, Bundestagsdrucksache VI/3829, S. 48.

284. Vgl. dazu oben S. 137 f.

285. H. C. F. Liesegang / R. Plöger (»Schwächung der Parlamente durch kooperativen Föderalismus«, in: DöV 1971, S. 233 f.) nehmen sogar eine juristische Einschränkung der parlamentarischen Haushaltshoheit an: Art. 91 a normiere eine verfassungsrechtliche Ver-

pflichtung des bundesstaatlichen Zusammenwirkens. »Weder der Bundestag noch die Landesparlamente können daher aus einer einseitigen Abwägung heraus, die lediglich die eigenen Interessen berücksichtigt, Veränderungen an den im Rahmenplan festgelegten Mittelansätzen vornehmen. Andererseits kann das Gebot bundesfreundlichen Verhaltens nicht die Haushaltshoheit der Parlamente aufheben. Der in Art. 91 a Abs. 4 S. 4 niedergelegte Grundsatz, der lediglich die Haushaltshoheit der Parlamente betont, erfährt somit rechtlich eine Einschränkung durch den dem ›Grundgesetz immanenten Grundsatz der Bundestreue‹ (Anm. Bundesverfassungsgericht E 1, 299 ff. [315]).«

286. Vgl. dazu ausführlich: H. C .F. Liesegang / R. Plöger a.a.O., S. 235.

287. Vgl. in diesem Sinne z. B. die gesetzliche Bestimmung des § 4 des Gesetzes über die Gemeinschaftsaufgabe ›Verbesserung der Agrarstruktur und des Küstenschutzes‹: »Der Rahmenplan ist für den Zeitraum der Finanzplanung aufzustellen, jedes Jahr sachlich zu prüfen, der Entwicklung anzupassen und fortzuführen. Die mehrjährige Finanzplanung des Bundes und der Länder ist zu berücksichtigen.« Diesem Netzwerk von Planungen ist das Parlament praktisch ganz genauso unterworfen.

288. H. Kohn »Das Gesetz zur Förderung der Stabilität und des Wachstums«, BMWi-Texte, 3. Aufl., 1970, S. 23.

289. Rechtliche Bindungen ergeben sich nur für die Exekutive selbst, vgl. bes. § 9 Abs. 1 S. 1 StabG, wonach der Finanzplan der Haushaltswirtschaft zugrunde zu legen ist. Dennoch ist die Regierung in erster Linie an den Haushaltsplan gebunden, jedoch dürfen konjunkturpolitische Mehrausgaben nach § 8 Abs. 1 StabG nur für Zwecke erfolgen, die in den Investitionsprogrammen des Finanzplanes enthalten sind. Zur Bedeutung von § 9 Abs. 1 StabG vgl. auch P. Badura »Verfassungsfragen der Finanzplanung«, in: Festgabe für Theodor Maunz, 1971, S. 4 f.

290. K. M. Hettlage »Probleme einer mehrjährigen Finanzplanung«, in: Finanzarchiv, Bd. 27 (1968), S. 241.

291. Vgl. auch A. Möller (Hrsg.) »Kommentar zum Gesetz zur Förderung der Stabilität und des Wachstums der Wirtschaft«, 1968, S. 19. »Im Finanzplan werden politische Prioritäten gesetzt und weitgehende Vor-Entscheidungen für die Gestaltung der Haushaltspläne getroffen.«

292. M. Abelein »Finanzplanung und Haushaltsrecht«, in: ZRP 1969, S. 242.

293. K. M. Hettlage »Probleme einer mehrjährigen Finanzplanung«, in: Finanzarchiv, Bd. 27 (1968), S. 242.

294. Ders. a.a.O., S. 240.

295. Aus diesem Grunde halten manche Autoren die Regelung des § 9 Abs. 2 StabG sogar für verfassungswidrig, so z. B. E. Stachels »Das Stabilitätsgesetz im System des Regierungshandelns«, 1970, S. 133 ff. Bedenken äußern auch die Autoren des von Möller herausgegebenen »Kommentars zum Gesetz zur Förderung der Stabilität und des Wachstums der Wirtschaft«, 1968, S. 20. Sie weisen zugleich aber auch auf die tatsächlichen Schwierigkeiten einer stärkeren Einschaltung des Parlaments hin und plädieren daher für eine stärkere Transparenz der Finanzplanung, die die Regierung zwingen würde, die Wünsche des Parlaments stärker zu berücksichtigen.

296. Einen Beitrag aus der Sicht der Praxis liefert E. Fricke »Zur Mitwirkung der Parlamente bei der Regierungsplanung«, in: DöV 1973, S. 406 ff. Er hebt besonders den Zusammenhang zwischen langfristiger Aufgabenplanung, Finanzplanung und Haushaltsplanung hervor.

297. M. Scheuner »Kooperation und Konflikt«, in: DöV 1972, S. 585: »Die Jahre 1967

bis 1969 stellen in der Entwicklung der bundesstaatlichen Ordnung der Bundesrepublik Deutschland einen Einschnitt von weitreichender Bedeutung dar«; ebenso H. Spanner »Über Finanzreform und Bundesstaat«, in: Festgabe für Theodor Maunz, 1971, S. 387.

298. 22. Gesetz zur Änderung des Grundgesetzes vom 12. 5. 1969, BGBl. I S. 363.

299. Art. 105 Abs. 2, 109 Abs. 3, geändert durch das 20. Gesetz zur Änderung des Grundgesetzes vom 12. 5. 1969, BGBl. I S. 357.

300. Art. 109 Abs. 4, eingeführt durch das 15. Gesetz zur Änderung des Grundgesetzes vom 8. 6. 1967, BGBl. I S. 581.

301. Art. 91a und 91b, eingeführt durch das 21. Gesetz zur Änderung des Grundgesetzes vom 12. 5. 1969, BGBl. I S. 359.

302. Eingeführt durch das 21. Gesetz zur Änderung des Grundgesetzes vom 12. 5. 1969, BGBl. I S. 359.

303. Art. 106, 107, geändert durch das 21. Gesetz zur Änderung des Grundgesetzes vom 12. 5. 1969, BGBl. I S. 359.

304. Art. 104a Abs. 3, geändert durch das 21. Gesetz zur Änderung des Grundgesetzes vom 12. 5. 1969, BGBl. I S. 359.

305. Aus der Fülle der hierzu neuerdings erschienen Literatur seien genannt: O. Barbarino »Zur Revision des Grundgesetzes: Planerische und finanzielle Aspekte des Bund-Länder-Verhältnisses unter besonderer Berücksichtigung der Gemeinschaftsaufgaben«, in: DöV 1973, S. 19ff.; Th. Oppermann »Gemeinsame Bildungs- und Forschungsfinanzierung durch Bund und Länder nach Art. 91b und 104a Grundgesetz«, in: DöV 1972, S. 591ff.; F. Rietdorf »Die Gemeinschaftsaufgaben – ein Schritt zur gemeinsamen Aufgabenplanung von Bund und Ländern?«, in: DöV 1972, S. 513ff.; B. Tiemann »Die neuen Gemeinschaftsaufgaben im System des Grundgesetzes«, in: DöV 1970, S. 161ff. »Gemeinschaftsaufgaben im Bundesstaat« war auch Thema der Staatsrechtslehrertagung 1972, vgl. dazu den Bericht in DöV 1972, S. 777ff. Die zum Teil heftige Kritik an den Gemeinschaftsaufgaben hat auch bereits zu Vorschlägen geführt, die derzeitige Regelung durch andere Formen der Kooperation von Bund und Ländern zu ersetzen, vgl. dazu O. Barbarino a.a.O.; ferner den Zwischenbericht der Enquete-Kommission für Fragen der Verfassungsreform, Bundestagsdrucksache VI/3829, S. 49ff.

306. Vgl. dazu z.B. O. Barbarino a.a.O., der darauf hinweist, daß durch die gegebene Überlegenheit des Bundes, »die Gemeinschaftsaufgaben faktisch nicht mehr Länderaufgaben, bei denen der Bund mitwirkt, (sind), sondern sie werden mehr und mehr zu Bundesaufgaben, zu deren Finanzierung die Länder herangezogen werden« (S. 21). Ähnlich auch J. Seeger »Finanzierung von Länderaufgaben durch den Bund«, in: DöV 1968, S. 784ff. Zur Kompetenz des Bundes nach Art. 104a Abs. 4 Grundgesetz vgl. neuerdings G. Holch »Die Finanzhilfen des Bundes nach Art. 104a Abs. 4 Grundgesetz«, in: DöV 1973, S. 115ff.

307. Vgl. dazu Kommission für die Finanzreform »Gutachten über die Finanzreform in der Bundesrepublik Deutschland«, 1966, Ziff. 28–51.

308. Vgl. dazu unten S. 161 f.

309. Th. Maunz, in: Maunz / Dürig / Herzog »Grundgesetz. Kommentar«, Bd. II, Erl. 19 zu Art. 109.

310. Ders. a.a.O., Erl. 4 zu Art. 109. Maunz ist sogar der Meinung (a.a.O., Erl. 3 zu Art. 109), es sei verfassungsrechtlich nicht unbedenklich, wenn ein Bundesgesetz die Anlage der flüssigen Mittel eines Landes beim Zentralbanksystem verlange (so die §§ 16, 17 BBankG i. d. F. vom 22. 7. 1969).

311. Vgl. dazu im einzelnen unten S. 166ff.

312. Vgl. dazu im einzelnen unten S. 163 ff., 169.

313. Insofern besteht eine Parallelität in der besprochenen Gewichtsverlagerung vom Parlament zur Exekutive und von den Ländern zum Bund.

314. Kommission für die Finanzreform »Gutachten über die Finanzreform in der Bundesrepublik Deutschland«, 1966.

315. Dies ist der durchgängige Tenor des Gutachtens. Vgl. z. B. die Ziffern 12, 35, 58–59, 70–72, 75, 79, 129 ff., 175. In Ziffer 75 heißt es: »In den letzten Jahren hat sich wiederholt gezeigt, daß entscheidend wichtige Probleme mit der übernommenen Form des Föderalismus nicht mehr befriedigend gelöst werden können. Die bundesstaatliche Ordnung unterliegt dem Wandel der politischen, ökonomischen und sozialen Verhältnisse, sie kann deshalb nicht auf unabsehbare Zeit verfassungsrechtlich fixiert werden. Andernfalls würde sie eine zeitgemäße und zweckmäßige Erfüllung der staatlichen Aufgaben behindern und als störendes Element der politisch-wirtschaftlichen Ordnung empfunden werden.«

316. So meint z. B. auch F. Neumark »Fiskalpolitik und Wachstumsschwankungen«, 1969, S. 136, rationale Fiskalpolitik, soweit sie in den Dienst der in § 1 StabG erwähnten Ziele gestellt sei, zwinge zu einer progressiven Zentralisierung; vgl. zustimmend auch E. Stachels »Das Stabilitätsgesetz im System des Regierungshandelns«, 1970, S. 55; ferner K. Stern »Konjunktursteuerung und kommunale Selbstverwaltung«, Gutachten für den 47. Deutschen Juristentag, 1968, E 36 f.; H. Haller »Wandlungen in den Problemen föderativer Staatswirtschaften«, in: Finanzarchiv, Bd. 27 (1968), S. 250 ff., vgl. zum Ganzen auch eingehend F. Weller »Wirtschaftspolitik und föderativer Staatsaufbau in der Bundesrepublik Deutschland«, 1967.

317. Vgl. hierzu H. Haller a.a.O., S. 255 ff.

318. Der Begriff wurde in Deutschland durch die sogenannte Tröger-Kommission »erstmals in die amtliche Sprache eingeführt« (U. Scheuner »Wandlungen im Föderalismus der Bundesrepublik«, in: DöV 1966, S. 518), Gutachten über die Finanzreform in der Bundesrepublik Deutschland, 1966, RdZf. 73 ff. Vgl. zum Ursprung des Begriffes im angelsächsischen Bereich U. Scheuner a.a.O.

319. In diesem Sinne insbesondere A. Köttgen »Der soziale Bundesstaat«, in: Muthesius-Festgabe, 1960, S. 21; einschränkend ebenso P. Lerche »Föderalismus als nationales Ordnungsprinzip«, in: VVDStRL Heft 21 (1964), S. 73.

320. Ein anderer Ansatz findet sich z. B. bei U. Scheuner »Struktur und Aufgabe des Bundesstaates in der Gegenwart«, in: DöV 1962, S. 641 ff.

321. Mit Recht hat Scheuner die ganze Diskussion, die die ältere Bundesstaatslehre von Laband bis Georg Jellinek fortsetzt, als »Resultat der Dogmatik der positivistischen Schule« bezeichnet, U. Scheuner a.a.O., S. 641.

322. Dieser Gedanke wurde insbesondere von Hesse (in Anklängen an eine Äußerung des Bundesverfassungsgerichts, E 12, 229) eingeführt, K. Hesse »Der unitarische Bundesstaat«, 1962.

323. Zum Beispiel auch das Gutachten über die Finanzreform in der BRD, 1966, Ziffer 73: »Der Kern der föderativen Staatsidee liegt in der Schaffung verschiedener Entscheidungszentren, der Verteilung der Staatsmacht auf mehrere Entscheidungsträger und der Auflösung eines zentralen Befehlsmechanismus mit all seinen Gefahren. Der Föderalismus verbürgt daher zusätzlichen Freiheitsraum für den Bürger.« Ebenso spricht die Enquete-Kommission für Fragen der Verfassungsreform in ihrem Zwischenbericht, Bundestagsdrucksache VI/3829, S. 54, von der »freiheitssichernden Funktion des Föderalismus«.

324. Vgl. dazu unten S. 166 ff. Zur Schwächung der Landesparlamente vgl. z. B. W. Leis-

ner »Schwächung der Landesparlamente durch grundgesetzlichen Föderalismus«, in: DöV 1968, S. 389ff.; F. Rietdorf »Die Gemeinschaftsaufgaben – ein Schritt zur gemeinsamen Aufgabenplanung von Bund und Ländern«, in: DöV 1972, S. 515, mit weiteren Nachweisen. Aus diesem Grunde sollte man auch dem verstärkten Einfluß der Länder auf den Bund durch stärkere Einschaltung des Bundesrates und durch die Koordinationsgremien nicht allzu sehr als Gegengewicht hierzu betrachten, vgl. dazu auch H. J. Schmidt »Zum Verhältnis von Bundesrat und Landesparlamenten«, in: DöV 1973, S. 469ff., der besonders darauf hinweist, daß im Bundesrat nur die Länderregierungen vertreten sind. »Die Beschneidung der Kompetenzen der Länderparlamente bedeutet eine beschränkte Kontrolle und Teilnahme der Aktivbürgerschaft am Staatsleben, bedeutet Abbau demokratischer Substanz in den Ländern und damit letztlich Schwächung der Demokratie im Gesamtstaat«, a.a.O., S. 470.

325. F. Rietdorf a.a.O., S. 513 ff.

326. Gemäß § 18 StabG.

327. Gemäß § 51 Haushaltsgrundsätzegesetz vom 19. 8. 1969 (BGBl. I S. 1273).

328. Planungsausschuß für den Hochschulbau gem. Hochschulbauförderungsgesetz vom 1. 9. 1969 (BGBl. I S. 1556); Planungsausschuß für die regionale Wirtschaftsstruktur gem. Gesetz über die Gemeinschaftsaufgabe »Verbesserung der regionalen Wirtschaftsstruktur« vom 6. 10. 1969 (BGBl. I S. 1861); Planungsausschuß für Agrarstruktur und Küstenschutz gemäß Gesetz über die Gemeinschaftsaufgabe »Verbesserung der Agrarstruktur und des Küstenschutzes« vom 3. 9. 1969 (BGBl. I S. 2140) – diese Gesetze zuletzt geändert durch das Gesetz zur Änderung der Gesetze über die Gemeinschaftsaufgaben vom 23. 12. 1971 (BGBl. I S. 2140); Bund-Länder-Kommission für Bildungsplanung gem. dem Verwaltungsabkommen zwischen Bund und Ländern vom 25. 6. 1970.

329. Es handelt sich um die Gremien gem. § 6 Gemeindeverkehrsfinanzierungsgesetz i. d. F. vom 13. 3. 1972 (BGBl. I S. 501), § 72 Städtebauförderungsgesetz vom 27. 7. 1971 (BGBl. I S. 1125), § 19 II. Wohnungsbaugesetz i. d. F. vom 1. 9. 1965 (BGBl. I S. 1617), § 7 Gesetz zur wirtschaftlichen Sicherstellung der Krankenhäuser und zur Regelung der Krankenhauspflegesätze vom 29. 6. 1972 (BGBl. I S. 1009).

330. Gemäß § 8 Raumordnungsgesetz vom 8. 4. 1965 (BGBl. I S. 306) und Verwaltungsabkommen zwischen dem Bund und den Ländern vom 15. 6. 1967 (GMBl. S. 221).

331. Beschluß der Ministerpräsidentenkonferenz vom 14. 7. 1966.

332. Gemäß Vereinbarung der Bundesregierung und Länderregierungen vom 9. 7. 1971.

333. Vgl. dazu oben S. 119 ff.

334. Die Sozialpolitische Gesprächsrunde findet etwa halbjährlich statt. Zum erstenmal tagte sie am 13. 3. 1970 unter Vorsitz des Bundesministers für Arbeit und Sozialordnung. Nach dem »Gemeinsamen Kommuniqué« dieser Sitzung handelt es sich um einen »Gesprächskreis ohne besondere Institutionalisierung« mit wechselnder Zusammensetzung, die »den notwendigen Dialog zwischen den sozialen Gruppen und der Bundesregierung fördern« soll. »Die Notwendigkeit, ein Gesprächsforum zu schaffen, ergäbe sich daraus, daß heute die Sozialpolitik weit über die Gesetzgebung hinausreiche und daß sie vorausschauend die gesellschaftlichen Strukturen mitgestalten müsse. Auch sei die Sozialpolitik nicht mehr die Sache des Staates allein, sie müsse von den autonomen Gruppen der Gesellschaft mitgestaltet und mitverantwortet werden«, so Minister Arendt auf der 1. Sitzung, vgl. Bulletin des Presse- und Informationsamtes der Bundesregierung 1970, S. 367. Teilnehmer der ersten Sitzung waren: DGB, DAG, Deutscher Beamtenbund, BDA, DIHT, Zentralverband des Deutschen Handwerks, BDI, Deutscher Bauernverband, Bundesverband der freien Berufe,

Bundesärztekammer, VdK, Reichsbund, Bundesverband des Außenhandels, Deutscher Städtetag, Hauptverband des Einzelhandels, Gesamtverband der Versicherungswirtschaft, Deutsche Bundesbank, Bundeskanzleramt, die Bundesministerien für Wirtschaft, der Finanzen, des Innern, für Ernährung, Landwirtschaft und Forsten, Bildung und Wissenschaft, Jugend, Familie und Gesundheit, für Arbeit und Sozialordnung. Die Gesprächsrunde bildet für besondere Themen Arbeitsgruppen, die Vorlagen erarbeiten, die dann von der Gesprächsrunde als Empfehlung verabschiedet werden. Zum Beispiel hat die Gesprächsrunde in ihrer Sitzung vom 7. Juli 1971 die von ihrer Arbeitsgruppe erarbeiteten Thesen zur betrieblichen Personalplanung »als Empfehlung verabschiedet«, vgl. Bulletin des Presse- und Informationsamtes der Bundesregierung, 1971, S. 1170.

335. Gemäß dem Gesetz über die Bildung eines Sachverständigenrates zur Begutachtung der gesamtwirtschaftlichen Entwicklung vom 14. 8. 1963 (BGBl. I S. 685), zuletzt geändert durch das Gesetz zur Förderung der Stabilität und des Wachstums der Wirtschaft vom 8. 6. 1967 (BGBl. I S. 582).

336. So das Bundesverfassungsgericht, BVerfGE 9, 268 (282).

337. Ch. Heinze »Der Sachverständigenrat zur Begutachtung der gesamtwirtschaftlichen Entwicklung und die Umbildung der Verfassung«, in: Der Staat, B. 6 (1967), S. 436 f. Vgl. ebenso R. Schmidt »Wirtschaftspolitik und Verfassung«, 1971, S. 200, der dies aus der in Art. 20 Abs. 2 S. 1 GG festgelegten Teilung der Gewalten ableitet.

338. Ch. Heinze a.a.O., S. 436 f.

339. H. H. Rupp »Konzertierte Aktion und freiheitlich-rechtsstaatliche Demokratie«, in: E. Hoppmann (Hrsg.), Konzertierte Aktion, 1971, S. 1 ff.

340. K. H. Biedenkopf »Rechtsfragen der Konzertierten Aktion«, in: BB 1968, S. 1005 ff.; ders. »Ordnungspolitische Probleme der neuen Wirtschaftspolitik«, in: Jahrbuch für Sozialwissenschaft, Bd. 19 (1968), S. 308 ff.

341. H. H. Rupp »Konzertierte Aktion und freiheitlich-rechtsstaatliche Demokratie«, in: E. Hoppmann (Hrsg.), Konzertierte Aktion, 1971, S. 13.

342. Ders. a.a.O., S. 10 ff.

343. Ders. a.a.O., S. 11.

344. Rupp (a.a.O., S. 12) bezeichnet die Konzertierte Aktion hier als »gruppenmäßig heterogen zusammengesetztes Ständeparlament«, das zu einem »imperativen Mandat« tendiere.

345. Ders. a.a.O., S. 13 ff.

346. Daher meint auch K. H. Biedenkopf »Rechtsfragen der Konzertierten Aktion«, in: BB 1968, S. 1009, »das Kernproblem der Konzertierten Aktion jedoch ist die in ihr angelegte Vergesellschaftung staatlichen Handelns. Ein Verband, der an der Formulierung politischer Entscheidungen beteiligt wird, nimmt eine Funktion wahr, die außerhalb seiner privatrechtlichen Zuständigkeit liegt.«

347. H. H. Rupp a.a.O., S. 15.

348. Ders. a.a.O., S. 16.

349. So z. B. R. Schmidt »Wirtschaftspolitik und Verfassung«, 1971, S. 201; K. Stern »Grundfragen der globalen Wirtschaftssteuerung«, 1969, S. 16.

350. K. Stern »Grundfragen der globalen Wirtschaftssteuerung«, 1969, S. 16.

351. H. H. Rupp a.a.O., S. 5 ff.

352. Diesen Ausdruck gebraucht K. Stern a.a.O., S. 16.

353. So auch H. Grüter »Wirtschaftspolitik hinter verschlossenen Türen«, in: Die Aussprache, 1968, S. 283 ff.

354. E. H. Ritter »Der Wandel der Wirtschaftspolitik und wirtschaftsverfassungsrechtliche Bedeutung des Gesetzes gegen Wettbewerbsbeschränkungen«, in: BB 1968, S. 1395.

355. K. Schiller, Reden zur Wirtschaftspolitik 2, BMWi-Texte, 1967, S. 82.

356. Mitglieder des Konjunkturrates sind gem. § 18 StabG die Bundesminister für Wirtschaft und Finanzen, je ein Vertreter eines jeden Landes, vier Vertreter der Gemeinden und Gemeindeverbände, die vom Bundesrat auf Vorschlag der kommunalen Spitzenverbände bestimmt werden. Die Bundesbank hat das Recht der Teilnahme.

357. Vgl. in diesem Sinne K. Stern in: Stern / Münch »Gesetz zur Förderung der Stabilität und des Wachstums der Wirtschaft«, 1967, S. 164, 173 f.; R. Schmidt »Wirtschaftspolitik und Verfassung«, 1971, S. 178; R. Zuck »Verfassungsrechtliche Probleme des Stabilitätsgesetzes«, in: JZ 1967, S. 698; auch Ch. Heinze »Der Sachverständigenrat zur Begutachtung der gesamtwirtschaftlichen Entwicklung und die Umbildung der Verfassung«, in: Der Staat, Bd. 6 (1967), S. 436, hat ausgeführt: »Entscheidung *und Begutachtung* im Bereich der Wirtschaftspolitik aber obliegt herkömmlich der Regierung und den gesetzgebenden Körperschaften« (Hervorhebungen hinzugefügt).

358. K. Stern a.a.O., S. 164. So im Ergebnis außer den Genannten auch Th. Maunz in: Maunz / Dürig / Herzog »Grundgesetz. Kommentar«, Bd. 2, 1971, Erl. 40 zu Art. 109.

359. A. Möller (Hrsg.) »Gesetz zur Förderung der Stabilität und des Wachstums der Wirtschaft«, 2. Aufl. 1969, S. 178. Einige Autoren glauben, die Verfassungsmäßigkeit auch damit belegen zu können, daß der Bundeswirtschaftsminister und nicht der Konjunkturrat dessen Geschäftsordnung erläßt. dadurch werde eine Verselbständigung ausgeschlossen; so z. B. A. Möller (Hrsg.) a.a.O.; E. Stachels »Das Stabilitätsgesetz im System des Regierungshandelns«, 1970, S. 187. Daß man sich überhaupt mit solchen Nebensächlichkeiten aus dem Gründungsstadium aufhält und sie als Argument benützt, spricht für sich.

360. Vgl. hierzu H. Kohn »Das Gesetz zur Förderung der Stabilität und des Wachstums der Wirtschaft«, BMWi-Texte, 3. Aufl. 1970, S. 27.

361. So auch R. Zuck »Verfassungsrechtliche Probleme des Stabilitätsgesetzes«, in: JZ 1967, S. 698.

362. Bundestagsdrucksache V/890, S. 17.

363. K. Stern in: Stern / Münch »Gesetz zur Förderung der Stabilität und des Wachstums der Wirtschaft«, 1967, S. 165.

364. Darüber sollte auch nicht der Passus in § 18 Abs. 1 StabG hinwegtäuschen, wonach der Konjunkturrat »bei der Bundesregierung« gebildet wird.

365. Interessant ist in diesem Zusammenhang, daß der Gesetzgeber die verfassungsrechtlichen und verfassungspolitischen Bedenken, die dagegen sprachen, daß der Konjunkturrat sich selbst eine Geschäftsordnung geben sollte (»Das Recht des Bundeswirtschaftsministers auf Erlaß der Geschäftsordnung des Konjunkturrates beschränkt die innere Autonomie dieses Gremiums entscheidend«, so A. Möller [Hrsg.] »Kommentar zum Gesetz zur Förderung der Stabilität und des Wachstums der Wirtschaft«, 2. Aufl. 1969, S. 179), bei Erlaß des Haushaltsgrundsätzegesetzes hinsichtlich der Geschäftsordnung des Finanzplanungsrates nicht hatte. Dieser gibt sich gemäß § 51 Abs. 5 Haushaltsgrundsätzegesetz seine Geschäftsordnung selbst. Der Schluß, daß sich in diesem Sinneswandel auch ein Stück von dem von uns angesprochenen Verfassungswandel zeigt, liegt nahe.

366. Bundestagsdrucksache V/3040, S. 76.

367. Auf Vorschlag des Haushaltsausschusses (Bundestagsdrucksache *zu* V/4378, 4379, S. 7) wurde dann die Regierungsvorlage dahin ergänzt, daß Schwerpunkte für eine den *gesamtwirtschaftlichen Erfordernissen entsprechende* Erfüllung der öffentlichen Aufgaben

zu ermitteln seien. Damit sollte den Bedenken des Bundesrates Rechnung getragen werden. Inwiefern das dadurch geschehen ist, daß bei der Ermittlung von Schwerpunkten der Erfüllung öffentlicher Aufgaben nun auch noch die gesamtwirtschaftlichen Erfordernisse in den Vordergrund gerückt worden sind, ist allerdings nicht ersichtlich.

368. Vgl. dazu oben S. 155 f.

369. S. 138.

370. Vgl. B. Tiemann »Die neuen Gemeinschaftsaufgaben (Art. 91 a, b GG) im System des Grundgesetzes«, in: DöV 1970, S. 164: »Der Planungsausschuß als eine ›Einrichtung für eine gemeinsame Rahmenplanung‹ trifft im Anwendungsbereich der Gemeinschaftsaufgaben selbständige Planungsentscheidungen.«

371. B. Tiemann a.a.O., S. 164.

372. B. Tiemann a.a.O., S. 164, meint dazu: »Hier ist also eine ähnliche Stellung der Regierungsmitglieder vorgesehen wie bei derjenigen der Ländervertreter im Bundesrat zu ihren jeweiligen Landesregierungen.«

373. Die Kommission für die Finanzreform »Gutachten über die Finanzreform für die Bundesrepublik Deutschland«, 1966, Ziffer 139, hatte vorgeschlagen: »Bundesregierung und Bundesrat stellen durch übereinstimmende Beschlüsse Pläne und Richtlinien für die Erfüllung der Gemeinschaftsaufgaben auf.« Hierdurch wäre (formal) die Einrichtung einer ›dritten Ebene‹ entfallen, allerdings wäre der Bundesrat insoweit aus einem Bundesorgan »in ein mit Mehrheit entscheidendes Organ aller Länder umgewandelt« (B. Tiemann a.a.O.) worden.

374. Bundestagsdrucksache *zu* IV/1320, S. 1.

375. So Ch. Heinze »Der Sachverständigenrat zur Begutachtung der gesamtwirtschaftlichen Entwicklung und die Umbildung der Verfassung«, in: Der Staat, Bd. 6 (1967), S. 433; E.-W. Böckenförde »Die Organisationsgewalt im Bereich der Regierung«, 1964, S. 257 f.

376. Vgl. hierzu auch A. Möller (Hrsg.) »Gesetz zur Förderung der Stabilität und des Wachstums der Wirtschaft«, 1968, S. 20, wo vor der Errichtung eines neuen Sachverständigengremiums zur Beurteilung der Finanzplanung gewarnt wird.

377. Auch der wirtschaftspolitische Ausschuß hat dieses Problem gesehen, wenn er ausführt (Bundestagsdrucksache *zu* IV/1320, S. 2): »Von den Ausschußmitgliedern wurde übereinstimmend darauf hingewiesen, daß der Vorrang der Politik nicht angetastet und die Verantwortung für politische Entscheidungen nicht von der Regierung und dem Parlament auf den Sachverständigenrat verlagert werden dürfe. Die Formulierung des Auftrages muß daher die Gefahr ausschalten, daß neben der Regierung ein dem Parlament nicht zur Verantwortung verpflichtetes Gremium politische Entscheidungen treffen oder präjudizieren kann.« Man glaubte dieser Forderung mit dem Empfehlungsverbot Genüge getan zu haben.

378. E.-W. Böckenförde »Die Organisationsgewalt im Bereich der Regierung«, 1964, S. 257.

379. Ders. a.a.O., S. 258.

380. Ders. a.a.O., S. 259.

381. Ders. a.a.O., S. 259.

382. Vgl. hierzu W. Thiele »Reichswirtschaftsrat – Konzertierte Aktion – Bundeswirtschafts- und Sozialrat?«, in: DVBl. 1970, S. 529 ff.; R. Steinberg »Zur Institutionalisierung des Verbandseinflusses in einem Bundeswirtschafts- und Sozialrat«, in: DöV 1972, S. 837 ff.

383. Bundestagsdrucksache VI/2514.

384. Abgedruckt in: Gewerkschaftliche Monatshefte 22 (1971), S. 569 ff.; vgl. dazu auch R. Steinberg a.a.O., S. 837 f. Die Gesetzesinitiative der CDU-Abgeordneten wurde vom

DGB ebenfalls begrüßt, obgleich man für gewisse Änderungen plädierte, vgl. dazu den Bericht in der Frankfurter Rundschau vom 26. 8. 1971, S. 5.

385. P. Badura »Wirtschaftsverwaltungsrecht«, in: I. v. Münch (Hrsg.), Besonderes Verwaltungsrecht, 1969, S. 264, mit weiteren Nachweisen; zustimmend W. Thiele a.a.O., S. 529; R. Steinberg a.a.O., S. 844.

5. Ergebnis

In dieser Arbeit ist versucht worden, einen Zusammenhang von ökonomischer Entwicklung und Verfassungsrecht herzustellen.

Ausgangspunkt war, daß der herkömmliche staatsrechtliche ›Begriffsapparat‹ weitgehend auf den liberalen Vorstellungen von Staat und Gesellschaft und damit auch auf den sozioökonomischen Voraussetzungen der klassischen nationalökonomischen Theorien beruht. Obwohl diese Voraussetzungen in der Realität nie vollkommen vorgelegen haben und sich die wirtschaftliche Wirklichkeit sogar seit ungefähr hundert Jahren zunehmend von ihnen entfernte, wurde dieser ›Begriffsapparat‹ beibehalten und auch auf die Weimarer Verfassung und das Grundgesetz übertragen.

Das konnte geschehen, weil durch die Vorherrschaft des staatsrechtlichen Positivismus das Staats- und Verfassungsrecht von empirischen Betrachtungen und den anderen Gesellschaftswissenschaften weitgehend losgelöst war. Für die Auslegung des Grundgesetzes kam hierzu als wichtiger Faktor die Vorherrschaft des Neoliberalismus in den fünfziger Jahren.

Mit dem Ende der Wiederaufbauphase nach dem Zweiten Weltkrieg zu Beginn der sechziger Jahre ist jedoch eine wirtschaftliche Entwicklungsstufe erreicht, die das aktive Eingreifen des Staates in den gesellschaftlichen und insbesondere den wirtschaftlichen Bereich und dessen planvolle Gestaltung erforderlich gemacht hat.

Damit werden erneut und in noch stärkerem Maße als bisher schon die liberalen Voraussetzungen unseres staatsrechtlichen ›Begriffsapparates‹ in Frage gestellt. Wir sind zu dem Ergebnis gekommen, daß hierdurch ein Wandel der Verfassung eintritt, der weit über die positiven Änderungen der Verfassung, die im Zusammenhang mit den neuen Staatsaktivitäten vorgenommen wurde, hinausgeht. Das ist im Hinblick auf die generellen Bedingungen des herkömmlichen verfassungsrechtlichen Denkens und damit das Grundverständnis der Verfassung wie auch im Hinblick auf einzelne zentrale Institutionen des Verfassungsrechts gezeigt worden. Eine wichtige Rolle spielt in diesem Prozeß des Verfassungswandels auch, daß die öffentliche Meinung und die herrschende Ideologie die tatsächliche Entwicklung akzeptiert. Jedenfalls über diesen indirekten Weg wirkt sich die tatsächliche Entwicklung auf das Verfassungsrecht aus – weitgehend durch Neuinterpretation der Verfassung.

Aus diesem Grunde soll hier noch einmal kurz auf die bisherige Behandlung dieser Probleme im neueren verfassungsrechtlichen Schrifttum eingegangen werden.

In der staats- und verfassungsrechtlichen Literatur ist vielfach – soweit man sich überhaupt dieser Probleme bewußt wird – eine sehr erhebliche Unsicherheit gegenüber der neuen Politik bei ihrer verfassungsrechtlichen Einordnung erkennbar. Bereits in der Einleitung haben wir auf diesbezügliche Äußerungen von Ehmke, Stern, Wiethölter, Badura, Häberle und Forsthoff hingewiesen.[1]

Ipsen hat hierzu gemeint, der Staat müsse ein anderer werden, weil auch die

Wirtschaft eine andere geworden sei.[2] Stern hat davon gesprochen, daß es angesichts der neuen wirtschaftspolitischen Aktivitäten »der Entwicklung einer neuen Theorie des Rechtsstaates« bedürfe.[3] Badura meint, die verfassungsrechtliche Erfassung der Einrichtungen der neuen Konjunktur- und Wachstumspolitik werde durch eine bloße Projizierung der neuen Gegebenheiten auf das überkommene konstitutionelle Schema des Verhältnisses von Parlament und Regierung mit Hilfe vager und pragmatischer Formeln nicht gelingen.[4] R. Schmidt meint im Hinblick auf die Konzertierte Aktion, sie könne »nur im Rahmen einer modernen Staatlichkeit erfaßt werden«[5], und beruft sich dafür auf Stern, der in diesem Zusammenhang allerdings von »einer zunehmenden Schwächung des staatlichen Willens und der Deformierung rechtlicher, insbesondere staatsrechtlicher Strukturen und Institutionen zugunsten staatlich-gesellschaftlicher Kondominien« gesprochen hatte.[6] Wenn Schmidt meint, »wer diese Entwicklung bedauert, mißt den Staat mit einer Elle aus dem 19. Jahrhundert«[7], so verschweigt er oder übersieht, daß eben aus dieser Zeit unsere rechtsstaatlichen Institutionen stammen. Von moderner Staatlichkeit zu sprechen, ohne bewußt zu machen, ob die überkommenen Begriffe des Staats- und Verfassungsrechts in dieser modernen Staatlichkeit einen Bedeutungswandel erfahren und welche politischen Auswirkungen das haben mag, scheint uns nicht angängig.

Diese Haltung dürfte aber nicht ganz untypisch sein für die weitere Entwicklung der Staats- und Verfassungsrechtslehre im Hinblick auf die hier zu besprechenden Entwicklungen. Es ist zu vermuten, daß vielfach eine affirmative Haltung eingenommen wird, daß man nach verfassungsrechtlichen Legitimationen sucht, ohne sich des Wandels auf der Verfassungsebene bewußt zu werden oder diesen bewußt zu machen. Aus diesem Grunde scheint auch die Polemik Rupps nicht mehr unangemessen, der zu einer wirtschaftspolitischen Zielen dienenden Steuergesetzgebung gemeint hat, »bis Lehre und Rechtsprechung sich der Problematik eines solchen grundstürzenden Verfassungswandels bewußt sein und von ihrem Schrecken erholt haben werden, wird – so steht zu erwarten – eine Rückkehr nicht mehr möglich sein, was dann von der traditionell wandlungsfähigen deutschen Staatsrechtslehre unter Hinweis auf die normative Kraft des Faktischen vielleicht gar nicht mehr bedauert wird«.[8]

Auch wenn man die eingetretene Entwicklung nicht bedauert, ist es erforderlich, sich die tatsächliche und verfassungsrechtliche Entwicklung bewußt zu machen, die sich zur Zeit abspielt. Insbesondere wird es darauf ankommen, von vornherein die freiheitssichernden Funktionen der rechtsstaatlichen Institutionen soweit wie möglich aufrechtzuerhalten und nach neuen Möglichkeiten der Sicherung der Freiheit und der demokratischen Mitwirkung im Hinblick auf die neue politische, ökonomische und soziologische Situation zu suchen.

ANMERKUNGEN

1. Vgl. oben S. 15 f.
2. H. P. Ipsen, Diskussionsbeitrag, in: VVDStRL Heft 27 (1969), S. 88.
3. K. Stern in: Stern / Münch »Gesetz zur Förderung der Stabilität und des Wachstums der Wirtschaft«, 1967, S. 54.
4. P. Badura »Wirtschaftsverfassung und Wirtschaftsverwaltung«, 1971, S. 54.
5. R. Schmidt »Wirtschaftspolitik und Verfassung«, 1971, S. 202.
6. K. Stern »Grundfragen der globalen Wirtschaftssteuerung«, 1969, S. 1.
7. R. Schmidt a.a.O., S. 202.
8. H. H. Rupp »Zur Problematik öffentlich-rechtlicher Machtpotenzierung durch Funktionenkombination«, in: NJW 1968, S. 570.

Literaturverzeichnis

Abelein, Manfred, »Finanzplanung und Haushaltsplanung«, in: ZRP 1969, S. 242–245.

Abendroth, Wolfgang, »Zum Begriff des demokratischen und sozialen Rechtsstaates im Grundgesetz der Bundesrepublik Deutschland«, zuerst veröffentlicht in: Aus Geschichte und Politik. Festschrift zum 70. Geburtstag von L. Bergsträsser, Düsseldorf 1954, S. 279 –300, hier zit. nach dem Wiederabdruck in: E. Forsthoff (Hrsg.), Rechtsstaatlichkeit und Sozialstaatlichkeit, Darmstadt 1968, S. 114–144.

Ders., Diskussionsbeitrag, in: VVDStRL Heft 11 (1954), S. 140.

Ders., »Das Grundgesetz. Eine Einführung in seine politischen Probleme«, Pfullingen 1966.

Achterberg, Norbert, »Probleme der Funktionenlehre«, München 1970.

Adam, Hermann, »Die Konzertierte Aktion in der Bundesrepublik Deutschland«, WSI-Studie zur Wirtschafts- und Sozialforschung Nr. 21, Köln 1972.

Albrecht, Dieter / Wesselkock, Klemens, »Subventionen und Subventionspolitik. Eine Auswertung der bisherigen Subventionsberichte nach dem Gesetz zur Förderung der Stabilität und des Wachstums der Wirtschaft«, Schriftenreihe des Bundesministeriums für Wirtschaft und Finanzen, Heft 19, Bonn 1971.

Anschütz, Gerhard, »Die gegenwärtigen Theorien über den Begriff der gesetzgebenden Gewalt und den Umfang des königlichen Verordnungsrechts nach preußischem Staatsrecht«, 2. Aufl., Tübingen und Leipzig 1901.

Ders., »Drei leitende Gedanken der Weimarer Reichsverfassung«. Heidelberger Rektoratsrede 1922, Tübingen 1923.

Arndt, Helmut, »Stagflation«, in: Wirtschaftswoche 1972, Heft 1, S. 20–24.

Bachof, Otto, Diskussionsbeitrag, in: VVDStRL Heft 27 (1969), S. 96–100.

Badura, Peter, »Auftrag und Grenzen der Verwaltung im sozialen Rechtsstaat«, in: DöV 1968, S. 446–454.

Ders., »Die Rechtsprechung des Bundesverfassungsgerichts zu den verfassungsrechtlichen Grenzen wirtschaftspolitischer Gesetzgebung im sozialen Rechtsstaat«, in: AöR, Bd. 92 (1967), S. 382–407.

Ders., »Verfassung und Verfassungsgesetz«, in: Festschrift für U. Scheuner zum 70. Geburtstag, Berlin 1973, S. 19–39.

Ders., »Verfassungsfragen der Finanzplanung«, in: Festgabe für Th. Maunz. Zum 70. Geburtstag am 1. September 1971, München 1971, S. 1–18.

Ders., »Wirtschaftsverfassung und Wirtschaftsverwaltung. Ein exemplarischer Leitfaden«, Frankfurt 1971.

Ders., »Wirtschaftsverwaltungsrecht«, in: K. H. Friauf (Hrsg.), Besonderes Verwaltungsrecht, Bad Homburg, Berlin, Zürich 1969, S. 233–287.

Ballerstedt, Kurt, »Staatsverfassung und Wirtschaftsfreiheit«, in: DöV 1951, S. 159–161.

Ders., »Wirtschaftsverfassungsrecht«, in: Bettermann / Nipperdey / Scheuner, Die Grundrechte, Bd. 3, 1. Halbband, Berlin 1958, S. 1–90.

Barbarino, Otto, »Zur Revision des Grundgesetzes: Planerische und finanzielle Aspekte des Bund-Länder-Verhältnisses unter besonderer Berücksichtigung der Gemeinschaftsaufgaben«, in: DöV 1973, S. 19–23.

Barion, Hans, »Vorbesinnung über den Wohlfahrtsstaat«, in: DöV 1970, S. 15–17.

Baumgarten, Arthur, »Die Entwicklung der Ideen der Demokratie und des Rechtsstaates in der Neuzeit«, Stuttgart 1946.

Behlke, Reinhard, »Der Neoliberalismus und die Gestaltung der Wirtschaftsverfassung in der Bundesrepublik Deutschland«, Berlin 1961.

Benda, Ernst, »Die aktuellen Ziele der Wirtschaftspolitik und die tragenden Grundsätze der Wirtschaftsverfassung«, in: NJW 1967, S. 849–853.

Besson, Waldemar, »Wandel im staatsrechtlichen und politischen Denken. Aufgaben und Grenzen der Staatsführung in der modernen Demokratie«, in: Offene Welt. Zeitschrift für Wirtschaft, Politik und Gesellschaft, Nr. 87, (März) 1965, S. 54–66.

Bettermann, Karl August, »Die Geldentwertung als Rechtsproblem«, in: ZRP 1974, S. 13 bis 19.

Bezold, Otto (Hrsg.), »Die deutschen Parteiprogramme und das Bundeswahlgesetz«, München 1965.

Biedenkopf, Kurt H., »Ordnungspolitische Probleme der neuen Wirtschaftspolitik«, in: Jahrbuch für Sozialwissenschaft, Bd. 19 (1968), S. 308–331.

Ders., »Rechtsfragen der konzertierten Aktion«, in: BB 1968, S. 1005–1011.

Ders., »Zur Selbstbeschränkung auf dem Heizölmarkt«, in: BB 1966, S. 1113–1120.

Blum, Reinhard, »Soziale Marktwirtschaft. Wirtschaftspolitik zwischen Neoliberalismus und Ordoliberalismus«, Tübingen 1969.

Bockolt, Ernst, »Das ›Deutsche Gemeinschaftswerk‹ als Finanzierungsinstrument der Gemeinschaftsaufgaben«, in: Gesellschaftspolitische Kommentare, Bd. 11 (1965), S. 142–143.

Böckenförde, Ernst-Wolfgang, »Gesetz und gesetzgebende Gewalt. Von den Anfängen der deutschen Staatsrechtslehre bis zur Höhe des staatsrechtlichen Positivismus«, Berlin 1958.

Ders., »Die Organisationsgewalt im Bereich der Regierung. Eine Untersuchung zum Staatsrecht der Bundesrepublik Deutschland«, Berlin 1964.

Ders., »Planung zwischen Regierung und Parlament«, in: Der Staat, Bd. 11 (1972), S. 429 bis 458.

Böhm, Franz, »Dekartellierung und Konzernentflechtung. Spezialaufgabe oder Schicksalsfrage?«, in: Süddeutsche Juristenzeitung 1947, Sp. 495–506.

Ders., »Die Idee des Ordo im Denken Walter Euckens. Dem Freunde und Mitherausgeber zum Gedächtnis«, in: Ordo, Bd. 3 (1950), S. I–LXIV.

Ders., »Privatrechtsgesellschaft und Marktwirtschaft«, in: Ordo, Bd. 17 (1966), S. 75–151.

Ders., »Wettbewerb und Monopolkampf. Eine Untersuchung zur Frage des wirtschaftlichen Kampfrechts und zur Frage der rechtlichen Struktur der geltenden Wirtschaftsordnung«, Berlin 1933.

Ders., »Wirtschaftsordnung und Staatsverfassung«, in: Recht und Staat, Bd. 153/54, Tübingen 1950.

Böhme, Helmut, »Deutschlands Weg zur Großmacht. Studien zum Verhältnis von Wirtschaft und Staat während der Reichsgründungszeit 1848–1881«, Köln, Berlin 1966.

Ders., »Prolegomena zu einer Sozial- und Wirtschaftsgeschichte Deutschlands im 19. und 20. Jahrhundert«, Frankfurt, 2. Aufl. 1968.

Bonn, Moritz Julius, »Das Schicksal des Deutschen Kapitalismus«, Neue Ausgabe, Berlin 1930.

Born, Karl Erich, »Der soziale und wirtschaftliche Strukturwandel Deutschlands«, in: Vierteljahresschrift für Sozial- und Wirtschaftsgeschichte, Bd. 50 (1963), S. 361–376, hier zit. nach dem Wiederabdruck in: H. U. Wehler (Hrsg.), Moderne deutsche Sozialgeschichte, Köln, Berlin 1968, S. 271–284.

Bracher, Karl Friedrich, »Die Auflösung der Weimarer Republik. Eine Studie zum Problem des Machtverfalls in der Demokratie«, 2. Aufl., Stuttgart, Düsseldorf 1957.

Briefs, Goetz, »Der Unternehmer in Wirtschaft und Gesellschaft«, in: Gesellschaftspolitische Kommentare, Bd. 12 (1965), S. 169–173.

v. Dohnany, Klaus, »Finanzplanung als politische Strategie«, in: Bulletin des Presse- und Informationsamtes der Bundesregierung 1970, S. 11–14.

Dürig, Günter, »Christian Friedrich Menger: Der Begriff des sozialen Rechtsstaates im Grundgesetz«, in: AöR, Bd. 79 (1953/54), S. 254–258.

Ders., »Verfassung und Verwaltung im Wohlfahrtsstaat«, in: JZ 1953, S. 193–199.

Dürr, Ernst, »Reform der Geldpolitik statt Konzertierter Aktion«, in: E. Hoppmann (Hrsg.), Konzertierte Aktion. Kritische Beiträge zu einem Experiment, Frankfurt 1971, S. 139–177.

Dürr, Ernst-Wolfram Friedrich, »Ordoliberalismus und Sozialpolitik«, Diss. Zürich 1954.

Duverger, Maurice, »Institutions politiques et droit constitutionnel«, 6. Aufl., Paris 1962.

Ehmke, Horst, »Grenzen der Verfassungsänderung«, Berlin 1953.

Ders., »Planung im Regierungsbereich. Aufgabe und Widerstände«, in: Bulletin des Presse- und Informationsamtes der Bundesregierung 1971, S. 2026–2035.

Ders., »Prinzipien der Verfassungsinterpretation«, in: VVDStRL Heft 20 (1963), S. 53–102.

Ders., »›Staat‹ und ›Gesellschaft‹ als verfassungstheoretisches Problem«, in: Staatsverfassung und Kirchenordnung. Festgabe für Rudolf Smend zum 80. Geburtstag am 15. Januar 1962, Tübingen 1962, S. 23–49.

Ders., »Wirtschaft und Verfassung. Die Verfassungsrechtsprechung des Supreme Court zur Wirtschaftsregulierung«, Karlsruhe 1961.

Ehrenberg, Herbert, »Die Erhard-Saga. Analyse einer Wirtschaftspolitik, die keine war«, Stuttgart o. J.

Ellwein, Thomas, »Einführung in die Regierungs- und Verwaltungslehre«, in: ders. (Hrsg.), Politik. Regierung. Verwaltung. Untersuchungen zum Regierungsprozeß in der Bundesrepublik Deutschland, Bd. 1, Stuttgart, Berlin, Köln, Mainz 1966.

Ders., »Das Erbe der Monarchie in der deutschen Staatskrise. Zur Geschichte des Verfassungsstaates in Deutschland«, München 1954.

Ders., »Das Regierungssystem der Bundesrepublik Deutschland«, Köln und Opladen 1963.

Ellwein, Thomas / Görlitz, Axel / Schröder, Andreas, »Gesetzgebung und politische Kontrolle«, Parlament und Verwaltung, 1. Teil, in: Th. Ellwein (Hrsg.), Politik. Regierung. Verwaltung. Untersuchungen zum Regierungsprozeß in der Bundesrepublik Deutschland, Stuttgart 1967.

Engels, Friedrich, Brief an C. Schmidt vom 27. 10. 1890, zit. nach dem Abdruck in: K. Marx / F. Engels, Ausgewählte Briefe, besorgt vom Marx-Engels-Lenin-Stalin-Institut beim ZK der SED, Berlin 1953, S. 504–511.

Ders., Brief an H. Starkenburg vom 25. 1. 1894, zit. nach dem Abdruck in: K. Marx / F. Engels, Ausgewählte Briefe, besorgt vom Marx-Engels-Lenin-Stalin-Institut beim ZK der SED, Berlin 1953, S. 559–562.

Ders., »Die Rolle der Gewalt in der Geschichte«, zit. nach dem Abdruck in: K. Marx / F. Engels, Werke, Herausgeber: Institut für Marxismus-Leninismus beim ZK der SED, Berlin 1962, Bd. 21, S. 406–461.

Erdmann, Manfred, »Die verfassungspolitische Funktion der Wirtschaftsverbände in Deutschland 1815–1871«, Berlin 1968.

Erhard, Ludwig, »Die ›Formierte Gesellschaft‹. Programm für die politische Ordnung Deutschlands«, in: Gesellschaftspolitische Kommentare, Bd. 12 (1965), S. 73–74.

Ders., »Geist und Prinzipien der deutschen Wirtschaftspolitik. Keine Planungs-, sondern ein

Ordnungsprogramm«, Rede vor dem Europäischen Parlament am 20. November 1962 in Straßburg, zit. nach dem Abdruck in: ders., Wirken und Reden, Ludwigsburg o. J., S. 206–219.
Ders., »Gesamtpolitische Ziele«, Rede auf der 24. Tagung der Aktionsgemeinschaft Soziale Marktwirtschaft ›Was müssen wir für die freie Welt tun?‹ am 11. Mai 1965 in Bad Godesberg, zit. nach dem Abdruck in: ders., Wirken und Reden, Ludwigsburg o. J., S. 9–21.
Ders., »Minister Erhard antwortet« Herrn Otto A. Friedrich, Hamburg-Harburg, und mit ihm der deutschen Wirtschaft. ›Die Welt‹ vom 4. Januar 1950, zit. nach dem Abdruck in: ders., Deutsche Wirtschaftspolitik, Düsseldorf, Wien 1962, S. 118–122.
Ders., »Politik der Mitte und der Verständigung«, Regierungserklärung vor dem Deutschen Bundestag am 18. Oktober 1963, zit. nach dem Abdruck in: ders., Wirken und Reden, Ludwigsburg o. J., S. 117–158.
Ders., »Unternehmer, Staat und Wirtschaft«, Rede bei der 5. ordentlichen Mitgliederversammlung des Bundesverbandes der Deutschen Industrie am 17. Mai 1954 in Essen, in: ders., Deutsche Wirtschaftspolitik, Düsseldorf, Wien, Frankfurt 1962, S. 237–244.
Ders., »Zehn Thesen zur Verteidigung der Kartellverbotsgesetzgebung«, Offener Brief an den Präsidenten des Bundesverbandes der Deutschen Industrie Fritz Berg zum 10. Juli 1952, zit. nach dem Abdruck in: ders., Deutsche Wirtschaftspolitik, Düsseldorf, Wien 1962, S. 201–208.
Ders., »Ziele christlich-demokratischer Politik heute«, in: Gesellschaftspolitische Kommentare, Bd. 12 (1965), S. 75.
Eucken, Walter, »Die Grundlagen der Nationalökonomie«, Berlin, Göttingen, Heidelberg 7. Aufl. 1959.
Ders., »Grundsätze der Wirtschaftspolitik«, Bern, Tübingen 1952.
Ders., »Staatliche Strukturwandlungen und die Krisis des Kapitalismus«, in: Weltwirtschaftliches Archiv, Bd. 36, Heft 2, Jena 1932 II, S. 297–321.
Ders., »Die Wettbewerbsordnung und ihre Verwirklichung«, in: Ordo, Bd. 2 (1949), S. 1 bis 99.
Fikentscher, Wolfgang, »Wirtschaftskontrolle – ein Verfassungsgrundlagenproblem«, in: WuW 1971, S. 789–797.
Flume, Werner, Diskussionsbeitrag, in: VVDStRL Heft 10 (1952), S. 156–157.
Forsthoff, Ernst, »Begriff und Wesen des sozialen Rechtsstaates«, in: VVDStRL Heft 12 (1954), S. 8–35.
Ders., »Einiges über Geltung und Wirkung der Verfassung«, in: Festschrift für Ernst Rudolf Huber zum 70. Geburtstag, Göttingen 1973, S. 3–15.
Ders., »Zur heutigen Situation einer Verfassungslehre«, in: Epirrhosis. Festgabe für Carl Schmitt, Bd. 1, Berlin 1968, S. 185–211.
Ders., »Lehrbuch des Verwaltungsrechts«, 1. Bd., Allgemeiner Teil, 9. Aufl., München, Berlin 1966.
Ders., »Über Maßnahme-Gesetze«, in: Gedächtnisschrift für Walter Jellinek, München, 2. (unveränderte) Auflage 1962, S. 211–236.
Ders., »Über Mittel und Methoden moderner Planung«, in: J. H. Kaiser (Hrsg.), Planung, Bd. 3, Baden-Baden 1968, S. 21–31.
Ders., »Rechtsfragen der leistenden Verwaltung«, Stuttgart 1959.
Ders., »Der Staat der Industriegesellschaft. Dargestellt am Beispiel der Bundesrepublik Deutschland«, München 1971.
Ders., »Von der Staatsrechtswissenschaft zur Rechtsstaatswissenschaft«, in: Studium Generale, Bd. 21 (1968), S. 692–704.

Ders., »Die Verwaltung als Leistungsträger«, Stuttgart, Berlin 1938, zit. nach dem Wiederabdruck (teilweise) in: ders., Rechtsfragen der leistenden Verwaltung, Stuttgart 1959, S. 22–46.
Friauf, Karl Heinrich, Diskussionsbeitrag, in: VVDStRL Heft 27 (1969), S. 110–111.
Ders., »Öffentlicher Haushalt und Wirtschaft«, in: VVDStRL Heft 27 (1969), S. 1–46.
Ders., »Zur Rolle der Grundrechte im Interventions- und Leistungsstaat«, in: DVBl. 1971, S. 674–682.
Ders., »Sondersteuern als verfassungsgerechtes Mittel zur Eindämmung des Straßengüterfernverkehrs?«, in: BB 1967, S. 1345–1350.
Ders., »Der Staatshaushaltsplan im Spannungsfeld zwischen Parlament und Regierung«, Bd. 1: Verfassungsgeschichtliche Untersuchungen über den Haushaltsplan im deutschen Frühkonstitutionalismus mit einer kritischen Übersicht über die Entwicklung der budgetrechtlichen Dogmatik in Deutschland, Bad Homburg, Berlin, Zürich 1968.
Ders., »Verfassungsrechtliche Grenzen der Wirtschaftslenkung und Sozialgestaltung durch Steuergesetze«, in: Recht und Staat, Heft 325/326, Tübingen 1966.
Ders., Die verfassungsrechtliche Problematik einer politischen Ziel- und Mittelplanung der Bundesregierung im Hinblick auf den Deutschen Bundestag«, in: 1. Bericht zur Reform der Struktur von Bundesregierung und Bundesverwaltung, 1969, Anlagenband.
Fricke, Eberhard, »Zur Mitwirkung der Parlamente bei der Regierungsplanung«, in: DöV 1973, S. 406–410.
Fuß, E.-W., Diskussionsbeitrag, in: VVDStRL Heft 27 (1969), S. 98–100.
Galbraith, John Kenneth, »The New Industrial State«, 1967, zit. nach der deutschen Übersetzung, Die moderne Industriegesellschaft, München, Zürich 1968.
Gallwas, Hans-Ulrich, »Faktische Beeinträchtigungen im Bereich der Grundrechte. Ein Beitrag zum Begriff der Nebenwirkungen«, Berlin 1970.
Genscher, Hans-Dietrich, »Soziales Grundrecht auf eine gesunde Umwelt«, in: Bulletin des Presse- und Informationsamtes der Bundesregierung 1973, S. 305–307.
v. Gerber, Carl Friedrich, »Grundzüge des Deutschen Staatsrechts«, 3. Aufl., Leipzig 1880.
Ders., »Über öffentliche Rechte«, unveränderter Abdruck der 1852 erschienenen 1. Aufl., Tübingen 1913.
Giersch, Herbert, »Allgemeine Wirtschaftspolitik«, 1. Bd., Grundlagen, Wiesbaden 1960.
Göppert, Heinrich, »Staat und Wirtschaft«, in: Recht und Staat, Heft 33, Tübingen 1924.
Gördel, Karl-Joseph / Schöpf, Maria Melitta, »Antwort auf Biedenkopf«, in: Der Volkswirt 1968, Nr. 31, S. 23–24.
Götz, Hans Herbert, »Weil alle besser leben wollen ... Porträt der deutschen Wirtschaftspolitik«, Düsseldorf, Wien 1963.
Götz, Volkmar, Gesetz zur Förderung der Stabilität und des Wachstums. Kommentar unter besonderer Berücksichtigung der Entstehungsgeschichte, herausgegeben von Alex Möller. Buchbesprechung, in: JZ 1969, S. 756.
Goroncy, Robert, »Gemeinschaftsaufgaben und Parlamente«, in: ZRP 1969, S. 61–64.
Ders., »Der Mitwirkungsbereich des Bundes bei den Gemeinschaftsaufgaben nach Art. 91 a und 91 b des GG«, in: DöV 1970, S. 109–114.
Ders., »Das Zusammenwirken von Bund und Ländern bei den Gemeinschaftsaufgaben nach Art. 91 b des Grundgesetzes«, in: DVBl. 1970, S. 310–317.
Grüber, Heinrich, »Wirtschaftspolitik hinter verschlossenen Türen. Die Konzertierte Aktion«, in: Die Aussprache 1968, S. 283–288.
Gygi, Fritz, »Rechtsfragen der Wirtschaftsplanung«, in: J. H. Kaiser (Hrsg.), Planung, Bd. 2, Baden-Baden 1966, S. 113–148.

Habermas, Jürgen, »Hegels Kritik der französischen Revolution«, in: ders., Theorie und Praxis. Sozialwissenschaftliche Studien, Neuwied, Berlin, 3. Aufl. 1969, S. 89–107.
Ders., »Strukturwandel der Öffentlichkeit. Untersuchungen zu einer Kategorie der bürgerlichen Gesellschaft«, 4. Aufl., Neuwied, Berlin 1969.
Häberle, Peter, »Grundrechte im Leistungsstaat«, in: VVDStRL Heft 30 (1972), S. 43–141.
Haller, Heinz, »Zur Frage der Abgrenzung zwischen interventionistischer und dirigistischer Steuerpolitik«, in: Theorie und Praxis des finanzpolitischen Interventionismus. Fritz Neumark zum 70. Geburtstag, Tübingen 1970, S. 85–112.
Hansmeyer, Karl-Heinrich, »Subventionen in der Bundesrepublik Deutschland. Materialien zu einem wirtschaftspolitischen Problem«, Berlin 1963.
Harnischfeger, Horst, »Planung in der sozialstaatlichen Demokratie«, Neuwied, Berlin 1969.
Hartwich, Hans-Hermann, »Konturen einer neuen ökonomischen Politik. Ein Jahr Große Koalition«, in: Zeitschrift für Politik, Bd. 14 (1967), S. 428–458.
Ders., »Sozialstaatspostulat und gesellschaftlicher status quo«, Köln, Opladen 1970.
Ders., »Wirtschaftsdemokratie und die Theorie vom sozialen Rechtsstaat. Über die politische Relevanz einer affirmativen Theorie des gesellschaftlichen status quo«, in: Politische Vierteljahresschrift, Sonderheft 2, 11. Jahrgang (1970), Probleme der Demokratie heute. Tagung der Deutschen Vereinigung für politische Wissenschaften in Berlin, Herbst 1969, Opladen 1971.
v. Hayek, F. A., »Grundsätze einer liberalen Gesellschaftsordnung«, in: Ordo, Bd. 18 (1967), S. 11–34.
Ders., »Der Weg zur Knechtschaft«, deutsche Übersetzung, 3. Aufl., Zürich 1952.
Heffter, Heinrich, »Die deutsche Selbstverwaltung im 19. Jahrhundert. Geschichte der Ideen und Institutionen«, Stuttgart 1950.
Heinze, Christian, »Der Sachverständigenrat zur Begutachtung der gesamtwirtschaftlichen Entwicklung und die Umbildung der Verfassung«, in: Der Staat, Bd. 6 (1967), S. 433–444.
Heller, Hermann, »Der Begriff des Gesetzes in der Reichsverfassung«, in: VVDStRL Heft 4 (1928), S. 98–135.
Ders., »Die Krisis der Staatslehre«, in: Archiv für Sozialwissenschaft und Sozialpolitik, Bd. 55 (1926), S. 289–316.
Ders., »Die politischen Ideenkreise der Gegenwart«, Breslau 1926.
Ders., »Rechtsstaat oder Diktatur«, in: Recht und Staat, Heft 68, Tübingen 1930.
Ders., »Staatslehre«, 3. Aufl., Leiden 1963.
Hennis, Wilhelm, »Parlamentarische Opposition und Industriegesellschaft. Zur Lage des parlamentarischen Regierungssystems«, in: ders., Politik als praktische Wissenschaft. Aufsätze zur politischen Theorie und Regierungslehre, München, 2. Aufl. 1968, S. 105–125.
Ders., »Zum Problem der deutschen Staatsanschauung«, in: Vierteljahreshefte für Zeitgeschichte, Bd. 7 (1959), S. 1–12.
Ders., »Verfassungsordnung und Verbandseinfluß. Bemerkungen zu ihrem Zusammenhang im politischen System der Bundesrepublik«, in: Politische Vierteljahresschrift, Bd. 2 (1961), S. 23–35, hier zit. nach dem Wiederabdruck in: ders., Politik als praktische Wissenschaft. Aufsätze zur politischen Theorie und Regierungslehre, München, 2. Aufl. 1968, S. 188–201.
Hensel, K. P., »Grundgesetz. Wirtschaftsordnungen. Eine ordnungstheoretische Studie«, in: Ordo, Bd. 14 (1963), S. 43–62.
Herrfahrdt, Heinrich, »Das Problem der berufsständischen Vertretung von der französischen Revolution bis zur Gegenwart«, Stuttgart, Berlin 1921.
Herzog, Roman, »Gesetzgeber und Verwaltung«, in: VVDStRL Heft 24 (1966), S. 183–209.

Ders., »Sperre für den Sozialismus«, in: Die Zeit, Nr. 14, vom 29. 3. 1974, S. 6.
Hesse, Konrad, »Grenzen der Verfassungswandlung«, in: Festschrift für U. Scheuner zum 70. Geburtstag, Berlin 1973, S. 123–141.
Ders., »Grundzüge des Verfassungsrechts der Bundesrepublik Deutschland«, Karlsruhe 1967.
Ders., »Der unitarische Bundesstaat«, Karlsruhe 1962.
Heuß, Ernst, »Makroökonomie und Stabilitätsgesetz«, in: E. Hoppmann (Hrsg.), Konzertierte Aktion. Kritische Beiträge zu einem Experiment, Frankfurt 1971, S. 91–116.
Hilferding, Rudolf, »Das Finanzkapital. Eine Studie über die jüngste Entwicklung des Kapitalismus«, 2. Aufl. 1947 (unveränderter Nachdruck der 1. Aufl. von 1910).
Hinz, Horst, »Konjunktur und Herrschaft. Zur politisch-ökonomischen Analyse des Stabilitätsgesetzes«, in: Konjunkturpolitik, Bd. 13 (1967), S. 288–331.
Hirsch, Joachim, »Haushaltsplanung und Haushaltskontrolle in der Bundesrepublik Deutschland«, in: Th. Ellwein (Hrsg.), Politik. Regierung. Verwaltung. Untersuchungen zum Regierungsprozeß in der Bundesrepublik Deutschland. Parlament und Verwaltung. 2. Teil. Stuttgart 1968.
Ders., »Wissenschaftlich-technischer Fortschritt und politisches System«, Frankfurt 1970.
Hockel, Dieter, »›Gefährdung‹ und ›Störung‹ des gesamtwirtschaftlichen Gleichgewichts im Grundgesetz und im Stabilitätsgesetz«, in: BB 1970, S. 1032–1034.
Höhnen, Wilfried / Koubek, Norbert / Scheibe-Lange, Ingrid, »Quantitative und qualitative Aspekte der ökonomischen Konzentration und gesellschaftlichen Machtverteilung in der Bundesrepublik Deutschland«, in: WWI-Mitteilungen 1971, S. 243–274.
Holch, Georg, »Die Finanzhilfen des Bundes nach Art. 104a Abs. 4 GG. Verfassung und Verfassungswirklichkeit«, in: DöV 1973, S. 115–121.
Holzschuher, Veit, »Kartellbewegung und Wirtschaftspolitik im späten 19. Jahrhundert«, in: Kartelle und Wirklichkeit. Festschrift für Max Metzner, Köln, Berlin, Bonn 1963, S. 135 bis 142.
Ders., »Soziale und ökonomische Hintergründe der Kartellbewegung«, Diss. Erlangen-Nürnberg 1962.
Hoppmann, Erich, »Konzertierte Aktion als Instrument der Globalsteuerung«, in: Wirtschaftswissenschaftliches Studium 1972, S. 7–12.
Ders. (Hrsg.), »Konzertierte Aktion. Kritische Beiträge zu einem Experiment«, Frankfurt 1971.
Ders., »Konzertierte Aktion und der Rahmen der marktwirtschaftlichen Ordnung«, in: ders. (Hrsg.), Konzertierte Aktion. Kritische Beiträge zu einem Experiment, Frankfurt 1971, S. 265–314.
Ders., »›Neue Wettbewerbspolitik‹: Vom Wettbewerb zur staatlichen Mikrosteuerung«, in: Jahrbücher für Nationalökonomie und Statistik, Bd. 184 (1970), S. 397–416.
Ders., »Wettbewerb als Norm der Wettbewerbspolitik«, in: Ordo, Bd. 18 (1967), S. 77–94.
Huber, Ernst Rudolf, »Das Deutsche Reich als Wirtschaftsstaat«, in: Recht und Staat, Bd. 85, Tübingen 1931.
Ders., »Grundgesetz und vertikale Preisbindung«, Berlin, Köln, Mainz 1968.
Ders., »Grundgesetz und wirtschaftliche Mitbestimmung«, Stuttgart, Berlin, Köln, Mainz 1970.
Ders., »Nationalstaat und Verfassungsstaat. Studien zur Geschichte der modernen Staatsidee«, Stuttgart 1965.
Ders., »Der Streit um das Wirtschaftsverfassungsrecht«, in: DöV 1956, S. 97 ff., 135 ff., 172 ff., 200 ff.

Huber, Konrad, »Maßnahmegesetz und Rechtsgesetz. Eine Studie zum rechtsstaatlichen Gesetzesbegriff«, Berlin 1963.

Huffschmid, Jörg, »Die Politik des Kapitals. Konzentration und Wirtschaftspolitik in der Bundesrepublik«, Frankfurt 1969.

Imboden, Max, »Der Plan als verwaltungsrechtliches Institut«, in: VVDStRL Heft 18 (1960), S. 113–143.

Ipsen, Hans Peter, Diskussionsbeitrag, in: VVDStRL Heft 24 (1966), S. 221–224.

Ders., Diskussionsbeitrag, in: VVDStRL Heft 27 (1969), S. 87–89.

Ders., »Enteignung und Sozialisierung«, in: VVDStRL Heft 10 (1952), S. 74–123.

Ders., »Über das Grundgesetz«, Rede, gehalten anläßlich des Beginns des neuen Amtsjahres des Rektors der Universität Hamburg am 17. November 1949, Hamburg 1950.

Ders., »Über das Grundgesetz – nach 25 Jahren«, in: DöV 1974, S. 289–303.

Ders., »Rechtsfragen zur ›Ausgliederung‹ des Werbefernsehens. Zugleich als Beitrag zu den ›Grenzen öffentlicher Wirtschaftstätigkeit‹«, in: NJW 1963, S. 2102–2109.

Ders., »Rechtsfragen der Wirtschaftsplanung«, in: J. H. Kaiser (Hrsg.), Planung, Bd. 2, Baden-Baden 1966, S. 63–112.

Ders., »Verwaltung durch Subventionen«, in: VVDStRL Heft 25 (1967), S. 257–307.

Jahn, Gerhard, »Planende Demokratie und Grundgesetz«, Vortrag vor dem Übersee-Club in Hamburg am 15. Februar 1972, zit. nach der zusammenfassenden Wiedergabe in: Bulletin des Presse- und Informationsamtes der Bundesregierung 1972, S. 274–275.

Jellinek, Georg, »Der Kampf des alten mit dem neuen Recht«, Prorektoratsrede, gehalten am 22. Januar 1907, in: ders., Ausgewählte Reden und Schriften, Bd. 1, Berlin 1911, S. 392 bis 427.

Jesch, Dietrich, »Gesetz und Verwaltung. Eine Problemstudie zum Wandel des Gesetzmäßigkeitsprinzips«, Tübingen 1961.

Ders., »Korreferat. Der Gemeingebrauch«, in: JuS 1963, S. 213–219.

Jochimsen, R., »Zum Aufbau und Ausbau eines integrierten Aufgabenplanungssystems und Koordinationssystems der Bundesregierung«, in: J. H. Kaiser (Hrsg.), Planung, Bd. 6, Baden-Baden 1972, S. 35–61.

Ders., »Planung im staatlichen Bereich«, in: Bulletin des Presse- und Informationsamtes der Bundesregierung 1971, S. 1336–1347.

Jürgensen, Harald (unter Mitarbeit von: Aldrup, D., Iblher, P., Imhoff, J.), »Der Rationalisierungseffekt von Linienkonferenzen in Fahrtgebieten von besonderem Interesse für die kontinentaleuropäische Schiffahrt«, Göttingen 1971.

Kästner, Klaus, »Gesamtwirtschaftliche Planung in einer gemischten Wirtschaftsordnung«, Göttingen 1966.

Kaiser, Joseph H., »Die Repräsentation organisierter Interessen«, Berlin 1956.

Kantzenbach, Erhard, »Die Funktionsfähigkeit des Wettbewerbs«, Göttingen 1966.

Ders., »Gedanken zur wirtschaftspolitischen Grundentscheidung«, in: Jahrbuch für Sozialwissenschaft, Bd. 19 (1968), S. 171–182.

Kaupen, Wolfgang, »Die Hüter von Recht und Ordnung. Die soziale Herkunft, Erziehung und Ausbildung der deutschen Juristen. – Eine soziologische Analyse«, Neuwied, Berlin 1969.

Kaupen, Wolfgang / Rasehorn, Theo, »Die Justiz zwischen Obrigkeitsstaat und Demokratie«, Neuwied, Berlin 1971.

Kehr, Eckart, »Zur Genesis der preußischen Demokratie und des Rechtsstaates. Ein Beitrag zum Diktaturproblem«, zuerst veröffentlicht 1932, hier zit. nach dem Wiederabdruck in: H.-U. Wehler, Moderne deutsche Sozialgeschichte, Köln, Berlin 1968, S. 37–54.

Keller, Theo, »Merkliche oder unmerkliche Steuern«, in: Finanzarchiv, N.F., Bd. 27 (1968), S. 110–120.

Kewenig, Wilhelm A., »Zur Revision des Grundgesetzes: Planung im Spannungsverhältnis von Regierung und Parlament«, in: DöV 1973, S. 23–32.

Kirchhof, Paul / Walter, Hannfried, »Die verfassungsrechtliche Problematik des rückzahlbaren Konjunkturzuschlags«, in: NJW 1970, S. 1575–1581.

Klages, Helmut, »Planungspolitik. Probleme und Perspektiven der umfassenden Zukunftsgestaltung«, Stuttgart, Berlin, Köln, Mainz 1971.

Klaus, Joachim, »Der Wandel der ordnungspolitischen Vorstellungen durch Globalsteuerung und Konzertierte Aktion«, in: Zeitschrift für Nationalökonomie, Bd. 29 (1969), S. 385 bis 406.

Klein, Franz, »Gleichheitssatz und Steuerrecht. Eine Studie über Gleichheit und Gerechtigkeit der Besteuerung im System des Grundgesetzes«, Köln 1966.

Klein, Franz, Referat über die Kartellfrage auf dem Deutschen Juristentage, Innsbruck, 10. September 1904, zit. nach dem Abdruck in: ders., Reden, Vorträge, Aufsätze, Briefe, Wien 1927, Bd. 1, S. 249–280.

Kleps, Karlheinz, »Langfristige Wirtschaftspolitik in Europa. Die neuen wirtschaftspolitischen Konzeptionen und ihre Problematik«, Freiburg 1966.

Kloepfer, Michael, »Das Geeignetheitsgebot bei wirtschaftslenkenden Steuergesetzen. Zum Beschluß des Bundesverfassungsgerichts über die Verfassungsmäßigkeit des Absicherungsgesetzes«, in: NJW 1971, S. 1585–1588.

Kluxen, Kurt (Hrsg.), »Parlamentarismus«, Köln, Berlin 1967.

Kölble, Josef, »Pläne im Bundesmaßstab oder auf bundesrechtlicher Grundlage«, in: J. H. Kaiser (Hrsg.), Planung, Bd. 1, Baden-Baden 1965, S. 91–121.

Körner, Heiko, »Die gesellschaftliche Dimension der Wirtschaftspolitik«, in: Jahrbuch für Sozialwissenschaften, Bd. 22 (1971), S. 1–11.

Köttgen, Arnold, »Zur Diskussion über das konjunkturpolitische Instrumentarium des Bundes gegenüber Ländern und Gemeinden«, in: Archiv für Kommunalwissenschaften, Bd. 5 (1966), S. 3–41.

Ders., »Der soziale Bundesstaat«, in: Neue Wege der Fürsorge. Rechtsgrundlagen und Lebensbilder. Festgabe für Hans Muthesius zum 75. Geburtstag, Köln, Berlin, München, Bonn 1960, S. 19–45.

Kohn, Helmut, »Das Gesetz zur Förderung der Stabilität und des Wachstums«, BMWi-Texte, 3. Aufl., Wuppertal 1970.

Kosellek, Reinhart, »Staat und Gesellschaft in Preußen 1815–1848«, in: W. Conze (Hrsg.), Staat und Gesellschaft im deutschen Vormärz 1815–1848, Stuttgart 1962, S. 79–112, zit. nach dem Wiederabdruck in: H.-U. Wehler (Hrsg.), Moderne deutsche Sozialgeschichte, Köln, Berlin 1968, S. 55–84.

Koubek, Norbert, »Quantitative und qualitative Aspekte der ökonomischen Konzentration und gesellschaftlichen Machtverteilung in der Bundesrepublik Deutschland«, Teil III: »Personelle und institutionelle Verbindung der Bereiche ›Produktion‹ und ›Kapital‹ in der Wirtschaftsgesellschaft der BRD«, in: WWI-Mitteilungen, Bd. 24 (1971), S. 258–274.

Krüger, Herbert, »Allgemeine Staatslehre«, 2. Aufl., Stuttgart 1966.

Ders., »Grundgesetz und Kartellgesetz«, Göttingen 1950.

Ders., »Staatsverfassung und Wirtschaftsverfassung«, in: DVBl. 1951, S. 361–368.

Kübler, Friedrich, »Kodifikation und Demokratie«, in: JZ 1969, S. 645–651.

Külp, Bernhard, »Bonn hat seine Rolle schlecht gespielt. Die Fehler anderer müssen die

Bereitschaft der Tarifpartner zu zielkonformem Verhalten schwächen«, in: Der Volkswirt 1969, Nr. 26, S. 36–37.

Laband, Paul, »Das Staatsrecht des Deutschen Reiches«, 5. Aufl., Tübingen 1911.

Leibfried, Stephan / Quilisch, Martin, »Planung im Sozialstaat«, in: Atomzeitalter 1967, S. 552–564, 610–622.

Leibholz, Gerhard, »Die Auflösung der liberalen Demokratie in Deutschland und das autoritäre Staatsbild«, München, Leipzig 1933.

Ders., »Staat und Verbände«, in: VVDStRL Heft 24 (1966), S. 5–33.

Ders., »Verfassungsrecht und Arbeitsrecht«, zwei Vorträge zum Arbeitsrecht, in: Schriften des Deutschen Arbeitsgerichtsverbandes, München 1960.

Ders., »Das Wesen der Repräsentation und der Gestaltwandel der Demokratie im 20. Jahrhundert«, 3. Aufl., Berlin 1966.

Leisner, Walter, »Schwächung der Landesparlamente durch grundgesetzlichen Föderalismus«, in: DöV 1968, S. 389–396.

Ders., »Die quantitative Gewaltenteilung. Für ein neues Verständnis der Trennung der Gewalten«, in: DöV 1969, S. 405–411.

Leist, Alexander (bearbeitet von H. Nipperdey), »Die moderne Privatrechtsordnung und der Kapitalismus«, in: Grundriß der Sozialökonomie, IV. Abt., 1. Teil, Tübingen 1925.

Lenk, Kurt, »Volk und Staat. Strukturwandel politischer Ideologien im 19. und 20. Jahrhundert«, Stuttgart, Berlin, Köln, Mainz 1971.

Lerche, Peter, »Föderalismus als nationales Ordnungsprinzip«, in: VVDStRL Heft 21 (1964), S. 66–104.

Ders., »Rechtsprobleme der wirtschaftslenkenden Verwaltung«, in: DöV 1961, S. 486–492.

Liesegang, Helmuth C. F., »Zum Entwurf eines Gesetzes über die parlamentarische Kontrolle der Regierungsplanung«, in: ZRP 1972, S. 259–262.

Liesegang, Helmuth C. F. / Plöger, Rainer, »Schwächung der Parlamente durch den kooperativen Föderalismus?«, in: DöV 1971, S. 228–236.

Lompe, Klaus, »Gesellschaftspolitik und Planung. Probleme politischer Planung in der sozialstaatlichen Demokratie«, Freiburg 1971.

Markert, Kurt, »Kartelle als Mittel staatlicher Wirtschaftsplanung«, in: J. H. Kaiser (Hrsg.), Planung, Bd. 4, Baden-Baden 1971, S. 191–201.

Martens, Wolfgang, »Grundrechte im Leistungsstaat«, in: VVDStRL Heft 30 (1972), S. 7–42.

Marx, Karl, »Das Kapital. Kritik der politischen Ökonomie«, Bd. 3, zit. nach K. Marx / F. Engels, Werke, Bd. 25, Hrsg. Institut für Marxismus-Leninismus beim ZK der SED, Berlin 1964.

Maunz, Theodor, »Deutsches Staatsrecht«, 16. Aufl., München 1968.

Maunz, Theodor / Dürig, Günter / Herzog, Roman, »Grundgesetz. Kommentar«, Bd. 1 und 2, Lieferung 1–12, München 1971.

Mayer, Otto, »Deutsches Verwaltungsrecht«, 1. Bd., Leipzig 1895, 2. Bd., 1896, 3. Aufl., Leipzig 1923.

Ders., »Zur Lehre vom öffentlichrechtlichen Vertrage«, in: Archiv für öffentliches Recht, Bd. 3 (1888), S. 1–86.

Menger, Christian-Friedrich, »Der Begriff des sozialen Rechtsstaates im Bonner Grundgesetz«, in: Recht und Staat, Heft 173, Tübingen 1953, zit. nach dem Wiederabdruck in: E. Forsthoff (Hrsg.), Rechtsstaatlichkeit und Sozialstaatlichkeit, Darmstadt 1968, S. 42–72.

Möller, Alex (Hrsg.), »Gesetz zur Förderung der Stabilität und des Wachstums der Wirtschaft und Art. 109. Kommentar unter besonderer Berücksichtigung der Entstehungsgeschichte«, Hannover, 1. Aufl. 1968, 2. Aufl. 1969.

Mötteli, Carlo, »Gesellschaft, Staat und Wirtschaft. Von der sozialen Marktwirtschaft zur ›Formierten Gesellschaft‹«, in: Ordo, Bd. 16 (1966), S. 229–244.

v. Mohl, Robert, »Encyklopädie der Staatswissenschaften«, 2. Aufl., Tübingen 1872.

Ders., »Die Geschichte und Literatur der Staatswissenschaften«, Bd. 1–3, Erlangen 1855 bis 1858.

Mückenberger, Ulrich, »Legitimation durch Realitätsverleugnung. Am Beispiel Privatautonomie«, in: KJ 1971, S. 248–269.

Müller, Günter, »Die Entwicklung des deutschen Leuchtmittelmarktes seit 1945«, Freie wissenschaftliche Arbeit zur Erlangung des Grades eines Diplomkaufmannes (Manuskript), Berlin o. J.

Müller-Armack, Alfred, »Das gesellschaftliche Leitbild der sozialen Marktwirtschaft«, zuerst veröffentlicht in: Evangelische Verantwortung, H. 12 (1962), sowie in: Wirtschaftpolitische Chronik, Heft 3 (1962), hier zit. nach dem Wiederabdruck in: ders., Wirtschaftsordnung und Wirtschaftspolitik. Studien zur Sozialen Marktwirtschaft und zur Europäischen Integration, Freiburg 1966, S. 293–315.

Ders., »Soziale Marktwirtschaft«, in: Handwörterbuch der Sozialwissenschaften, Bd. 9, 1965, hier zit. nach dem Wiederabdruck in: ders., Wirtschaftsordnung und Wirtschaftpolitik. Studien zur Sozialen Marktwirtschaft und zur Europäischen Integration, Freiburg 1966, S. 243–250.

Ders., »Die zweite Phase der Sozialen Marktwirtschaft. Ihre Ergänzung durch das Leitbild einer neuen Gesellschaftspolitik«, zuerst veröffentlicht in: Studien zur Sozialen Marktwirtschaft, Köln 1960, hier zit. nach dem Wiederabdruck in: ders., Wirtschaftsordnung und Wirtschaftspolitik. Studien zur Sozialen Marktwirtschaft und zur Europäischen Integration, Freiburg 1966, S. 267–291.

Müller-Römer, Dietrich, »Zur rechtlichen Tragweite von § 1 Stabilitätsgesetz«, in: DöV 1969, S. 703–705.

Narr, Wolf-Dieter, »CDU – SPD. Programm und Praxis seit 1945«, Stuttgart, Berlin, Köln, Mainz 1966.

Ders., »Theoriebegriffe und Systemtheorie«, in: W.-D. Narr / F. Naschold, Einführung in die moderne politische Theorie, Bd. 1, 2. Aufl., Stuttgart, Berlin, Köln, Mainz 1971.

Naschold, Frieder, »Anpassungsplanung oder politische Gestaltungsplanung? Zur politischen Planung in der BRD am Beispiel der mehrjährigen Finanzplanung«, in: W. Steffani (Hrsg.), Kritik, Bd. 3, Parlamentarismus ohne Transparenz, Opladen 1971, S. 69–104.

Neumann, Franz, »Zum Begriff der politischen Freiheit«, in: ders., Demokratischer und autoritärer Staat, Frankfurt 1967 (Nachdruck 1971), S. 76–117.

Ders., »Der Strukturwandel des Gesetzes im Recht der bürgerlichen Gesellschaft«, in: ders., Demokratischer und autoritärer Staat, Frankfurt 1967 (Nachdruck 1971), S. 5–57.

Ders., »Über die Voraussetzungen und den Rechtsbegriff der Wirtschaftsverfassung«, in: Die Arbeit, Bd. 8 (1931), S. 588–606.

Neumann, Lothar, »Vom Markt zur Organisation«, in: ZRP 1970, S. 193–194.

Neumark, Fritz, »Fiskalpolitik und Wachstumsschwankungen«, Wiesbaden 1968.

Ders., »Interventionistische und dirigistische Steuerpolitik«, zuerst veröffentlicht in: Wirtschaftsfragen der freien Welt. Festgabe für Ludwig Erhard, Frankfurt 1957, S. 540 ff., hier zit. nach dem Wiederabdruck in: ders., Wirtschafts- und Finanzprobleme des Interventionsstaates, Tübingen 1961, S. 279–290.

Nipperdey, Hans Carl, »Soziale Marktwirtschaft und Grundgesetz«, in: Kartellrundschau, Schriftenreihe für Kartell- und Konzernrecht des In- und Auslandes, Heft 2, 2. Aufl., Köln, Berlin, München, Bonn 1961.

Nipperdey, Thomas, »Interessenverbände und Parteien in Deutschland vor dem Ersten Weltkrieg«, in: Politische Vierteljahresschrift, Bd. 2 (1961), S. 262–280, hier zit. nach dem Wiederabdruck in: H. U. Wehler (Hrsg.), Moderne deutsche Sozialgeschichte, Köln, Berlin 1968, S. 369–388.

v. Oertzen, Peter, »Die Bedeutung C. F. v. Gerbers für die deutsche Staatsrechtslehre«, in: Staatsverfassung und Kirchenordnung. Festgabe für Rudolf Smend zum 80. Geburtstag am 15. Januar 1962, Tübingen 1962, S. 183–208.

Ders., »Die soziale Funktion des staatsrechtlichen Positivismus. Eine wissenssoziologische Studie über die Entstehung des formalistischen Positivismus in der deutschen Staatsrechtswissenschaft«, Diss. phil. Göttingen 1952/53.

Opitz, Reinhard, »Der große Plan der CDU: die ›Formierte Gesellschaft‹«, in: Blätter für deutsche und internationale Politik, Bd. 10 (1965), S. 750–777.

Oppermann, Thomas, »Gemeinsame Bildungs- und Forschungsfinanzierung durch Bund und Länder nach Art. 96 b und 104 a Grundgesetz«, in: DöV 1972, S. 591–597.

Partsch, Karl Josef, »Die verfassungsmäßige Sicherung von Wirtschaftsprinzipien«, in: Ordo, Bd. 6 (1954), S. 19–38.

Pohmer, Dieter / Göckeler, Werner, »Konzertierte Aktion und Finanzpolitik«, in: E. Hoppman (Hrsg.), Konzertierte Aktion. Kritische Beiträge zu einem Experiment, Frankfurt 1971, S. 69–90.

Preuß, Ulrich K., »Nachträge zur Theorie des Rechtsstaates«, in: KJ 1971, S. 16–29.

Radbruch, Gustav, »Die politischen Parteien im System des deutschen Verfassungsrechts«, in: G. Anschütz / R. Thoma, Handbuch des Deutschen Staatsrechts, Bd. 1, Tübingen 1930, S. 285–294.

Raiser, Ludwig, Diskussionsbeitrag, in: VVDStRL Heft 10 (1952), S. 158–159.

Redeker, Konrad, »Staatliche Planung im Rechtsstaat«, in: JZ 1969, S. 537–542.

Reichert-Facilides, F., »Geldwertschwankungen und Privatrecht«, in: JZ 1969, S. 617–623.

Renner, Karl, »Die Rechtsinstitute des Privatrechts und ihre soziale Funktion«, Stuttgart 1965.

Ridder, Helmut K. J., »Enteignung und Sozialisierung«, in: VVDStRL Heft 10 (1952), S. 124–149.

Riedel, Manfred, »Studien zu Hegels Rechtsphilosophie«, Frankfurt 1969.

Riek, Werner / Schütze, Leo / Wilhelmi, Robert, »Zwölf Thesen zur ›Formierten Gesellschaft‹«, in: Gesellschaftspolitische Kommentare, Bd. 11 (1965), S. 157–163.

Rietdorf, Fritz, »Die Gemeinschaftsaufgaben – ein Schritt zur gemeinsamen Aufgabenplanung von Bund und Ländern?«, in: DöV 1972, S. 513–519.

Ritter, Ernst-Hasso, »Der Wandel der Wirtschaftspolitik und die wirtschaftsverfassungsrechtliche Bedeutung des Gesetzes gegen Wettbewerbsbeschränkungen«, in: BB 1968, S. 1393–1399.

Röper, Burkhardt, »Der wirtschaftliche Hintergrund der Kartell-Legalisierung durch das Reichsgericht 1897«, in: Ordo, Bd. 3 (1950), S. 239–250.

Röpke, Wilhelm, »Klein- und Mittelbetriebe in der Volkswirtschaft«, in: Ordo, Bd. 1 (1948), S. 155–174.

Rüstow, Alexander, »Kritik des technischen Fortschrittes«, in: Ordo, Bd. 4 (1951), S. 373 bis 407.

Ders., Votum anläßlich der Aussprache im Verein für Socialpolitik zum Thema ›Deutschland und die Weltkrise‹ am 28. 9. 1932, in: Schriften des Vereins für Socialpolitik, Bd. 187, München 1933, S. 62–69.

Rüstow, Hans-Joachim, »Orientierungsdaten für die Lohnpolitik im Rahmen der Konzertierten Aktion«, in: Konjunkturpolitik, Bd. 13 (1967), S. 259–282.

Runge, Christian / Kohlhaas, Peter, »Verfassungsrechtliche Bedenken gegenüber dem Leber-Plan«, in: BB 1968, S. 844–848.

Runge, Uwe, »Antinomien des Freiheitsbegriffes im Rechtsbild des Ordoliberalismus«, Tübingen 1971.

Rupp, Hans Heinrich, »Der Auftrag des Grundgesetzes«, in: Frankfurter Allgemeine Zeitung vom 30. 11. 1972, S. 22.

Ders., Diskussionsbeitrag, in: VVDStRL Heft 27 (1969), S. 87–89.

Ders., »Die Dogmatik des Verwaltungsrechts und die Gegenwartsaufgaben der Verwaltung«, in: DVBl. 1971, S. 669–674.

Ders., »Freiheit und Partizipation«, in: NJW 1972, S. 1537–1544.

Ders., »Grundfragen der heutigen Verwaltungsrechtslehre. Verwaltungsnorm und Verwaltungsrechtsverhältnis«, Tübingen 1965.

Ders., »Konzertierte Aktion und freiheitlich-rechtsstaatliche Demokratie«, in: E. Hoppmann (Hrsg.), Konzertierte Aktion. Kritische Beiträge zu einem Experiment, Frankfurt 1971, S. 1–18.

Ders., »Zur Problematik öffentlich-rechtlicher Machtpotenzierung durch Funktionenkombination. Dargestellt an der Frage der Zulässigkeit kartellrechtlicher Begründungen in Preisbescheiden«, in: NJW 1968, S. 569–573.

Ders., »Verfassungsrechtliche Aspekte der Postgebühren und des Wettbewerbs der Deutschen Bundespost mit den Kreditinstitutionen«, Köln 1971.

Ders., »Die verfassungsrechtliche Seite des Umweltschutzes«, in: JZ 1971, S. 401–404.

Ders., »Verwaltungsakt und Vertragsakt«, in: DVBl. 1959, S. 81–87.

Säcker, Franz-Jürgen, »Zielkonflikte und Koordinationsprobleme im deutschen und europäischen Kartellrecht. Kritische Bemerkungen zum Regierungsentwurf der Kartellgesetznovelle vom 28. Mai 1971 und zur EWG-Bagatellbekanntmachung vom 2. Juni 1971«, in: Schriftenreihe ›Der Betrieb‹, Düsseldorf o. J.

Sandtner, Walter, »Ein Jahr Enquête-Kommission Verfassungsreform«, in: DVBl. 1971, S. 324–328.

Ders., »Zwischenbericht über die Enquête-Kommission Verfassungsreform«, in: DVBl. 1971, S. 682–684.

Sauer, Wolfgang, »Das Problem des deutschen Nationalstaates«, zuerst in: Politische Vierteljahresschrift, Bd. 3 (1962), S. 159–168, hier zit. nach dem Wiederabdruck in: H. U. Wehler (Hrsg.), Moderne Deutsche Sozialgeschichte, Köln, Berlin 1968, S. 407–436.

Schäder, R., »Vergleich der Gesamtsysteme von Wirtschafts- und Staatsordnung«, in: Jahrbuch für Sozialwissenschaft, Bd. 19 (1968), S. 287–307.

Schaumann, Diskussionsbeitrag, in: VVDStRL Heft 27 (1969), S. 100–102.

Scheuner, Ulrich, »Begriff und Entstehung des Rechtsstaates«, in: H. Dombois / E. Wilkens (Hrsg.), Macht und Recht. Beiträge zur lutherischen Staatslehre der Gegenwart, Berlin 1965, S. 76–88.

Ders., Diskussionsbeitrag, in: VVDStRL Heft 10 (1952), S. 153–156.

Ders., »Die Funktion der Grundrechte im Sozialstaat. Die Grundrechte als Richtlinie und Rahmen der Staatstätigkeit«, in: DöV 1971, S. 505–513.

Ders., »Die Garantie des Eigentums in der Geschichte der Grund- und Freiheitsrechte«, in: Der Schutz des Eigentums. Untersuchungen zu Art. 14 des Grundgesetzes für die Bundesrepublik Deutschland, Hannover 1966.

Ders., »Das Grundrecht der Berufsfreiheit«, in: DVBl. 1958, S. 845–849.

Ders., »Grundrechtsinterpretation und Wirtschaftsordnung«. in: DöV 1956, S. 65–70.

Ders., »Kooperation und Konflikt. Das Verhältnis von Bund und Ländern im Wandel«, in: DöV 1972, S. 585–591.

Ders., »Die Lage des parlamentarischen Regierungssystems in der Bundesrepublik«, in: DöV 1974, S. 433–441.

Ders., »Die neuere Entwicklung des Rechtsstaates in Deutschland«, in: Hundert Jahre Deutsches Rechtsleben. Festschrift zum hundertjährigen Bestehen des Deutschen Juristentages 1860–1960, Bd. 2, Karlsruhe 1960, S. 229–262.

Ders., »Die staatliche Intervention im Bereich der Wirtschaft. Rechtsformen und Rechtsschutz«, in: VVDStRL Heft 11 (1954), S. 1–74.

Ders., »Struktur und Aufgaben des Bundesstaates in der Gegenwart«, in: DöV 1962, S. 641 bis 648.

Ders., »Verfassungsrechtliche Probleme einer zentralen staatlichen Planung«, in: J. H. Kaiser (Hrsg.), Planung, Bd. 1, 1965, S. 67–89.

Ders., »Das Wesen des Staates und der Begriff des Politischen in der neueren Staatslehre«, in: Staatsverfassung und Kirchenordnung. Festgabe für Rudolf Smend zum 80. Geburtstag am 15. Januar 1962, Tübingen 1962, S. 225–260.

Schiller, Karl, »Konjunkturpolitik auf dem Wege zu einer Affluent Society«, in: Jahre der Wende. Festgabe für Alex Möller zum 65. Geburtstag, Karlsruhe 1968.

Ders., »Preisstabilität durch globale Steuerung der Marktwirtschaft«, in: Walter Eucken Institut. Vorträge und Aufsätze, 15, Tübingen 1966.

Ders., Reden zur Wirtschaftspolitik, Bd. 1–9, Herausgegeben vom Bundesministerium für Wirtschaft, Bonn 1967–1971.

Ders., »Zukunftsaufgaben der Industriegesellschaft«, Vorwort zu A. Shonfield, Geplanter Kapitalismus, Köln, Berlin 1968, S. XV–XXI.

Schlecht, Otto, »Konzertierte Aktion als Instrument der Wirtschaftspolitik«, in: Walter Eucken Institut. Vorträge und Aufsätze, 21, Tübingen 1968.

Schmahl, Hans-Jürgen, »Globalsteuerung der Wirtschaft. Die neue Konjunkturpolitik in der Bundesrepublik Deutschland«, Veröffentlichungen des HWWA-Institutes für Wirtschaftsforschung – Hamburg, Hamburg 1970.

Ders., »Globalsteuerung – Zwischenbilanz einer neuen Konjunkturpolitik«, in: Hamburger Jahrbuch für Wirtschafts- und Gesellschaftspolitik, Bd. 16 (1971), S. 271–286.

Schmidt, Hans-Jürgen, »Zum Verhältnis von Bundes- und Landesparlamenten«, in: DöV 1973, S. 469–476.

Schmidt, Helmut, »Die Zukunft planen. Zum Entwurf des ›Langzeitprogramms‹ der SPD«, in: Marktwirtschaft 1972, Heft 8, S. 4–5.

Schmidt, Reiner, »Wirtschaftspolitik und Verfassung. Grundprobleme«, Baden-Baden 1971.

Schmidtchen, Dieter, »Wirtschaftspolitik im Dienste von ›Kapitalinteressen‹. Zur marxistischen Kritik an der ›Kapitalsicherungspolitik‹«, in: Ordo, Bd. 22 (1971), S. 49–86.

Schmidt-Bleibtreu, Bruno, »Maßnahmen zur Eindämmung des Straßengüterfernverkehrs«, in: BB 1968, S. 261–264.

Schmidt-Preuß, Matthias, »Plan-Programm und Verfassung – Bemerkungen zu § 1 Stabilitätsgesetz«, in: JZ 1969, S. 535–539.

Schmitt, Carl, »Die geistesgeschichtliche Lage des heutigen Parlamentarismus«, 4. Aufl. (Nachdruck), Berlin 1969.

Ders., »Der Hüter der Verfassung«, 2. Aufl., Berlin 1969.

Ders., »Hugo Preuß, sein Staatsbegriff und seine Stellung in der deutschen Staatslehre«, Tübingen 1930.

Ders., »Verfassungslehre«, 3. (unveränderte) Aufl., Berlin 1957.

Schmoller, Gustav, »Das Verhältnis der Kartelle zum Staat«, in: Schriften des Vereins für Socialpolitik, Bd. 116, 1906.

Schneider, Franz, »Die politische Komponente der Rechtsstaatsidee in Deutschland«, in: Politische Vierteljahresschrift, Bd. 9 (1968), S. 330–352.

Schneider, Peter, »Prinzipien der Verfassungsinterpretation«, in: VVDStRL Heft 20 (1963), S. 1–52.

Schüle, A., »Die staatliche Intervention im Bereich der Wirtschaft«, in: VVDStRL Heft 11 (1954), S. 75–112.

Schueler, Hans, » Marktwirtschaft ist kein Dogma«, in: Die Zeit, Nr. 14, vom 29. 3. 1974, S. 6–7.

Schütze, Leo, »Die ›Formierte Gesellschaft‹ als umfassendes gesellschaftspolitisches Programm«, in: Gesellschaftspolitische Kommentare, Bd. 12 (1965), S. 189–192.

Ders., »Zum politischen und geschichtlichen Aspekt der ›Formierten Gesellschaft‹«, in: Gesellschaftspolitische Kommentare, Bd. 12 (1965), S. 109–110.

Schütze, Leo / Riek, Werner, »Von der Klassengesellschaft zur Formierten Gesellschaft«, in: Gesellschaftspolitische Kommentare, Bd. 12 (1965), S. 111–114.

Schumpeter, Joseph A., »Geschichte der ökonomischen Analyse«, Göttingen 1965.

Schwabe, Jürgen, »Krankenversorgung und Verfassungsrecht«, in: NJW 1969, S. 2274–2276.

Seeger, Julius, »Finanzierung von Länderaufgaben durch den Bund«, in: DöV 1968, S. 781 bis 788.

Shonfield, Andrew, »Geplanter Kapitalismus. Wirtschaftspolitik in Westeuropa und USA«, deutsche Übersetzung, Köln, Berlin 1968.

v. Simson, W., Diskussionsbeitrag, in: VVDStRL Heft 27 (1969), S. 82–83.

Smend, Rudolf, »Bürger und Bourgeois«, Rede, gehalten bei der Reichsgründungsfeier der Friedrich-Wilhems-Universität Berlin am 18. Januar 1933, zit. nach dem Abdruck in: ders., Staatsrechtliche Abhandlungen, 2. Aufl., Berlin 1968, S. 309–325.

Ders., »Verfassung und Verfassungsrecht«, München, Leipzig 1928, zit. nach dem Abdruck in: ders., Staatsrechtliche Abhandlungen, 2. Aufl., Berlin 1968, S. 119–276.

Sörgel, Werner, »Konsensus und Interessen. Eine Studie zur Entstehung des Grundgesetzes für die Bundesrepublik Deutschland«, Stuttgart 1969.

Sontheimer, Kurt, »Antidemokratisches Denken in der Weimarer Republik. Die politischen Ideen des deutschen Nationalismus zwischen 1918 und 1933«, München 1962.

Ders., »Grundzüge des politischen Systems der Bundesrepublik Deutschland«, München 1971.

Ders., »Politische Wissenschaft und Staatsrechtslehre«, Freiburg 1963.

Spanner, Hans, »Über Finanzreform und Bundesstaat. Ab- oder Umbau des Bundesstaates unter besonderer Berücksichtigung der Gemeinschaftsaufgaben«, in: Festgabe für Theodor Maunz zum 70. Geburtstag am 1. September 1971, München 1971, S. 375–390.

Stachels, Elmar, »Das Stabilitätsgesetz des Regierungshandelns«, Diss. iur. Köln 1969, Berlin 1970.

Stadelmann, Rudolf, »Soziale Ursachen der Revolution von 1848«, Auszug aus: ders., Soziale und politische Geschichte der Revolution 1848, München 1948, S. 1–21, 198–200, hier zit. nach dem Abdruck in: H. U. Wehler (Hrsg.), Moderne deutsche Sozialgeschichte, Köln, Berlin 1968, S. 137–158.

Stahl, Friedrich Julius, »Allgemeine Rechts- und Staatslehre«, 3. Aufl. 1854/1856.
Ders., »Die gegenwärtigen Parteien in Staat und Kirche«, Berlin 1863.
Steinberg, Rudolf, »Zur Institutionalisierung des Verbandseinflusses in einem Bundeswirtschafts- und Sozialrat«, in: DöV 1972, S. 837–845.
Stern, Klaus, »Gesetz zur Förderung der Stabilität und des Wachstums der Wirtschaft. Einige Grundsatzfragen«, in: DöV 1967, S. 657–662.
Ders. »Grundfragen der globalen Wirtschaftssteuerung«, Berlin 1969.
Ders., »Konjunktursteuerung und kommunale Selbstverwaltung – Spielraum und Grenzen«, Gutachten für den 47. Deutschen Juristentag, München 1968.
Ders., »Die Neufassung des Art. 109 GG«, in: NJW 1967, S. 1831–1837.
Ders., »Probleme staatlicher Konjunktursteuerung«, Köln 1968.
Ders., »Totalrevision des Grundgesetzes?«, in: Festgabe für Theodor Maunz zum 70. Geburtstag am 1. September 1971, München 1971, S. 391–414.
Stern, Klaus / Münch, Paul, »Gesetz zur Förderung der Stabilität und des Wachstums der Wirtschaft vom 8. Juni 1967«, Stuttgart, Berlin, Köln, Mainz 1967.
Stolper, Gustav, fortgeführt von: Häuser, Karl / Borchardt, Knut, »Deutsche Wirtschaft seit 1870«, 2. erg. Aufl., Tübingen 1966.
Strauß, Walter, »Wirtschaftsverfassung und Staatsverfassung«, in: Recht und Staat, Heft 165, Tübingen 1952.
Stützel, Wolfgang, »Betrachtungen zum Wachstum der westdeutschen Wirtschaft«, in: Hamburger Jahrbuch für Wirtschafts- und Gesellschaftspolitik, Bd. 13 (1968), S. 82–99.
Teschner, Manfred, »Wachstumsteuerung durch Konzertierte Aktion. Betrachtungen zu den Vorschlägen des Sachverständigenrates«, in: Konjunkturpolitik, Bd. 13 (1967), S. 58–67.
Die Thesen der CDU zum ›Deutschen Gemeinschaftswerk‹, ohne Verfasser, in: Gesellschaftspolitische Kommentare, Bd. 11 (1965), S. 143–144.
Thibaut, A. F. J., »Über die Notwendigkeit eines allgemeinen bürgerlichen Rechts für Deutschland«, 1814, zit. nach dem Wiederabdruck in: Thibaut und Savigny. Ein programmatischer Rechtsstreit auf Grund ihrer Schriften, Nachdruck, Darmstadt 1959.
Thiele, Willi, »Einführung in das Wirtschaftsverfassungsrecht«, Göttingen 1970.
Ders., »Reichswirtschaftsrat – Konzertierte Aktion – Bundeswirtschafts- und Sozialrat?«, in: DVBl. 1970, S. 529–532.
Thieme, Werner, Liberalismus und Grundgesetz«, in: Zeitschrift für die gesamte Staatswissenschaft, Bd. 113 (1957), S. 258–300.
Thoma, Richard, »Rechtsstaatsidee und Verwaltungswissenschaft«, in: Jahrbuch des öffentlichen Rechts der Gegenwart, Bd. 4 (1910), S. 196–218.
Tiemann, Burkhard, »Die neuen Gemeinschaftsaufgaben (Art. 91 a, b GG) im System des Grundgesetzes«, in: DöV 1970, S. 161–166.
Timm, Herbert, »Bemerkungen zur wirtschaftspolitisch orientierten nichtfiskalischen Besteuerung«, in: Finanzarchiv, N. F., Bd. 27 (1968), S. 87–109.
Tormin, Walter, »Geschichte der deutschen Parteien seit 1848«, Stuttgart 1967.
Triepel, Heinrich, »Staatsrecht und Politik«, Rede beim Antritte des Rektorats der Friedrich-Wilhelms-Universität zu Berlin am 15. Oktober 1926, Berlin, Leipzig 1929.
Ders., »Staatsverfassung und politische Parteien«, Berlin 1928.
Unland, Hermann Josef, »Der ›Erhard-Plan‹. Das ›Deutsche Gemeinschaftswerk‹ als Finanzierungsinstitut für Gemeinschaftsaufgaben«, in: Gesellschaftspolitische Kommentare, Bd. 12 (1965), S. 87–90.
Vedel, George, »Droit Administratif«, Bd. 1, Paris 1958.

Voegelin, Eric, »Die dritte Phase der Industriegesellschaft. Die Interdependenz als Wesenselement der ›Formierten Gesellschaft‹«, in: Gesellschaftspolitische Kommentare, Bd. 12 (1965), S. 123–128.

Vogel, Klaus, Diskussionsbeitrag, in: VVDStRL Heft 27 (1969), S. 93–94.

Ders., »Gesetzgeber und Verwaltung«, in: VVDStRL Heft 24 (1966), S. 125–182.

Ders., »Steuerrecht und Wirtschaftslenkung«, in: Jahrbuch der Fachanwälte für Steuerrecht 1968/69, S. 225 ff.

Vogt, Winfried, »Die Wachstumszyklen der westdeutschen Wirtschaft«, in: Recht und Staat, Bd. 370, Tübingen 1968.

Wagner, Heinz, Diskussionsbeitrag, in: VVDStRL Heft 27 (1969), S. 90–93.

Ders., »Öffentlicher Haushalt und Wirtschaft«, in: VVDStRL Heft 27 (1969), S. 47–81.

Ders., »Um ein neues Verfassungsverständnis. Gedanken zur 15. Grundgesetzänderung«, in: DöV 1968, S. 604–608.

Wahl, Rainer, »Notwendigkeit und Grenzen langfristiger Aufgabenplanung«, in: Der Staat, Bd. 11 (1972), S. 459–482.

Ders., »Die politische Planung in den Reformüberlegungen der Bundesregierung«, in: DöV 1971, S. 42–47.

Watrin, Christian, »Geldwertstabilität, Konzertierte Aktion und autonome Gruppen«, in: E. Hoppmann (Hrsg.), Konzertierte Aktion. Kritische Beiträge zu einem Experiment, Frankfurt 1971, S. 201–228.

Weber, Max, »Wirtschaft und Gesellschaft. Grundriß der verstehenden Soziologie«, zit. nach der Studienausgabe von J. Winckelmann, Tübingen 1956.

Ders., »Staatssoziologie«, Berlin 1956.

Weber, Werner, »Das Problem der Revision und einer Totalrevision des Grundgesetzes«, in: Festgabe für Theodor Maunz zum 70. Geburtstag am 1. September 1971, München 1971, S. 451–476.

Ders., »Die verfassungsrechtlichen Grenzen sozialstaatlicher Forderungen«, in: Der Staat, Bd. 4 (1965), S. 409–439.

Weller, Fritz, »Wirtschaftspolitik und föderativer Staatsaufbau in der Bundesrepublik Deutschland«, Berlin 1967.

Werner, Josua, »Funktionswandel der Wirtschaftsverbände durch die Konzertierte Aktion?«, in: E. Hoppmann (Hrsg.), Konzertierte Aktion. Kritische Beiträge zu einem Experiment, Frankfurt 1971, S. 179–200.

Wieacker, Franz, »Privatrechtsgeschichte der Neuzeit«, Göttingen 1952.

Ders., »Das Sozialmodell der klassischen Privatrechtsgesetzbücher und die Entwicklung der modernen Gesellschaft«, Karlsruhe 1953.

Wiethölter, Rudolf, »Die Position des Wirtschaftsrechts im sozialen Rechtsstaat«, in: Wirtschaftsordnung und Rechtsordnung. Festschrift zum 70. Geburtstag von Franz Böhm am 16. Februar 1965, Karlsruhe 1965, S. 41–62.

Ders., »Rechtswissenschaft«, Frankfurt, Hamburg 1968.

Wilhelm, Walter, »Zur juristischen Methodenlehre im 19. Jahrhundert. Die Herkunft der Methode Paul Labands aus der Privatrechtswissenschaft«, Frankfurt 1958.

Wimmer, Raimund, »Gewaltentrennung oder Gewaltenkooperation in der Bildungsplanung?«, in: ZRP 1970, S. 199–201.

Woll, Artur, »Inflationstheoretische Begründung der konzertierten Einkommenspolitik«, in: E. Hoppmann (Hrsg.), Konzertierte Aktion. Kritische Beiträge zu einem Experiment, Frankfurt 1971, S. 117–138.

Zacher, Hans F., Diskussionsbeitrag, in: VVDStRL Heft 27 (1969), S. 102–103.
Ders., »Verwaltung durch Subventionen«, in: VVDStRL Heft 25 (1967), S. 308–400.
Zeidler, K., »Maßnahmegesetz und ›klassisches Gesetz‹«, Karlsruhe 1961.
Zippelius, Reinhold, »Allgemeine Staatslehre«, München, 2. Aufl. 1970.
Zuck, Rüdiger, »Aktuelle Probleme der Wirtschaftspolitik und die tragenden Grundsätze der Wirtschaftsverfassung«, in: BB 1967, S. 805–809.
Ders., »Gefährdung der Ziele des § 1 Stabilitätsgesetzes und die Störung des gesamtwirtschaftlichen Gleichgewichts«, in: DöV 1967, S. 801–804.
Ders., »Die globalgesteuerte Marktwirtschaft und das neue Recht der Wirtschaftsverfassung«, in: NJW 1967, S. 1301–1306.
Ders., »Verfassungsrechtliche Probleme des Stabilitätsgesetzes«, in: JZ 1967, S. 694–698.
Zunkel, Friedrich, »Industriebürgertum in Westdeutschland«, Auszug aus: ders., Der Rheinisch-Westfälische Unternehmer, 1834–1879«, Köln 1962, S. 93–112, 246–253, hier zit. nach dem Abdruck in: H. U. Wehler (Hrsg.), Moderne deutsche Sozialgeschichte, Köln, Berlin 1968, S. 309–341.
Zwirner, H., »Die politische Treupflicht des Beamten«, Diss. iur. Göttingen 1956.

Berichte und Gutachten:
Bericht des Bundeskartellamtes über seine Tätigkeit im Jahre 1970 sowie über die Lage und Entwicklung auf seinem Aufgabengebiet, Bundestagsdrucksache VI/2380.
Bericht des Bundeskartellamtes über seine Tätigkeit im Jahre 1971 sowie über die Lage und Entwicklung auf seinem Aufgabengebiet, Bundestagsdrucksache VI/3570.
Bericht über das Ergebnis einer Untersuchung der Konzentration in der Wirtschaft vom 29. Februar 1964. Erstattet vom Bundesamt für gewerbliche Wirtschaft. Bundestagsdrucksache IV/2320.
Bericht über die Wirtschaftsentwicklung im Jahre 1962 und Aussichten für 1963 (Wirtschaftsbericht 1963), Bundestagsdrucksache IV/1010.
Erster Bericht zur Reform der Struktur von Bundesregierung und Bundesverwaltung. Vorgelegt von der durch die Bundesregierung am 25. 9. 1968 beschlossenen Projektgruppe für Regierungs- und Verwaltungsreform beim Bundesminister des Innern. August 1969 (mit Anlagenband).
Jahreswirtschaftsbericht der Bundesregierung 1970, Bundestagsdrucksache VI/281.
Jahreswirtschaftsbericht der Bundesregierung 1971, Bundestagsdrucksache VI/1760.
Kommission für die Finanzreform. Gutachten über die Finanzreform in der Bundesrepublik Deutschland, Stuttgart, Köln, Berlin, Mainz 1960.
Organisation für wirtschaftliche Zusammenarbeit (OECD) (Hrsg.), »Finanzpolitik im Dienste des wirtschaftlichen Gleichgewichts. Erfahrungen, Probleme, Lehren«, Bericht einer Expertenkommission unter Vorsitz von W. Heller, ohne Ort, 1968.
Sachverständigenrat zur Begutachtung der gesamtwirtschaftlichen Entwicklung
Jahresgutachten 1964/65 (Stabiles Geld – Stetiges Wachstum), Stuttgart, Mainz 1965.
Jahresgutachten 1965/66, Bundestagsdrucksache V/123.
Jahresgutachten 1966/67 (Expansion und Stabilität), Stuttgart, Mainz 1966.
Jahresgutachten 1967/68 (Stabilität im Wachstum), Stuttgart, Mainz 1967.
Jahresgutachten 1969/70 (Im Sog des Booms), Stuttgart, Mainz 1969.
Jahresgutachten 1971, Bundestagsdrucksache VI/2847.
Siemens Geschäftsbericht 1970/71.
Wissenschaftlicher Beirat beim Bundesminister für Wirtschaft, Gutachten vom 3. 6. und 8. 7.

1956, Instrumente der Konjunkturpolitik und ihre rechtliche Institutionalisierung, in: 4. Band: Gutachten vom Januar 1956 – Dezember 1956, Göttingen 1957, S. 34–64.
»Grundfragen der Wirtschaftspolitik«, in: Bulletin des Presse- und Informationsamtes der Bundesregierung 1973, S. 399–415.
Zwischenbericht der Enquete-Kommission für Fragen der Verfassungsreform gemäß Beschluß des Deutschen Bundestages, Bundestagsdrucksache VI/1211.

Register